ガンプラづくりを始めよう!

ガンプラはだれでも手軽に組み立てられる。写真は組み立て後、スミ入れ(→P.94)し、つや消しのコート剤(→P.122)を吹いたもの。これだけでも見栄えがかなりアップする。

▲HGUC 1/144 RX-78-2 ガンダム

やりたいことから引ける!

ガンプラ テクニックバイブル

GUNPLA TECHNIQUE BIBLE

Ver.2.0

[監修]『G作戦』小西和行

ガンプラに最高の輝きを！

光沢・メタリック・パール塗装の極意

**光沢系やメタリック系、パール系の塗料を使って塗装することで、
輝きのあるガンプラに仕上げることができる。
エアブラシを吹いて塗る以外にも、
缶スプレーを使えばだれでも手軽につくれる。
光り輝く姿を味わい尽くそう。**

GLOSS
光沢
塗装

▲HGUC 1/144 キュベレイ
※キュベレイMk-Ⅱカラーで
光沢塗装したもの。

光沢塗装

**光が反射する
美しさ**

光沢系の塗料を使って塗装することで、パーツの表面がピカピカ輝くようになる。光を反射させて、その光沢具合を楽しもう（→P.128～131）。

メタリック塗装

まるで金属のような質感!

メタリック系の塗料を使えば、ガンプラが金属のような質感になる。合金製のモビルスーツのような、かっこいい仕上がりになる(→P.132～135)。

METALLIC
メタリック
塗装

▶ HG シャア専用ザクII
※メタリック塗装にしたもの。

PEARL
パール
塗装

パール塗装

キラキラ光る粒子に見惚れる!

パール粉を含んだ塗料で塗装することで、表面にキラキラと輝くパール層ができる。その独特の輝きに、目を奪われるにちがいない(→P.136～139)。

◀ HGBF ベアッガイF(ファミリー)
※ママッガイをピンク系でパール塗装したもの。

リアリティを追求するウェザリング表現を!

使用感、汚れ、ダメージ表現で真に迫る!

風雨にさらされた汚れや戦闘によるダメージなどを
プラモデルに加えるテクニックのことを「ウェザリング」という。
戦場を想定して、さまざまな汚しやダメージをつけてみよう。

◀MG RX-78-02ガンダム
(GUNDAM THE ORIGIN版)

沼地

沼地

ジャングルのような沼地で激闘をつづけるガンダム。足元にこびりつくような泥汚れをつけ(→P.197～199)、全身に使用感の汚れを施した(→P.181, P.192)。

◀MG RX-178 ガンダムMk-Ⅱ Ver.2.0(エゥーゴ仕様)

宇宙

宇宙という無重力空間で戦うガンダムMk-Ⅱ。全身をススで汚し(→P.180)、肩などにデブリ(宇宙ゴミ)衝突による傷をつけた(→P.205〜206)。

砂漠

砂嵐が吹き荒れる砂漠の中で戦っているイメージで、全身に砂汚れをつけた(→P.194〜196)。左脚にはビーム砲の弾痕も加えている(→P.210)。

▼HGUC ドム・トローペン サンドブラウン

▼MG MS-06J ザクⅡ Ver.2.0

市街地

市街地で戦うザクⅡは、装甲のあちこちにサビがつき(→P.187)、オイル汚れ(→P.191)も目立つ。腰には建物でこすり、塗装がはげた様子を表現(→P.204)。

▼HGUC ハイゴック

水辺

長期間運用された水陸両用機というプランでウェザリング。装甲の端や段差に海水によるサビがつき(→P.201)、全身に水あかがついている(→P.200)。

世界観を無限に広げる技!

塗り方×道具で広がるガンプラワールド

ガンプラづくりには、さまざまなテクニックがある。
とくに塗装する場合は、塗り方（どう塗るか）と
塗る道具（なにで塗るか）でいろいろな表現方法が
可能になる。どのような仕上がりを目指すか、
イメージしてみよう。

どう塗る?

スミ入れ

ひと手間を加えて仕上がりアップ!

スミ入れとは、シャープペンやガンダムマーカーなどを使って、モールドなどを塗るテクニック。スミ入れをしたことで、陰影がついて立体感が増す。

◀HGUC 1/144 RX-78-2ガンダム

▲HG デスティニーガンダム
※ハイネ・ヴェステンフルス専用機カラーに塗装。

部分的に塗る

より緻密な色分けに!

成型色で色分けされていないところを塗るなど、部分的に塗る。キットの情報量を増やしたり、別の機体にしたりすることができる。

▼ENTRY GRADE 1/144 RX-78-2 ガンダム
※キャスバル専用ガンダム風に塗装したもの

全体的に塗る

「このMSが欲しかった」が現実に!

全体的に塗り替えることで、写真のリアルタイプカラーガンダムやキャスバル専用ガンダムのように、そのシリーズではキット化されていないガンプラを手に入れることもできる。

▶HGUC 1/144 RX-78-2 ガンダム
※リアルタイプカラーに塗装。

なにで塗る？

缶スプレー
塗装用の缶スプレーを吹きつけるだけで、広い面を均一に塗ることができる（→P.114）。

エアブラシ
エアブラシなら、広い面を均一に塗ることも、こまかい部分に薄く細く吹くことも自由自在（→P.116）。

ガンダムマーカー
ガンプラの塗装に最適なマーカー。キャップを外して塗るだけで、ガンプラの塗装を楽しめる（→P.102）。

筆塗り
塗料をつけた筆で塗る。広い面は平筆を、細かい部分は面相筆を使って塗る（→P.110〜111）。

ガンダムマーカーエアブラシ
別売りのガンダムマーカーをセットするだけで、手軽にエアブラシ感覚の塗装をすることができる（→P.112）。

こんな表現も思いのままに……！

ほかにも「鏡面仕上げ」「グラデーション塗装」「迷彩塗装」などの表現方法がある。

鏡面仕上げ
コート剤やクリア塗料を厚塗りしてみがき上げることで、まるで鏡のように光らせることができる（→P.140）。

▲HGBF R・ギャギャ

▶HGUC νガンダム

▶HGUC 量産型ゲルググ／ゲルググキャノン
※ゲルググキャノンを選択。

グラデーション塗装
パーツのフチに向かって、徐々にグラデーションをかけるように塗装。ガンプラの立体感が増す（→P.118）。

迷彩塗装
迷彩塗装はミリタリー系のスケールモデルでよく使われる手法だが、ガンプラに応用することもできる（→P.146）。

気になる疑問をスパッと解決！
ガンプラQ&A

「まったくガンプラをつくったことがない」「組み立てくらいならやったことがあるけど、塗装やウェザリングは全然わからない」「昔やっていたけど、今のガンプラはよく知らない」など、さまざまな人が気になることをQ&A形式でまとめました。まずは疑問を解消して、第一歩を踏み出しましょう!

▶ まったくガンプラをつくったことがない!

Q ガンプラはどこで買えますか?

A 模型店や家電量販店、ネット通販などで買えます!

ガンプラは模型店や家電量販店などで売られているほか、ネット通販でも購入できます。店頭に行けば、心を動かされるキットが見つかるかもしれません。また、目当てのキットがあれば、事前に店舗に在庫の有無を確認するか、ネット通販を利用するといいでしょう。

Q 最初は何からつくるとよいですか?

A 組み立てやすいENTRY GRADEシリーズやHGシリーズがオススメです!

どのガンプラも、だれでも簡単に組み立てられるように設計されているので、好きなものをつくってOK。迷ったときは、組み立てやすいENTRY GRADEシリーズ（→P.23）やHGシリーズ（→P.20）から始めるとよいでしょう。

Q どんな道具が必要ですか?

A まずはニッパーだけあればOKです!

きれいにパーツを切り離すために、模型用のニッパー（→P.38）があるとよいでしょう。パーツを切った跡(あと)をきれいに処理したい人は、デザインナイフ（→P.39）や紙やすり（→P.41）も用意しておきましょう。ENTRY GRADEシリーズなら、ニッパーがなくても手で簡単にパーツを切り離せます。

Q 塗装しないといけないんですよね?

A 元から色がついているので大丈夫です!

最近のガンプラは多色成型といって、はじめから複数の色がついています。ですから、組み立てるだけで、右の写真のように色分けされたガンプラが完成します。ただし、完全に設定どおりに色分けされているわけではないので、こまかい部分まで色分けして楽しみたい人は、ガンダムマーカー（→P.68）などで部分的に塗装するとよいでしょう。

▶ 組み立てだけはしたことがあるけど、その先がわからない!

Q 手間をかけずにカッコよくするには?

A 「かんたんフィニッシュ」がオススメです!

「ただ組み立てただけでは物足りない」と思ったら、「かんたんフィニッシュ（→P.25）」にチャレンジしてみましょう。方法はモールドなどにスミ入れをして、コート剤を吹くだけ。スミ入れの効果でガンプラに陰影がつき、コート剤の効果で表面の光沢具合が変わってプラスチックとは思えないような質感になります。

Q 塗装ってどんな方法があるの?

A

ガンダムマーカー、筆塗り、缶スプレー、エアブラシなどがあります!

簡単に塗装したい人は、そのまま塗るだけでよいガンダムマーカー(→P.68)がオススメ。また、ガンダムマーカーを使い、エアブラシのように塗装できるガンダムマーカーエアブラシシステム(→P.70)もあります。ほかにも筆塗り、缶スプレー、エアブラシという塗装方法がありますので、塗装する目的やご自身の作業環境に合わせてよい方法を選びましょう。

Q 家族が塗装時のにおいを嫌がるんですが……

A

においが弱めの塗料もあります!

においが気になる人は、「アクリル塗料(→P.71)」や「新水性塗料(アクリジョン)(→P.71)」を使用するとよいでしょう。アクリル絵の具程度のにおいなので、強烈な塗料の刺激臭(しげきしゅう)を避けたい人に適しています。また、本書ではにおいの出る工程には、「においアイコン」つよめ よわめ コ/よ をつけています。どうしても塗料などのにおいが気になる人は、その工程を避けるとよいでしょう。

Q 塗装するにはエアブラシを買ったほうがいいんですか?

A

本格的に塗装したいならエアブラシがオススメです!

エアブラシは、塗料を吹く量やエア圧を調節できるので、ムラなく均一に塗装できるようになります。また、細く薄く吹くなどの塗装テクニックを使うこともできます。ほかにも「自分で調色した色を使うことができる」「缶スプレーにくらべて塗料代が安くなる」など、エアブラシにはメリットがたくさんあります。ただし、エアブラシはリーズナブルなものでも1万～2万円前後するので、予算や使用頻度(ひんど)を踏まえて購入するとよいでしょう。

Q エアブラシを買う予算がないのですが……

A

それならまずは缶スプレーで!

缶スプレーは1本数百円程度から購入できるので、手軽にガンプラの塗り替えを楽しむことができます。種類も豊富で、基本的なカラーのほかに、金属のような質感になるメタリック系の缶スプレーやパール粉が含まれたパール系の缶スプレーもあるので、手軽にメタリック塗装(→P.132)やパール塗装(→P.136)を楽しむことができます。

Q ウェザリングをやってみたいんですが……

A

手軽にできる方法を紹介します!

だれでも簡単にウェザリングを行う方法としては、リアルタッチマーカー(→P.168)やウェザリングマスター(→P.169)などを使うものがあります。本書では、市街地や砂漠(さばく)、ジャングル、宇宙など、さまざまな戦場を想定したウェザリングのテクニックを紹介していきます。

上半身に砂汚れをつけた!

▶ 昔やっていたけど、最近のキットはよくわからない!

Q 最近のガンプラって何がすごいの?

A

組み立てやすく塗装も不要!

1980年代前半のいわゆる「ガンプラブーム」のころにくらべて、現在のキットはさまざまな工夫が凝らされています。たとえば、接着剤を使わずに組み立てることができ、塗装せずに色分けされたガンプラを楽しむことができます(→P.22)。

Q 組み立てには接着剤が必要ですよね?

A

接着剤なしで完成させられます!

最近のキットは、接着剤を使わずに組み立てられる「スナップフィット」という接合方式が採用されています。スナップフィットは部品をパチンとはめ込んでいくだけなので、接着剤をまったく使わずに完成させることができます。

パチンと組むだけでOK!

一目でわかる! ガンプラづくり 基本チャート

どのようなガンプラをつくりたいかという目的に合わせて、下の基本チャートを参考に作業を進めていきましょう。光沢塗装、メタリック塗装、パール塗装にはいろいろなやり方がありますが、本書では「缶スプレーで完成させられる簡易プラン」と「表面処理などにも手間をかけ、エアブラシでていねいに塗装する本格プラン」を用意しました。

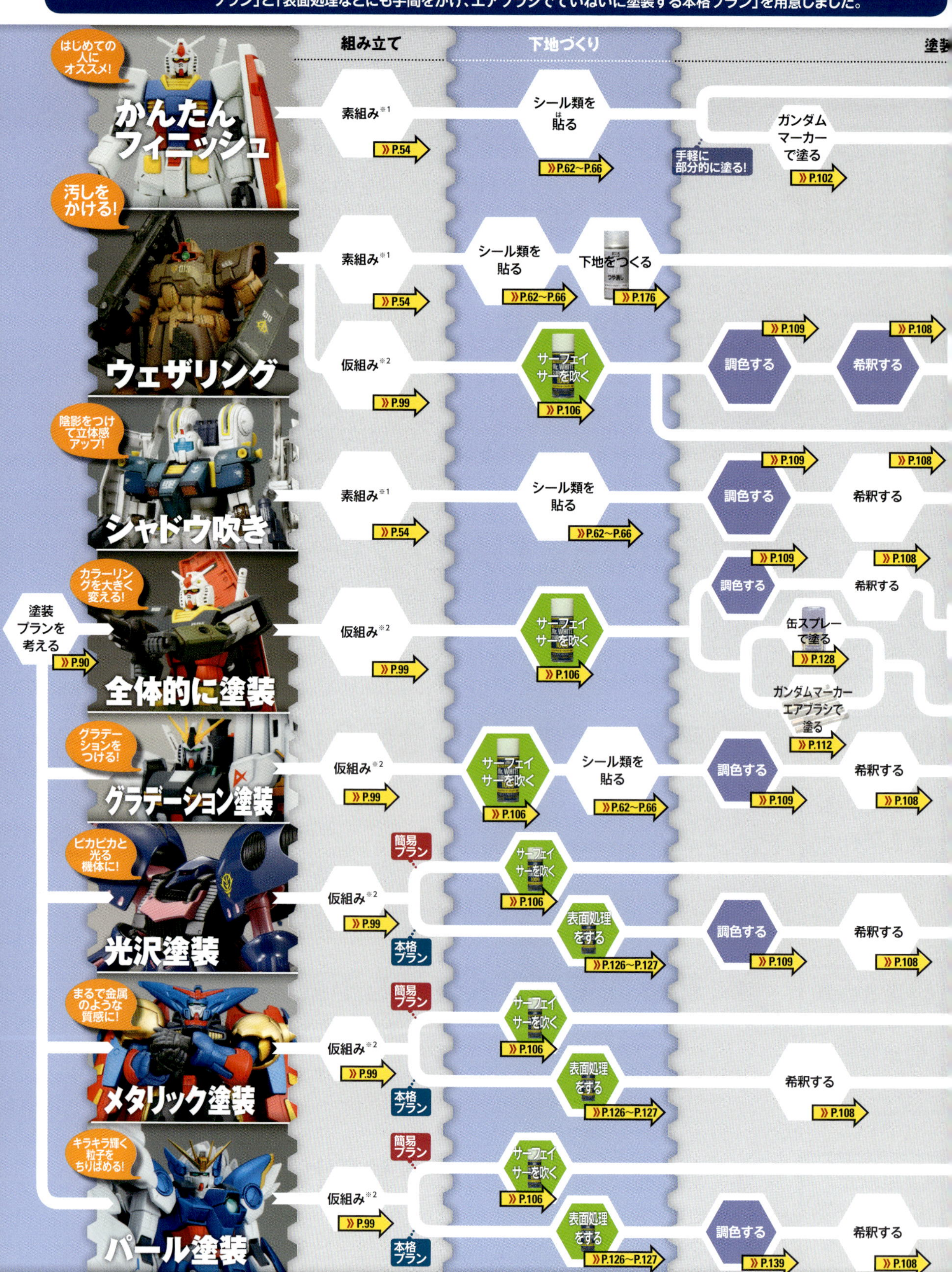

※1……ゲート処理を行う場合はP.50〜53、合わせ目消しを行う場合はP.58〜61を参照。
※2……ゲート処理を行う場合はP.50〜53、合わせ目消しを行う場合はP.58〜61、ダボとダボ穴の処理を行う場合はP.98を参照。

チャートの見方

P.58 ……具体的なやり方を解説しているページを示しています。

…………完成度を上げたい人はやったほうがよいですが、早くつくりたい場合やくつくることを優先したい場合なら省略可能です。

…………やるかどうかは、好みに応じて決めてください。

この基本チャートは、「この方法でなくてはいけない」というものではなく、「こう進めると失敗しない」「うまくいく」という方法をまとめています。すべてのやり方をのせているわけではないので、自分なりにアレンジしてください。

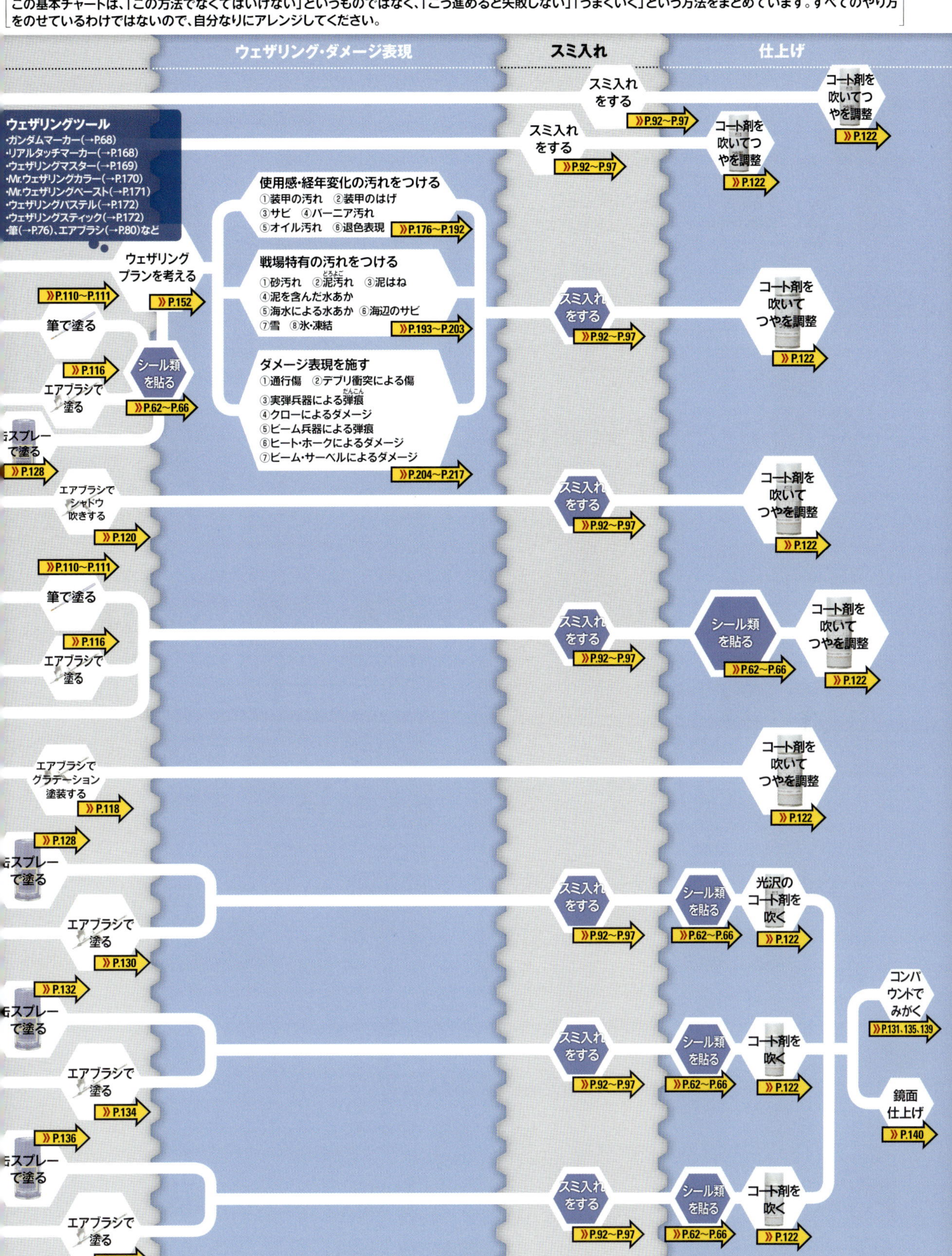

本書の見方

本書は、ガンプラづくりに必要な道具や基本的な考え方とテクニックについて、写真とともにわかりやすく解説しています。
それぞれの解説内容に合わせて、**「基本[キホン]」「道具[ドウグ]」「テクニック」**という3つのカテゴリーに分けてまとめました。
「これからガンプラを始めてみよう」という人はもちろん、「もっとガンプラをうまくつくりたい」
「久しぶりにガンプラをつくってみよう」という人まで、幅広いガンプラ愛好者を対象とした最良のガンプラのテクニック本です。

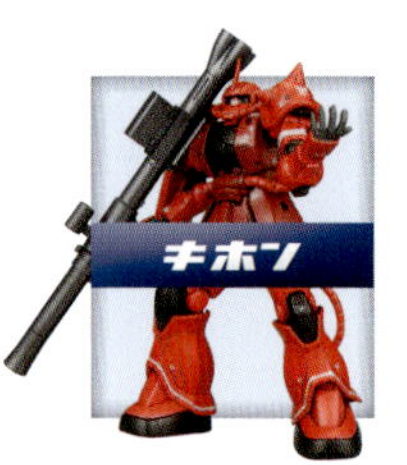

基本[キホン]

各テクニックの基本の考え方やポイントを解説しています。
事前に基本を押さえておくことで、実際の作業がスムーズになります。

インデックス

知りたい項目を探したいときは、インデックスを目印にしてください。

ダイジェスト

重要な内容を簡潔にまとめており、ここを読むだけでも各ページの基本的な内容をつかむことができます。とくに大切な内容は色文字で示しています。

ページのカテゴリー

本書は、主に「基本[キホン]」「道具[ドウグ]」「テクニック」という3つのカテゴリーで構成されています。

解説

各ページの内容を、わかりやすく説明。とくに大切な内容は色文字で示しています。

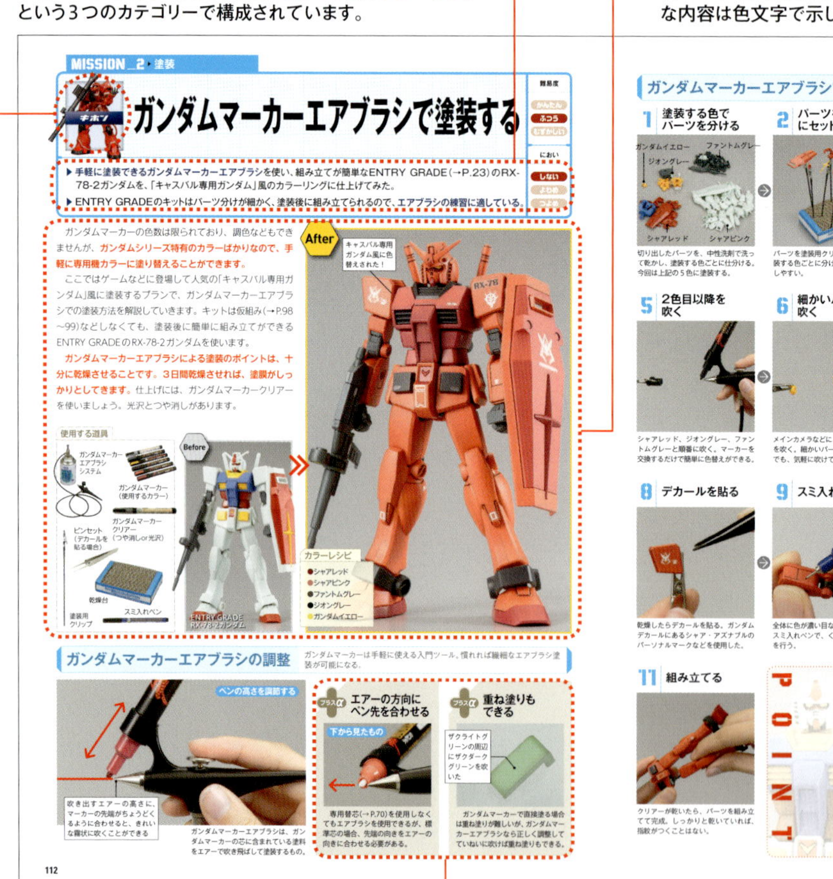

MISSION_2 ▸ 塗装

ガンダムマーカーエアブラシで塗装する

難易度: かんたん / ふつう / むずかしい
におい: しない / よわめ / つよめ

▶ 手軽に塗装できるガンダムマーカーエアブラシを使い、組み立てが簡単なENTRY GRADE(→P.23)のRX-78-2ガンダムを、「キャスバル専用ガンダム」風のカラーリングに仕上げてみた。
▶ ENTRY GRADEのキットはパーツ分けが細かく、塗装後に組み立てられるので、エアブラシの練習に適している。

ガンダムマーカーの色数は限られており、調色などもできませんが、**ガンダムシリーズ特有のカラーばかりなので、手軽に専用機カラーに塗り替えることができます。**
ここではゲームなどに登場して人気の「キャスバル専用ガンダム」風に塗装するプランで、ガンダムマーカーエアブラシでの塗装方法を解説していきます。キットは仮組み(→P.98～99)などしなくても、塗装後に簡単に組み立てができるENTRY GRADEのRX-78-2ガンダムを使います。
ガンダムマーカーエアブラシによる塗装のポイントは、十分に乾燥させることです。3日間乾燥させれば、塗膜がしっかりとしてきます。仕上げには、ガンダムマーカークリアーを使いましょう。光沢とつや消しがあります。

After: キャスバル専用ガンダム風に色替えされた!

使用する道具: ガンダムマーカーエアブラシシステム / ガンダムマーカー(使用するカラー) / ガンダムマーカークリアー(つや消しor光沢) / ピンセット(デカールを貼る場合) / 乾燥台 / 塗装用クリップ / スミ入れペン

Before: ENTRY GRADE RX-78-2ガンダム

カラーレシピ: シャアレッド / シャアピンク / ファントムグレー / ジオングレー / ガンダムイエロー

ガンダムマーカーエアブラシの調整

ガンダムマーカーは手軽に使える入門ツール。慣れれば繊細なエアブラシ塗装が可能になる。

ペンの高さを調節する

吹き出すエアーの高さに、マーカーの先端がちょうどくるように合わせると、きれいな霧状に吹くことができる

ガンダムマーカーエアブラシは、ガンダムマーカーの芯に含まれている塗料をエアーで吹き飛ばして塗装するもの。

プラスα エアーの方向にペン先を合わせる
下から見たもの
専用替芯(→P.70)を使用しなくてもエアブラシを使用できるが、標準芯の場合、先端の向きをエアーの向きに合わせる必要がある。

プラスα 重ね塗りもできる
ザクライトグリーンの周辺にザクダークグリーンを吹いた
ガンダムマーカーで直接塗る場合は重ね塗りが難しいが、ガンダムマーカーエアブラシなら正しく調整していねいに吹けば重ね塗りもできる。

112

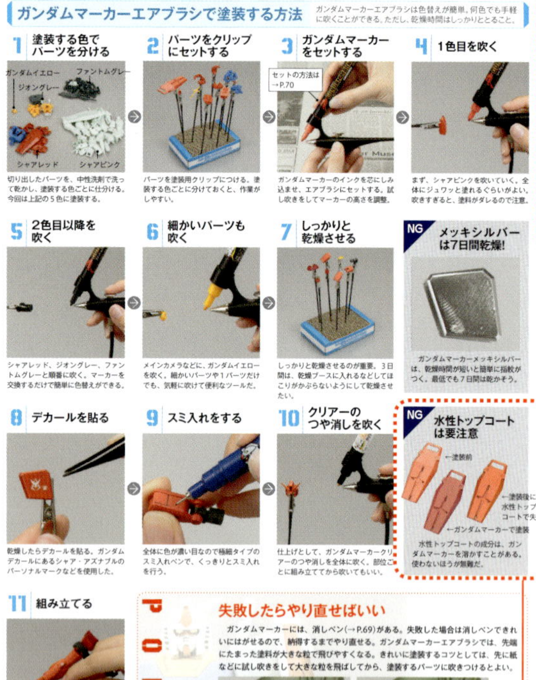

ガンダムマーカーエアブラシで塗装する方法

ガンダムマーカーエアブラシは色替えが簡単。何色でも手軽に吹くことができる。ただし、乾燥時間はしっかりととること。

1 塗装する色でパーツを分ける
ガンダムイエロー / ファントムグレー / ジオングレー / シャアレッド / シャアピンク
切り出したパーツを、中性洗剤で洗って乾かし、塗装する色ごとに仕分ける。今回は上記の5色に塗装する。

2 パーツをクリップにセットする
パーツを塗装用クリップにつける。塗装する色ごとに分けておくと、作業がしやすい。

3 ガンダムマーカーをセットする
セットの方法は→P.70
ガンダムマーカーのインクを芯にしみ込ませ、エアブラシにセットする。試し吹きをしてマーカーの高さを調整。

4 1色目を吹く
まず、シャアピンクを吹いていく。全体にジュワッと塗れるぐらいがよい。吹きすぎると、塗料がダレるので注意。

5 2色目以降を吹く
シャアレッド、ジオングレー、ファントムグレーと順番に吹く。マーカーを交換するだけで簡単に色替えができる。

6 細かいパーツも吹く
メインカメラなどに、ガンダムイエローを吹く。細かいパーツや1パーツだけでも、気軽に吹けて便利なツールだ。

7 しっかりと乾燥させる
しっかりと乾燥させるのが重要。3日間は、乾燥ブースに入れるなどしてほこりがかぶらないようにして乾燥させたい。

NG メッキシルバーは7日間乾燥!
ガンダムマーカーメッキシルバーは、乾燥時間が短いと簡単に指紋がつく。最低でも7日間は乾かそう。

8 デカールを貼る
乾燥したらデカールを貼る。ガンダムデカールにあるシャア・アズナブルのパーソナルマークなどを使用した。

9 スミ入れをする
全体に色が濃い目なので極細タイプのスミ入れペンで、くっきりとスミ入れを行う。

10 クリアーのつや消しを吹く
仕上げとして、ガンダムマーカークリアーのつや消しを全体に吹く。部位ごとに組み立ててから吹いてもいい。

NG 水性トップコートは要注意
←塗装前 / ←塗装後に水性トップコートで失敗 / ←ガンダムマーカーで塗装
水性トップコートの成分は、ガンダムマーカーを溶かすことがある。使わないほうが無難だ。

11 組み立てる
クリアーが乾いたら、パーツを組み立てて完成。しっかりと乾いていれば、指紋がつくことはない。

POINT **失敗したらやり直せばいい**
ガンダムマーカーには、消しペン(→P.69)がある。失敗した場合は消しペンできれいにはがせるので、納得するまでやり直せる。ガンダムマーカーエアブラシでは、先端にたまった塗料が大きな粒で飛びやすくなる。きれいに塗装するコツとしては、先に紙などに試し吹きをして大きな粒を飛ばしてから、塗装するパーツに吹きつけるとよい。
大きな粒子はそのまま残って目立つ。できればやり直したい。
消しペンを塗ってティッシュでふき取れば、きれいにはがせる。

MISSION_2 塗装 ▸ ガンダムマーカーエアブラシで塗装する

113

さまざまな補足情報を掲載!

ちょっとしたコツや気をつけたいNG例などをピックアップして掲載。次のものがあります。

[プラスα]
ガンプラづくりに役立つちょっとしたコツを紹介。

[時短テク]
作業の時間短縮に役立つテクニックを紹介。

[NG]
失敗例、やってはいけないことなどを解説。

[POINT]
その作業に関係する、ポイントやコツを解説。

[用語解説]
ガンプラづくりの専門用語をわかりやすく解説。

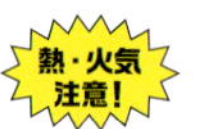

[熱・火気注意!]
熱や火気を生じるツールや作業を示す。くれぐれも火傷などに注意して行うこと。

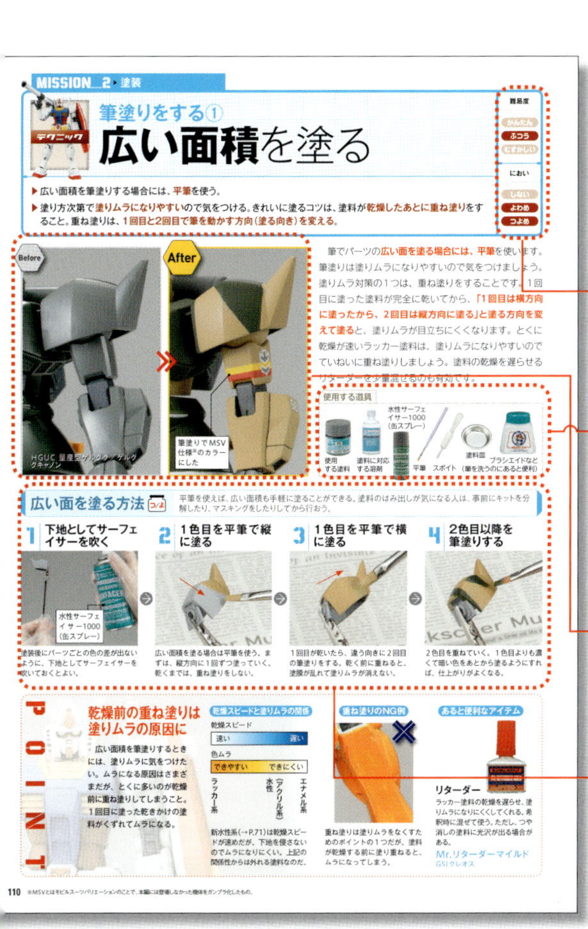

テクニック

ガンプラの完成度を高めるためのテクニックを解説。作業のポイントを理解してから、各工程の手順を読んで内容を確認してください。

レベル

各作業の目安として、「難易度」と「におい」について、それぞれ3段階で表示しています。

難易度

- **かんたん**………はじめてガンプラをつくる場合でも、比較的すぐにできるもの。
- **ふつう**………はじめてガンプラをつくる場合には、ある程度コツや準備が必要なもの。
- **むずかしい**………はじめてガンプラをつくる場合では、少し難しいもの。

におい

- **しない**………ほとんどにおいがしないもの。
- **よわめ**………本人が気にならないなら、どうということはない程度のにおい。
- **つよめ**………周囲に迷惑がかかるレベルのにおい。家族や近隣などに配慮して、行うかどうか決める。

※方法や使用する塗料によって、発生するにおいの強さが異なるものは、2つ以上示しています。

Before・After

作業前と作業後の写真を掲載。そのテクニックによって、どのような効果が得られるのかが一目でわかります。

使用する道具

そのテクニックで使用する主な道具を紹介。事前の準備に活用してください。

手順

そのテクニックの基本的な手順を解説。においに注意が必要な作業については、よわめ つよめ つ/よ マークで示しています。

- よわめ……においが「よわめ」の工程。
- つよめ……においが「つよめ」の工程。
- つ/よ……においの強さは使用する塗料によって変わる工程。

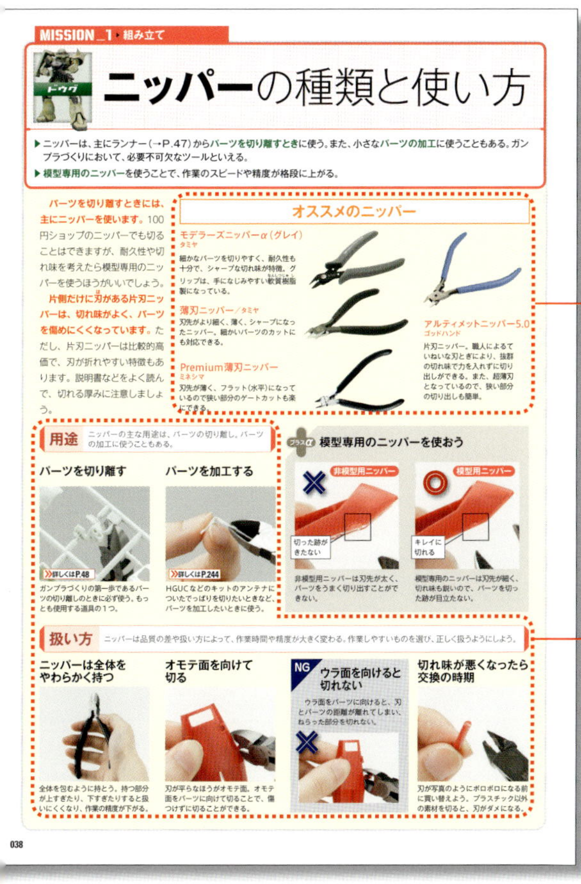

道具[ドウグ]

ガンプラづくりに役立つ道具を紹介。さまざまな道具を活用することで、作業効率やキットの完成度を高めることができます。

オススメの道具

初心者でも扱いやすいもの、作業効率が高まるものなど、オススメの道具を紹介。道具選びに迷ったら、この中から選ぶとよいでしょう。「テクニック」と同様の意味で、においが発生する道具には「においアイコン＝ つよめ よわめ つ/よ 」を示しています。

用途・扱い方

各道具の基本的な使いみちや使い方を解説。正しく使用しないと、ガンプラづくりに支障をきたすだけでなく、思わぬケガなどの原因になることもありますので、注意しましょう。

Contents

MISSION_0 ガンプラづくりの基本

ガンプラづくりは自由ですが、方向性を決めて、何をするのかというプランを決めましょう。仕上がり具合や作業時間の目安などを示しています。

●必ずうまくいくプラン

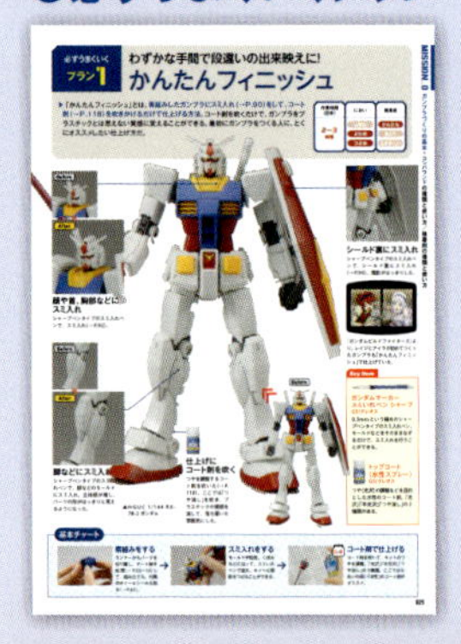

MISSION_1 ガンプラを組み立てる

キットの内容を確認したら、説明書に従ってパーツを切り離し、組み立てていきます。ゲート処理や合わせ目を処理すると、仕上がりがグッとアップします。

ゲート処理

組み立て

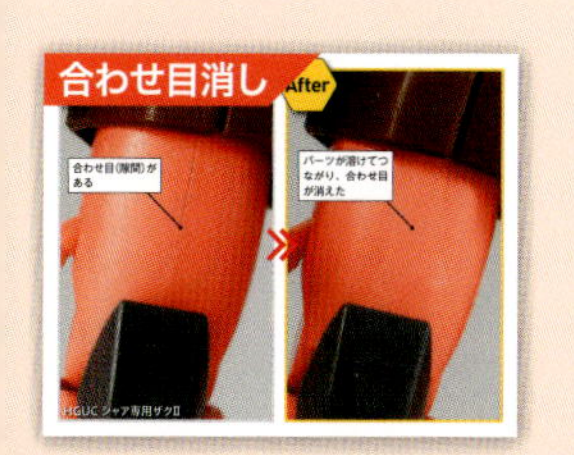

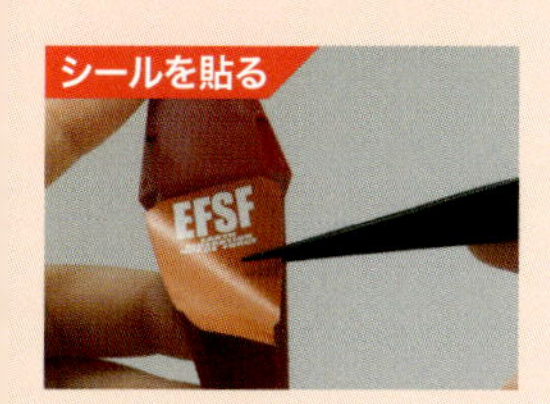

MISSION_2 ガンプラを塗装する

スミ入れからエアブラシ塗装まで、塗り方も塗るためのツールもさまざまです。ツールの基礎知識、塗装環境のつくり方、各種の塗装テクニックをていねいに解説します。

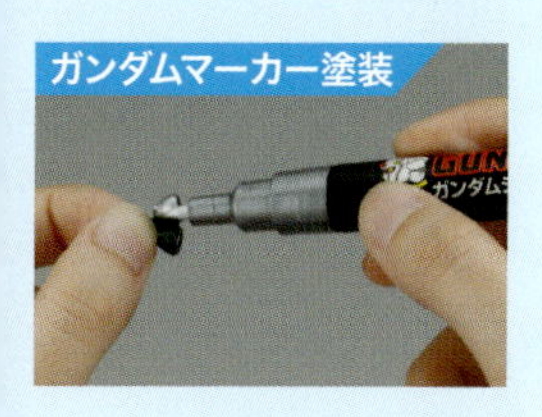

●パール塗装

●迷彩塗装

MISSION_3 ウェザリングを行う

ウェザリングとは、汚れやダメージを表現するテクニックです。砂漠（さばく）や沼地、市街地などの情景ごとにプランの立て方から、テクニックまで解説します。

ウェザリングプランを決める

Contents

●砂漠で戦ってきたMS

●泥・沼地で戦ってきたMS

●水辺で戦ってきたMS

●市街地で戦ってきたMS

●宇宙で戦ってきたMS

●破壊されたMS

Contents

MISSION_4 ガンダム世界の兵器を楽しむ

ガンダム世界には、さまざまな武器や兵器が登場します。機体に合わせて塗装やウェザリングを施すことで、世界観がグッと深まります。

●ビーム・ライフル

●ホワイトベース

●ヒート・ホーク

MISSION_5 ガンプラをカスタマイズする

ディテールアップパーツをつけたり、スジ彫りを加えたり、あるいはLEDで光らせたり、ワンランク上のカスタマイズテクニックを紹介します！

●ディテールアップパーツをつける

MISSION_6 ガンプラを保管する・飾る

つくり込んだガンプラを大切に保管したり、格好よく展示したりする方法をまとめています。また、ヴィネット（小さなジオラマ）のつくり方も紹介！

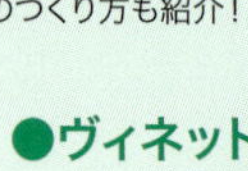

●ヴィネット

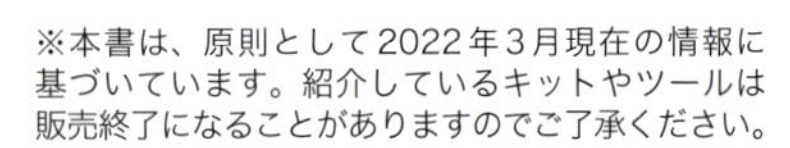

※本書は、原則として2022年3月現在の情報に基づいています。紹介しているキットやツールは販売終了になることがありますのでご了承ください。

困った！こんなとき、どうする!?

MISSION_0

ガンプラづくりの基本

まずは「ガンプラとはどのようなものか」「どんなラインアップがあるのか」をチェックしよう。
ガンプラには、さまざまなつくり方があるが、本書では全11の製作プランを紹介。
初めてつくる人にオススメなのは、「素組み→スミ入れ→コート剤」という
3ステップで仕上げる「かんたんフィニッシュ」だ。誰でも簡単につくることができて、
ただ組み立てただけとはひと味ちがう完成度にすることができる。

原寸比較

つくるガンプラを選ぼう①
さまざまなスケールのガンプラがある

▶ガンプラはスケール（縮尺）や設計コンセプトによって、さまざまなシリーズが展開されている。はじめてガンプラをつくるという人は、まずは**組み立てやすいHGシリーズから始めてみよう。**

ラインアップと組み立てやすさはNo.1!

HG（1/144スケール）
キットのラインアップ数は最多で、まさにガンプラのスタンダード。簡単なものであれば、1～2時間程度で組み立てることができる。可動性もよく、さまざまなポージングに対応できる。
［価格帯］1,000～2,000円

細かいパーツ構成でリアリティを追求!

RG（1/144スケール）
「本物であること」を追求しており、HGと同スケールでありながら、「MG並みの色分け」「圧倒的なシール数」「全身に張りめぐらされたモールド」などによって、リアルな造型と質感を表現している。
［価格帯］2,500～3,000円

精巧な設計でワンランク上の定番に!

MG（1/100スケール）
精巧に設計された内部フレームにより、見事なフォルムと自由度の高い可動性を実現。付属のシール類も豊富で、アニメとはまた異なったガンダムの世界観を楽しむことができる。
［価格帯］3,500～6,000円

可愛らしくも格好いいデフォルメ戦士!

SDガンダム BB戦士
（ノンスケール）
SDとは「スーパーデフォルメ」の略。合体や可動などのギミックによって、つくったあとも楽しめる。武者シリーズや騎士シリーズなど、幅広く展開されている。
［価格帯］500～1,500円

▲SDガンダム BB戦士 No.329 RX-78-2 ガンダム（アニメーションカラー）

▲HGUC 1/144 RX-78-2 ガンダム

▲RG 1/144 RX-78-2 ガンダム

※各シリーズとも、上記の価格帯とは異なる値段の商品もあります。

内部構造にも外観にもこだわった究極のガンプラ!

PG（1/60スケール）

「究極のガンプラ」を具現化するため、内部フレームのメカニズムにも外観にも、こだわりがちりばめられている。電飾パーツを採用しているキットもあるなど、完成度は最高レベル。

［価格帯］12,000～20,000円

迫力のサイズながらつくりやすさも抜群!

メガサイズモデル（1/48スケール）

PGを超える1/48スケールを誇りながら、パーツ数はひかえめで、ニッパーなしで組み立てることができるなど、つくりやすさが追求されている。手軽に大迫力のガンプラを楽しみたい人にオススメだ。

［価格帯］8,500～9,500円

▲MG 1/100 RX-78-2 ガンダムVer.3.0

▲PG 1/60 RX-78-2ガンダム

▲メガサイズモデル 1/48 ガンダム

つくるガンプラを選ぼう②
ココがすごいぞ! ガンプラの魅力

▶プラモデルは接着剤で貼り合わせて、塗装しないといけない——最新のガンプラにそんな考えは必要ない。**つくりやすさ、遊びやすさの追求によって得られた技術が凝縮**されており、初心者から上級者までだれでも気軽に楽しむことができる。

1 接着剤不要でだれでも簡単につくれる!

現在のガンプラは「スナップフィット」と呼ばれる技術を採用しており、パーツ同士をはめ合わせるだけで簡単に組み立てることができる。

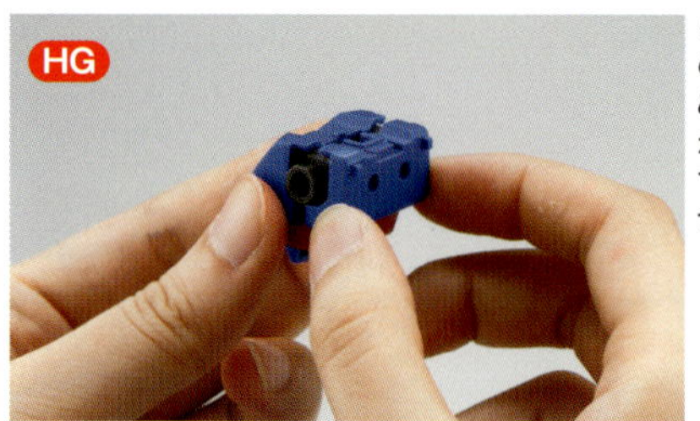

ダボとダボ穴(→P.54)の位置を合わせて、はめ合わせるだけ。位置がずれる心配もないので、だれでも安心してつくることができる。

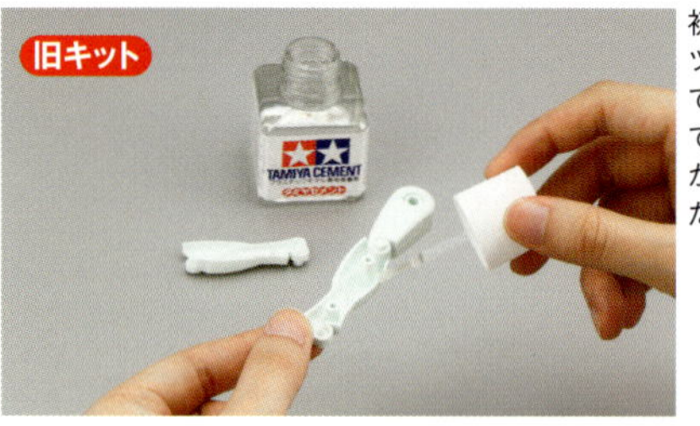

初期のキットは、パーツ同士に接着剤をつけて貼り合わせて組み立てる。慣れないと位置がずれたり、手が汚れたりすることも……。

2 色分けされているから塗装なしでもカラフル!

「多色成型」という特殊技術によって、最初からパーツが複数の色に分けられている。塗装しないでも、カラフルなガンプラが手に入る。

▼HGUC 1/144 RX-78-2 ガンダム

組み立てるだけでカラフルなガンダムが完成する。

▼1/144 RX-78-2 ガンダム

初期のキットは、すべてのパーツが同じ色で構成されているため、塗装が必須だった。

3 外から見えない内部構造まで凝っている!

MGやRGなどは、外装パーツで隠れてしまう内部フレームまでこだわって設計されている。それによって、洗練されたフォルムや抜群の可動性を実現している。

▼MG RX-78-2 ガンダム Ver.2.0

右半分だけ、外装パーツを外した。見えない部分の内部フレームも、これだけこだわってつくられている。

▼RG 1/144 RX-78-2 ガンダム

緻密(ちみつ)に設計された内部フレームは、RGシリーズの大きな特色の1つ。それによって、リアルな質感と大胆なポージングを可能にしている。

4 関節がよく動くため幅広いポージングが可能!

つくったガンプラを動かし、さまざまなポージングをとらせたい。そんなファンのニーズに応えるように、関節の可動性も進化し続けている。

▼HGUC 1/144 RX-78-2 ガンダム

名シーンの再現から、迫力のアクションポーズまで、自由自在に動かすことができる。自分の好きなポーズをとらせて楽しもう!

そのほかのラインアップ

ガンプラのラインアップは、まだまだある。それぞれに特徴があり、ちがった楽しみ方ができるので、気になるキットがあればぜひつくってみよう。

ENTRY GRADE（エントリーグレード）

ENTRY GRADE RX-78-2ガンダム▶

ENTRY GRADE ストライクガンダム▶

スケール
1/144
接着剤
不要
色
多色成型

組み立てやすさ、柔軟な関節可動によるポージングのしやすさ、考え抜かれたパーツ構成による色分けなどを兼ね備えた究極の入門用キット。顔のクマドリがパーツの隙間の影で表現されるなど、各所に工夫が施されている。タッチゲート（→P.47）を採用しており、組み立てに際してニッパーも不要だ。

旧キット

正式にはスケールに応じて、「1/100シリーズ」「1/144シリーズ」と呼ばれる。『機動戦士ガンダム 逆襲のシャア』よりも前のものは色分けもされておらず、組み立てに接着剤が必要になる。現在も定期的に再販売されており、愛好者は多い。

1/144シリーズ

1/144 量産型ザク▶

1/100シリーズ

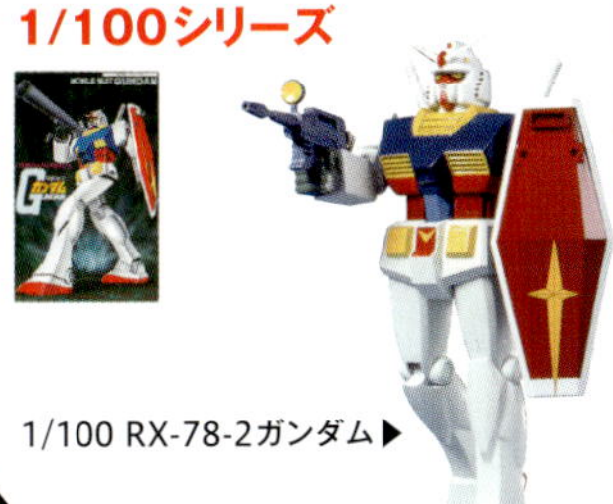

1/100 RX-78-2ガンダム▶

主なスケール
1/144　1/100　1/60
接着剤
初期のものは必要
色
初期のものは単色成型

画像の完成品には塗装してあります。

FG（ファーストグレード）

旧キットとは別の安価な入門モデルとして、1999年に登場。単色で、関節もポリキャップなしのはめ込み方式。接着剤不要のスナップフィットなので、手軽に旧キットのような質感を楽しめる。

◀FG MS-06S シャア専用ザクⅡ

スケール
1/144
接着剤
不要
色
単色成型

画像の完成品には塗装してあります。

FULL MECHANICS（フルメカニクス）

1/100 フルメカニクス
ガンダムバルバトスルプス▶

スケール
1/100
接着剤
不要
色
多色成型

緻密なデザインと組み立てやすさを両立させたシリーズ。パーツ構成はシンプルながら、フレームなどの内部構造はつくり込まれている。MGよりつくりやすいものでありながら、MG並みのディテールというのが魅力だ。『機動戦士ガンダム 鉄血のオルフェンズ』と『機動戦士ガンダムSEED』のモビルスーツがラインアップされている。

SDクロスシルエット

クロスシルエットシステムというフレームの換装システムで、高身長のクロスシルエットフレームと低身長のスーパーデフォルメフレームが選べる新世代SDガンダムのシリーズ。オプションパーツでガンダムをジムに組み換えできるなど、幅広く遊ぶことができる。

スケール
ノンスケール
接着剤
不要
色
多色成型

▲SDガンダム クロスシルエット RX-78-2ガンダム

EXモデル

アニメに登場する戦艦や戦車、サポート兵器などがキット化されたもの。ガンペリーやサムソントレーラーなどのサポート兵器は基本的に1/144スケールなので、HGUCなどと合わせて楽しむことができる。戦艦は1/1700で統一され、同スケールのミニサイズのモビルスーツなどが付属している。

▲EX-18 アーガマ

画像の完成品には塗装してあります。

スケール
戦艦は1/1700で統一
接着剤
必要なキットもある
色
基本的に単色成型

RE/100（リボーン-ワンハンドレッド）

▲RE/100 ガンダムMk-Ⅲ

MGと同じ1/100だが、内部フレームなどのつくりを簡単にすることで、より組み立てやすくなっている。それでいて外観のディテールや迫力はMGと同等なので、手軽に1/100スケールのキットを楽しみたい人にオススメのシリーズだ。

スケール
1/100
接着剤
不要
色
多色成型

ガンプラには たくさんのつくり方がある!!

▶ **ガンプラの楽しみ方は人それぞれ、自由自在だ。**しかし、最初のうちは自分がイメージしたガンプラをつくるために、何をしたらよいのかわからないもの。そこで、**本書では全11のオススメ製作プランをご用意。**各プランの完成例や基本チャートを参考に、自分だけのガンプラをつくろう。

プランの見方

まずは完成例を見て、仕上がりのイメージをつかもう。次に、基本チャートとKey Itemをチェックして、製作工程の全体像をつかむ。そして、各プランを参考にしながら実際につくっていけば、自分なりのつくり方が見えてくるはずだ。

必ずうまくいく プラン2

細部を塗って設定どおりのカラーリングに!

かんたん塗装

▶ 基本的に今のガンプラには元から色がついているが、完璧(かんぺき)に設定カラーを再現しているわけではない。そこで、説明書やパッケージイラストなどを参考に、成型色で色分けされていないところなどを塗ってみよう。ガンダムマーカー(→P.68)を使えば、簡単に塗装ができる。

作業時間(目安)	におい	難易度
3〜4時間	しない / よわめ / つよめ	かんたん / ふつう / むずかしい

ハイパー・バズーカを塗り分ける
アニメの設定通り、バズーカの一部を白で塗り分けた。成型色を残す部分はマスキングし(→P.104)、筆塗り(→P.110〜111)。

細部を塗り分ける
バーニアの外側をシルバーで、内側を赤で塗り分けた。どちらもガンダムマーカーで塗装(→P.102)。

シールを貼る代わりに塗る
腰部のVマークは付属のホイールシールではなく、ガンダムマーカーで塗り、そのフチにスミ入れをした。

シールドの裏を赤く塗る
アニメの設定に合わせて、シールドの裏を赤く塗装。赤の水性塗料で筆塗り。

Key Item

ガンダムマーカー塗装用/GSIクレオス
ガンプラでよく使われるカラーがそろった塗装用のペン(→P.69)。

筆と塗料
筆先が平たい平筆と、細い面相筆がある(→P.76)。塗料は主にアクリル系、新水性系、エナメル系、ラッカー系の4種類がある(→P.71)。

◀HGUC 1/144 RX-78-2 ガンダム

基本チャート

素組みをする
ランナーからパーツを切り離し、ゲート跡を処理して、組み立てる。塗装する部分にはシールを貼(は)らない。

併用可

ガンダムマーカーで塗る
ガンダムマーカーの「塗装用」や「細先タイプ」を使って、塗り分けていく。

筆塗りする
塗料を塗る。塗るパーツの大きさや形状に合わせて、平筆と面相筆を使い分ける。

スミ入れをする
モールドや段差、くぼみなどに沿って、マーカーや筆を使って塗料を塗る。

コート剤で仕上げる
コート剤を吹いて、キットのつやを調整。「光沢」「半光沢」「つや消し」の3種類。ここではにおいの弱い「水性」のコート剤がオススメ。

026

プラン名
各プランの名称。それぞれのプランがどのようなコンセプトで考えられたものなのかがわかる。

作業の目安
「作業時間」「におい」「難易度」で、作業の目安を表示。作業時間は、使用するキットやかける手間によって大きく変わる。本書では、「HGUC 1/144 RX-78-2」を使用した場合の目安とし、塗料などの乾燥時間は含めていない。

完成例とポイント
完成イメージがわかる全身の写真をもとに、製作上のポイントを解説。つくるときのコツや注意点がわかる。

Key Item
各プランでとくに重要なツールを紹介。

基本チャート
基本的な製作手順を表示。各工程のポイントをつかむことで、基本的なつくり方が理解できる

アイコン
基本チャートについているアイコンは、それぞれ次のことを表している。

においが出る工程。「つよめ」は周囲に迷惑がかかるレベル。「よわめ」は本人が気にならないなら問題ないレベル。「つ/よ」は使用する塗料による場合。作業時は換気に注意する。

このアイコンから枝分かれしている工程は、それぞれ同じキットにあわせて施すことができる。

このアイコンから枝分かれしている工程は、基本的にはどちらかのやり方を選んで行う。

※拡大写真では、各作例の代表的なポイントを取り上げています。その作例で行ったすべてのことを紹介しているわけではありません。
※解説中で示している塗料番号の意味は、次のとおり。
「C」で始まるもの……………Mr.カラーシリーズ(GSIクレオス)の塗料。
「H」で始まるもの……………水性ホビーカラーシリーズ(GSIクレオス)の塗料。
「X」で始まるもの……………タミヤカラーの光沢または半光沢の塗料。
「XF」で始まるもの …………タミヤカラーのつや消しの塗料。
塗料について、詳しくはP.71〜74参照。

必ずうまくいく プラン1

わずかな手間で段違いの出来映えに!
かんたんフィニッシュ

▶「かんたんフィニッシュ」とは、**素組みしたガンプラにスミ入れ(→P.92)をして、コート剤(→P.122)を吹きかけるだけで仕上げる方法。**コート剤を吹くだけで、ガンプラをプラスチックとは思えない質感に変えることができる。はじめてガンプラをつくる人に、とくにオススメしたい仕上げ方だ。

作業時間(目安)
2〜3時間
におい
しない
よわめ
つよめ
難易度
かんたん
ふつう
むずかしい

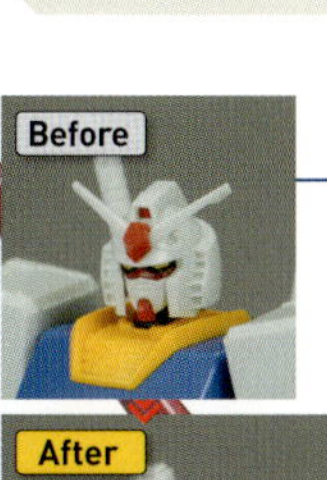

顔や首、胸部などにスミ入れ

シャープペンタイプのスミ入れペンで、スミ入れ(→P.94)をした。

シールド裏にスミ入れ

シャープペンタイプのスミ入れペンで、シールド裏にスミ入れ(→P.94)。陰影がはっきりした。

『ガンダムビルドファイターズ』より。レイジとアイラが初めてつくったガンプラも「かんたんフィニッシュ」で仕上げていた。

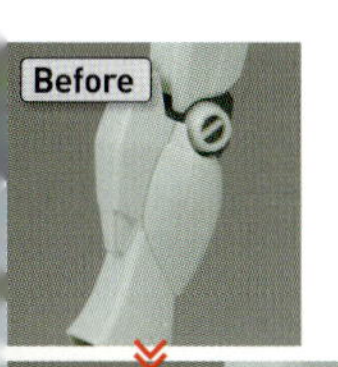

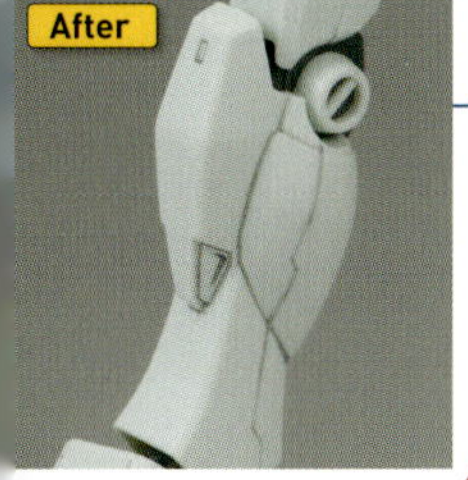

脚などにスミ入れ

シャープペンタイプのスミ入れペンで、脚などのモールドにスミ入れ。立体感が増し、パーツの形がはっきりと見えるようになった。

▲HGUC 1/144 RX-78-2 ガンダム

仕上げにコート剤を吹く

つやを調整するコート剤を吹いた(→P.122)。ここでは「つや消し」を吹き、プラスチックの質感を消して、落ち着いた様子にした。

Before

Key Item

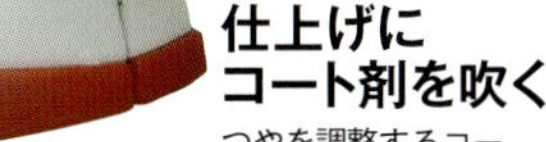

ガンダムマーカー スミいれペン シャープ
GSIクレオス

0.3mmという細めのシャープペンタイプのスミ入れペン。モールドなどをそのままなぞるだけで、スミ入れを行うことができる。

トップコート(水性スプレー)
GSIクレオス

つや(光沢)の調整などを目的とした水性のコート剤。「光沢」「半光沢」「つや消し」の3種類がある。

基本チャート

素組みをする

ランナーからパーツを切り離し、ゲート跡を処理(→P.50〜53)して、組み立てる。付属のホイールシールも貼(は)る(→P.63)。

→

スミ入れをする

モールドや段差、くぼみなどに沿って、スミいれペンで塗る。キットに陰影をつけることができる。

→

コート剤で仕上げる

コート剤を吹いて、キットのつやを調整。「光沢」「半光沢」「つや消し」の3種類。ここではにおいの弱い「水性」のコート剤がオススメ。

必ずうまくいく
プラン2

細部を塗って設定どおりのカラーリングに!
かんたん塗装

▶基本的に今のガンプラには元から色がついているが、完璧(かんぺき)に設定カラーを再現しているわけではない。そこで、説明書やパッケージイラストなどを参考に、成型色で色分けされていないところなどを塗ってみよう。**ガンダムマーカー(→P.68)を使えば、簡単に塗装ができる。**

作業時間(目安)	におい	難易度
3〜4時間	しない	**かんたん**
	よわめ	ふつう
	つよめ	むずかしい

ハイパー・バズーカを塗り分ける
アニメの設定通り、バズーカの一部を白で塗り分けた。成型色を残す部分はマスキングし(→P.104)、筆塗り(→P.110〜111)。

細部を塗り分ける
バーニアの外側をシルバーで、内側を赤で塗り分けた。どちらもガンダムマーカーで塗装(→P.102)。

シールを貼る代わりに塗る
腰部のVマークは付属のホイールシールではなく、ガンダムマーカーで塗り、そのフチにスミ入れをした。

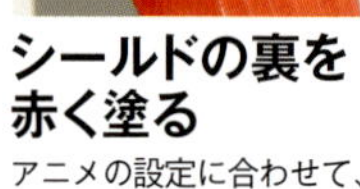

シールドの裏を赤く塗る
アニメの設定に合わせて、シールドの裏を赤く塗装。赤の水性塗料で筆塗り。

Key Item

ガンダムマーカー塗装用/GSIクレオス
ガンプラでよく使われるカラーがそろった塗装用のペン(→P.69)。

筆と塗料
筆先が平たい平筆と、細い面相筆がある(→P.76)。塗料は主にアクリル系、新水性系、エナメル系、ラッカー系の4種類がある(→P.71)。

◀HGUC 1/144 RX-78-2 ガンダム

基本チャート

素組みをする

ランナーからパーツを切り離し、ゲート跡を処理して、組み立てる。塗装する部分にはシールを貼(は)らない。

併用可

ガンダムマーカーで塗る
ガンダムマーカーの「塗装用」や「細先タイプ」を使って、塗り分けていく。

筆塗りする

塗料を塗る。塗るパーツの大きさや形状に合わせて、平筆と面相筆を使い分ける。

→

スミ入れをする
モールドや段差、くぼみなどに沿って、マーカーや筆を使って塗料を塗る。

→

コート剤で仕上げる

コート剤を吹いて、キットのつやを調整。「光沢」「半光沢」「つや消し」の3種類。ここではにおいの弱い「水性」のコート剤がオススメ。

必ずうまくいく
プラン3

塗って、つけて、ふくだけで完成!
かんたんウェザリング

▶ウェザリングとは、あえてキットを汚すことで、本当に戦場で戦ってきたかのようなリアリティを表現すること。難しく思えるかもしれないが、**リアルタッチマーカー(→P.168)や粉状のツール(→P.169,172)を使えば、だれでも簡単に、本格的な汚し表現を行うことができる。**

作業時間(目安)
3〜4時間
におい
しない
よわめ
つよめ
難易度
かんたん
ふつう
むずかしい

ビーム・ライフルの塗装をはげさせる

「ガンダムマーカー 塗装用」のシルバーでチッピングし(→P.183)、グリップなどの塗装がはげて金属が露出した様子を表現。

シールドや胸部の塗装をはげさせる

「ガンダムマーカー塗装用」のシルバーを使って、塗装のはげを表現(→P.183)。

全体に使用感の汚れをつける

「リアルタッチマーカー」を使ってウォッシングを行い(→P.178)、ススやホコリなどをかぶって汚れた様子を演出した。

足元に砂汚れをつける

地上戦を行った設定で、ウェザリングマスターを使って足元に砂汚れをつけた(→P.193)。地面に近い部分ほど濃く汚した。

▲HGUC 1/144 RX-78-2 ガンダム

Key Item

ガンダムマーカー リアルタッチマーカー/GSIクレオス
ガンダムマーカーの1つ。「塗装用」にくらべて、塗料が薄いので、ふいたり、にじませたりすることで汚し表現を行うことができる。

ウェザリングパステル
GSIクレオス
砂やホコリ、泥などの表現に最適な粉状のツール。粉を筆につけてそのまま塗るだけで、自然な汚れを再現できる。

ウェザリングマスター
タミヤ
汚れを再現するカラーが入っている。付属のブラシやスポンジを使って塗りつけるだけで、さまざまな汚れを表現できる。

基本チャート

素組みをする

ランナーからパーツを切り離し、ゲート跡を処理して、組み立てる。シールは必要に応じて貼る。

→

コート剤で下地をつくる

下地として、つや消しのコート剤を吹く。そうすると塗料などが定着しやすくなる。

→ 併用可

リアルタッチマーカーでウォッシング

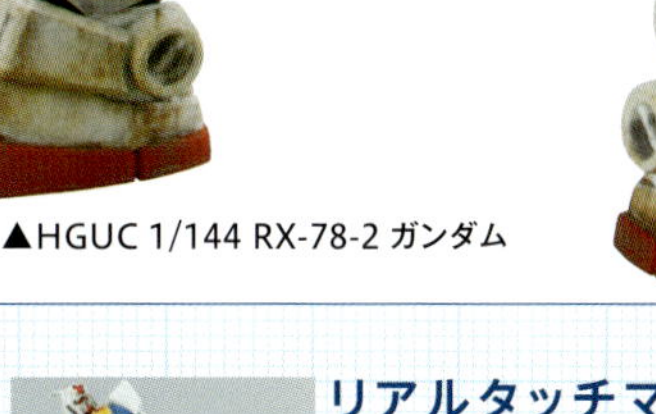

マーカーでパーツ全体を塗り、ティッシュなどでふき取る。うっすらと汚れた様子を表現。

パステル類で汚す

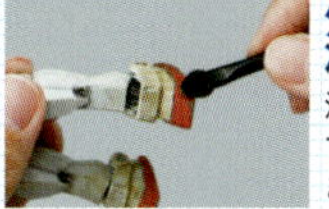

汚し用の粉をキットに塗りつけていく。複数の色の粉を混ぜることで、汚れに深みが出る。

ガンダムマーカーでチッピング

マーカーでキットの角やフチなどをつつくようにして塗る。機体の塗装のはげを表現できる。

→

スミ入れをする

モールドやくぼみなどに沿って、マーカーや筆で塗料を塗る。陰影をつけることができる。

→

コート剤で表面を保護する

塗料や粉が落ちないように、コート剤を吹いて保護。基本的には下地に吹いたものと同じコート剤で。

必ずうまくいく
プラン4

専用機のカラーへの塗り替えも超お手軽に!
ガンダムマーカーエアブラシ塗装

▶ **ガンダムマーカーエアブラシシステム(→P.70)を使えば、手軽にキット全体を塗装することができる(→P.112)。**ガンダムマーカーは色数こそ限られているが、ガンダムシリーズの設定カラーが揃っているので、設定色への塗り替えがしやすい。スミ入れ&デカール貼りでバシッと決めれば、格好よく仕上がる。

カラーレシピ

◆胸部・足先など
●ガンダムマーカー　シャアレッド(GM35)

◆頭、腕、脚など
●ガンダムマーカー　シャアピンク(GM34)

◆襟、胸ダクトなど
●ガンダムマーカー　ファントムグレー(GM38)

◆関節、拳など
●ガンダムマーカー　ジオングレー(GM39)

◆メインカメラなど
●ガンダムマーカー ガンダムイエロー(GM08)

きっちりとスミ入れ!
モールドなどに極細タイプのスミ入れペン(→ P.68)で、スミ入れをした。立体感が増し、パーツの形がよりはっきりと見える。

ガンダムマーカーエアブラシで完全塗装!
ガンダムマーカーエアブラシで各部を塗り分けた。準備から色替え、片付けまで、簡単にエアブラシ塗装が楽しめる。

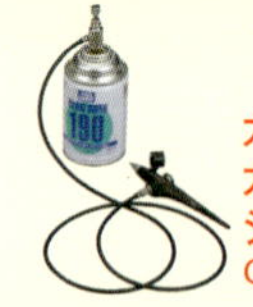

パーソナルマークのデカールを貼る
市販のガンダムデカールから、シャアのパーソナルマークを取り付ける。だれの機体か一目瞭然だ!

◀ENTRY GRADE　RX-78-2 ガンダム
※キャスバル専用ガンダム風に塗装したも

Key Item

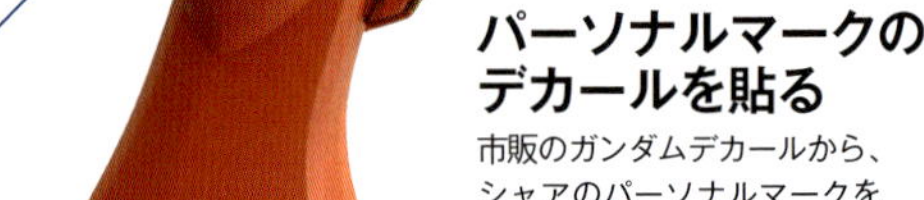

ガンダムマーカーエアブラシシステム
GSIクレオス
ガンダムマーカーをセットすることで、エアブラシのように塗装できるツール。片付けや色替えが簡単で、エアブラシ入門に最適。

ガンダムマーカー塗装用
GSIクレオス
塗装用のペン。ガンダムカラーやガンダムレッドなどの設定カラーや、メタリック系のカラーなどが多数リリースされている。

基本チャート

仮組みをする

あとで分解しやすいように、ダボを半分程度にカットし、ダボ穴を少し広げてから組み立てる(→P.98~99)。

→ **ガンダムマーカーエアブラシで塗装する**

ガンダムマーカーエアブラシで塗装する。

→ **デカールを貼る**

お好みでデカールを貼る。

→ **スミ入れをする**

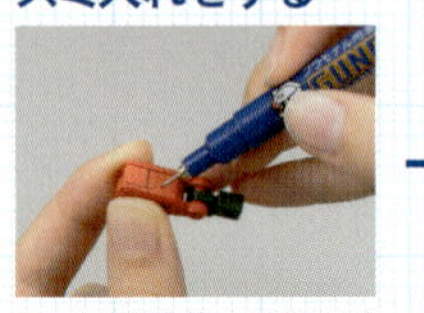

モールドや段差、くぼみなどに沿って、スミ入れペンで書き込む。

→ **表面を保護する**

完全に乾燥して、ガンダムマーカークリアーのつや消しを吹いたら組み立てる。

必ずうまくいく
プラン5

とことん破壊し、ドラマチックな機体に!
傷だらけの勇者

▶ダメージ表現のテクニック(→P.204～217)を駆使すれば、激戦をくぐり抜け、帰還(きかん)を果たした勇者のようなモビルスーツをつくることができる。あまりにやりすぎると、リアリティを欠いてしまうので、派手に破壊するところとそうでないところのメリハリをつけ、ドラマチックな作品に仕上げよう。

作業時間(目安)	におい	難易度
9～10時間	しない／よわめ／つよめ	かんたん／ふつう／むずかしい

頭部を破壊してメインカメラを露出

頭部の一部が破壊され、メインカメラが露出した様子を表現。ニッパーを差し込み、少しずつ切れ目を入れていった。

片方のバインダーが破損した

左側のバインダーの上部を破壊。コテライザー(→P.206)で焼き切り、ジャンクパーツのスプリングを埋め込んでいる(→P.213)。

Key Item

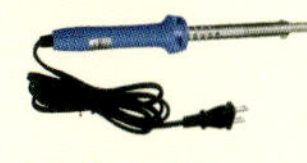

ホットナイフ

ナイフ形状の刃をハンダゴテに装着して使う。プラスチックを焼き切ることができるので、派手なダメージをつけることができる。

脚部の装甲を破損

脚部の前面にあった装甲をニッパーで切った。激戦の中でダメージを負った様子を表現。

ビーム砲による攻撃で装甲が破損

装甲を破壊され、内部メカが露出した状態に。ホットナイフでパーツをくり抜き、内部には真鍮線などを入れてメカらしくした(→P.212)。

▲MG 百式 Ver.2.0

基本チャート

素組みをする

ランナーからパーツを切り離し、ゲート跡を処理して、組み立てる。

→

コート剤で下地をつくる

下地として、つや消しのコート剤を吹くことで、塗料などが定着しやすくなる。

→

ホットナイフなどでダメージを表現する

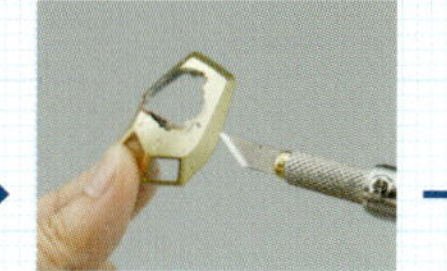

ホットナイフやリューター、ピンバイスなどを駆使して、さまざまなダメージをつけていく。

→

ウェザリングマスターなどで汚れを表現する

派手にダメージを受けた場合は、全身にスス汚れをつけるなどして、激戦からもどったばかりの様子を表現。

→

コート剤で表面を保護する

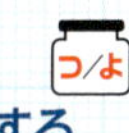

仕上げにつや消しのコート剤を吹いて、塗料などが落ちないようにする。下地に吹いたものと同じ種類のコート剤を吹く。

必ずうまくいく
プラン6

徹底的に汚し、傷つけ、カッコよくする!
徹底ウェザリング

▶ウェザリングに使えるテクニックは、数え切れないほどある(→P.178~217)。大切なのは、**そのモビルスーツが戦ったシーンをイメージして、リアルな汚れやダメージをつけること。**そうしてプランを決め、ウェザリングテクニックを駆使すれば、リアリティあふれる完成度の高い作品をつくることができる。

作業時間(目安)	におい	難易度
6~7時間	しない	かんたん
	よわめ	ふつう
	つよめ	**むずかしい**

[沼地で戦うガンダム]

装甲を汚して退色させる
シタデルカラーDry(→P.74)を使い、ドライブラシで色あせた装甲を表現(→P.192)。

装甲を汚す
Mr.ウェザリングカラー(→P.170)を使って、ウォッシングで装甲を汚した(→P.181)

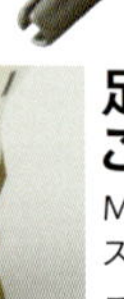

足元に泥をこびりつかせる
Mr.ウェザリングペースト(→P.171)を塗り、こびりついた泥汚れを表現(→P.197)。

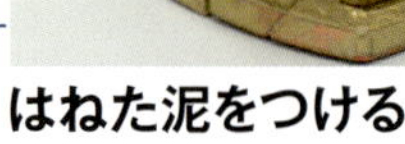

はねた泥をつける
Mr.ウェザリングペーストを溶剤で溶いて筆につけ、筆先をつまようじではじいて泥はねをつけた(→P.198)。

▲MG RX-78-02 ガンダム(GUNDAM THE ORIGIN版)

Key Item

使用感・経年変化&戦場による汚れ

ガンダムマーカー リアルタッチマーカー/GSIクレオス
「塗装用」にくらべて、塗料が薄いので、ふいたりにじませたりすることで汚し表現を行うことができる。

Mr.ウェザリングペースト/GSIクレオス
汚れを表現するのに適したペースト状の素材。Mr.ウェザリングカラー専用うすめ液で溶いて、濃度を調整できる。

ウェザリングマスター
タミヤ

さまざまな汚れを表現する粉状のツール。砂系の汚れがそろっているAセット、ススが入っているBセットなどがオススメ。

ウェザリングスティック
タミヤ

汚したい部分にペン先をこすりつけるだけで、固まりのような立体感のある汚れをつけることができるペンタイプのツール。

シタデルカラーDry
ゲームズワークショップ

ドライブラシ向けに粘度が高められた塗料。少量の塗料で、ドライブラシができる。

ダメージ表現

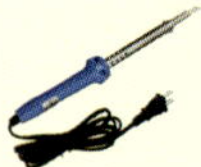

ホットナイフ
ナイフ形状で、ハンダゴテに装着して使用。プラスチックを焼き切ることができるので、派手なダメージ加工も簡単にできる。プラスチックを溶かすので、においに要注意。

リューター
電動式で、先端についているビッドが震えることでパーツをけずることができる。写真はGSIクレオスの「電動コードレスルーター 基本ヤスリ・ホルダー付」。

ピンバイス
手回し式のドリル。ドリルの先端をパーツに対して垂直に当て、まっすぐけずっていくことで、貫通傷をつけることができる。写真はタミヤの「精密ピンバイスD」。

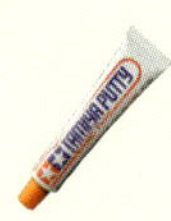

ラッカーパテ
ペースト状の塗料で、乾くと硬くなる。ダメージ加工した部分に塗り、乾く前に成形することで自由に傷口の形をつくれる。写真はタミヤの「タミヤパテ(ベーシックタイプ)」。

[市街地で戦う量産型ザク]

▲MG MS-06J ザクII Ver.2.0

[宇宙で戦うガンダムMk-II]

MG RX-178 ガンダムMk-II Ver.2.0(エゥーゴ仕様)▲

建物で装甲をこすった傷

三層に塗り重ねたパーツを紙やすりでけずり、建物にこすって塗装がはげた様子を表現(→P.204)。

赤サビをつける

面相筆を使ってエナメル塗料を塗り、サビついた装甲を表現(→P.187)。パーツの角やフチなどに塗るのがコツ。

デブリの衝突による傷をつける

リューターで大小さまざまな傷をつけ、ウェザリングマスターBのススを塗ってデブリの衝突によってついた傷を表現(→P.205)。

デブリ衝突によるへこみをつける

シールドなどにコテライザーを当てて、大きなデブリが衝突してできたへこみをつくった(→P.206)。

オイル汚れをつける

オイル汚れを表現するため、面相筆を使って関節部を中心にエナメル塗料を塗り、綿棒でふき取った(→P.191)。

装甲をはげさせる

エナメル塗料を使って、チッピング(→P.185)。シルバー系の塗料を面相筆の先につけ、パーツの角やフチなどをつつくように塗っていく。

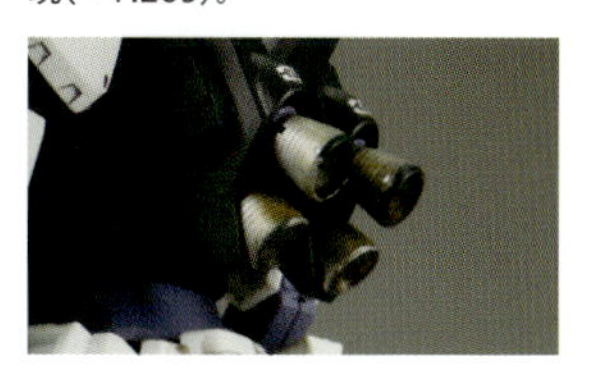

バーニアを汚す

焼けついたバーニアを表現。バーニア本体をシルバーで塗装し、ウェザリングマスターDセットの青焼けと赤焼け、同Bセットのススを重ねてつけた(→P.189)。

装甲の汚れをつける

リアルタッチマーカーをパーツ全体に塗りつけ、ティッシュや綿棒などでふき取って、汚れ具合を調節した(→P.178)。

基本チャート

素組みをする
ランナーからパーツを切り離し、ゲート跡を処理して、組み立てる。シールは必要に応じて貼る。

→

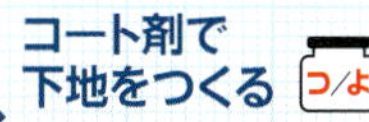

コート剤で下地をつくる コ/よ
下地として、つや消しのコート剤を吹くことで、塗料などが定着しやすくなる。

→ 併用可

ビン入りの塗料と筆で汚れをつける よわめ
ビン入りの塗料を使って筆塗りして、赤サビやオイル汚れなどをつける。

リューターなどでダメージをつける
リューターやホットナイフなどでパーツをけずって、弾痕(だんこん)や装甲の破損などを表現する。

ウェザリングマスターなどで汚れをつける
ウェザリングマスターなど、パステル系のツールを使って、砂汚れやスス汚れをつける。

→

コート剤で表面を保護する コ/よ
塗った塗料や粉が落ちないように、コート剤を吹いて保護。「つや消し」を選択する。

※ほかにも各種の手法があります(→P.178〜217)

必ずうまくいく
プラン7

全身を塗り替えて新しい作品を生み出す!
完全塗装

▶ **エアブラシ(→P.80)や缶スプレー(→P.78)を使えば、キット全体を塗り替えて**まったく別のカラーリングにすることができる。設定がある別のバリエーション機にしたり、あるいは完全にオリジナルのカラーリングにしたり、本格的な塗装を自由に楽しもう。この完成例はすべてエアブラシで塗装しているが、缶スプレーで塗装することも可能。ていねいに行えば、筆で塗ることもできる。

作業時間(目安)	におい	難易度
5〜6時間	しない / よわめ / つよめ	かんたん / ふつう / むずかしい

カラーレシピ

◆胸部・肩など
●Mr.カラー ネイビーブルー(C14)

◆腕部・脚部の下側など
●Mr.カラー 明灰白色(C35)

◆腰部・脚部の上側・足首のアーマーなど
●Mr.カラー ダークグリーン(C70)

◆胴体の両側・胸部の排気ダクトなど
●Mr.カラー キャラクターレッド(C108)

◆首周辺など
●Mr.カラー キャラクターイエロー(C109)

マーキングシールを貼る

ほかのキットのマーキングシールを貼って(→P.64)、所属軍名や機体番号などをつけた。

マスキングして塗り分ける

パーツを分解できない部分はマスキング(→P.104)をすれば、きれいに塗り分けられる。

◀HGUC 1/144 RX-78-2 ガンダム
※リアルタイプカラーに塗装したもの。

Key Item

エアブラシ

広い面を均一に吹く、薄く細く吹きつけるなど、自由自在に塗装ができる。写真はGSIクレオスの「プロコンBOY WAダブルアクション 0.3mm」。

缶スプレー

細かい調整はできないが、広い面積を均一に塗ることができる。写真は、GSIクレオスの「Mr.カラースプレー」。

基本チャート

仮組みをする

あとで分解しやすいように、ダボを半分程度にカットし、ダボ穴を少し広げてから組み立てる。(→P.98〜99)

→ **サーフェイサーを吹く**(つよめ)

塗料の定着をよくするため、サーフェイサーを吹く。パーツ色よりも塗る色のほうが濃い場合などは省略可。

→ 併用可

エアブラシで塗装する(つ/よ)

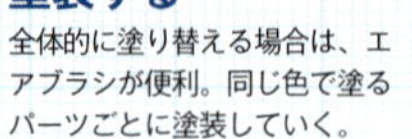

全体的に塗り替える場合は、エアブラシが便利。同じ色で塗るパーツごとに塗装していく。

缶スプレーで塗装する(つよめ)

缶スプレーは塗料が吹き出す量が多くなりやすいので、薄く吹いて、数回に分けて塗り重ねる。

筆で塗装する(つ/よ)

エアブラシなどがない場合は、筆で塗ってもOK。ムラにならないようにていねいに塗る。

→ **スミ入れをする**

モールドやくぼみなどに沿って、マーカーや筆で塗料を塗る。陰影をつけることができる。

→ **コート剤で仕上げる**(つ/よ)

シールを貼り、コート剤を吹いて、キットのつやを調整。水性塗料で塗った場合は、「溶剤系」のコート剤を使用してはいけない。

必ずうまくいく
プラン 8

できるだけにおいを出さずに完成度を高める!
におい抑えめ仕上げ

▶ 住宅環境の問題などで、においが強い塗料は使えないという人も多いはず。そこで、**最大限においを抑えながら、完成度を高める方法**を紹介する。においが弱めのアクリル（水性）塗料で塗装し、においのしないウェザリングマスターなどで汚す。これならにおいが気になる人でも、幅広い表現ができる。

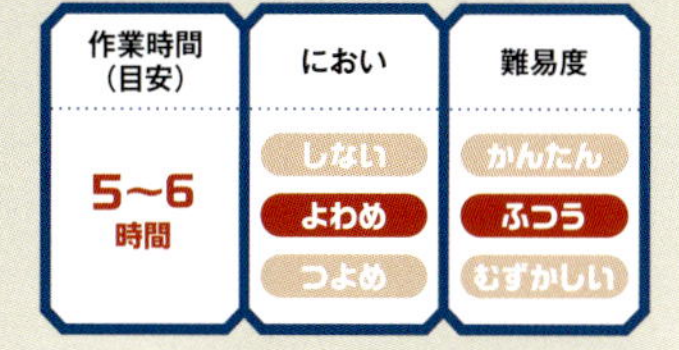

作業時間
（目安）
5~6
時間
におい
しない
よわめ
つよめ
難易度
かんたん
ふつう
むずかしい

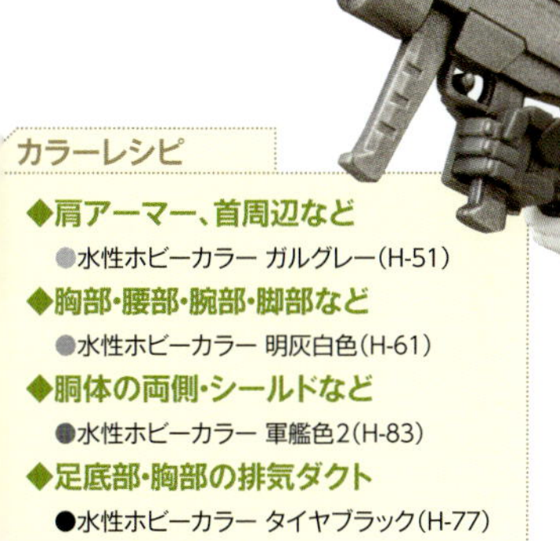

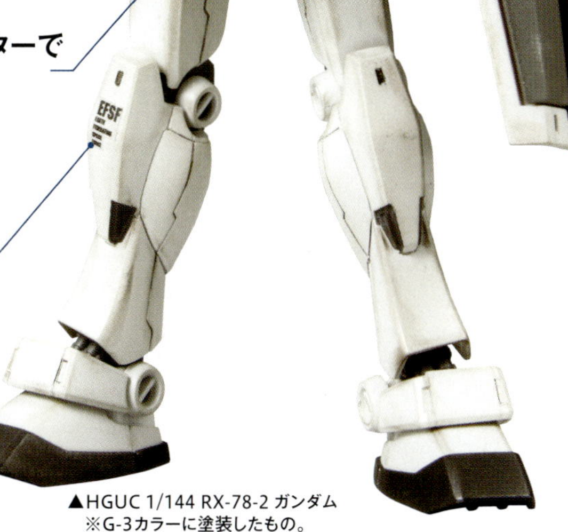

カラーレシピ

◆**肩アーマー、首周辺など**
●水性ホビーカラー ガルグレー(H-51)

◆**胸部・腰部・腕部・脚部など**
●水性ホビーカラー 明灰白色(H-61)

◆**胴体の両側・シールドなど**
●水性ホビーカラー 軍艦色2(H-83)

◆**足底部・胸部の排気ダクト**
●水性ホビーカラー タイヤブラック(H-77)

▲HGUC 1/144 RX-78-2 ガンダム
※G-3カラーに塗装したもの。

バーニアの焼けつきを表現

バーニアにウェザリングマスターDセットの青焼けと赤焼け、同Bセットのススをつけて、焼けついた様子（→P.189）を表現。

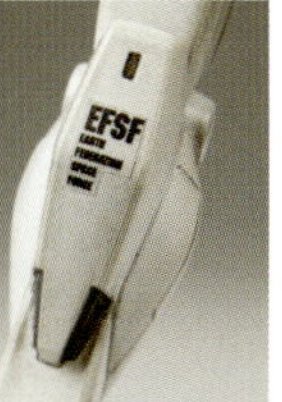

ウェザリングマスターで装甲を汚す

宇宙戦をイメージして、全体的にウェザリングマスターBセットのススをつけた。

マーキングシールを貼る

脚部にマーキングシールを貼った（→P.64）。ほかのキットに付属しているシールを使用。

Key Item

においで塗料などを選ぶときは、下を参考にしてみよう。○はにおいが弱めのもの、×は強いもの。△はその中間。

○	アクリル塗料
△	エナメル塗料
×	ラッカー塗料
△	サーフェイサー（水性系／溶剤系）
△/×	コート剤（水性系／溶剤系）

基本チャート

仮組みをする
あとで分解しやすいように、ダボを半分程度にカットし、ダボ穴を少し広げてから組み立てる（→P.98~99）。

→ 併用可

エアブラシで塗装する（よわめ）
においが弱めのアクリル塗料を使って、エアブラシで塗装する。全体的に塗り替えたいときに便利。

筆で塗装する（よわめ）
においが弱めのアクリル塗料を使って、筆で塗る。ムラにならないようにていねいに塗る。

→ **スミ入れをする・シールを貼る**

→ 併用可

ウェザリングマスターなどで汚れをつける
ウェザリングマスターなど、パステル系のツールを使って、砂汚れやスス汚れをつける。

ガンダムマーカーで汚れをつける
ガンダムマーカーでチッピング（→P.183）などを行って、塗装のはげなどをつける。

リアルタッチマーカーで汚れをつける
リアルタッチマーカーでウォッシング（→P.178）を行って、装甲の汚れなどをつける。

→

水性のコート剤で表面を保護する

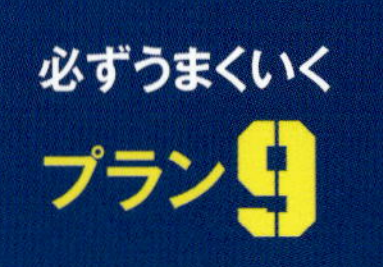

ピカピカに光る機体に仕上げる!
光沢塗装

▶つやのある光沢系の塗料を使い、仕上げに光沢のコート剤を吹き、コンパウンド(→P.42)でみがき上げていく。そうすることで、光を強く反射してピカピカ光るガンプラをつくることができる。光沢塗装と呼ばれる方法で、とくに1つずつのパーツが大きく、かつ丸みを帯びたキットによく似合う(→P.128～131)。

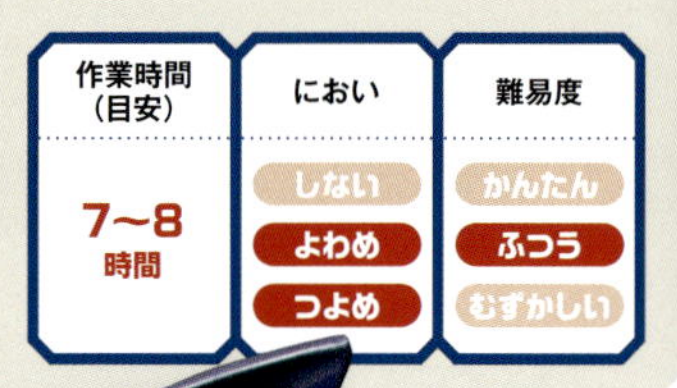

エンブレムを左肩につける
市販のガンダムデカールから、大きめのジオンマークを貼(は)りつけた。

カメラアイは筆塗り
カメラアイなどの細部は、ピンクを筆で塗って表現した。

メインの紺部分は光沢クリアを吹く
紺部分は半光沢の塗料だが、仕上げに光沢系のクリア塗料を吹いてからコンパウンドでみがいて仕上げた。

▲HGUC 1/144 キュベレイ
※キュベレイMk-Ⅱカラーで光沢塗装したもの。

Key Item

光沢系の塗料
つやのある塗料。GSIクレオス製は「光沢」、タミヤ製は「X」(アクリルとエナメルのみ。ラッカーは表記なし)と、塗料ビンのラベルに書かれている。

光沢のコート剤
光沢のコート剤を吹くことで、さらに輝かせられる。右の写真は水性系の「Mr.プレミアムトップコート<光沢>」(GSIクレオス)。

タミヤコンパウンド/タミヤ
プラスチック用の研磨(けんま)剤。専用のクロスにつけて、パーツをみがいていく。

基本チャート

仮組みをする
→
サーフェイサーを吹いて表面処理 つよめ
サーフェイサーを吹いて、傷の有無をチェック。傷やヒケは、紙やすりやパテで処理する。
→ **選択**

缶スプレーで塗装する つよめ
缶スプレーは塗料が吹き出す量が多くなりやすいので、薄く吹いて、数回に分けて塗り重ねる。

エアブラシで塗装する つ/よ
全体的に塗り替える場合は、エアブラシが便利。同じ色で塗るパーツごとに塗装する。

→
光沢のコート剤を吹く つ/よ

光沢のコート剤を吹く。ほどよい光沢具合にしたいなら「半光沢」を使ってもOK。

→
コンパウンドでみがく

コンパウンドでパーツをみがく。みがくほどに、光沢度が増す(半光沢を使った場合は不要)。

必ずうまくいく
プラン10

プラスチックを金属らしい質感に変える!
メタリック塗装

▶モビルスーツは合金製なので、塗装によって金属らしい質感に変えるメタリック塗装がよく似合う。**ポイントはメタリック系の塗料を使うこと。**それをエアブラシや缶スプレーを使ってムラなく塗っていくことで、プラスチックがまるで金属のような見栄えに変化する(→P.132～135)。

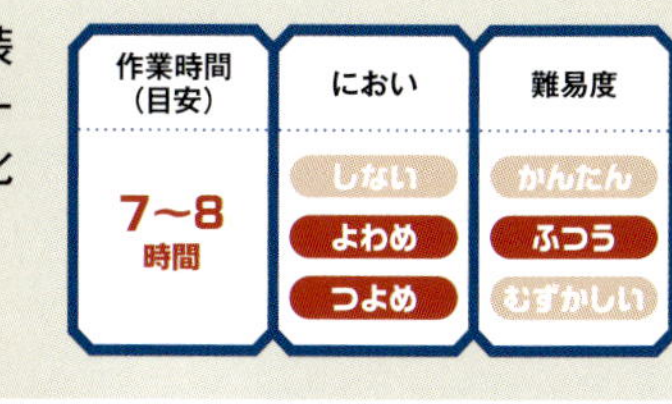

作業時間(目安)	におい	難易度
7～8時間	しない	かんたん
	よわめ	ふつう
	つよめ	むずかしい

マスターガンダムを『ガンダムビルドファイターズ』の珍庵師匠バージョンに塗り替えるメタリック塗装を行った。まずは全体に黒のサーフェイサーを吹いて下地をつくる。

シルバーの上にメタリックブルーを重ねる

シルバー(C8)、メタリックブルー(C76)の順番に塗り重ねた。シルバーをはさんだことで金属らしさが増した。

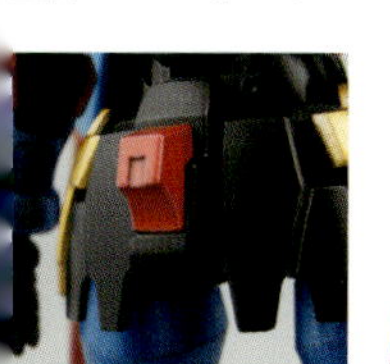

黒の下地の上からクリアーブルーを吹く

腰部などは黒のサーフェイサーを吹いた上から、クリアーブルー(C50)で塗装。黒い装甲に、わずかにブルーが乗った。

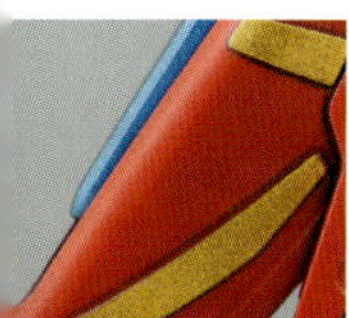

赤いメタリックはキャンディ塗装で

シルバーの上からクリアーレッド(C47)を塗る。シルバーの上からクリアカラーを塗ることをキャンディ塗装といい、高級感のある質感になった。

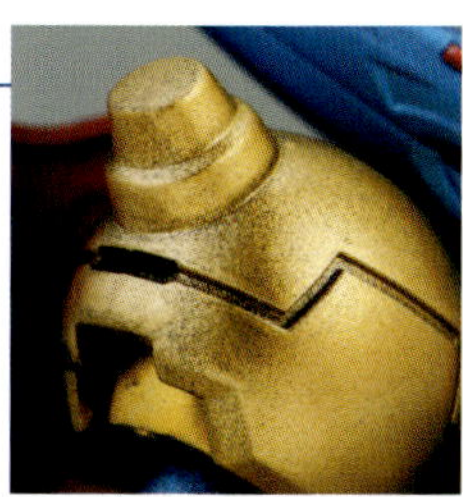

ゴールドの上からクリアイエローを塗る

黒の下地の上からゴールド(C9)、クリアイエロー(C48)の順番に塗装した。金属の質感が際立つ。

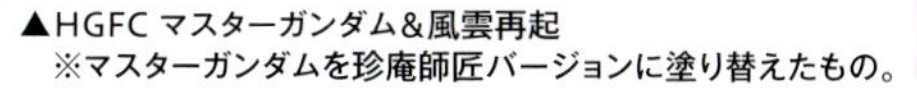

▲HGFC マスターガンダム&風雲再起
※マスターガンダムを珍庵師匠バージョンに塗り替えたもの。

Key Item

メタリック系の塗料

メタリック系塗料で塗装することで、金属のような質感になる。Mr.カラーシリーズは、ラベルに「メタリック」と明記されているほか、Mr.メタリックカラーGXなど、メタリックカラーに特化したラインアップもある。タミヤカラーシリーズは、「○○メタリック」など、色名で判断する。

コート剤

メタリック塗装の場合は、コート剤のチョイスで仕上がりを変えることができる。オススメはピカピカ光るメタリックにする「光沢」だが、「つや消し」を吹くことで落ち着いた質感にすることもできる。

基本チャート

仮組みをする →

サーフェイサーを吹いて表面処理(つよめ)
サーフェイサーを吹いて、傷の有無をチェック。傷やヒケは、紙やすりやパテで処理する。

→ 選択

缶スプレーで塗装する(つよめ)
缶スプレーは塗料が吹き出す量が多くなりやすいので、薄く吹いて、数回に分けて塗り重ねる。

エアブラシで塗装する(つ/よ)
全体的に塗り替える場合は、エアブラシが便利。同じ色で塗るパーツごとに塗装する。

→

コート剤を吹く(つ/よ)

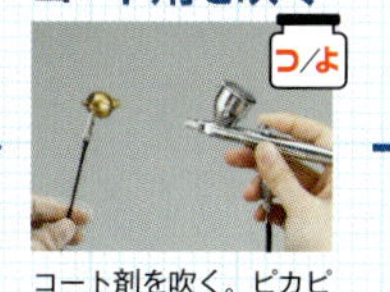

コート剤を吹く。ピカピカに光らせるなら「光沢」、落ち着いた感じにするなら「つや消し」で。

→

コンパウンドでみがく

コンパウンドを使ってパーツをみがいていく。みがけばみがくほど、光沢度が増していく。

必ずうまくいく
プラン11

キラキラ輝く珠玉の一体を手に入れる!
パール塗装

▶ **パール粉の入った塗料を吹きつけることで、キットの表面をキラキラと輝かせる塗装方法**をパール塗装という。パーツに付着したパール粉が光に反射して輝くしくみなので、見る角度によってちがった輝き方を楽しめる。エアブラシ、缶スプレー、両方で製作できるので、自分に合った方法を選ぼう(→P.136~139)。

作業時間(目安)	におい	難易度
7~8時間	しない	かんたん
	よわめ	**ふつう**
	つよめ	むずかしい

ウイングガンダムゼロ(EW版)の白い部分をパール塗装し、そのほかの部分はメタリック塗装で仕上げた。まずは全体にグレーのサーフェイサーを吹いて下地をつくる。

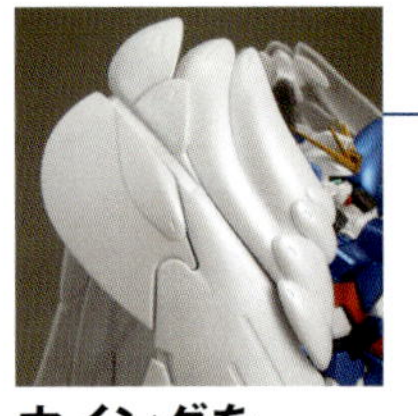

ウイングを キラキラと輝かせる
クールホワイト(GX1)を塗った上から、パール系塗料のムーンストーンパール(XC08)で塗装。キラキラ輝いている。

ブルーメタリックで 胸部などを塗装
光沢のブラック(C2)で塗装した上から、メタリックブルー(GX204)で塗装。パールとメタリックのメリハリが出ている。

胴体や足などは メタリックレッド系で
胴体や足部は光沢のブラック(C2)を塗った上から、メタリックレッド(GX202)を重ね塗りした。

アンテナなどは ゴールドで塗装
ブレードアンテナなどは、ブラック(C2)、レッドゴールド(GX209)の順で重ね塗り。ゴールドの質感が深まっている。

▲MG ウイングガンダムゼロ(EW版)
※白い部分にパール塗装、その他の部分にメタリック塗装をしたもの。

Key Item

パール系の塗料
パール粉が含まれた塗料。希釈してエアブラシで吹くだけでパール塗装ができる。写真はGSIクレオスの「Mr.クリスタルカラー トパーズゴールド」。

パール顔料
パール粉だけのもの。カラーがついたものもあり、クリア塗料に混ぜることで、オリジナルのパール塗料をつくれる。写真は雲母堂本舗の「MGパール(MGパール・プレミアム)」。

基本チャート

仮組みをする →

サーフェイサーを吹いて表面処理(つよめ)
サーフェイサーを吹いて、傷の有無をチェック。傷やヒケは、紙やすりやパテで処理する。

→ **選択**

缶スプレーで塗装する(つよめ)
缶スプレーは塗料が吹き出す量が多くなりやすいので、薄く吹いて、数回に分けて塗り重ねる。

エアブラシで塗装する(つ/よ)
全体的に塗り替える場合は、エアブラシが便利。同じ色で塗るパーツごとに塗装する。

→ **コート剤を吹く**(つ/よ)

コート剤を吹く。ピカピカに光らせるなら「光沢」、落ち着いた感じにするなら「つや消し」で。

→ **コンパウンドでみがく**

コンパウンドを使ってパーツをみがいていく。みがけばみがくほど、光沢度が増していく。

S

MISSION_1

ガンプラを組み立てる

最近のガンプラは接着剤を使わずに、パチンとはめ込むだけで組み立てることができる。
さらにデザインナイフや紙やすりなどを使って、パーツを切り離した跡(ゲート跡)を
きれいにするなど、ひと手間加えることで、もっときれいな仕上がりにすることができる。
MISSION_1では、そのような基本的な組み立てのテクニックを解説。
奥が深いガンプラづくりの世界へ、第一歩を踏み出そう。

ニッパーの種類と使い方

▶ ニッパーは、主にランナー（→P.47）から**パーツを切り離すとき**に使う。また、小さな**パーツの加工**に使うこともある。ガンプラづくりにおいて、必要不可欠なツールといえる。

▶ **模型専用のニッパー**を使うことで、作業のスピードや精度が格段に上がる。

パーツを切り離すときには、主にニッパーを使います。100円ショップのニッパーでも切ることはできますが、耐久性や切れ味を考えたら模型専用のニッパーを使うほうがいいでしょう。

片側だけに刃（は）がある片刃ニッパーは、切れ味がよく、パーツを傷めにくくなっています。ただし、片刃ニッパーは比較的高価で、刃が折れやすい特徴もあります。説明書などをよく読んで、切れる厚みに注意しましょう。

オススメのニッパー

モデラーズニッパーα（グレイ）
タミヤ

細かなパーツを切りやすく、耐久性も十分で、シャープな切れ味が特徴。グリップは、手になじみやすい軟質樹脂（なんしつじゅし）製になっている。

薄刃ニッパー／タミヤ

刃先がより細く、薄く、シャープになったニッパー。細かいパーツのカットにも対応できる。

Premium薄刃ニッパー
ミネシマ

刃先が薄く、フラット（水平）になっているので狭い部分のゲートカットも楽にできる。

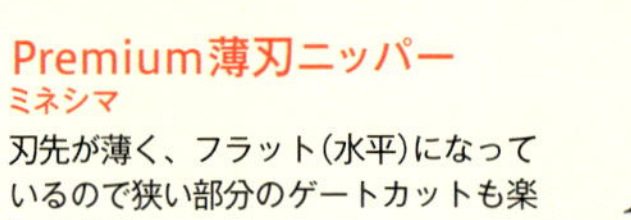

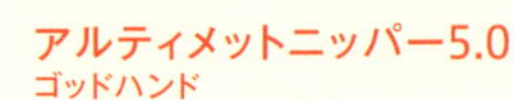

アルティメットニッパー5.0
ゴッドハンド

片刃ニッパー。職人によるていねいな刃とぎにより、抜群の切れ味で力を入れずに切り出しができる。また、超薄刃となっているので、狭い部分の切り出しも簡単。

用途

ニッパーの主な用途は、パーツの切り離し。パーツの加工に使うこともある。

パーツを切り離す

ガンプラづくりの第一歩であるパーツの切り離しのときに必ず使う。もっとも使用する道具の1つ。

パーツを加工する

HGUCなどのキットのアンテナについたでっぱりを切りたいときなど、パーツを加工したいときに使う。

プラスα 模型専用のニッパーを使おう

非模型用ニッパーは刃先が太く、パーツをうまく切り出すことができない。

模型専用のニッパーは刃先が細く、切れ味も鋭いので、パーツを切った跡が目立たない。

扱い方

ニッパーは品質の差や扱い方によって、作業時間や精度が大きく変わる。作業しやすいものを選び、正しく扱うようにしよう。

ニッパーは全体をやわらかく持つ

全体を包むように持とう。持つ部分が上すぎたり、下すぎたりすると扱いにくくなり、作業の精度が下がる。

オモテ面を向けて切る

刃が平らなほうがオモテ面。オモテ面をパーツに向けて切ることで、傷つけずに切ることができる。

NG ウラ面を向けると切れない

ウラ面をパーツに向けると、刃とパーツの距離が離れてしまい、ねらった部分を切れない。

切れ味が悪くなったら交換の時期

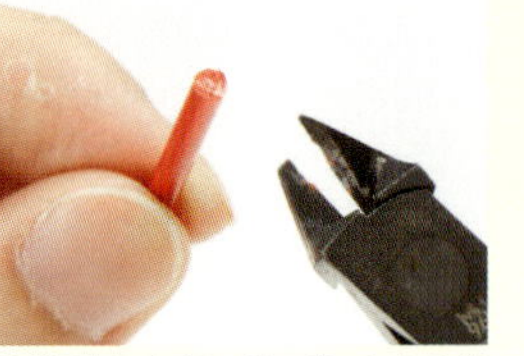

刃が写真のようにボロボロになる前に買い替えよう。プラスチック以外の素材を切ると、刃がダメになる。

デザインナイフの種類と使い方

▶ デザインナイフは、ゲート処理（→P.50）やはみだしてしまった部分の塗装落とし、ダメージ表現、スジ彫りなど、さまざまな用途で活躍する使用頻度の高いアイテムである。
▶ 刃を交換することができるので、切れ味が悪くなったら、こまめに交換する。

デザインナイフは**刃を交換することができるナイフ**です。文房具店などで市販されているカッターナイフよりも**刃先が細く、繊細な作業をすることができます**。ガンプラづくりで使用する頻度は高く、ゲート処理や塗装を落とすときなど、さまざまなシーンで活躍します。

1本あれば十分なので、**使い勝手のよいものを用意**しましょう。

オススメのデザインナイフ

アートナイフ
オルファ
カッターナイフの老舗・オルファから発売されているデザインナイフ。独自の口金部（刃の付け根の部分）で、刃をしっかり固定できる。

モデラーズナイフ
タミヤ
細かい作業に適した、模型用のナイフ。ホルダー部分（持つ部分）は転がりにくい八角形で、すべり止め加工が施してある。

用途

デザインナイフの用途は幅広く、ガンプラづくりには必要不可欠といえるアイテムの1つ。下で紹介している用途以外にも、さまざまなシーンで使用する。

ゲート処理

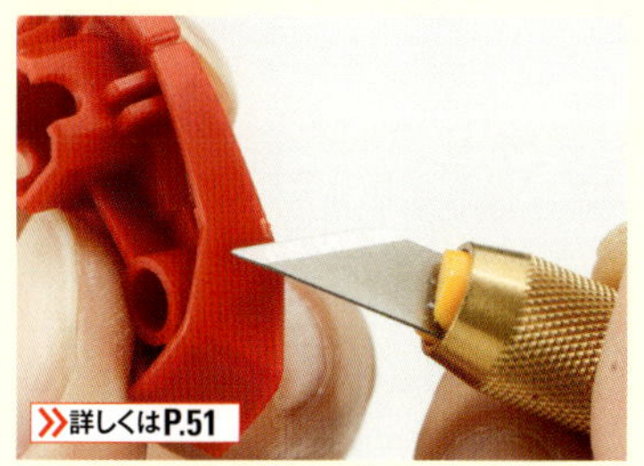
詳しくはP.51
パーツを切り離したあとに残るゲート跡（→P.47）を切り落とし、切り跡をきれいに処理する。

塗装落とし

詳しくはP.105
塗装時にはみ出してしまった塗料をけずり落とす。キットを傷つけないように、刃をスライドさせる。

ダメージ表現

詳しくはP.214
ダメージ表現を施すときにも、デザインナイフが活躍する。パーツをけずって傷をつけていく。

刃の交換

切れ味が悪くなったら、刃を交換する。付属のケースには、替え刃と使用済みの刃を捨てる穴がついているので正しく扱おう。

1 クルクル回してロックを緩める

口金部
緩めるときは反時計回りに回す

刃がこぼれたり、切れ味が落ちたりしたら刃を交換する。まずは、口金部を回すところからスタート。

2 刃をつまんで外す

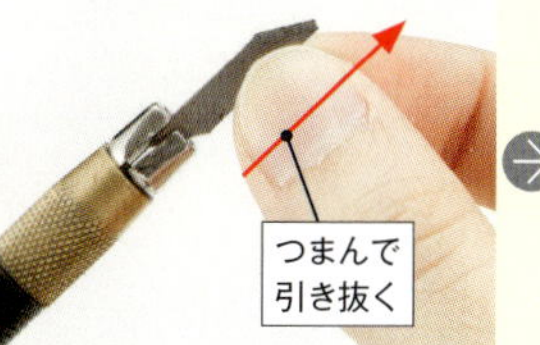

口金部を回すと刃のロックが緩くなり、引き抜くことができる。ケガをしないように慎重に作業を行う。

3 使用済みの刃は付属のケースに

使用済みの刃は、付属ケースの替え刃スペースに入れる。最終的な処分は自治体の条例などに従う。

プラスα 普段はキャップをつけて保管する

刃がむきだしだと刃がこぼれる原因になるほか、誤ってケガをしてしまう危険性がある。

やすりの種類と使い方

▶ やすりは、主に**ゲート処理**や**合わせ目消し**、**パーティングライン消し**などに使う。

▶ やすりは目の粗さごとに番号で分けられ、ガンプラづくりの**基本工作では400番、600番、800番あたり**が使われ、研ぎ出し(→P.131)などの仕上げ処理では1000番以上が使われる。

やすりはパーツのでこぼこをけずってみがき上げるためのもので、**プラモデル**づくりではよく使われるポピュラーな道具の1つです。紙でできている**紙やすり(サンドペーパー)**、金属の棒でできている**棒やすり(金属やすり)**、台紙がスポンジになっている**スポンジやすり**などがあります。

ゲート処理(→P.50)や合わせ目消し(→P.59)、パーティングライン消しなどに役立ちます。

目の粗さは「番手」といって数字で表記されており、目が細かくなるほど数字が大きくなります。基本的な処理には**400番、600番、800番**の3種類があればOKです。鏡面仕上げ(→P.140)など、特別な加工を行いたい場合は**1000番以上**を揃えておくとよいでしょう。

用途

やすりにはさまざまな用途があるが、代表的なものは次の3つ。用途に合わせて必要なやすりを用意しておこう。

ゲート処理

ニッパーで切り出した部分をけずってなめらかにする。主に紙やすり(→右ページ)を使う。

合わせ目消し

合わせ目は、やすりでけずってなくすこともできる。主に紙やすりを使う。

パーティングライン消し

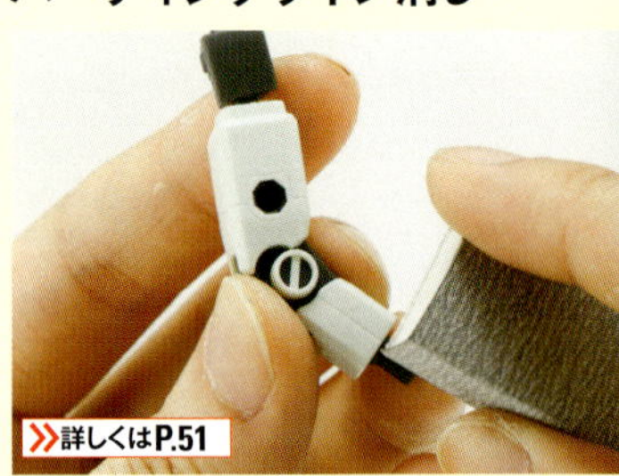

パーティングラインは紙やすりやデザインナイフなどで消すことができる。

やすりの番手

やすりの目の粗さは「番手」という数字で示され、数字が大きくなるほど目が細かくなる。一般的には番手の小さなもの(目の粗いもの)から始めて、段階的に番手の大きなもの(目の細かいもの)に移行していく。

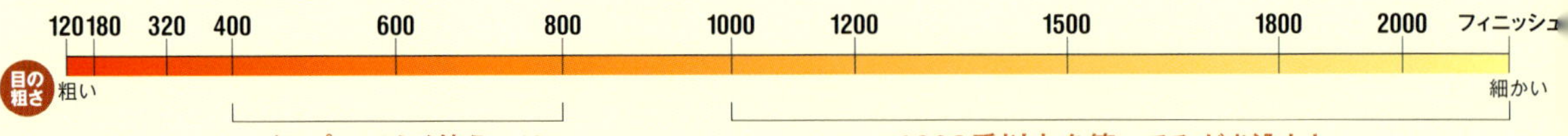

ガンプラでよく使うのは400〜800番

1000番以上を使ってみがき込むと、やすりがけだけでピカピカにできる!

番手による仕上がりのちがい

番手による仕上がりのちがいをイメージしておこう。やすりがけは基本的に手間がかかるものだが、その分、仕上がりはキレイになる。

400番はゲート処理の最初に使うことが多い。目が粗いので、この状態ではまだ仕上げにはならない。

ゲート処理の仕上げで使うことが多い。塗装を前提とするなら、これくらいの仕上げで十分だ。

1200〜1500番あたりを使えば、やすりがけだけで物が映り込むくらいピカピカにできる。

「フィニッシュ」で仕上げた状態。2000番よりも上の番手なので、さらにピカピカにみがき上げられる。

オススメのやすり

紙やすり（サンドペーパー）

紙状のやすり。サンドペーパーとも呼ばれる。番手を使い分けることで、さまざまな用途に応じたやすりがけができるので、プラモデルづくりではよく使われる。

フィニッシングペーパー／タミヤ

180〜2000番まで、ガンプラづくりに役立つ番手がラインアップされている。耐水性で使いやすい。

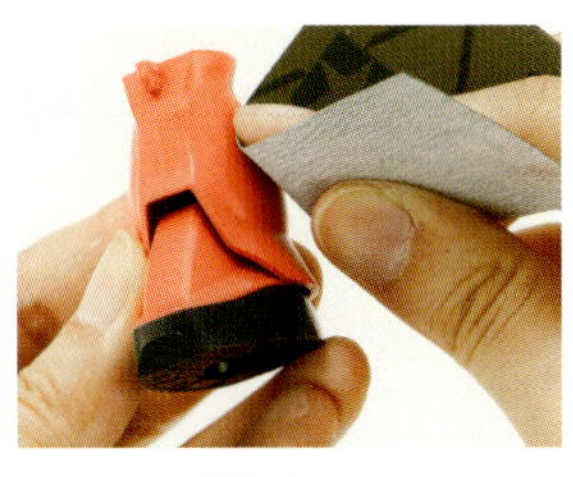

曲面は指でそのままけずる

曲面をけずる場合は、やすりを必要な大きさに切って、指で押さえてけずっていこう。

平面は消しゴムなどでくるんでけずる

平面をけずる場合は、平らにけずれるように消しゴムやシャープペンの芯ケースなどにくるんでけずる。

Mr.ペーパーカードタイプ
GSIクレオス

最初から1cm × 11cmサイズにカットされた紙やすり。台紙は厚みがあり、硬いので、フラットにやすりをかけられる。番手は240番、400番、600番、800番、1000番の5種類。

スポンジやすり

台紙がスポンジになっている紙やすり。曲面にやすりをかけるのに重宝する。

神ヤス！ スペシャルパック／ゴッドハンド

3.5cm × 2cmサイズのスポンジやすり。2mm、3mm、5mmの3種類の厚みで、120〜10000番の11種類がセットになっている（合計33枚入り）。番手ごとに色分けされていて、わかりやすい。

あて板つきの紙やすり

元からあて板となる素材に貼（は）りつけられた紙やすり。それぞれにいくつかの番手が用意されている。

タイラー／サテライト

合成樹脂の板に貼りつけられている紙やすり。持ち手もあるので作業しやすい。

そのまま使えるからとても便利！

あて板つきのやすりは、パッケージから出してそのまますぐに使うことができる。紙やすりを切ったり、あて板をつけたりする時間を短縮したい人にオススメだ。

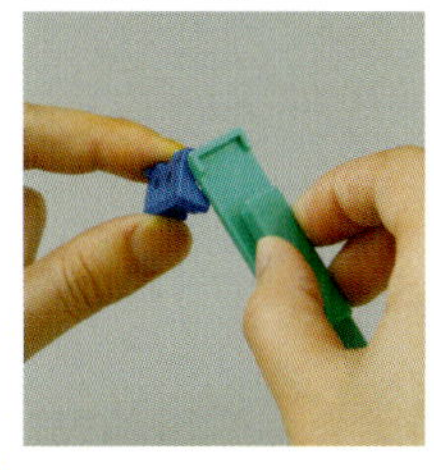

やすりの親父 フィルムスティックやすり
ピットロード

「やすりの親父」のパッケージが目印。フィルム素材の紙やすりを、スティック状の樹脂製あて板に貼り付けたもの。フィルム素材なので、丈夫で長持ちするすぐれもの。17.8cm × 1.8cmサイズで、厚みは3mm。180〜2000番の10種類（両面仕様／2本入り）。

棒やすり（金属やすり）

棒状の金属でできたやすり。平型、半丸型、丸型など、いくつかの形があるため、けずる面の形状に合わせて使える。ただし、紙やすりのような「番手」はないので使用シーンは多くない。

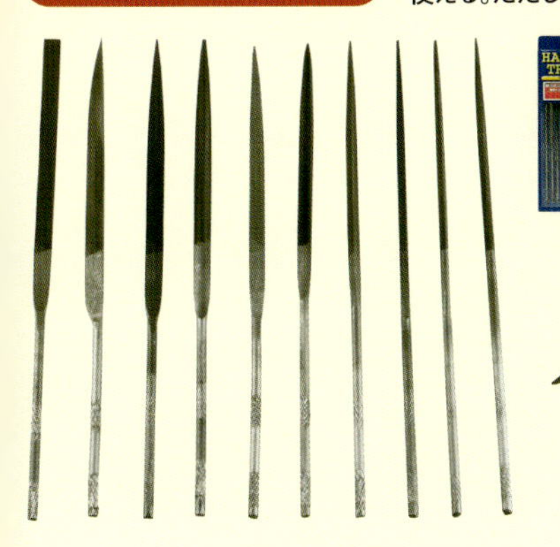

モデリングファイル（精密やすり）
ハセガワ

サイズや形状がちがう棒やすりがセットになっているもの。初〜中級者レベルなら、このセットで十分だ。

ベーシックヤスリセット／タミヤ

平型・半丸型・丸型の3種類がセットになった棒やすり。さまざまなパーツに対応できるので、入門者レベルならこれで問題ない。

接着剤の盛り上がったところをけずる

紙やすりほど出番は多くないが、「接着剤を塗って盛り上がったところをならす」などに使う。

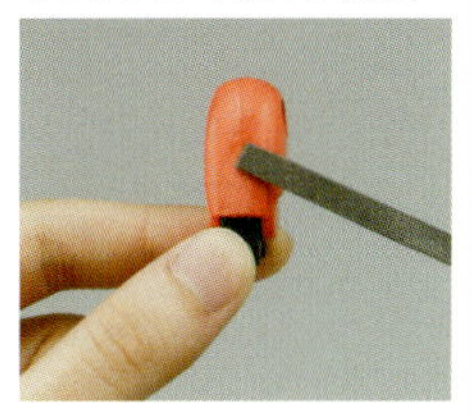

コンパウンドの種類と使い方

▶コンパウンドは**表面をみがいて、きれいに仕上げるためのクリーム状、もしくは液状の道具**である。
▶コンパウンドを使用すれば、やすりがけした**パーツのゲート跡**や**小さな傷**をほとんど目立たなくすることができる。
▶コンパウンドは**専用のクロス（布）**などに取り、そのクロスで軽くこするようにして使用する。

コンパウンドは**研磨剤**（けんまざい）です。小さな粒子が含まれていて、クロスなどに取ってみがくことで、その**小さな粒子がパーツ表面の凸部（とつぶ）をけずり、きれいな状態に仕上げます。**やすりと同じようなはたらきをしますが、基本的にコンパウンドはやすりよりも目が細かくなっています。粒子の大きさによっていくつかの種類があり、**やすりがけをしたあとで、さらに美しく仕上げるために使う**のが一般的です。

オススメのコンパウンド

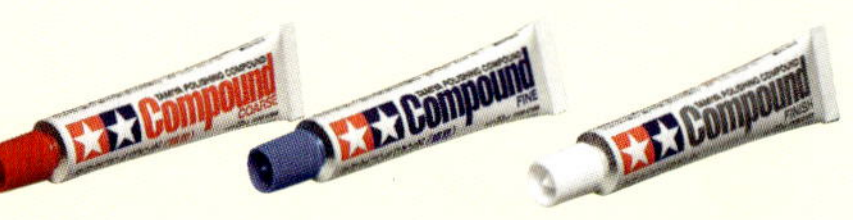

コンパウンド粗目／タミヤ　コンパウンド細目／タミヤ　コンパウンド仕上げ目／タミヤ

コンパウンド用クロス（3色セット）／タミヤ

コンパウンドはクロスとともに使う。単体でも使用可能だが、「粗目→細目→仕上げ目」の順で使用すると、よりきれいに仕上げられる。

Mr.コンパウンド粗目／GSIクレオス

Mr.コンパウンド細目／GSIクレオス

Mr.コンパウンド極細／GSIクレオス

伸びのよい水溶性の液状タイプで、ふき取り感抜群のクロス10枚をセット。オススメは「粗目→細目→極細」の順でみがくこと。

用途

一般的にコンパウンドは、やすりをかけたあとに表面をさらに美しく仕上げたいときに使う。基本は含まれている粒子が、「粗いもの」から「細かいもの」へという順で仕上げること。

ゲート処理

≫詳しくはP.53

切り離したあとの「でっぱり」を、やすりである程度きれいにしたあとに使う。かなりていねいな仕上げ方。

つや出し

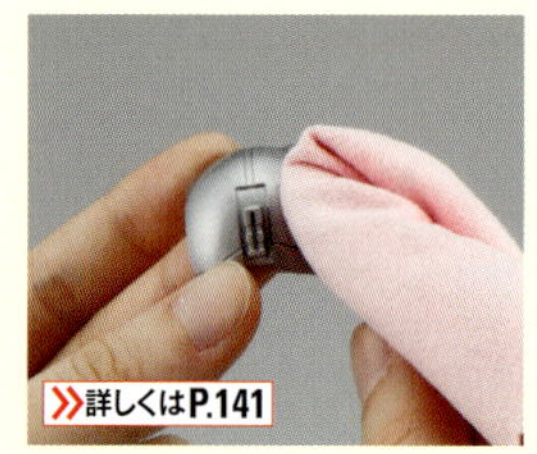

≫詳しくはP.141

パーツの表面を丹念にコンパウンドでみがくと、ピカピカに仕上げることができる。

傷消し

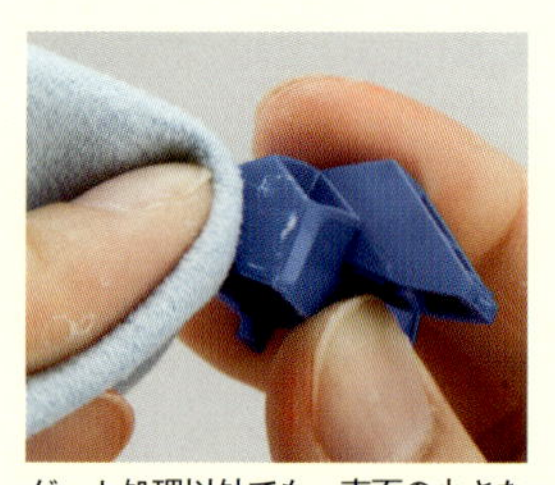

ゲート処理以外でも、表面の小さな傷は、コンパウンドでみがいて消すことができる。

プラスα 小さな粒子が凹凸をなくす

コンパウンドのしくみは、微量の粒子がパーツ表面のわずかな凸凹をけずって平らにしていくというものだ。

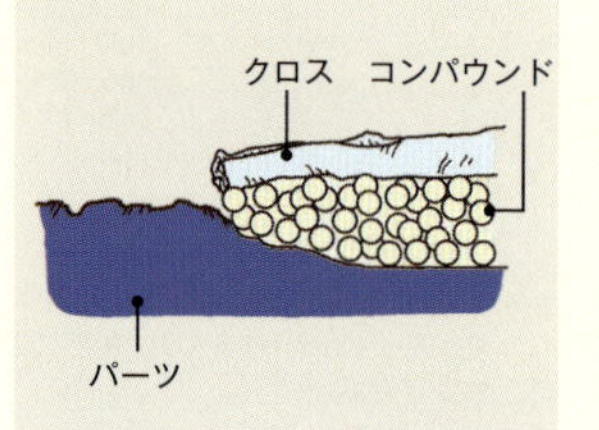

クロスの管理

使用後のクロスにはコンパウンドが残り、それが乾燥すると白い粉末が付着した状態になる。クロスは再利用できるので、袋に入れて保管しよう。

ビニール袋などに入れて管理する

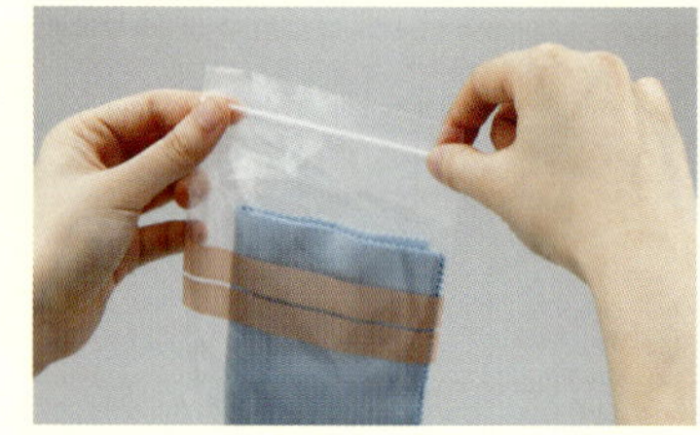

使用したクロスには、乾いたあとに白い粉末状のものが付着する。その粉が周りのものを汚すことがあるので、袋などに入れて管理しよう。

タイプ別に分けて保管する

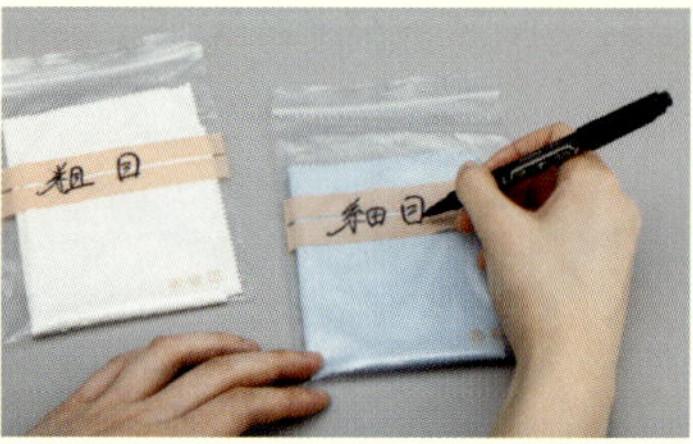

粒子の大きさのちがうものは混ぜないようにすること。粒子の大きさごとに使用するクロスを替え、タイプ別に分けて保管しよう。

NG ティッシュペーパーは使わない

コンパウンドでみがくときにティッシュペーパーを使うと、ティッシュの細かいケバがパーツに付着してしまう。

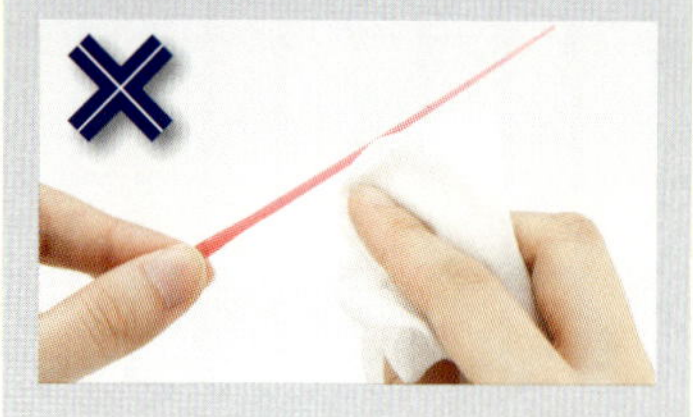

接着剤の種類と使い方

▶ 接着剤の主な用途は、**パーツの接着**や**合わせ目消し**などである。
▶ 合わせ目消しでよく使われるのはスチロール系接着剤で、**強度が強い**が、**固まるまでに時間がかかる**。
▶ 瞬間接着剤は**短時間で固まる**が、**強度が低い**などのデメリットがある。

ひと口に接着剤といっても、たくさんの種類があります。代表的なものは、**スチロール系接着剤**と**瞬間接着剤**の2種類です。主な用途は**パーツの接着**です。また、**合わせ目消し**(→P.58〜61)に使われることもあります。

使用時の注意点としては、**適量を塗ること**。塗りすぎてはみだしてしまったり、予定外のところについてしまったりした場合は、固まる前にすぐにふき取り、固まってしまったところはやすりでみがいて表面を整えます。

用途

接着剤は、文字どおりパーツ同士を接着する際に使用する。スナップフィット(→P.22)が採用されている最近のキットでは、昔よりも使用しなくなったが、スチロール系接着剤は合わせ目消しで今でも活躍する。

パーツの接着(加工)

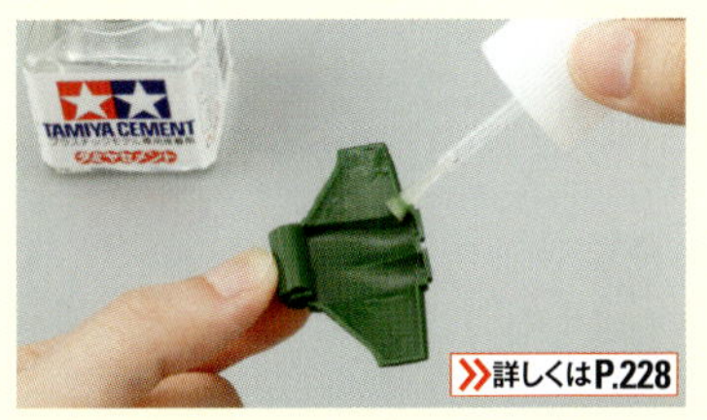

接着剤が必要な旧キットの組み立てや別のパーツを加工して付けたいときなどには、接着剤で接着する。

折れたパーツの接着

パーツを折ってしまったら接着剤の出番。折れた部分に塗って接着して、元の状態にもどすことができる。

合わせ目消し

スチロール系はガンプラの素材であるプラスチックを溶かして固めるものなので、合わせ目を溶解して完全になくすことができる。

接着剤の使い分け

接着剤には「瞬間接着剤」と「スチロール系接着剤」がある。さらに「スチロール系接着剤」は、組み立て前に塗る「貼り合わせタイプ」と組み立て後に使う「流し込みタイプ」に分けられる。

瞬間系は接着剤自体が固まって接着する

瞬間接着剤
(→P. 44)

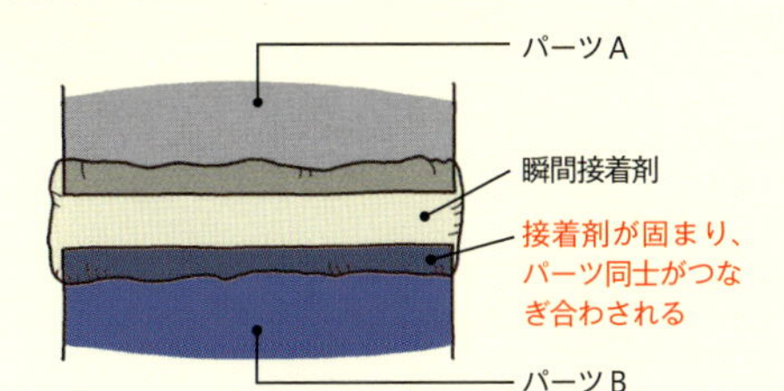

瞬間接着剤は空気(正確には空気中などの水分)に触れると、またたく間に硬化が始まる。衝撃に弱いので、落としたときに接着したパーツがはがれてしまうこともある。プラスチックと金属の接着にも使える。

スチロール系はパーツを溶かして接合する

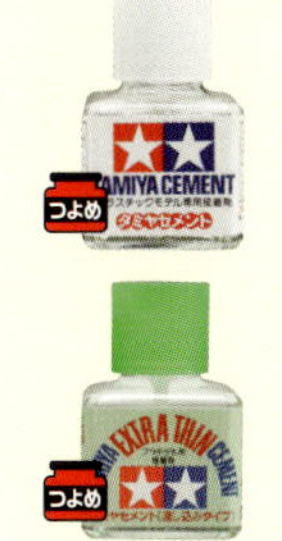

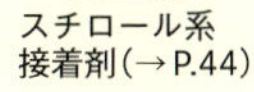

スチロール系
接着剤(→P.44)

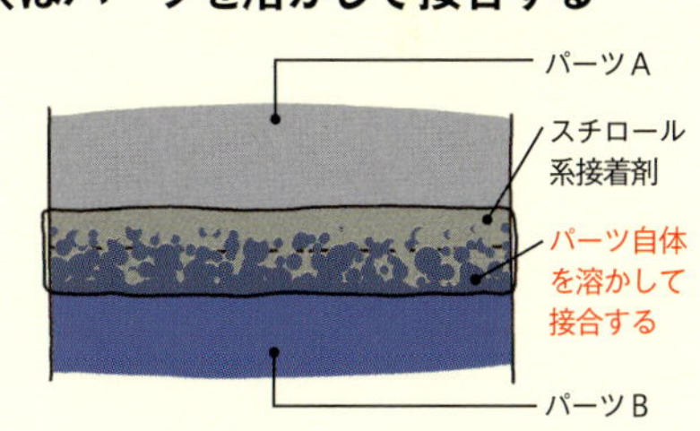

スチロール系接着剤は、プラモデルの原料「スチロール樹脂」を溶かして接着するもの。より強固に接着することができる。左の写真の製品は貼り合わせタイプのスチロール系接着剤。

貼り合わせタイプは初心者にもオススメ

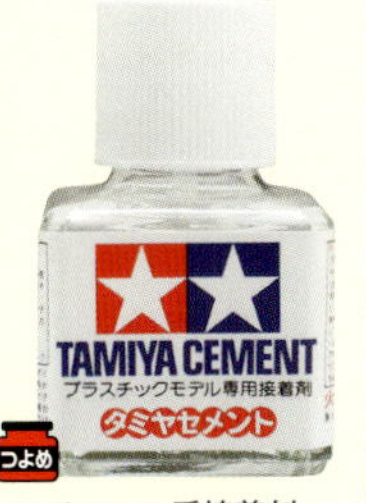

スチロール系接着剤・
貼り合わせタイプ
(→P.44)

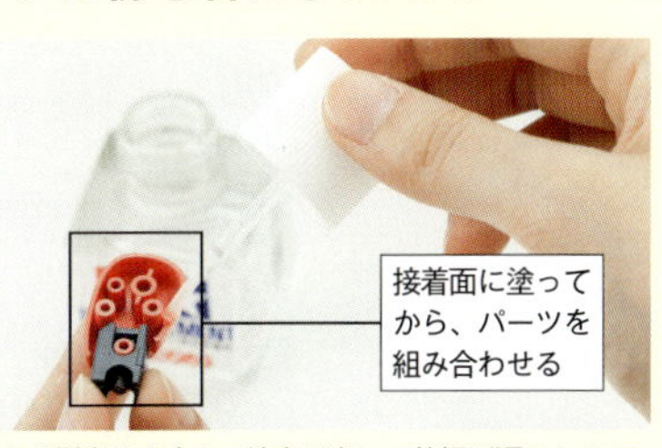

合成樹脂分を含み、粘度が高い。乾燥が遅めなので、接着面に塗ってから固まるまで少し時間がかかる。微調整もできるため、初心者にもオススメの接着剤。

流し込みタイプは少ない手間で接着できる

スチロール系
接着剤・流し込み
タイプ(→P.44)

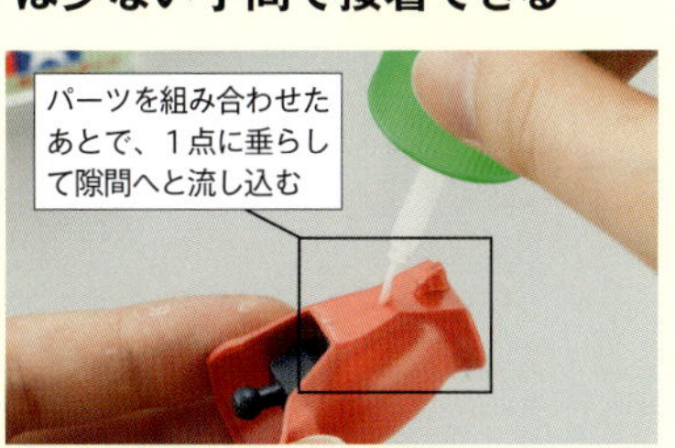

合成樹脂分を含んでおらず、サラサラとしている。一点に当てることで、隙間(すきま)に流れ込むので少ない手間で接着できる。

オススメの接着剤

スチロール系接着剤

パーツの接着面を溶かして接合するため、強度が高い。ただし、瞬間接着剤よりも固まるまでの時間はかかる。フタにハケがついているものが多く、そのハケを利用して接着面に塗る。

<貼り合わせタイプ>

タミヤセメント（角びん）
タミヤ
プラモデル愛好家に馴染み深い、もっともベーシックな接着剤の1つ。

Mr.セメント／GSIクレオス
適度な粘り気があり、強力に接着する。角ビンタイプの「Mr.セメントDX」もある。

<流し込みタイプ>

タミヤセメント（流し込みタイプ）／タミヤ
小さな隙間にも確実に入る、確かな性能の接着剤。

Mr.セメントS／GSIクレオス
キャップには使いやすさを考慮した面相筆が採用されている、人気の流し込み系接着剤。

瞬間接着剤

瞬間接着剤の特徴の1つは、固まるまでの時間が短いこと。ただし、衝撃に弱く、固まったあとに白化するなどのデメリットもある。用途に応じて模型用のものを使いたいが、百円均一ショップで売られているものでもOK。

タミヤ瞬間接着剤（ゼリータイプ）
タミヤ
垂れたり、しみ込んだりしないゼリータイプの瞬間接着剤。小さなパーツも確実に接着できる。

タミヤ瞬間接着剤（ブラシつき）
タミヤ
液状タイプの瞬間接着剤。ブラシが付属していて、細かい場所に塗りやすい。

硬化をさらに早く！
「少しでも早く接着したい」という場合には、瞬間接着剤の硬化時間を早める硬化促進剤を使うとよい。

硬化促進剤（瞬間接着剤用）／タミヤ

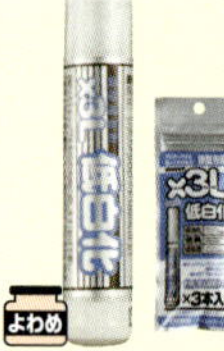

瞬間接着剤×3L低白化
ウェーブ
瞬間接着剤のデメリットである白化を抑えたタイプ。

リモネン系接着剤

天然由来の成分を原料にした接着剤。柑橘（かんきつ）系の香りがするので、有機溶剤のにおいを気にしないで作業できる。強度はスチロール系よりも落ちるとされるが、最近は強度に大差のないリモネン系接着剤が多く販売されている。

タミヤ リモネンセメント
タミヤ
有機溶剤特有の刺激臭（しげきしゅう）がなく、安全性が高い接着剤。スチロール系接着剤と同じように使える。

タミヤ リモネンセメント（流し込みタイプ）／タミヤ
刺激臭の少ないリモネンセメントの流し込みタイプ。隙間に流し込むことができるので、組み立て後の接着に便利。

Mr.セメント リモネンタイプ（標準タイプ）
GSIクレオス
天然の柑橘系成分から抽出したものが原料で、オレンジの香りがする。ペンタイプで使いやすい。

ABS樹脂用＆エポキシ系接着剤

ABS樹脂はスチロール系でも接着できるが、より確実に接着するために専用タイプが市販されている。また、金属製のパーツを接着するときなどに有効なエポキシ系接着剤もある。

<ABS樹脂用接着剤>

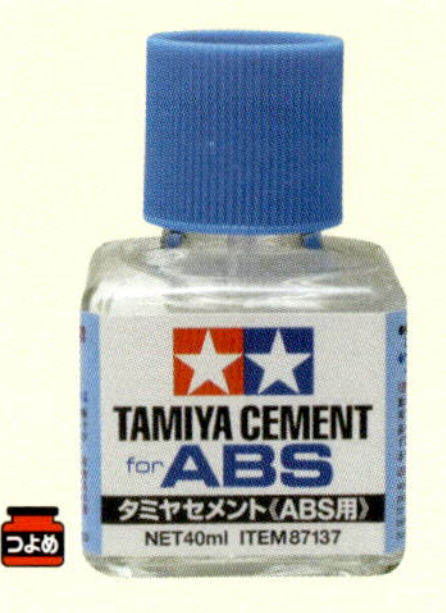

タミヤセメント（ABS用）／タミヤ
ABS同士はもちろん、ABSと通常のプラスチックのパーツを接着することができる優れもの。

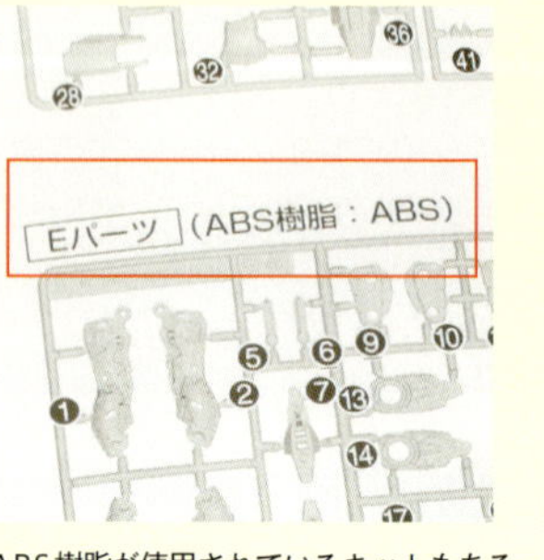

ABS樹脂が使用されているキットもある。

<エポキシ系接着剤>

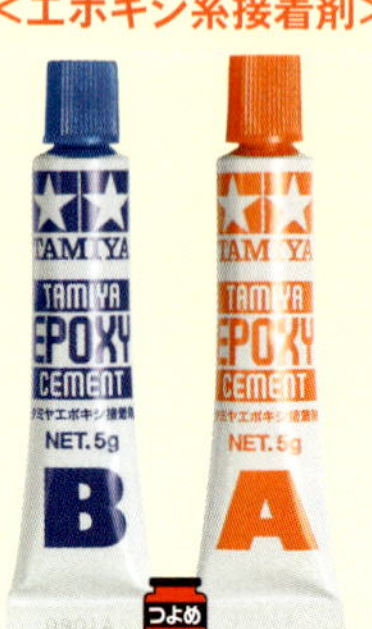

タミヤ エポキシ接着剤／タミヤ
2つの液を混ぜて使用するタイプ。金属製のパーツの接着などに最適。

その他のお役立ちアイテム

▶ 細かい作業に役立つ**ピンセットやスジ彫りをするための道具は使用頻度が高い**アイテムである。
▶ これらのアイテムは一度にすべてを揃える必要はなく、**必要に応じて買い足していく**とよい。
▶ 模型ショップで販売されている専用アイテムもあれば、**百円均一ショップや文房具店などで手に入るものもある**。

細かい作業をする

ガンプラづくりには、繊細な作業は欠かせない。ピンセットはデカールを貼るときなどに使用するもので、いろいろな種類がある。ルーペも同様に種類が豊富で、メガネの上からでも装着できるタイプも人気が高い。

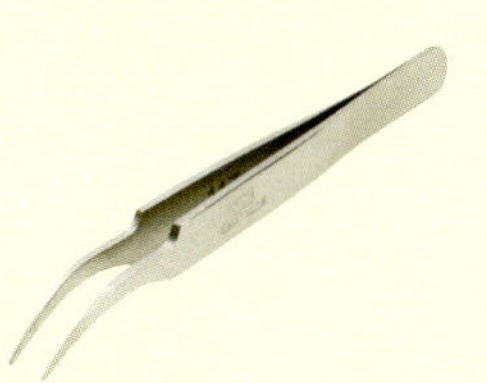

精密ピンセット(先丸・ツル首タイプ)/タミヤ

ステンレス製の高精度ピンセット。入り組んだ部分の作業に最適なツル首タイプ。先端が鋭くないのでパーツを傷つけにくい。

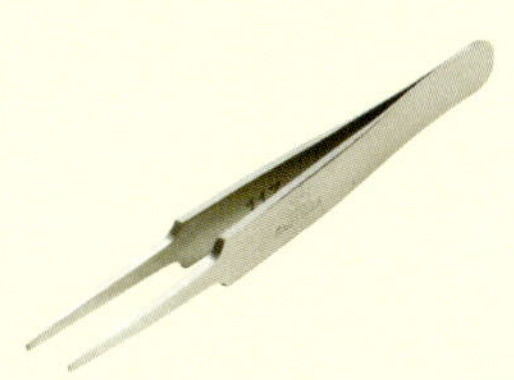

精密ピンセット(先丸・ストレートタイプ)/タミヤ

ツル首タイプと同じステンレス製。先端がまっすぐになっているストレートタイプで、握った力をダイレクトに伝えることができる。

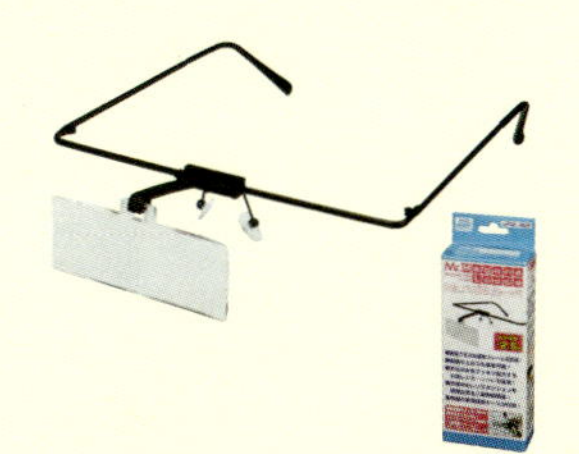

Mr.メガネルーペ
GSIクレオス

物を大きく拡大して見ることができるので、細かい作業の効率が大きくアップする。

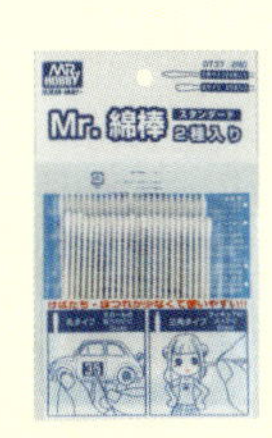

Mr.綿棒スタンダード
GSIクレオス

日用品の綿棒にくらべて先端が細く、デカールの貼りつけやウェザリングなどに重宝する。丸タイプと三角タイプの2種類入り。

スジ彫りをする

やすりがけでモールドを消してしまった場合には、タガネなどの出番。先端が鋭利なので、保管時はキャップをするなどして安全面に配慮しよう。

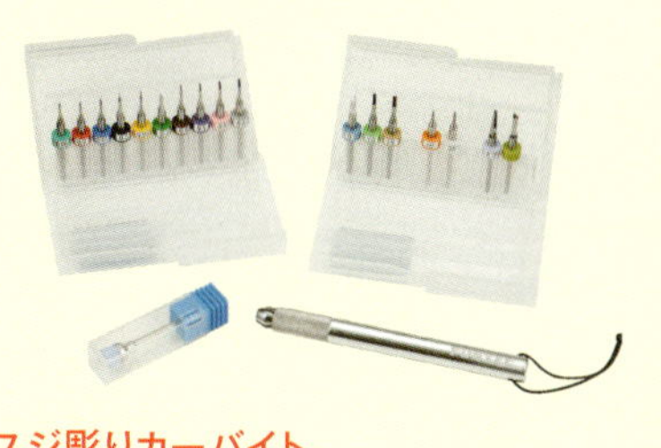

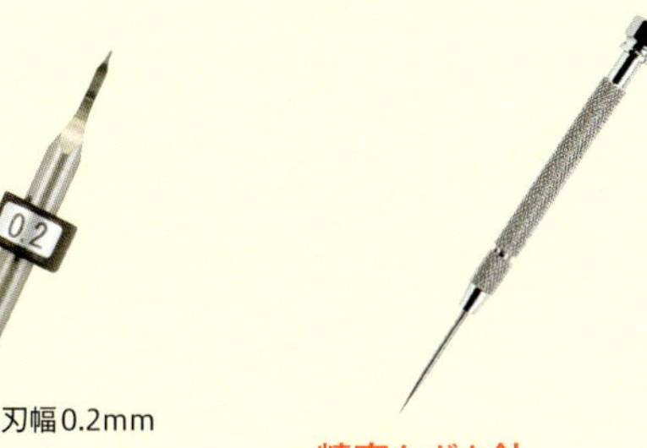

刃幅0.2mm

スジ彫りカーバイト
ファンテック

超硬合金タングステンカーバイトを使用した、スジ彫り専用ツール。平らな部分を手前に引くようにして使う。刃幅は0.05~1.5mmの13種類。専用の保護ケース、磨き・ケバ立ち取りブラシ、斬技ホルダースリムも別売りで用意されている。1/144ならば刃幅0.1mmや0.15 mmが、1/100ならば刃幅0.2mmがオススメ。

精密ケガキ針
ミネシマ

先端が鋭くとがっているスジ彫り専用道具。適切な重さとグリップ感で、繊細な作業でも疲れにくい。

Mr.ラインチゼル
GSIクレオス

先端が凸形状になっているので、スジ彫り幅を均一に仕上げることができ、きれいなエッジを出すことができる。

その他

シールやテープなどをカットするときにあると便利なカッティングマットやミゾを埋めるのに役立つパテ、パーツをはめ間違えたときに重宝するパーツ・オープナーなど、ガンプラづくりに役立つアイテムはたくさんある。

カッティングマット(A4サイズ/グリーン)
タミヤ

シールやテープなどをカットする際に下敷きとして使用する。硬質素材を軟質素材ではさみ込んだ構造で、刃当たりがソフト。

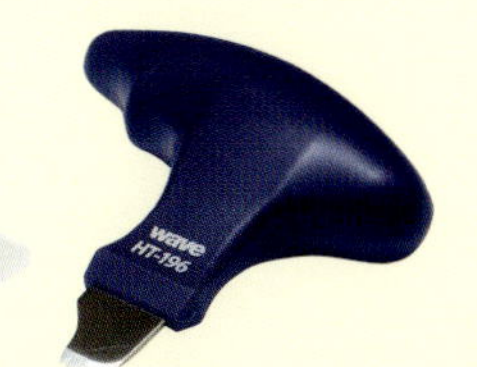

パーツ・オープナー
ウェーブ

誤ってパーツを組み立ててしまったときに、パーツの隙間に差し込んでひねることで、簡単に分解することができる。

タミヤパテ(ベーシックタイプ)
タミヤ

ペーストタイプのラッカーパテで、パーツのミゾや傷を埋めたり、ヒケ消し(→P.127)に使える。ラッカー系溶剤で薄めて使うこともできる。

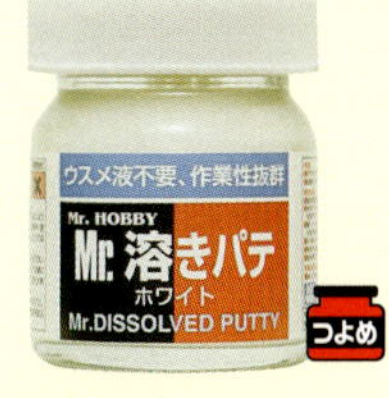

Mr.溶きパテ(ホワイト)
GSIクレオス

すでに溶剤で薄められたラッカー素材のパテ。鋳造表現(→P.234)などを行う際に、そのまま使うことができるので便利。

MISSION_1 ▸組み立て

キットの確認と説明書の見方

▶ 各キットは**プラパーツ**、**クリアパーツ**、**ポリキャップ**、**シール類**、**説明書**で構成されている。

▶ キットを買ってきたら、まずは説明書を見て内容の**不足がないかチェック**する。そして、組み立てる前に全体の流れを見て、おおよその手順を把握(はあく)しておこう。

キットを買ってきたら、まずは入っているものをひと通り出して、**内容に不足がないかをチェックします**。

シール類
成型色では再現されていない部分の塗り分けを表現するホイールシール(→P.62)など、キットによってさまざまなシールが付属している。

クリアパーツ
プラスチック素材でつくられた半透明の部品。目や武器のスコープ部分などに使われている。

説明書
組み立ての手順をはじめ、同梱されているパーツのリスト、塗装する場合のカラーガイド、ポージングの参考例など、多くの情報が記載されている。

プラパーツ
色がついたプラスチック素材の部品。キットによって、Aから順番に何枚かのランナーに分けられている。

ポリキャップ
関節部分などの可動部に使われるポリエチレン素材の部品。説明書では、「PC」と表記されている。

HGUC 1/144 RX-78-2 ガンダム

箱から出したら?

箱からキットを出したら、組み立てる前に次の点を確認しておこう。スムーズに組み立てるためには、全体の把握が大切だ。

1 パーツに不足がないかチェックする

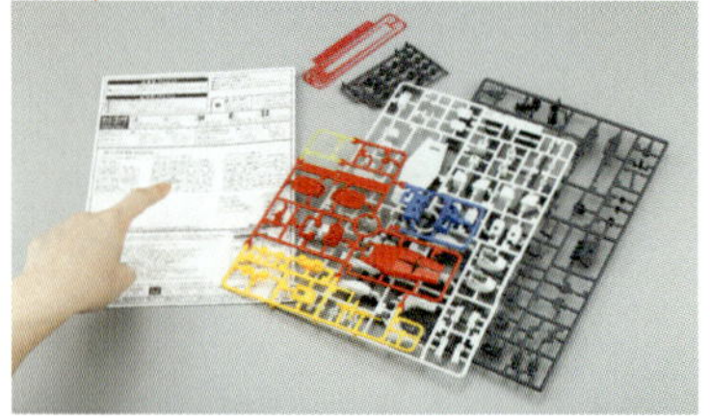

箱を開けて中身を出したら、足りないパーツやシール類がないか確認しよう。

2 説明書を見て流れを把握する

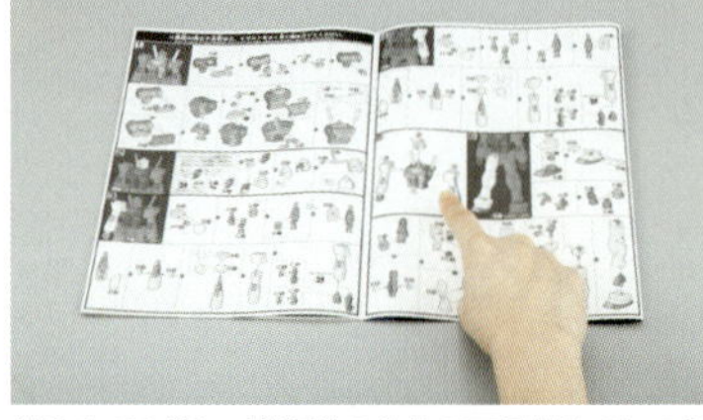

組み立てる前に、説明書の全体の工程を見ておこう。そうすることで全体像をイメージしながら組み立てられるようになる。

プラスα 使用しないパーツを確認する

使用しないパーツは説明書で×マークが入っている。組み立て後に余って焦らないで済むよう、先に確認しておこう。

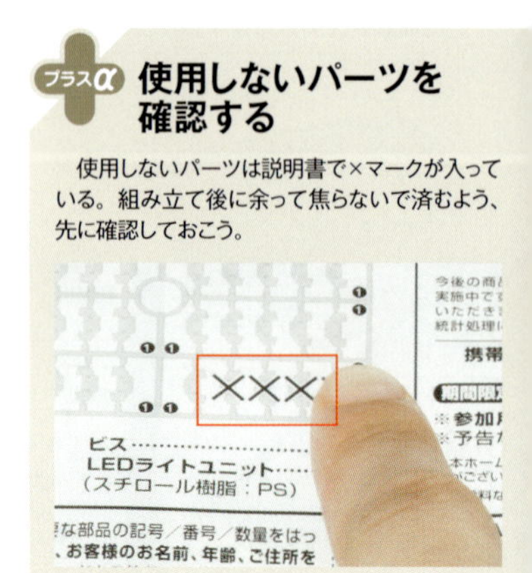

ランナー&ゲートの基礎知識

▶ ガンプラの各パーツは、ランナーと呼ばれる枠組(わくぐ)みにまとめてつけられている。ランナーとパーツをつなぐ部分をゲートと呼ぶ。ランナーにはランナータグとナンバータグがついており、その組み合わせで組み立てに必要なパーツをチェックする。

▶ ゲートには通常ゲート、アンダーゲート、タッチゲートの3種類がある。

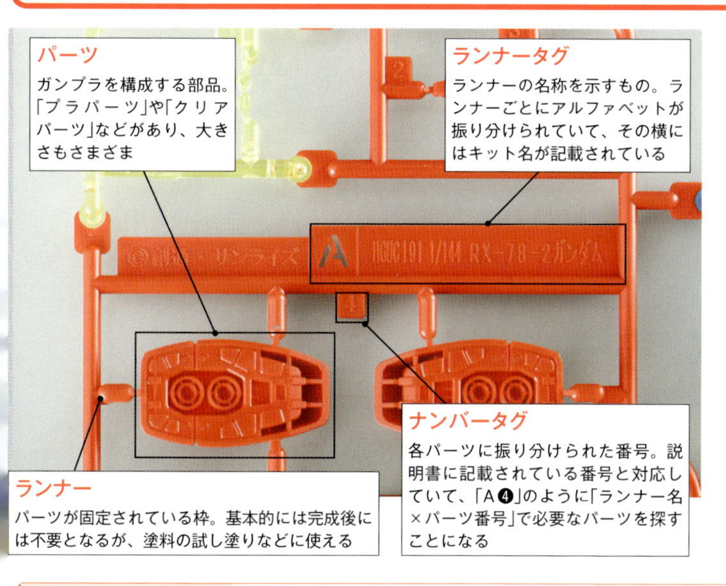

ガンプラづくりに関係するものの名称やその意味を理解することは、上達への第一歩。まずは「ランナー」「ゲート」「パーツ」の意味を覚えて、**説明書や本書を正しく読めるように**しましょう。

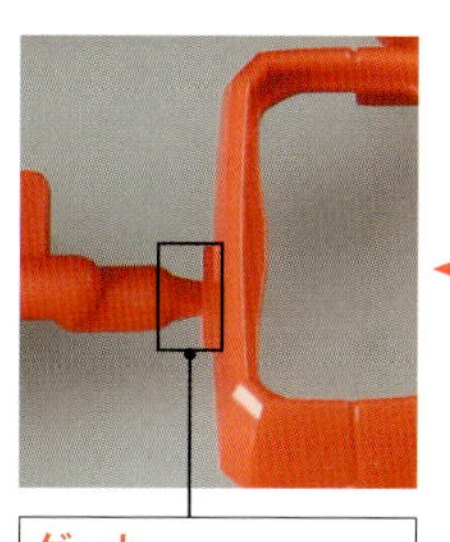

ゲート
パーツとランナーをつないでいる部分。ゲートにニッパーを入れて、パーツを切り離すことになる。

ゲート跡(あと)とは?

パーツからランナーを切り離したあとの、ゲートの残りを「ゲート跡」という。そのままにしておくと、見栄えを損なうので、ゲート処理(→ P.50〜53)できれいにしよう。

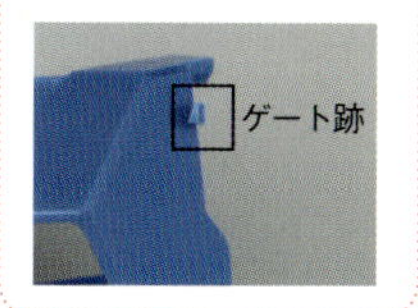

ゲートの種類

ガンプラのゲートに採用されている種類は、「通常ゲート」「アンダーゲート」「タッチゲート」の3つ。もっとも多いのが「通常ゲート」。金メッキパーツなどによく採用されている「アンダーゲート」は、パーツの切り離しに工夫が必要になる。

通常ゲート

もっとも多く採用されているタイプのゲート。組み立てたあとに目立つところにあるゲート跡は、きれいに処理したい。

アンダーゲート

ゲートがパーツの下側にあり、切り取った跡が目立たない(表面にこない)ように工夫されたゲート。通常ゲートと少し異なる切り取り方をする(→ P.49)。

タッチゲート

ゲートの断面が丸くなっていて、手で切り離すことができる(→ P.49)。ENTRY GRADE シリーズやSDガンダムシリーズなどによく採用されている。

POINT

ランナーを並べて作業効率をアップ

製作中に意外と苦労するのがパーツ探し。ランナーを無造作に置いておくと、「え〜と、Bランナーは……」とランナー探しに時間をとられてしまう。そこで、オススメなのがランナーをアルファベット順に並べておくこと。ほかには、ランナー名を書いた付せんを貼(は)って目立たせる方法もある。

順に並べておく

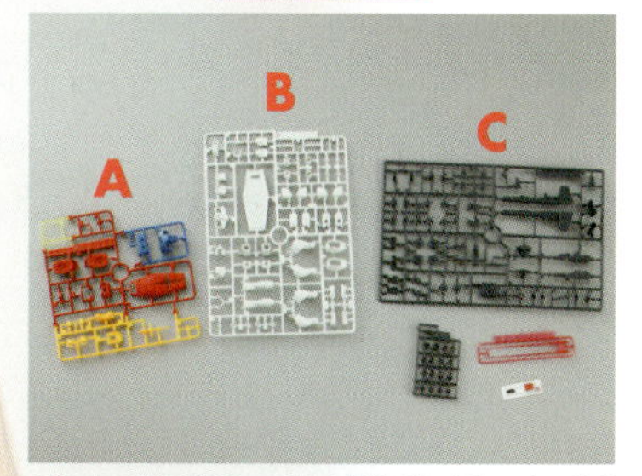

ランナーをアルファベット順に並べて、パーツを切り出すたびに、元のポジションにもどす。これだけでも作業効率は大幅に上がる。

付せんにランナー名を書く

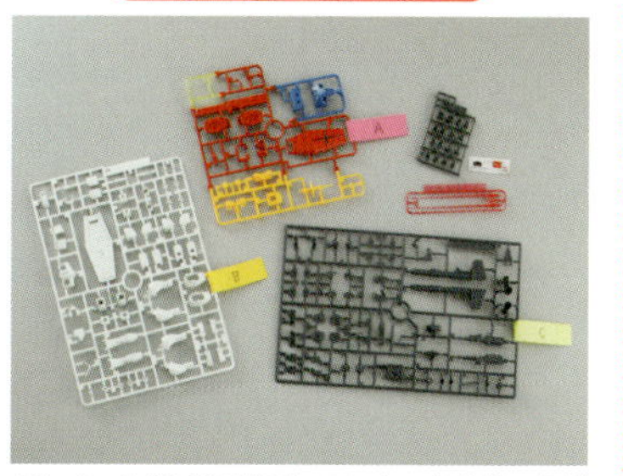

ランナーに「A」「B」「C」とランナー名を書いた付せんを貼っておくと、パッと見ただけで必要なランナーを見つけることができる。

パーツを切り離す

難易度
かんたん ふつう むずかしい

におい
しない よわめ つよめ

▶ パーツの切り離しは、ガンプラづくりの基本作業。**パーツの形状(平らか、丸いか)、ゲートの種類(通常ゲート、アンダーゲート、タッチゲート)によって切り方を変える。**

▶ パーツの切り離しは**横型用ニッパーを使い、2~3回に分けてカット**するのが基本。

HGUC 1/144 RX-78-2 ガンダム

「切るだけだから簡単」と思うかもしれませんが、パーツの切り離しはキットの完成度に影響を与える大切な工程です。基本は1回のカットで済ませるのではなく、**2~3回に分けて切り離すこと**です。たとえば、平らなパーツであれば、「一度目でランナーから切り離す」→「二度目でパーツに残ったゲート部分をカットする」と2回ほどカットします。この切り離し方を、**二度切り**といいます。とくに**二度目のカットは、ゲート跡の仕上がり具合を左右する**ので、ていねいに行いましょう。

使用する道具

平らなパーツの切る方法

通常ゲートのうち、表面が平らなパーツをランナーからパーツを切り離すときは「二度切り」でカットする。勢いよく切りすぎると、白化の原因となる。

1 一度目は少し離れたところで切る

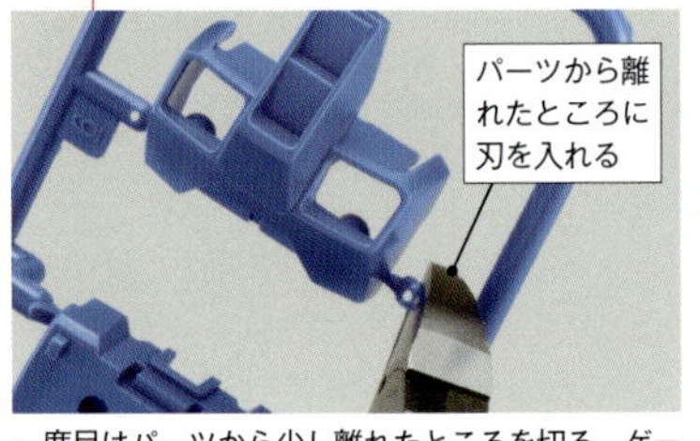

一度目はパーツから少し離れたところを切る。ゲートが短い場合は、ランナーを切ってしまってもよい。パーツにゲートが少し残ることになる。

2 二度目はギリギリでカット

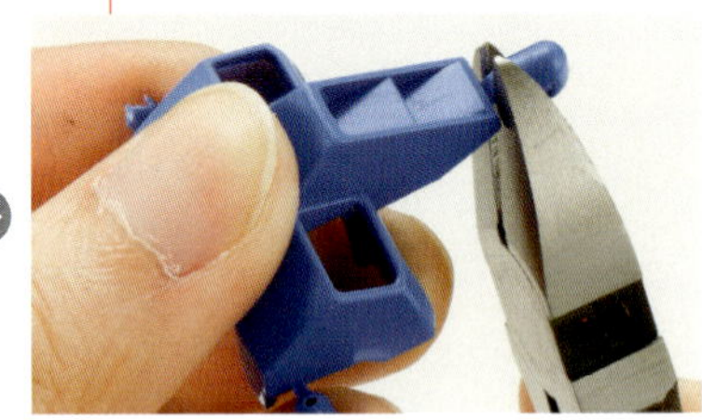

二度目はパーツのギリギリでカット。できるだけゲートを残さないようにしたいが、パーツをえぐらないように注意する必要もある。

NG 一度で切ろうとすると白くなる!

一度でパーツ付近から切ろうとすると、パーツ側のゲート跡が白化(白くなること)してしまう。二度切りは、白化を避けるためのテクニックなので、ていねいな作業を心がけよう。

丸いパーツを切る方法

通常ゲートのうち、丸いパーツのゲート処理は、一度目である程度ゲートを残し、残ったゲートの状態をよく見て、何度かに分けて曲線に仕上げていく。

1 まずはパーツに水平に短く切る

ランナーから切り出したら、まずはパーツに対して水平にゲートを短く切って、多少ゲートを残しておこう。

2 ナナメに刃を入れる

ナナメに刃を入れて、ゲートをさらに短くする。パーツをえぐってしまわないように気をつけよう。

3 別の角度で刃を入れる

三角形になるイメージで切っていく

反対側にもナナメに刃を入れ、残っている部分を切り取る。ここでもパーツをえぐらないように注意。

4 仕上がりを確認する

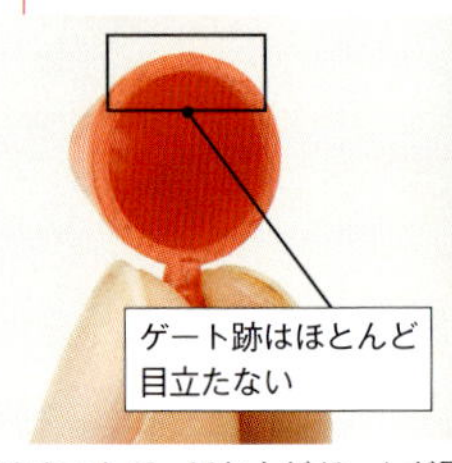

3回のカットで、ほとんどゲートが目立たなくなった。パーツの形状に応じて、慎重にカットしていこう。

アンダーゲートを切る方法

パーツの下側にゲートがあるアンダーゲートは、3回に分けてゲートを切り、金メッキなどがはがれないようにする。

1 一度目はゲートを残して切る

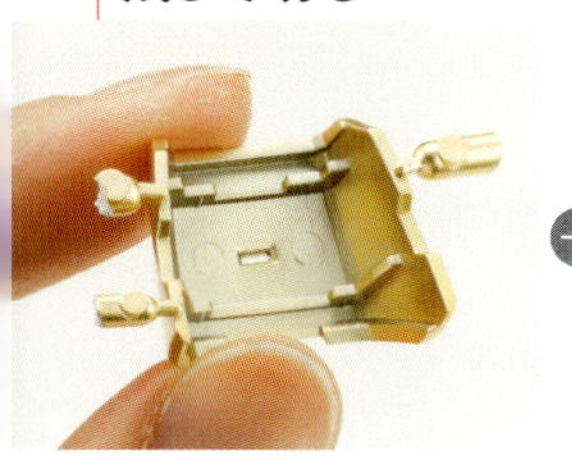

一度目はゲートを多めに残して切る。写真のようにランナー部分でカットしてもOK。

2 二度目は少し手前でカット

二度目はパーツの少し手前でカットする。二度切りで終えようとすると、金メッキ部分がはがれてしまう。

3 三度目は下側から切る

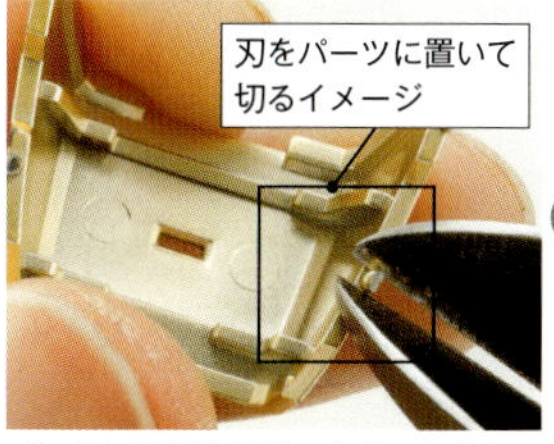

パーツの下側から残ったゲートをカットする。こうすることでパーツの表面を傷つけずに、切り離せる。

4 仕上がりを確認する

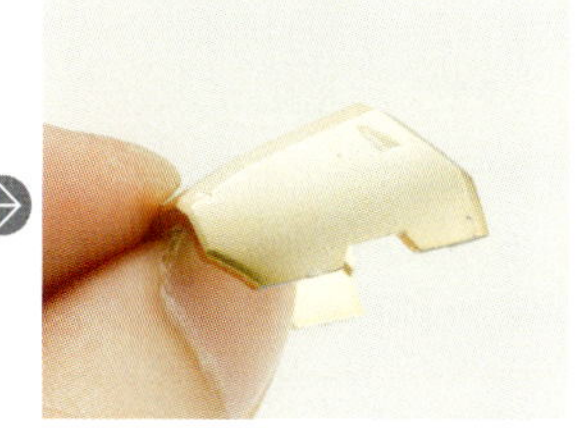

表からはパーツに隠れて切り跡は見えない。ただし、えぐってしまうと隙間(すきま)ができるので注意が必要。

タッチゲートを切る方法

タッチゲートは手でも切り離せるので、切り離しが簡単。

1 指でパーツをつまむ

基本的にタッチゲートにはニッパーなどの道具は不要。まずは切り取りたいパーツを指でつまむ。

2 少し力を入れて手前に引く

少し力を入れて指でつまんだパーツを手前に引くと、それだけでパチンとランナーから外れる。

プラスα 小さなパーツは箱に向けて切る

小さなパーツを切り離すとき、カットした瞬間、パーツがどこかに飛んでいってしまうことがよくある。そこで、小さなパーツを切り離すときは、箱に向けて切るようにするとよい。

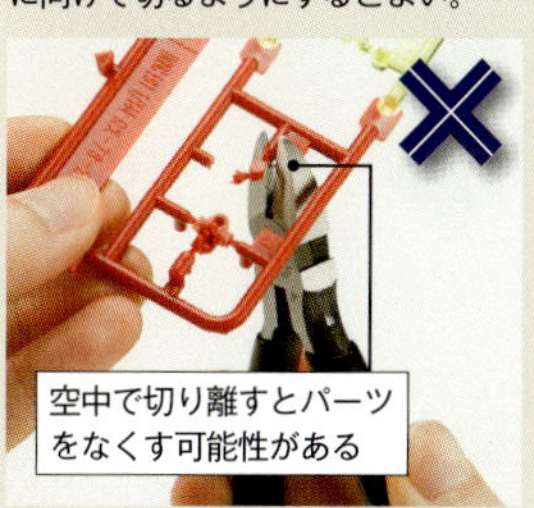

パーツが白化してしまったら?①

パーツを切り離すとき、切り跡(ゲート跡)が白化してしまうことがある。白化した部分が小さければ、紙やすりでみがいて直すことができる。

1 白化の状態を確認する

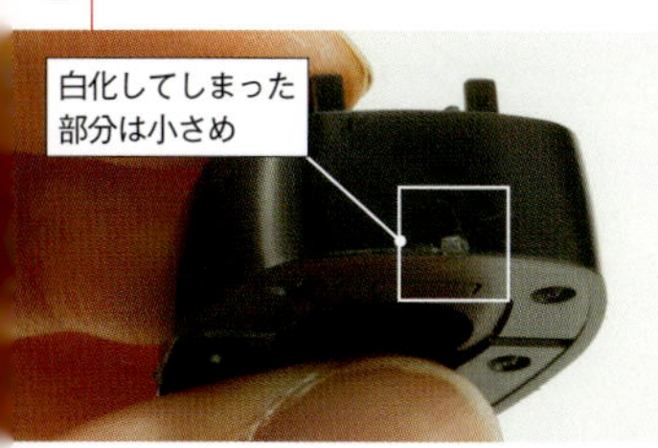

一度切りしたり、必要以上に勢いよく切ってしまったりすると、ゲート跡に強い圧力がかかってプラスチックが白くなってしまう。

2 白くなってしまった部分をやすりでけずる

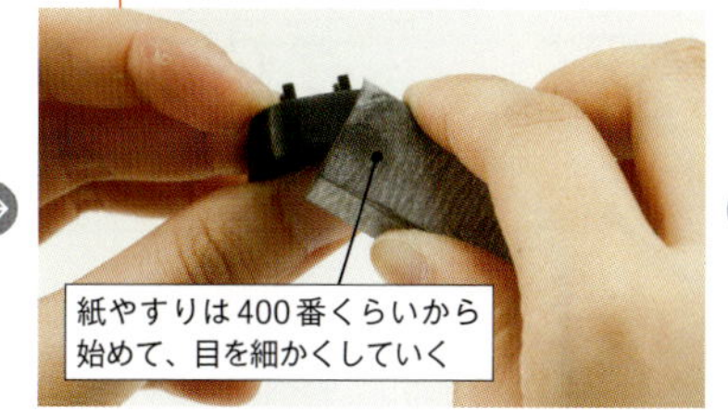

紙やすりは400番くらいから
始めて、目を細かくしていく

ガンプラは中身も表面と同じ色をしているので、白くなった部分を紙やすりでけずり取れば、元の色になる。

3 仕上がりを確認する

白くなった部分をけずり、周辺部分と合わせてみがいてならすことで、白化をきれいに消すことができる。

パーツが白化してしまったら?②

白化してしまった部分が大きかったり、パーツがえぐれてしまっている場合は、ガンダムマーカー(→P.68)で塗ると、手早く目立たなくすることができる。

1 白化した部分を見て確認する

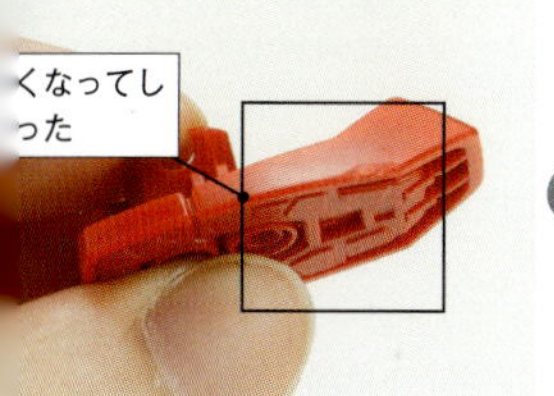

白化した部分が大きい場合、もちろん紙やすりでやってもよいが、直すには少し手間がかかる。

2 パーツ色に合ったガンダムマーカーを塗る

パーツと同じ色の塗料で塗ることで、白化を目立たなくする。マーカーではなく、筆などで塗ってもOK。

3 指でぬぐってなじませる

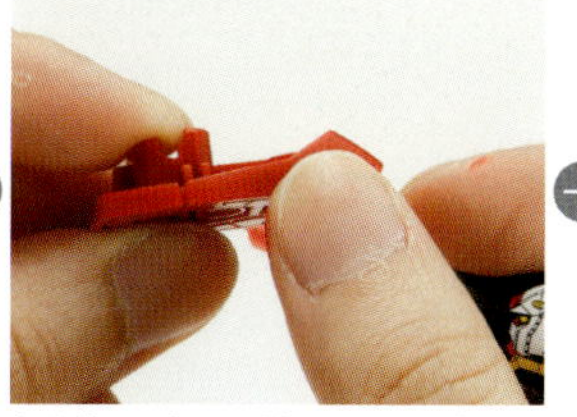

色を塗った部分と塗っていない部分の境目が気になる場合は、指で軽くぬぐってなじませる。

4 仕上がりを確認する

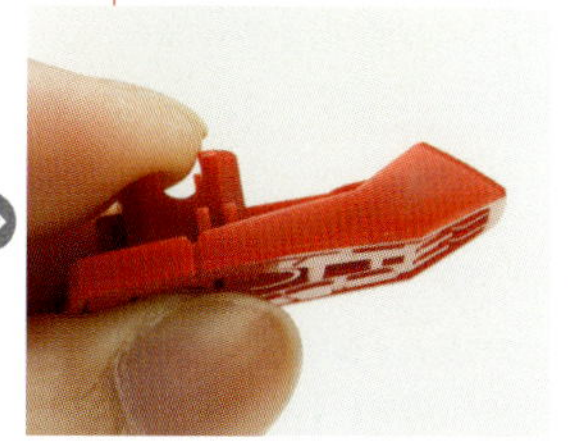

白くなった部分がほとんど目立たなくなった。パーツに近い色の塗料を使うのがポイント。

ゲート処理の基本

▶ ランナーから切り離したあとに、パーツに残っているゲートを目立たないように加工することを**ゲート処理**という。

▶ ゲート処理の基本的な手順は、**「ニッパーで切り離す」**→**「デザインナイフでゲート跡をけずり取る」**→**「やすりでみがく」**→**「コンパウンドでみがく」**。必ずしもすべて行う必要はないが、手間をかけるほどゲート跡はきれいに仕上がる。

HGUC 1/144 RX-78-2 ガンダム

ゲートを処理せずにそのまま組み立てると、ゲート跡が目立って、見た目が悪くなってしまいます。完成度を高めるために**ゲート跡が目立たないように加工をすることを「ゲート処理」**といいます。

ゲート処理では、ニッパー、デザインナイフ、紙やすり、コンパウンドなどの道具を使います。絶対にすべてが必要というわけではないので、**行う作業に応じて揃える**とよいでしょう。はじめはニッパーだけで終わらせてもよいですが、ニッパーとデザインナイフがあればある程度はゲートをきれいに処理することができます。

工程が増えれば、必要な道具も増えるので、どこまでゲート処理を行うかはつくる人の自由です。ただし、基本的には**手間をかければかけるほど、ゲート跡は目立たなくなります。**

ゲート処理の流れ

ランナーからパーツを切り離したあと、ニッパーで二度目のカットを行い、さらにデザインナイフ、やすり、コンパウンドといった道具を使ってゲート跡が目立たないようにしていく。

STEP 1 ニッパーで残ったゲートを切り落とす

»詳しくはP.48

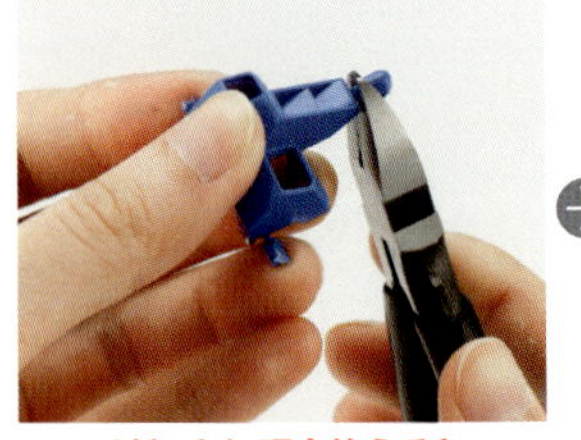

ここでゲート処理を終えると……

手間 ★☆☆
仕上がり ★☆☆

最低限、ニッパーでの二度目のゲート切りは行いたい。ていねいに切り取れば、ある程度の仕上がりになる。

STEP 2 デザインナイフでゲートをけずり取る

»詳しくはP.51

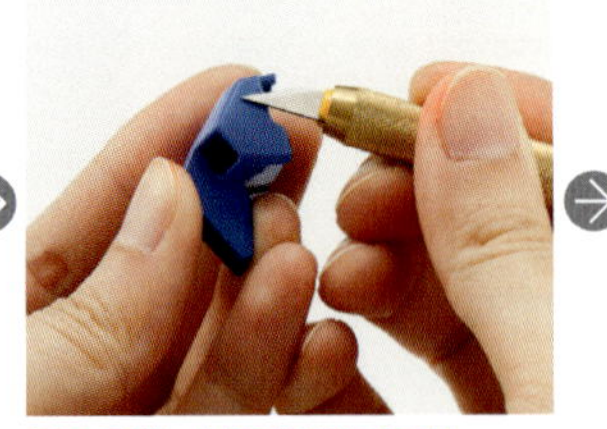

ここでゲート処理を終えると……

手間 ★★☆
仕上がり ★★☆

ニッパーでは取りきれない細かいゲートは、デザインナイフでけずり取るのがオススメ。ニッパーで無理に切ると白化しやすくなる。

STEP 3 やすりでみがく

»詳しくはP.52

ここでゲート処理を終えると……

手間 ★★☆(半)
仕上がり ★★

デザインナイフでけずったことでついた小さな傷をやすりでみがくと、ゲート跡はほとんど目立たなくなる。

STEP 4 コンパウンドでみがく

»詳しくはP.53

ここでゲート処理を終えると……

手間 ★★★
仕上がり ★★★

やすりがけでついた傷は、コンパウンドでみがくことでピカピカにできる。キラキラ塗装(→P.124)など、表面処理が大切な場合はぜひやっておきたい。

ゲート処理はぜんぶやらなくていい

ゲート跡はていねいに処理するほど、きれいになります。ただ、すべてのゲート跡をコンパウンドでみがく工程まで行っていたら、かなりの時間がかかってしまいます。そこで、いくつかの時間短縮を図る方法を紹介します。

1つめは、最初のうちはニッパーとデザインナイフだけで処理することです。ていねいに作業すれば、この2つの工程だけでもある程度、ゲート跡をきれいにすることができます。

2つめは、「組み立てたときに見えるゲートだけやること」です。あらかじめ説明書で確認するか、ほどほどにゲート処理して一度組み立ててみて、その上で気になるところだけしっかり処理します。そうすれば、作業時間を短縮しつつ、完成度を高めることができます。

ゲート処理①
デザインナイフでけずる

難易度	におい
かんたん / ふつう / むずかしい	**しない** / よわめ / つよめ

▶ ニッパーによる二度切りでも残ったゲートは、**デザインナイフでけずり取る**ことできれいにできる。

▶ デザインナイフによるゲート処理を行う場合は、**パーツに対して刃（は）を水平気味に寝かせて**けずる。一度ですべてをけずり取るのではなく、**数回に分けて少しずつけずっていく**のがポイント。

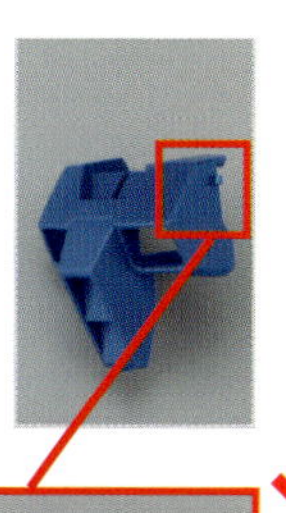

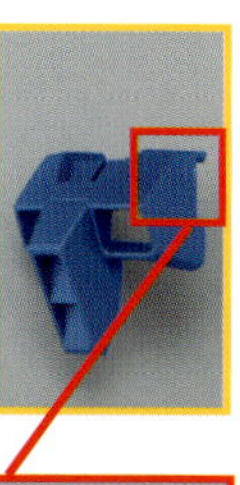

「でっぱり」がある

HGUC 1/144 RX-78-2 ガンダム

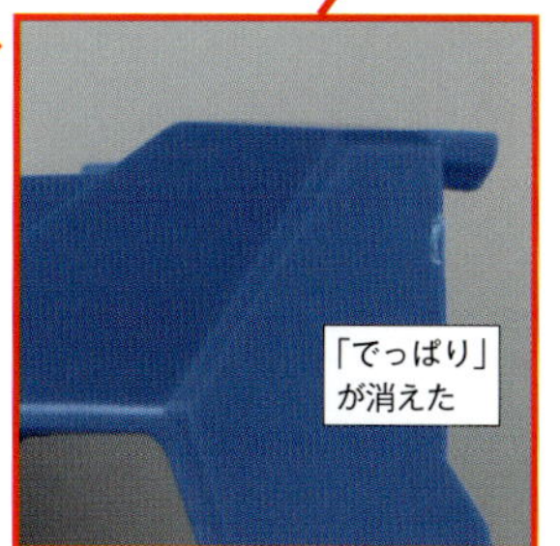

ニッパーで二度切り（→P.48）を行っても、パーツにゲートが残ることがあります。**残ったゲートも無理にニッパーで切ろうとすると、白化するおそれがある**ので、その場合にはデザインナイフで残ったゲートをけずり取るとよいでしょう。デザインナイフを使うと、より繊細（せんさい）な作業ができるようになります。片刃ニッパーを使って、残ったゲートをきれいにカットすることもできます。

デザインナイフは**パーティングライン**という、ガンプラの製造過程でつく線をけずり取ることもできます。

使用する道具

ゲート跡をきれいにする方法

パーツに残ったゲートをデザインナイフでけずり落とす。

1 デザインナイフでゲートをけずり取る

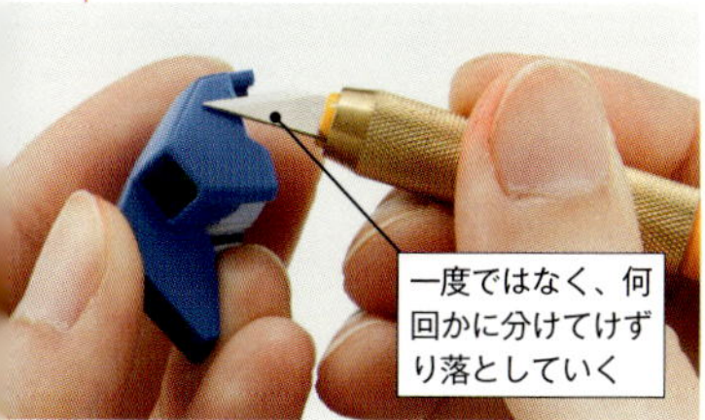

一度ではなく、何回かに分けてけずり落としていく

デザインナイフの刃は、パーツに対して水平気味に寝かしてゲートに当てる。

NG パーツをえぐらない

パーツに対して刃を立てて当てると、けずったときにパーツをえぐりやすくなる。刃を寝かせてゆっくりていねいにけずろう。

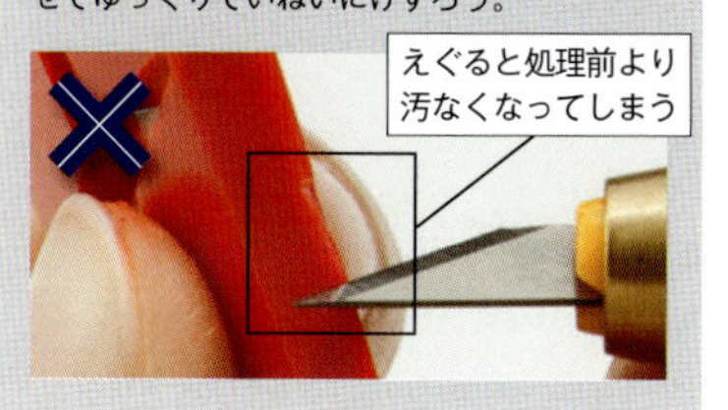

えぐると処理前より汚なくなってしまう

プラスα 刃先に指を置かないようにしよう

刃が向かう先に、指を置かないように気をつけよう。デザインナイフの刃先は鋭利なので、少し当たっただけでもケガをしてしまう。

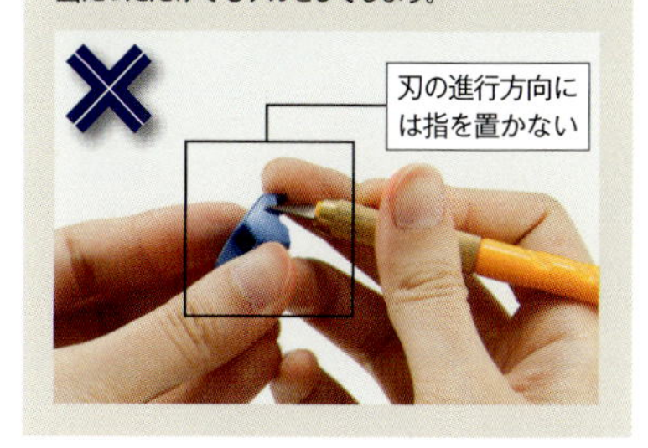

パーティングラインを消す方法

工場の製造工程でついてしまった「パーティングライン」を消すこともできる。

1 パーティングラインを発見した

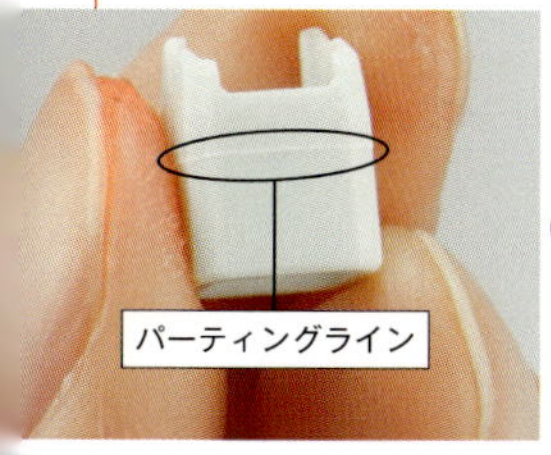

本来のモビルスーツの形状とは関係ない部分に、でっぱりのような線が出ている。これがパーティングライン。

2 刃を立ててカンナのようにけずる

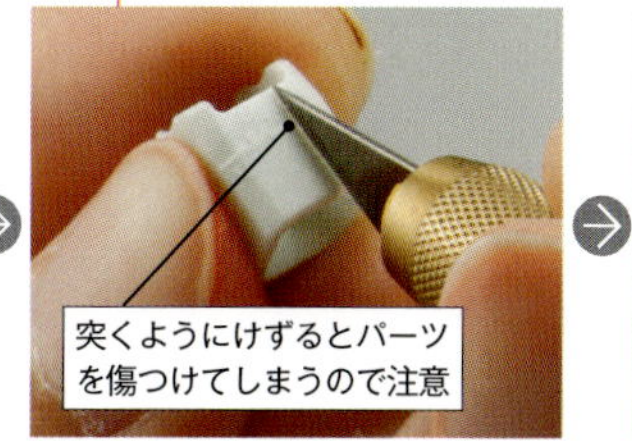

ラインに対して刃を垂直に立てて、こすってけずるようなイメージで消す。

3 仕上がりを確認する

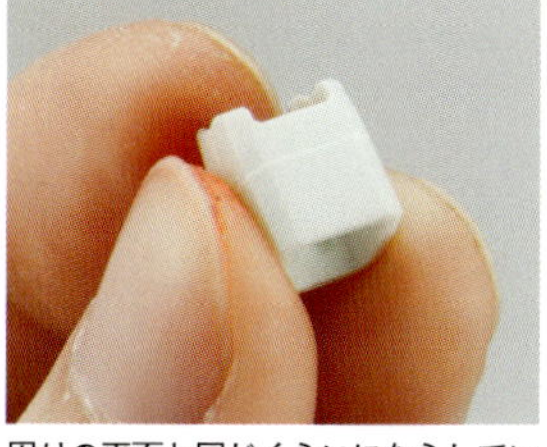

周りの平面と同じくらいにならしていく。刃でパーツが傷ついた場合は、紙やすりでみがく。

プラスα バリも取れる

バリとはパーツについた余計な部分で、これも製造過程で生まれるもの。バリも刃を立てて、軽くけずり落とすことできれいにできる。

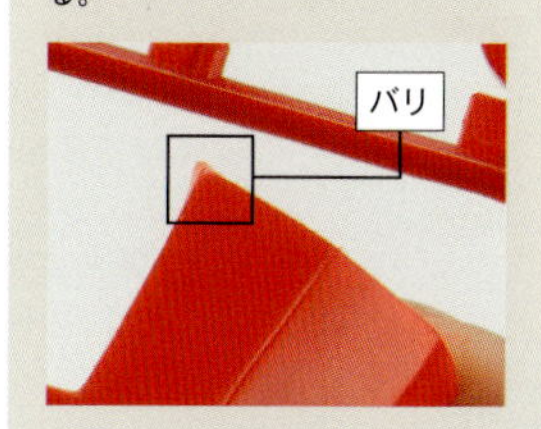

難易度: **かんたん** / ふつう / むずかしい
におい: **しない** / よわめ / つよめ

ゲート処理②
紙やすりでみがく

▶ ニッパーやデザインナイフを使用したあとの**ゲート跡は、紙やすりでみがくとさらにきれいになる。**

▶ ゲート処理で使う紙やすりの番手は、**400番→600番→800番が基本**。さらに1000～1200番やフィニッシュでみがくと、ほぼ完全にゲート跡が目立たなくなる。

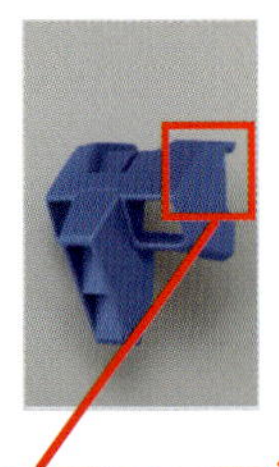

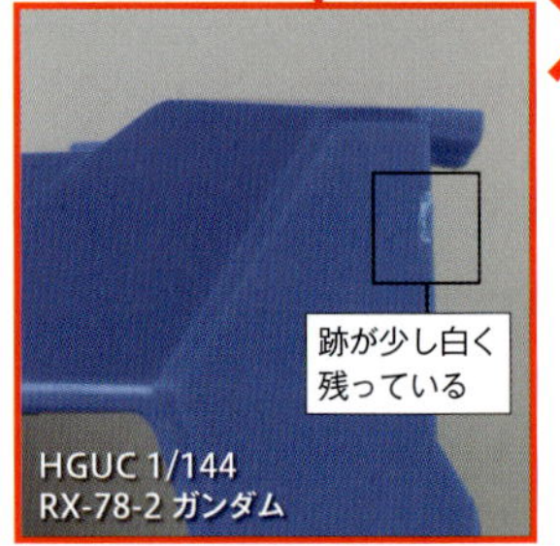

HGUC 1/144
RX-78-2 ガンダム

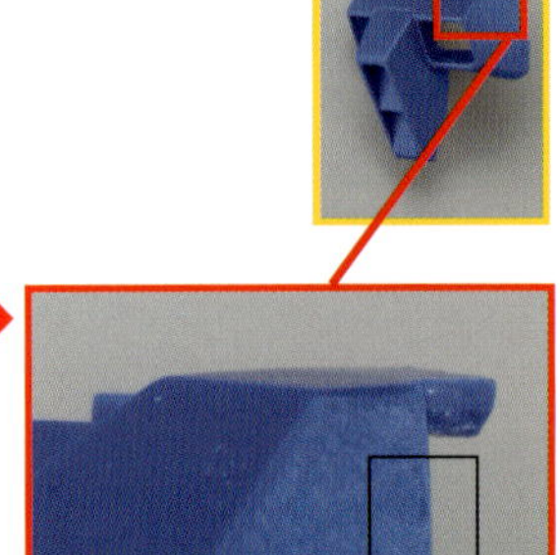

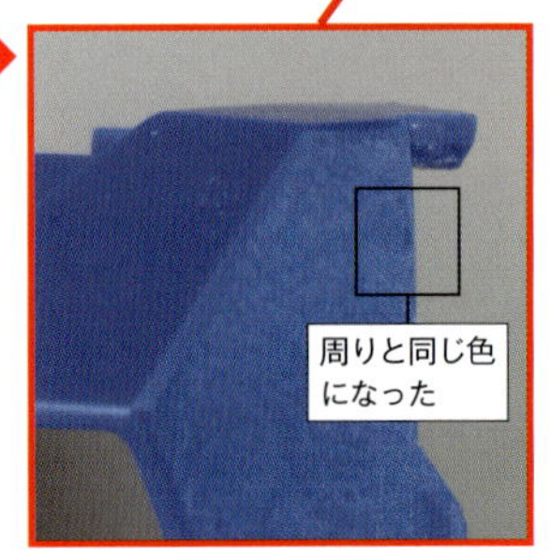

ニッパーによる二度切り（→P.48）やデザインナイフによるゲート処理（→P.51）を行って、さらにゲート跡をきれいにしたい場合は紙やすりでみがきましょう。**パーツにわずかに残ったゲート跡を紙やすりでみがくことによって、平らにすることができます。**

ちなみに、デザインナイフによるゲート処理を省いて、すぐに紙やすりの工程に進む選択肢（せんたくし）もあります。ニッパーで二度切りしたあとのゲートの残り具合などを見て判断しましょう。

使用する道具

紙やすり
（400～800番
※必要に応じて
1000～1200番）

ゲート跡をきれいにする方法

ゲート処理で使うのは紙やすり。400～800番あたりを使う。

1 小さめの番手の紙やすりでみがく

まずは400番の紙やすりから始めよう。紙やすりでみがくときは、番手の小さいものから始めて、徐々に大きいものにしていく。

2 大きめの番手に変えてみがいていく

400番→600番→800番と、順に番手を下げてみがいていく。さらに1000～1200番まで使えば、ゲート跡はほぼ完全に消える。

プラスα 使う番手の順番を守ろう

紙やすりは番手の大きいものから、小さいものへと順番にみがくことが大事。「どうせ、最後は目の細かいものを使うのだから……」と初めから番手の大きなものを使っても、なかなかきれいな仕上がりにはならない。

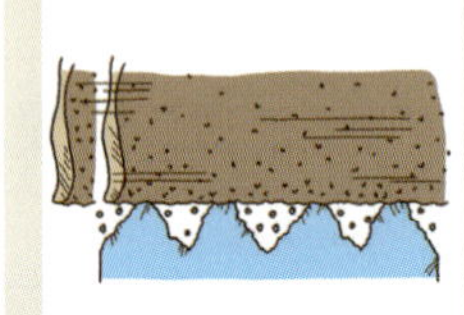

表面のデコボコに対して目が細かすぎると、上辺だけけずるような状態になり、根元までみがけない

POINT みがきすぎないように注意!

紙やすりでゲート処理を行う際に気をつけたいのが、みがきすぎること。やりすぎるとモールドが薄くなったり、角が丸くなったりしてしまう。薄くなったモールドは修復できるが（→P.61）、角が丸くなったパーツの修復は難しいので注意しよう。

モールドが薄くなった

モールド周辺をみがきすぎると、モールドが消えてしまうことがある。

角が丸くなった

一生懸命にゲート跡を処理するあまり、パーツの角を丸くしてしまうことがある。

プラスα 曲面へはスポンジやすり

スポンジやすり（→P.41）を使えば、曲面パーツでもやすりが密着してきれいにみがける。

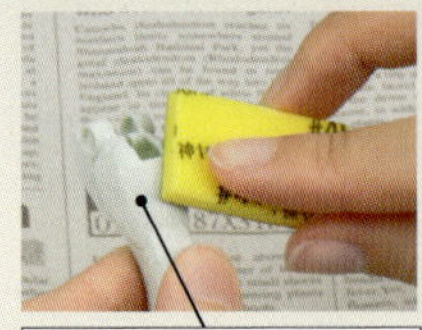

ガンダムのふくらはぎやジオン系MSなどに最適！

ゲート処理③ コンパウンドでみがく

難易度
かんたん
ふつう
むずかしい

におい
しない
よわめ
つよめ

- 紙やすりでけずったあとの**ゲート跡は、コンパウンドでみがくとさらに美しい仕上がり**になる。
- コンパウンドは**粒子の大きいものからスタートして、順番に粒子の小さいものへ**と切り換えていく。
- コンパウンドを使えば、**クリアパーツもピカピカ**にできる。

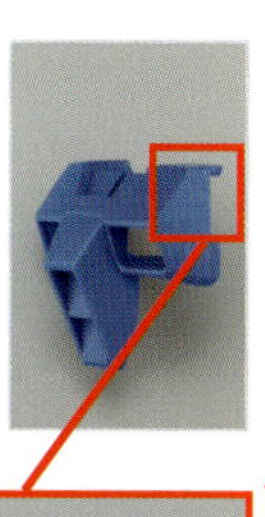

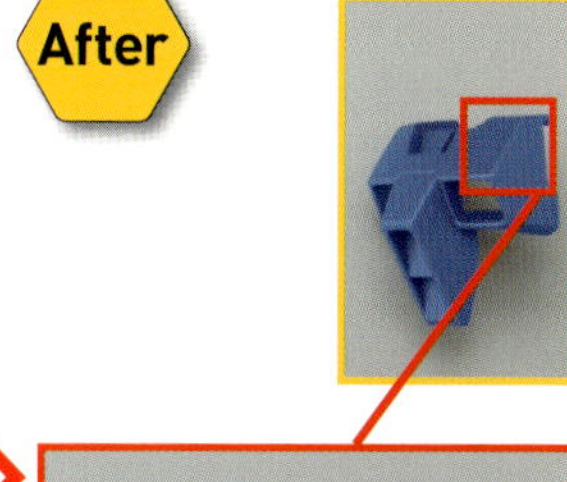

コンパウンドでみがいてゲート跡を仕上げるのは、もっともていねいなゲート処理といえます。コンパウンドとは、**非常に小さな粒子によって、パーツの表面をみがいてきれいにする**ものです。紙やすりと同じく、基本的には**粒子の大きいものから始めて、小さいものへと切り換えていきます。**ちなみに1200番やフィニッシュなど、とても目の細かい紙やすりを使った場合も、コンパウンドと同じくらいゲート跡をきれいにすることができます。どちらか好きなほうを選びましょう。

使用する道具

コンパウンド

コンパウンド専用クロス（使用するコンパウンドの種類に応じた枚数が必要）

ゲート跡をきれいにする方法

コンパウンドをとったクロスで軽くこするようにしてみがく。

1 粗目のコンパウンドをクロスに取る

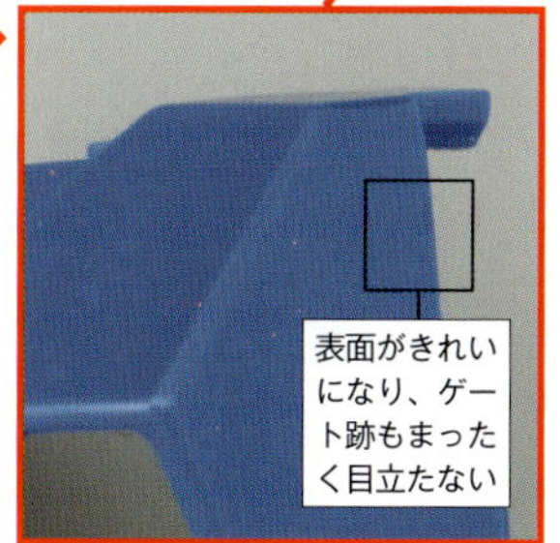

量が多いと、かえってみがきにくくなるので注意

チューブからコンパウンドをクロスに取る。みがく範囲にもよるが、少しずつ出して使うとよい。

2 クロスでゲート跡をみがく

クロスで軽くこするようにして、ゲート跡の部分をみがく。粗目が終わったら、細目→仕上げ目（極細）という順で仕上げる。

プラスα 粒子の大きさで使い分ける

コンパウンドは、粒子の大きい「粗目」から始めて、より粒子の小さい「細目」「仕上げ目」とシフトしていくのが基本だ（タミヤコンパウンドの場合）。

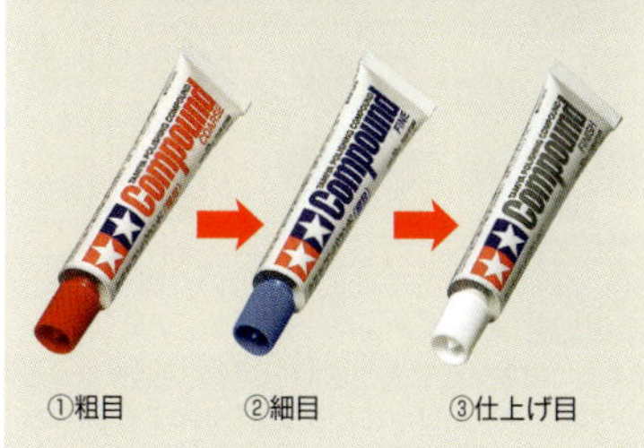

クリアパーツを補修する方法

クリアパーツに傷やくもりがある場合にも、コンパウンドでみがくとピカピカに仕上げることができる。

1 クリアパーツが少し傷ついている

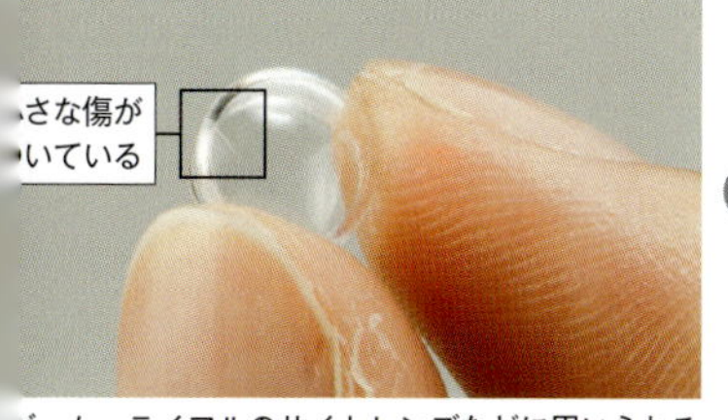

ビーム・ライフルのサイトレンズなどに用いられるクリアパーツ。写真のように傷がついているときは、コンパウンドの出番。

2 コンパウンドでみがく

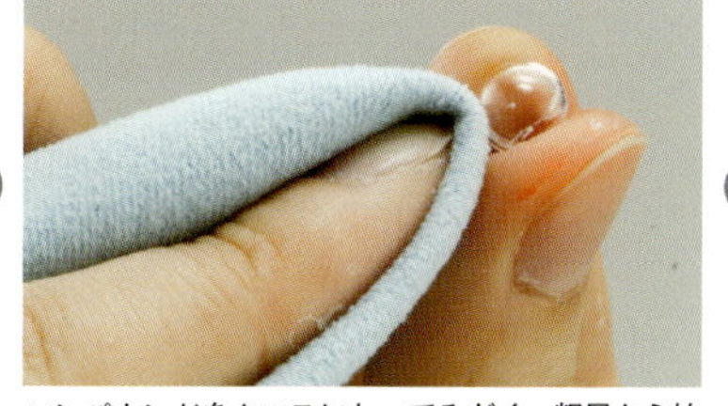

コンパウンドをクロスにとってみがく。粗目から始めて、粒子の細かいものへと進んでいく。

3 傷が取れてピカピカに!

満足いくまでピカピカになっていればOKなので、粗目や細目で作業を終えても問題ない。

MISSION_1 ▸ 組み立て

パーツを組み立てる

難易度
かんたん
ふつう
むずかしい

におい
しない
よわめ
つよめ

▶ 組み立てる前に、**説明書で工程の流れを確認**する。慣れないうちは説明書の順番どおりに組み立てよう。

▶ パーツは工程ごとに切り出して、**説明書のアイコンに注意**しながら、**はめ込む順番やパーツの向きなどに気をつけて作業**していく。

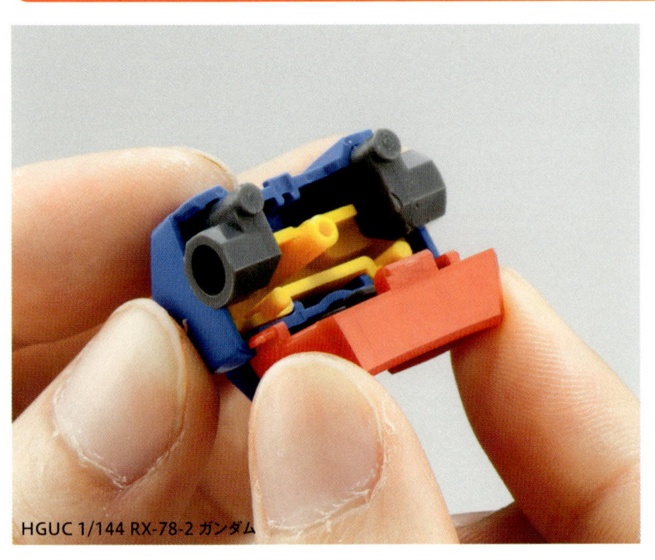
HGUC 1/144 RX-78-2 ガンダム

組み立てる前に説明書をチェックし、**工程の全体的な流れを把握してから**取りかかりましょう。慣れないうちは、説明書の順番どおりに組み立てることがオススメです。「今はどこの部分を組み立てているか」がわかるので、失敗も少なくなります。

説明書をよく見て、**パーツをはめ込む順番やパーツの向きに気をつけて**組み立ててください。とくに**注意すべき点はアイコンで示されている**ので見落とさないようにしましょう。

使用する道具

ピンセット（細かい作業をするときにあると便利）

パーツ・オープナー（はめ間違えたときにあると便利）

組み立てる方法

組み立てるときは工程ごとにパーツを切り出し、ていねいにはめ込もう。

1 説明書を見て流れを把握する

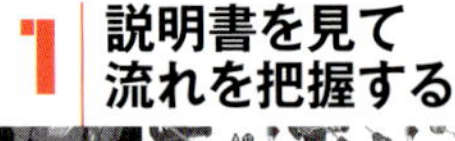
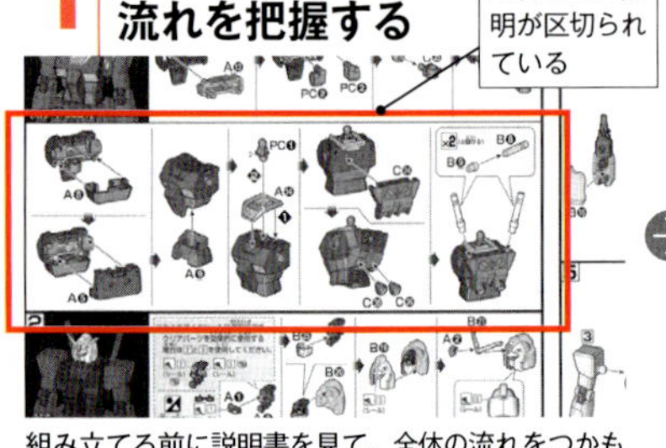

組み立てる前に説明書を見て、全体の流れをつかもう。慣れてきたら好きなところから始めてもよいが、最初のうちは説明書の順番どおりに進めよう。

2 パーツをていねいにはめ込む

切り離したパーツをなくさないように、パーツは工程ごとに切り離す。パーツは必要に応じてゲート処理（→P.50）をして、ていねいにはめ込んでいく。

プラスα ダボとダボ穴を知る

パーツのでっぱり部分を「ダボ」、ダボがはめ込まれる穴を「ダボ穴」という。はめ込むパーツのダボとダボ穴は、ぴったり一致する。

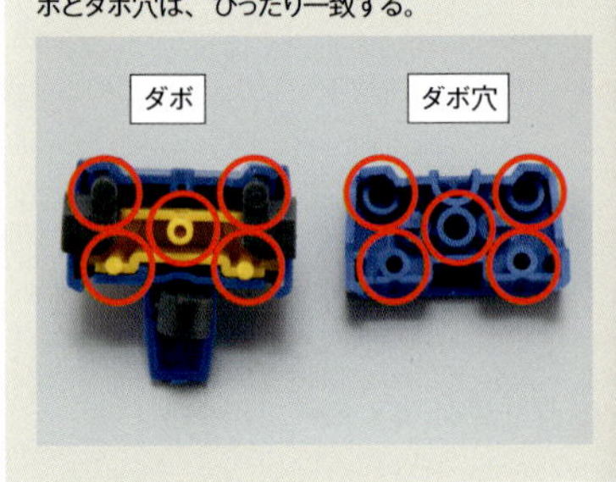

ポリキャップがつぶれたときの対処法

パーツをはめ間違えたり、ナナメにはめ込んだりすると、中にあるポリキャップが曲がってつぶれてしまうことがある。

1 ナナメにはめ込んでしまった

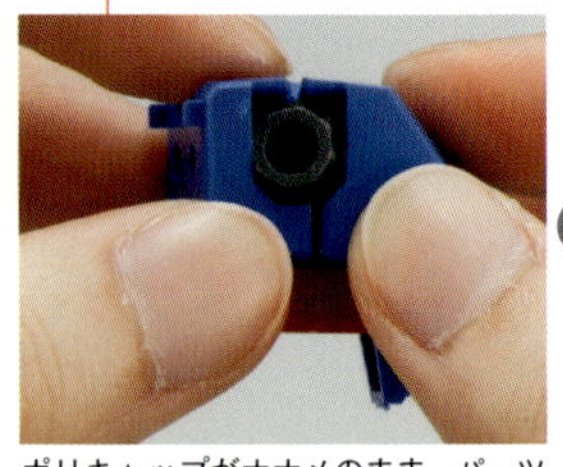
ポリキャップがナナメのまま、パーツをはめ込もうとしている。このままはめ込むと、ポリキャップがつぶれる。

2 つぶれたポリキャップを取り出す

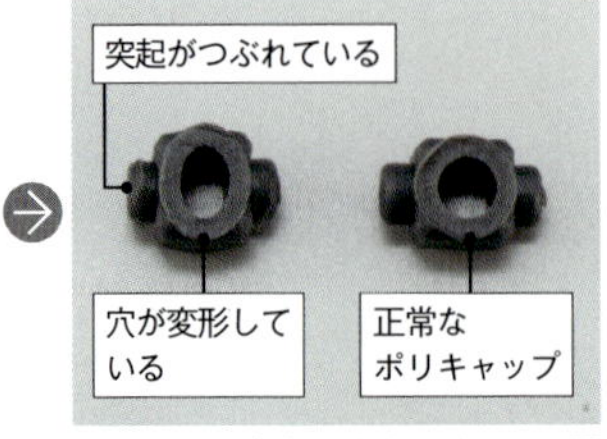

ポリキャップがつぶれたままでは、正しくパーツをはめ込むことはできない。何かしらの対処が必要だ。

3 はめ込むパーツで「つぶれ」を復元

ポリキャップにはめ込むパーツを切り出してはめ込む。ポリキャップはやわらかいので、これで形を復元できる。

4 引っかかる部分をけずる

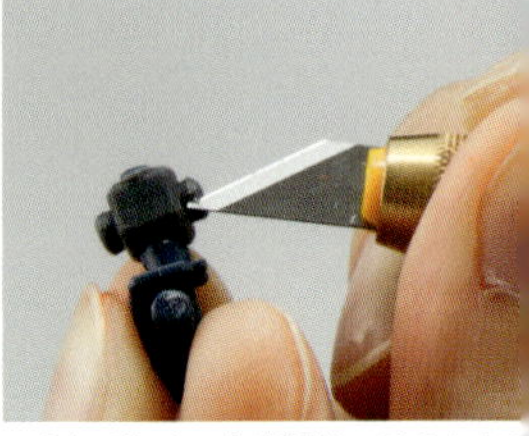
つぶれてしまった突起は、そのままではうまくはめ込めない。引っかかる部分をデザインナイフなどでけずり取る

アイコンの意味

組み立てる際には、説明書に記載されているアイコンに注意しよう。アイコンには主に下のような種類があり、それぞれの意味にしたがって作業する。

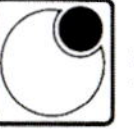

先に組み立てる

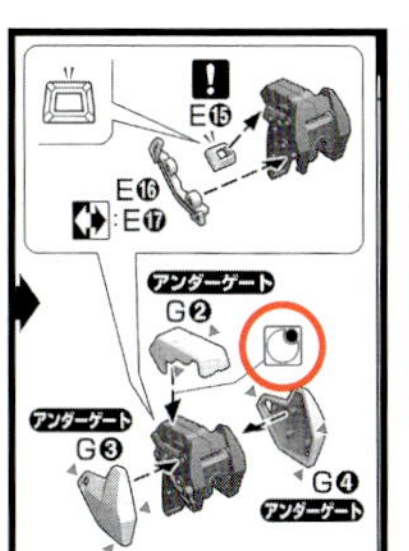

パーツをはさみ込む場合などに使用されるアイコン。指示されたパーツを先に組み立てる。

後から組み立てる

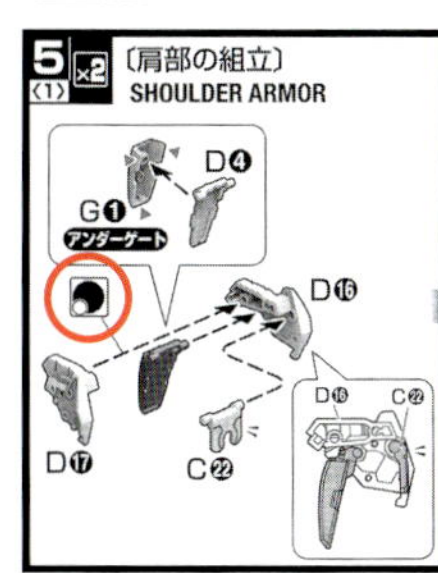

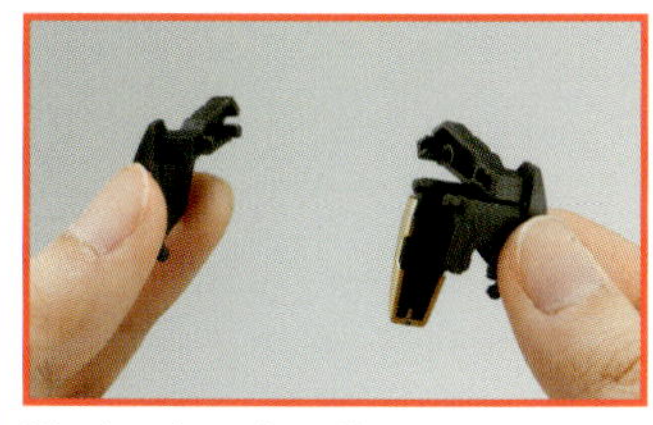

「先に組み立てる」と同様、パーツをはさみ込む場合などに使用されるアイコン。このアイコンで示されたパーツをあとに組み立てる。

選んで取りつける

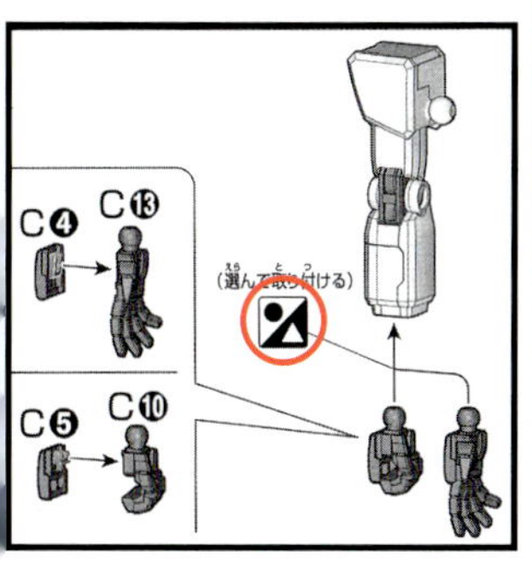

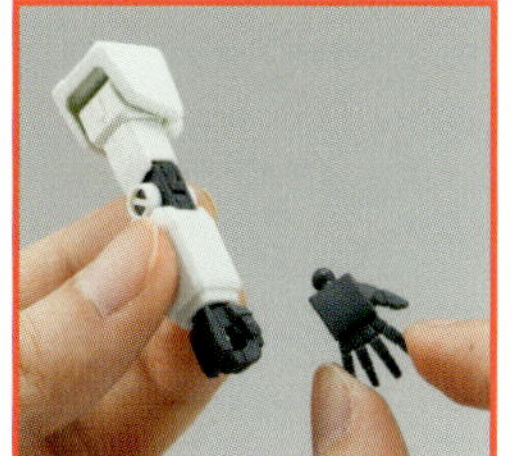

開いた手と握った手など、同じ部位でいくつかのパーツが用意されている場合などに使用されるアイコン。好きなほうを選んで取りつける。

切り取る

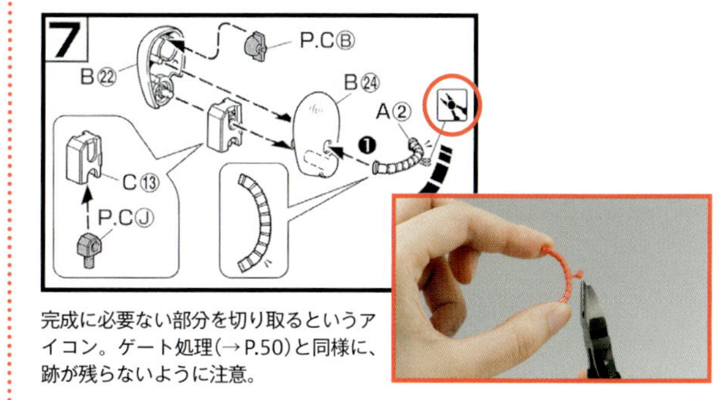

完成に必要ない部分を切り取るというアイコン。ゲート処理(→P.50)と同様に、跡が残らないように注意。

×2 (数字の分だけつくる)

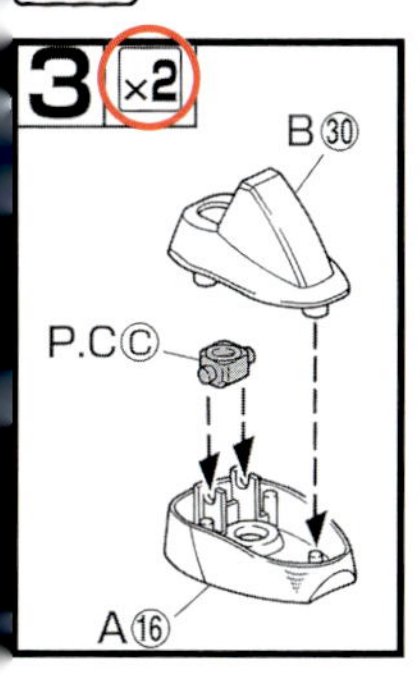

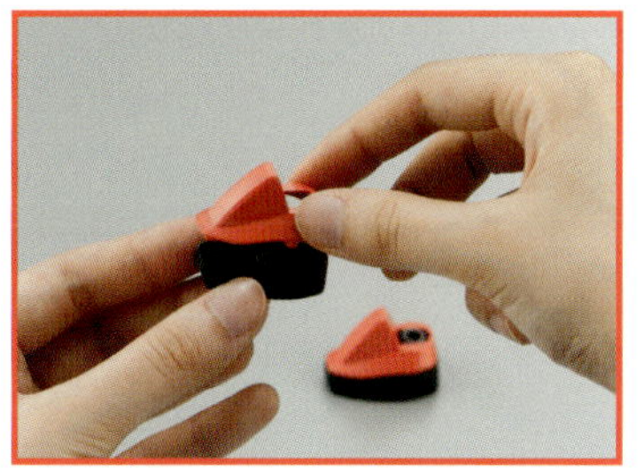

記載されている数字と同じ数を組み立てるという意味のアイコン。見落とさないように気をつけよう。

注意して組み立てる

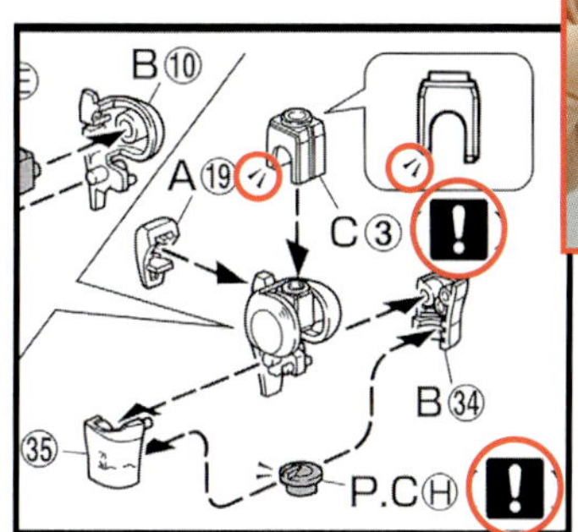

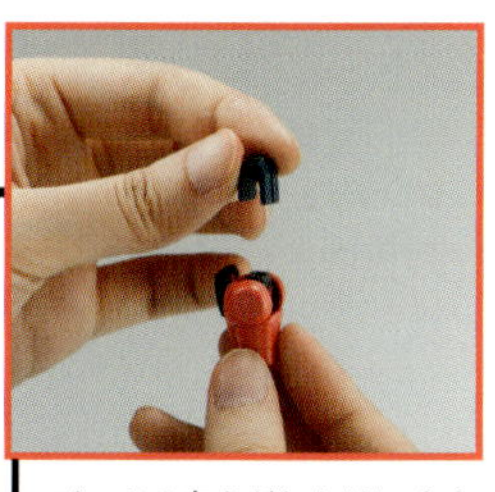

パーツの向きがわかりにくく、組み立てるときに向きを間違えないように注意が必要なところに使われるアイコン。「〃」マークはパーツの長さなどの向きなど見極めポイントを表す。パーツの形をよく見て組み立てよう。

シールを貼る

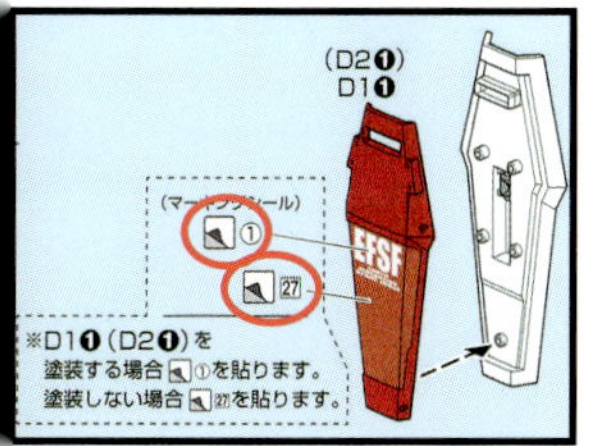

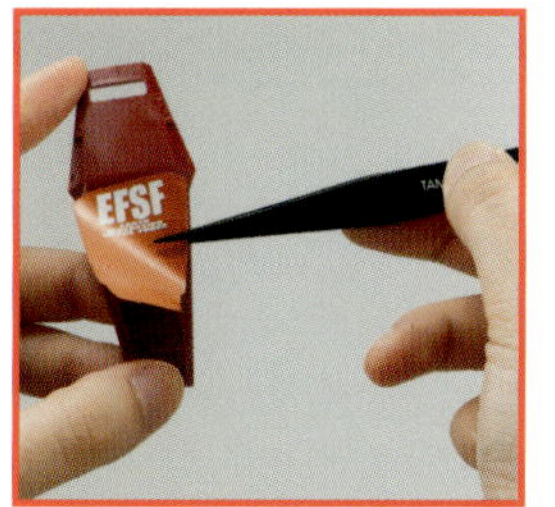

キット付属のシールを貼ることを示したアイコン。シール貼りはやり直しが難しいので慎重に行おう。

両側に同じパーツを取りつける

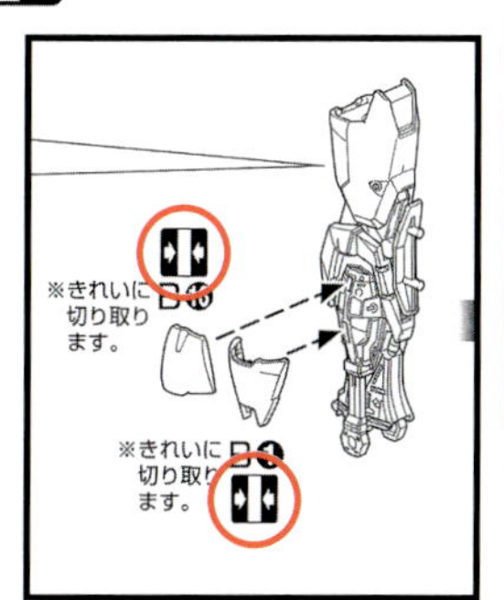

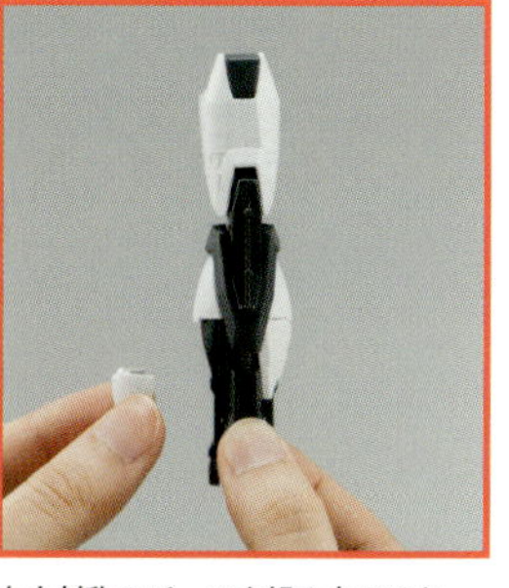

左右対称のパーツを組み立てるときに使われるアイコン。このアイコンがあるところでは、左右両側に取りつける。

組み立て時のトラブル対策①
パーツを**えぐって**しまった

難易度：かんたん／**ふつう**／むずかしい

におい：しない／**よわめ**／**つよめ**

▶デザインナイフなどで誤ってパーツをえぐってしまった場合には、**「スチロール系接着剤を使う」「瞬間接着剤を使う」**という2つの修復方法がある。

▶どちらもパーツの表面を整えるために**紙やすりを使用**し、「瞬間接着剤を使う」方法では最後に塗料で着色する。

Before

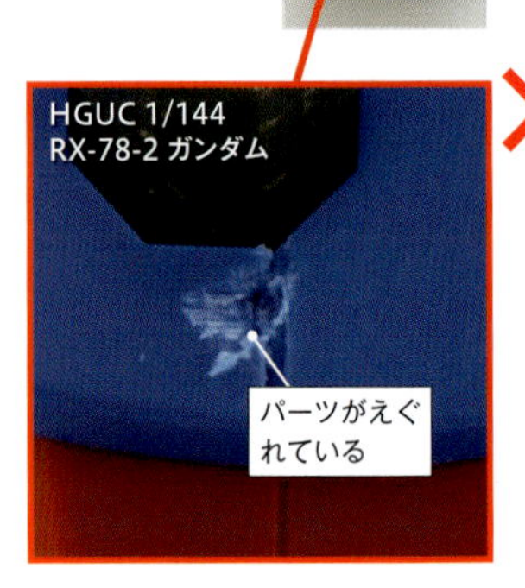

After

デザインナイフでゲート処理(→P.51)をするときに誤ってパーツをえぐってしまうと、だれもがあわてるもの。「えぐれたパーツは、もう元にもどせない……」と思うかもしれませんが、**修復する方法はあります**。

ここで紹介するのは、**スチロール系接着剤を使う方法**と**瞬間接着剤を使用する方法**の2つ。とくにスチロール系接着剤は同じ色のランナーを溶かして使うため、修復後、ほとんど目立たなくすることができます。ただし、固まるまでに時間がかかるのであせらずに行いましょう。

使用する道具

<方法①>

・空の塗料ビン
・調色用スプーン
・紙やすり（400〜800番）

スチロール系接着剤（流し込みタイプ）

<方法②>

・紙やすり（400〜800番）
・ガンダムマーカー（パーツ色に近い色）

瞬間接着剤

方法① スチロール系接着剤で修復する（つよめ）

スチロール系接着剤がプラスチックを溶かす性質を利用して、溶かしたランナーを使って直す。

1 同色のランナーを接着剤で溶かす

えぐってしまったパーツと同じ色のランナーを細かく切って、空の塗料ビンなどに入れる。そこにスチロール系接着剤を流し込んでランナーを溶かす。

2 「溶かしランナー」を塗って乾燥させる

丸1日以上乾燥!

調色用スプーンなどで、溶かしたランナーをえぐった部分に塗る。あとでやすりがけするので、多少盛り上がっていてもよい。

3 溶かしたランナーが固まったらやすりがけ

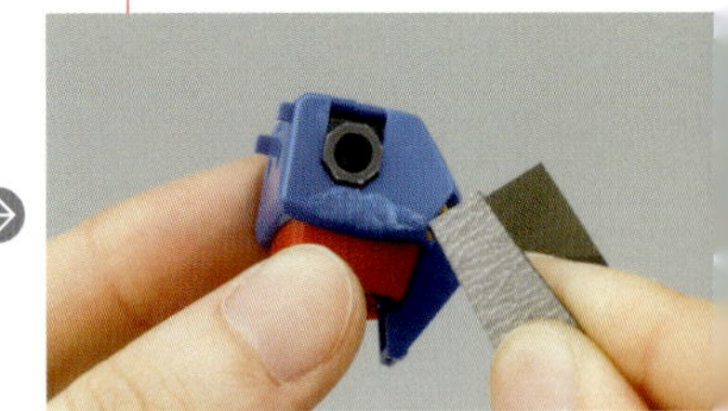

溶かしたランナーを塗った部分が乾燥して固まったら、紙やすりでやすりがけして表面を整える。紙やすりは400〜800番くらいで。

方法② 瞬間接着剤で修復する（よわめ）

この方法のメリットは、スチロール系接着剤を使う方法にくらべて、時間をかけずに修復できること。接着剤が固まり、やすりがけが終わったら塗装してフィニッシュとなる。

1 足のパーツをえぐってしまった

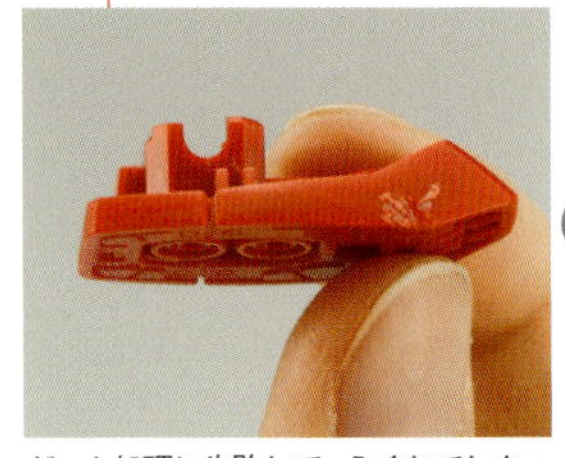

ゲート処理に失敗して、えぐれてしまったパーツ。このままでは、えぐれた箇所が目立ってしまう。

2 えぐれた部分に瞬間接着剤を塗る

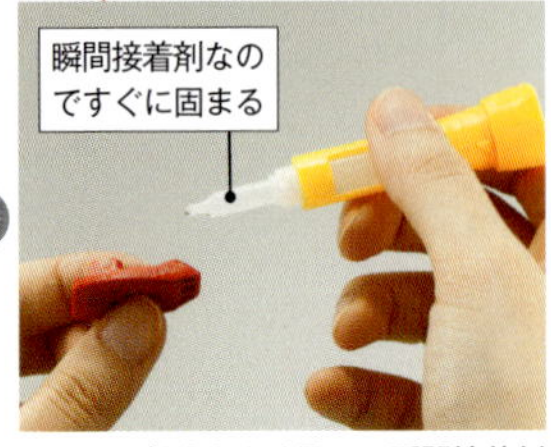

えぐれた部分をよく見て、瞬間接着剤を塗る。このあと、やすりがけするのできれいに塗る必要はない。

3 塗った箇所をやすりがけする

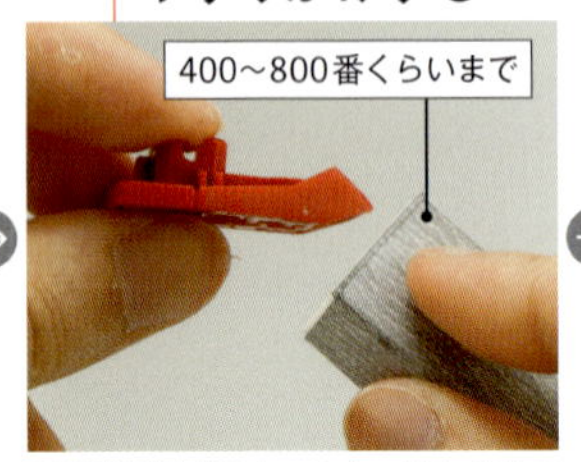

瞬間接着剤が固まったら、紙やすりでみがいて表面を整える。これでえぐれ自体はなくなる。

4 ガンダムマーカーなどで塗る

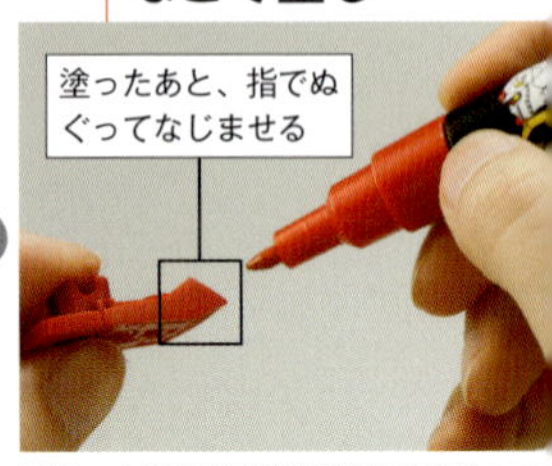

塗ったあと、指でぬぐってなじませる

固まった瞬間接着剤は透明や白色になるので、パーツと同じ色の塗料で塗る。ガンダムマーカーでOKだ。

組み立て時のトラブル対策②
パーツを**折って**しまった

難易度: かんたん / **ふつう** / むずかしい

におい: しない / **よわめ** / つよめ

- ▶ 折れてしまったパーツは接着剤でくっつける。パーツ内に**真鍮線**(しんちゅうせん)を入れると、より高い強度で修復できる。
- ▶ 接着剤はスチロール系接着剤がオススメ。ただし、**真鍮線を中に入れる場合は瞬間接着剤**でもよい。
- ▶ 修復が難しい場合は、**パーツ請求サービスを利用しよう**。1パーツ単位で注文できる。

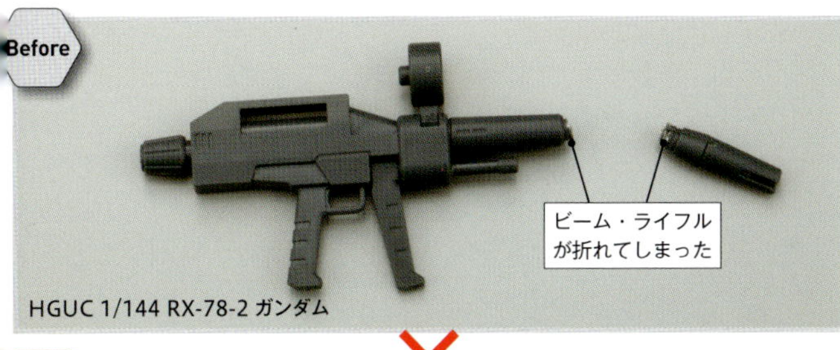

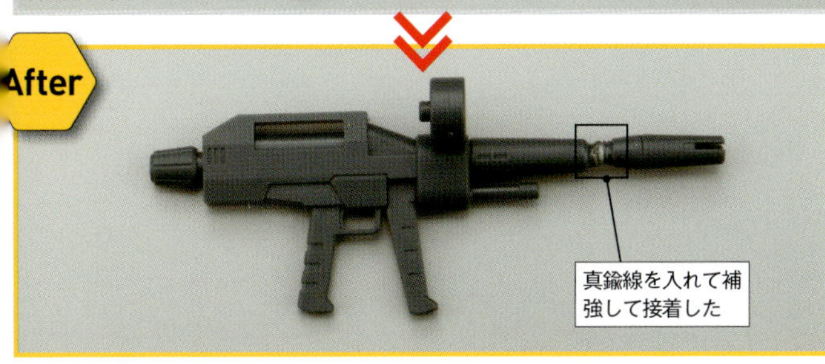

折れてしまったパーツを元の形にもどすには、接着剤で接着する必要があります。使用する接着剤は種類を問いませんが、**スチロール系接着剤ならより高い強度で接着することができます**。さらに、より強度を重視するならパーツの中に**真鍮線を入れてから接着**しましょう。真鍮線が補強の軸となるために、さらに強固になります。その場合は、真鍮線によって強度が高まりますが、スチロール系接着剤でプラスチックと金属を接着させることはできないので、瞬間接着剤を使いましょう。

使用する道具

<方法①>
- ・ピンバイス
- ・瞬間接着剤

真鍮線(サイズはパーツの太さに応じて)

<方法②>
スチロール系接着剤

方法① 真鍮線を使って修復する よわめ

折れたパーツは、接着剤で接着しただけでは強度が落ちる。可動しない部位で、中に真鍮線や針金などを入れられるようなら、それらを使って修復する。

1 ライフルが折れてしまった

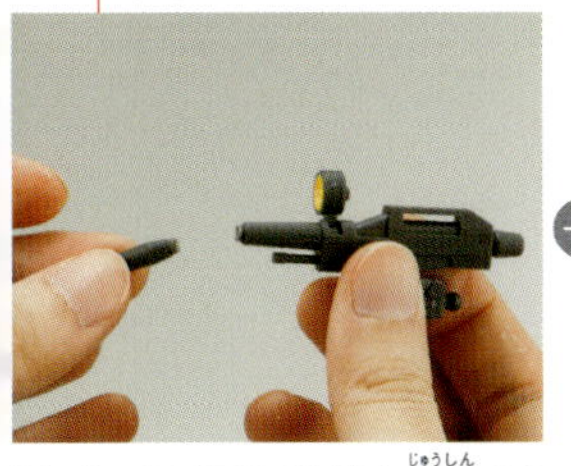

ビーム・ライフルの砲身と銃身(じゅうしん)のつなぎ目が折れてしまった。真鍮線を入れて補修しよう。

2 ピンバイスで穴を開ける

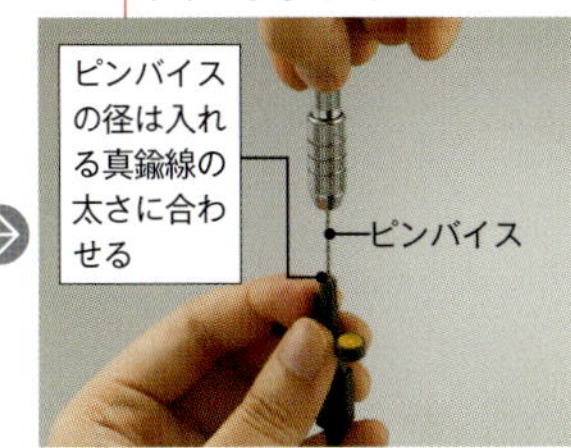

ピンバイスの径は入れる真鍮線の太さに合わせる
ピンバイス

真鍮線はパーツの中に入るサイズのものを選ぶ。ピンバイスなどで砲身側と銃身側の両方に穴を開ける。

3 真鍮線を入れて接着する

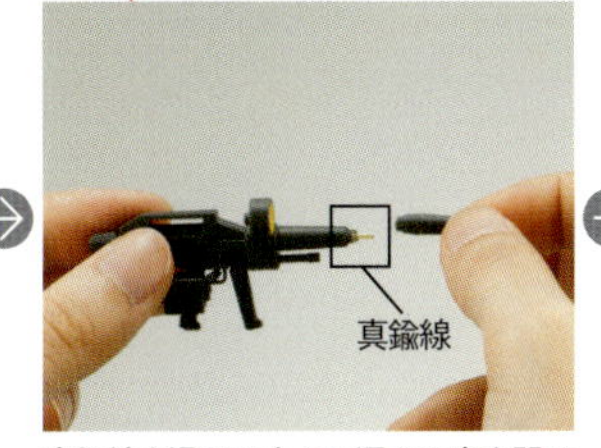

真鍮線を通せる太さと深さの穴を開けたら、真鍮線を中に入れて、接合部を接着剤で接着する。

4 接着剤が固まったらOK

真鍮線を中に入れたことで十分な強度がある。接着部の傷が気になる場合は、やすりがけをする。

方法② スチロール系接着剤で修復する つよめ

真鍮線を使わない場合は、スチロール系接着剤で折れた部分を溶かして固める。

1 バズーカのグリップが折れてしまった

バズーカのグリップが折れてしまった。細いパーツなので真鍮線は通せない。接着剤で修正しよう。

2 折れた箇所に接着剤を塗る

強度重視でスチロール系接着剤を選ぶ。両方の折れた箇所に塗っていく。

3 折れたパーツを接着する

パーツを接着して乾かす。接着剤が固まったあと、跡が目立つようならやすりがけをしよう。

プラスα 部品の請求は1パーツから可能

折れたパーツを修復できない場合は、パーツ請求サービスを利用しよう。パーツ代と送料は必要だが、1パーツ単位で請求ができる(例外あり)。パーツ請求方法や送り先などの詳細は説明書の案内で確認しよう。

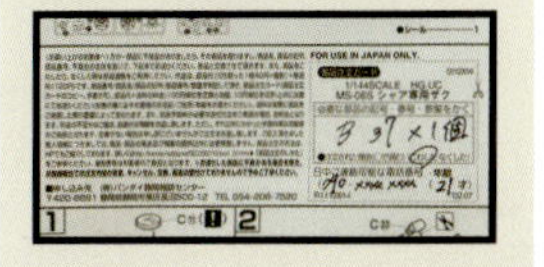

合わせ目消しの基本

▶ パーツの組み合わせ時にできる**接合部分の隙間**を**「合わせ目」**という。合わせ目を消すことを**「合わせ目消し」**と呼ぶ。
▶ 合わせ目消しには、**スチロール系接着剤**を使う方法と、**パテ（もしくは瞬間接着剤）**を使う方法がある。
▶ 最近のガンプラはパーツ構成の工夫により、**合わせ目消しが不要のものも多い**。

「合わせ目」とは、パーツを組み合わせたときにできる接合部のラインのことです。最近のキットは、合わせ目が出にくい構成になっていますが、それでも出てしまうところが残ります。完成度を高めるために**「本来のモビルスーツには存在しない合わせ目を消し、目立たなくしよう」というのが「合わせ目消し」**です。

合わせ目消しでの接着剤による変色が気になる場合や、パテを使用した場合は塗装しますが、溶かしたランナー（→P.56）を使えば成形色で仕上げることも可能です。

▲HGUC シャア専用ザクII

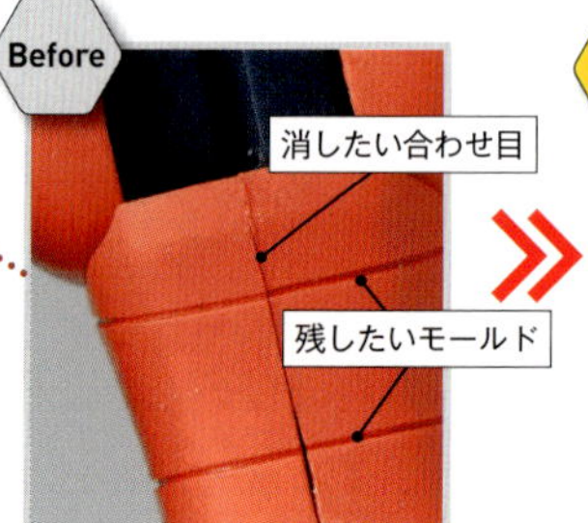

前腕部にある合わせ目。横のラインは残したいモールドで、縦のラインが消したい合わせ目。

モールドは残し、合わせ目の隙間が埋まった。

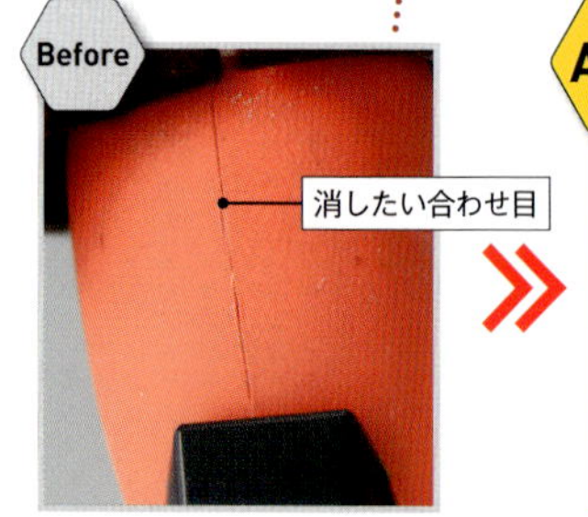

太もも前側の合わせ目。脚部はどうしても合わせ目が出やすい部分。

合わせ目の隙間が埋まっている。

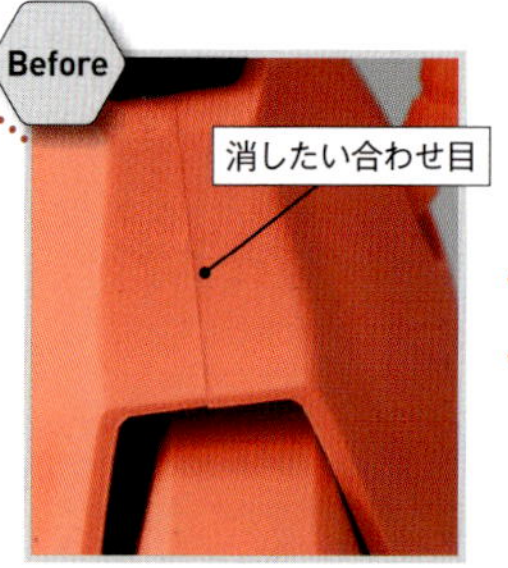

スネの前面にある合わせ目。

合わせ目の隙間が目立たなくなった。足の裏側の合わせ目も消そう。

合わせ目消しの方法

合わせ目消しは、主に「スチロール系接着剤を使う方法」と「パテ（もしくは瞬間接着剤）を使う方法」の2つがある。好みの仕上がりや持っている道具に応じて選ぼう。

スチロール系接着剤を使う方法

≫詳しくはP.59

スチロール系接着剤の「プラスチックを溶かす」という性質を利用した方法。接着剤が乾燥したあとにやすりがけすれば、ある程度きれいに合わせ目を消すことができる。さらに塗装すれば、ほとんどわからなくなる。

パテ（もしくは瞬間接着剤）を使う方法

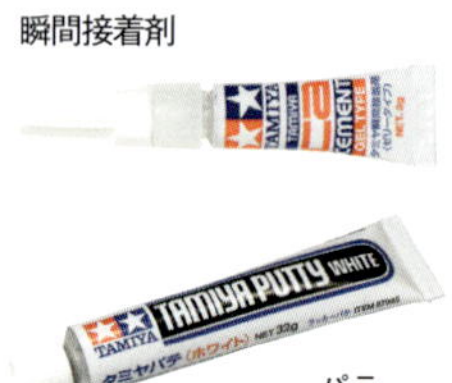

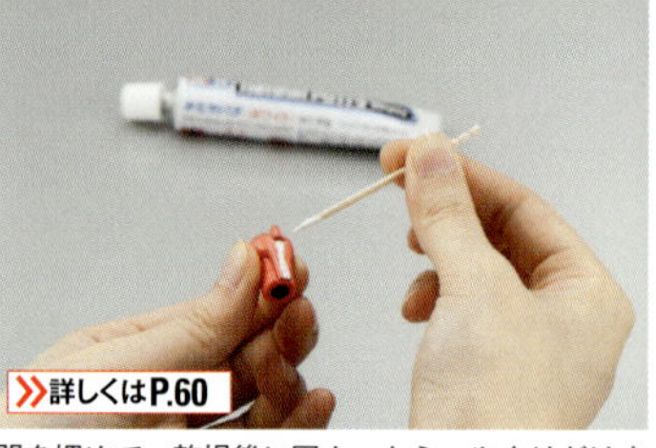
≫詳しくはP.60

瞬間接着剤やパテで合わせ目の隙間を埋めて、乾燥後に固まったら、やすりがけする方法。とくにパーツ間の隙間が大きいときに有効。瞬間接着剤でもパテでも基本的には塗装が必要になる。

合わせ目消し①
スチロール系接着剤で消す

難易度
かんたん
ふつう
むずかしい

におい
しない
よわめ
つよめ

- ▶ **スチロール系接着剤**を使う場合、接合面のプラスチックを溶かして固めることによって隙間(すきま)を消すことができる。
- ▶ **組み立てながら消す場合は「貼(は)り合わせタイプ」、組み立て後に消す場合は「流し込みタイプ」**のスチロール系接着剤を使用する。

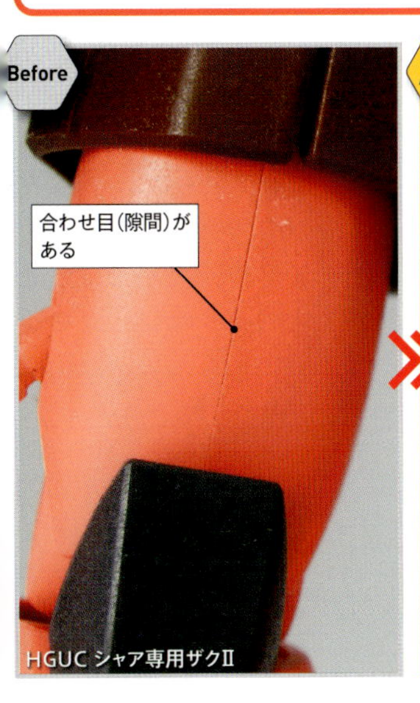

スチロール系接着剤を使えば、接合部を溶かして、2つのパーツを完全に1つの固体にし、合わせ目を消すことができます。

まずは接合する両方のパーツの接合面に接着剤を塗って、しっかりと密着させます。このとき、**「ムニュ」と溶けたプラスチックをはみ出させる**のがポイントです。あとは乾燥して固まるのを待ち、紙やすりで表面を整えれば完了です。

使用する道具

スチロール系接着剤

棒やすり(パーツの形状に応じて)

紙やすり(400〜800番)

スチロール系接着剤で消す方法 つよめ

組み立てながら消す場合は「貼り合わせタイプ」を使う。

1 スチロール系接着剤を塗る

接合面が溶けるまで1分ほど待つ

ハケを使って内側から外側に向かって、パーツの接合面に接着剤を塗る。貼り合わせる両方のパーツに二度塗りする。

2 パーツを貼り合わせる

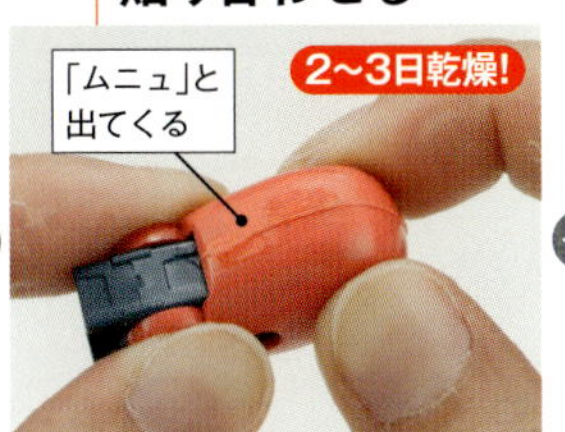

パーツを貼り合わせて密着させる。合わせ目に沿って、プラスチックが溶けたものが出てきたらOK。

3 乾燥したら棒やすりでけずる

完全に固まったら(目安は2〜3日)、はみ出した部分を修正する。まずは棒やすりでけずっていく。

4 紙やすりでみがき上げる

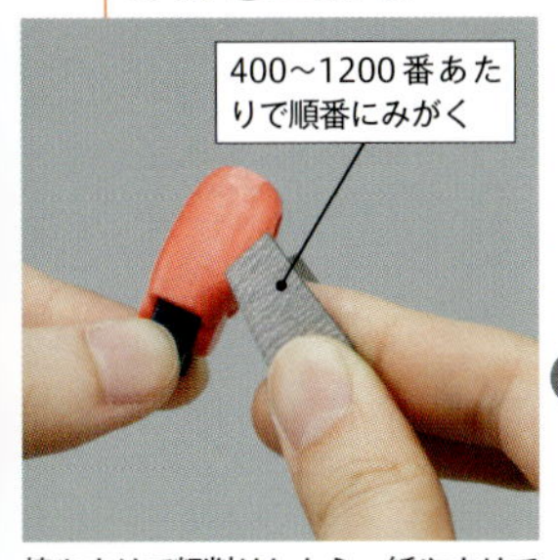

400〜1200番あたりで順番にみがく

棒やすりで粗削りしたら、紙やすりで表面をなめらかにする。これで合わせ目はほとんど目立たなくなる。

5 合わせ目がすっかり消えた

2つのパーツが接合されて、合わせ目が消えた。周りにやすりがけなどによる傷がないかもチェック。

プラスα 組み立て後なら流し込みタイプ

組み立て後に消すなら、流し込みタイプのスチロール系接着剤で。合わせ目に接着剤を流し込み、完全に乾燥したら棒やすりや紙やすりでみがいていく。

プラスα 合わせ目が残ってしまったら?

接着剤の量が足りなくて、乾燥後にまだ合わせ目が残っていることがある。このような場合は、溶かしたランナー(→P.56)をつくって、残った合わせ目に塗る。あとは乾くのを待って、やすりがけで仕上げていく。

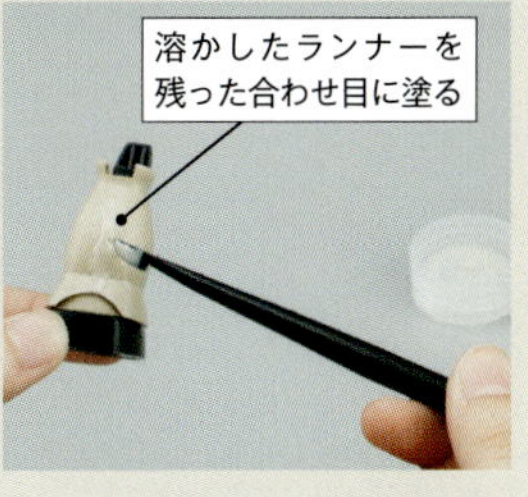

テクニック

合わせ目消し②
パテや瞬間接着剤で消す

難易度：かんたん／**ふつう**／むずかしい
におい：しない／**よわめ**／**つよめ**

▶ パテや瞬間接着剤を使って、**合わせ目にある隙間(すきま)を埋める**方法もある。
▶ 塗ったパテや瞬間接着剤が乾いたら、やすりがけで仕上げる。ただし、パテの場合はパテの色が残るので、**最終的には塗装が必須**になる。

Before
合わせ目(隙間)がある。パテで埋めよう
HGUC シャア専用ザクII

After
パテで隙間を埋めた。このあと塗装すれば見えなくなる

合わせ目部分の隙間を埋めることによって、合わせ目を目立たなくする方法もあります。隙間を埋めるための材料は**パテ、瞬間接着剤のどちらでもOK**です。

パテを使った合わせ目消しでは、**パテが目立たないように着色すべき**でしょう。その分、手間がかかりますが、「いかにも模型づくり」という工程であるために、パテによる合わせ目消しを好む模型ファンも少なくありません。一方、瞬間接着剤を使った合わせ目消しには、短時間で仕上げられるというメリットがあります。

使用する道具

<方法①>

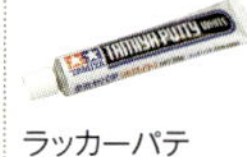
TAMIYA PUTTY

ラッカーパテ

・つまようじ
・棒やすり(パーツの形状に応じて)
・紙やすり(400～800番あたり)

<方法②>

瞬間接着剤

・紙やすり(400～800番あたり)

方法① パテで消す つよめ

「パテを使うのは少し高度なテクニック」というイメージがあるかもしれないが、実際のところ、作業自体は簡単。ラッカーパテを合わせ目に塗って、乾燥後にやすりがけすれば合わせ目は消せる。

1 合わせ目にパテを塗る

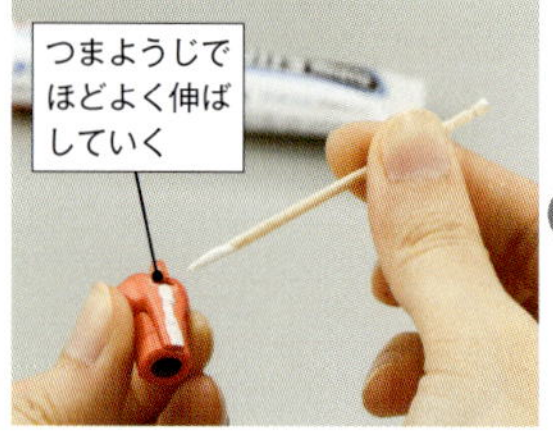
つまようじでほどよく伸ばしていく

ラッカーパテを合わせ目部分にのせる。パーツにのせたパテをつまようじで伸ばしながら塗っていく。

2 パテが固まったらやすりがけする

棒やすりで粗削りしてから、紙やすりで順番にみがく

パテが乾燥して固まったら(目安は1～2日)、棒やすり→紙やすりの順番でみがいて表面をきれいに整える。

3 パテが隙間に残ったらOK

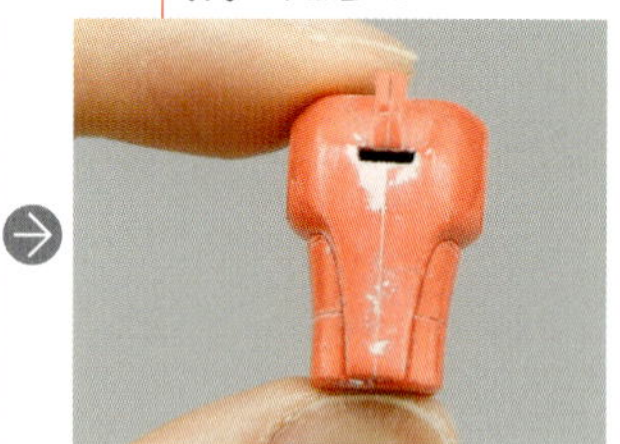

表面がなめらかになり、合わせ目にパテが残ったらOK。このあと、パテが見えないようにするために塗装する。

NG パテの厚塗りは禁止

パテは、厚塗りすると内側にあるパテがいつまでも乾かなくなる。厚塗りしてしまった場合は、つまようじでパテをそぎ落とそう。

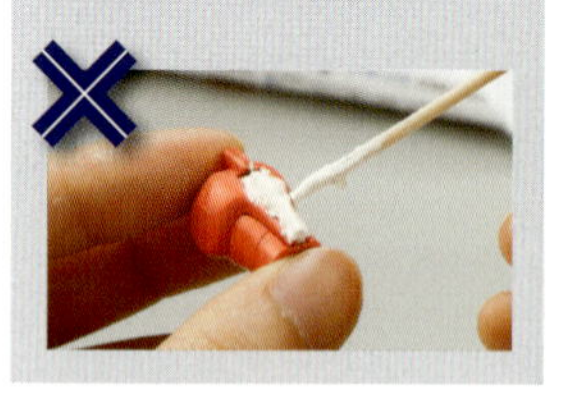

方法② 瞬間接着剤で消す よわめ

瞬間接着剤を使う方法も、上のパテを使う方法と基本的には同じ考え方で行う。

1 瞬間接着剤を合わせ目に塗る

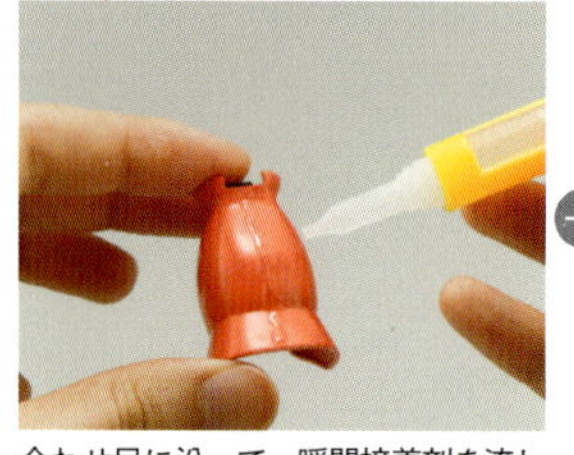

合わせ目に沿って、瞬間接着剤を流し込んでいく。乾燥したら、瞬間接着剤によって合わせ目の隙間が埋まる。

2 乾いて固まったらやすりがけする

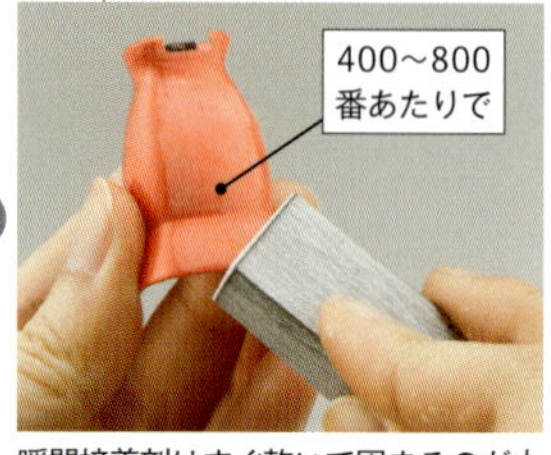
400～800番あたりで

瞬間接着剤はすぐ乾いて固まるのが大きなメリット。紙やすりでやすりがけして表面を整える。

3 合わせ目が埋まって消えた

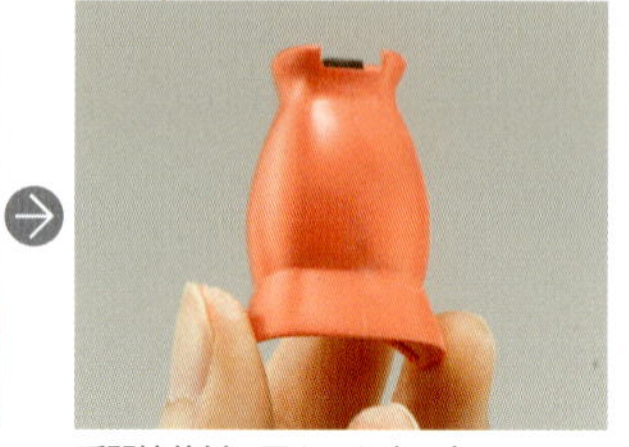

瞬間接着剤は固まると少し白くなるが、しっかりやすりがけすれば、目立たなくなる。跡が気になる場合は塗装する。

プラスα 時間がなければ硬化促進剤を使う

瞬間接着剤用の硬化促進剤を使うと、すぐに乾燥させることができる。

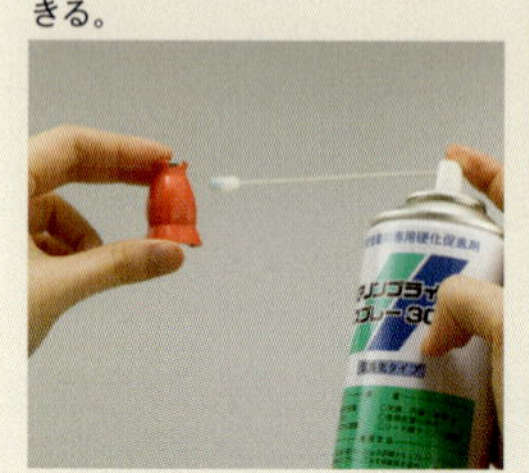

合わせ目消しのトラブル対策
モールドが薄くなってしまった

難易度: かんたん / **ふつう** / むずかしい

におい: **しない** / よわめ / つよめ

▶ 合わせ目を消したことで、本当は残しておきたかったモールドが薄くなってしまうことがある。合わせ目を消す以上は仕方ないので、**薄くなった分は彫り直してモールドを復活させよう。**

▶ 彫り直す際にはフリーハンドではなく、ガイドテープを貼って作業するとよい。

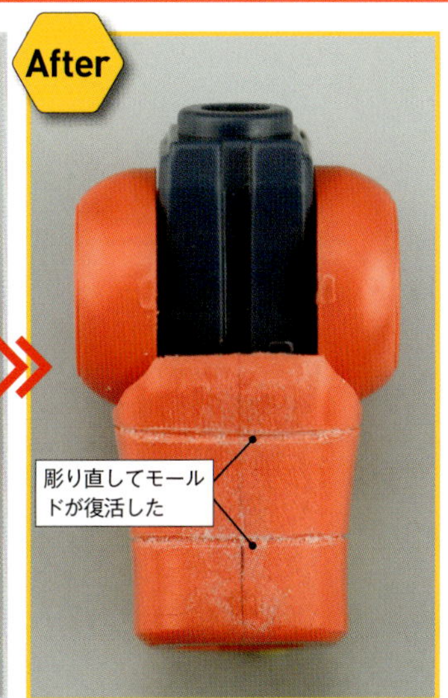

左の写真(Before)のように残しておきたいモールドと消したい合わせ目が交差する場合には、**やすりがけによってモールドが薄くなってしまう**ことがあります。スチロール系接着剤を使うにしても、瞬間接着剤やパテを使うにしても、やすりがけは必要不可欠なので、ある程度は仕方ないところです。そこで、**薄くなったモールドは彫り直して復活**させましょう。モールドを彫るための道具には、**Pカッター**や**デザインナイフ、ケガキ針**などがあります。自分が使いやすいものを選びましょう。

使用する道具

Pカッター(あるいはケガキ針、ラインチゼルなど)

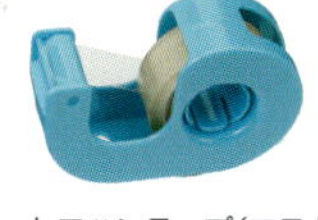
セロハンテープ(マスキングテープでもOK)

・カッティングマット
・カッター(あるいはデザインナイフ)

薄くなったモールドを彫り直す方法

モールドが薄くなってしまったら、彫り直せばよい。ポイントはフリーハンドではなく、ガイドテープを使用すること(ガイドテープのつくり方は下の項目参照)。

1 やすりがけでモールドが薄くなった

合わせ目消しのためにやすりがけをしたら、モールドが薄くなってしまった。モールドは復活させたい。

2 ガイドテープをパーツに貼る

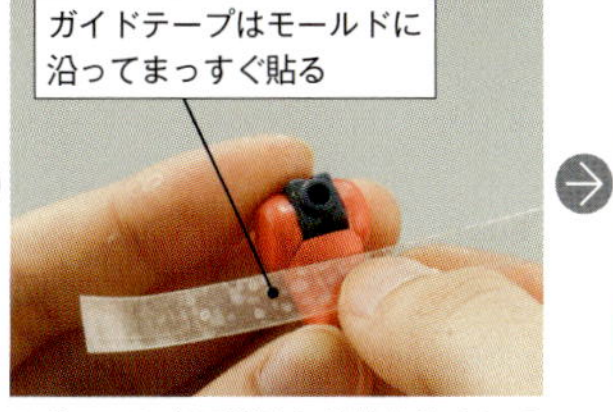

フリーハンドで彫ると失敗しやすいので、彫るラインが曲がらないようにガイドテープをつくって貼る。

3 Pカッターで彫り直す

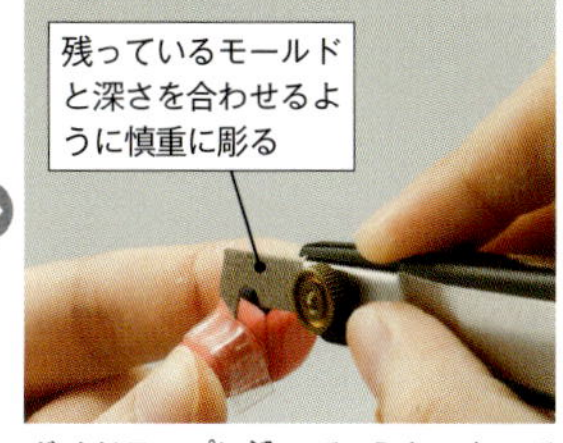

残っているモールドと深さを合わせるように慎重に彫る

ガイドテープに沿って、Pカッターでモールドを彫り直す。テープを切らないようにゆっくりていねいに彫る。

NG フリーハンドは失敗のもと

フリーハンドで直線のモールドを彫るのは難しい。ガイドテープをつくって貼ろう。

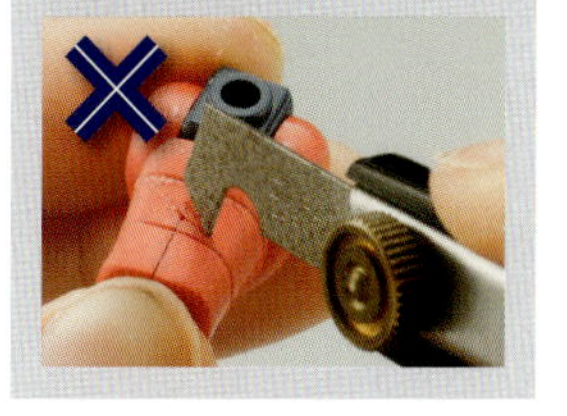

ガイドテープをつくる方法

モールドを彫る場合には、事前にガイドテープを用意する。使用するテープはセロハンテープでも、マスキングテープでもOK。ただし、セロハンテープでは貼った跡が残ることがあるので注意しよう。

1 マットにテープを重ねて貼る

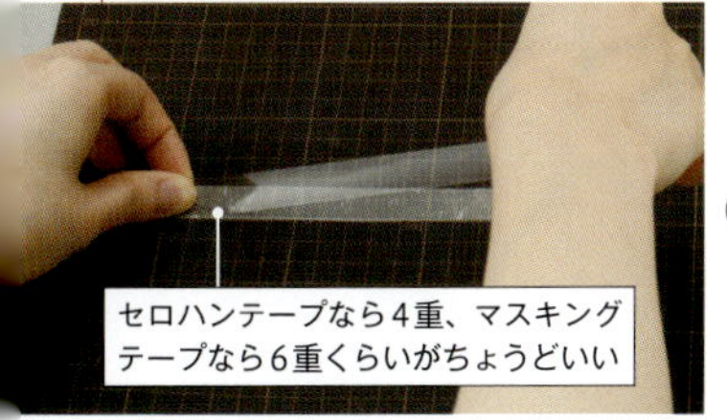

ガイドテープは厚みが大事なので、カッティングマットの上に何重にも重ねて貼る。

2 使用する幅に合わせてカットする

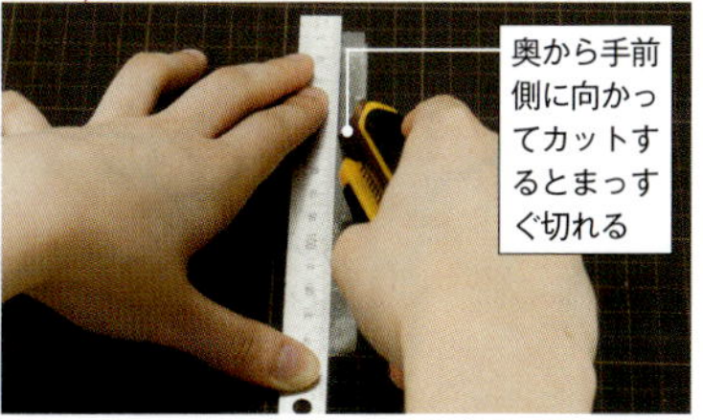

パーツの大きさなど、貼る部分の幅に合わせてテープをカットする。

NG 横に切るとテープが曲がりやすくなる

テープを切り出す際、左右にカッターを動かすと、ラインが曲がりやすくなる。ガイドテープが曲がっていては、モールドをまっすぐ彫ることはできない。

シール(デカール)の基礎知識

▶ ガンプラに使用されるシールには、大きく分けて「ホイールシール」「マーキングシール」「ドライデカール」「水転デカール」の4種類がある。「ホイールシール」はHGUCシリーズやBB戦士シリーズを中心に、多くのキットに付属している。それ以外のシール(デカール)の有無はキットによって異なる。

シールはキットの情報量を増やし、完成度を高めてくれるために欠かせないものの1つです。付属しているシールだけでなく、別売りのデカールもあるので、**好みに応じて貼っていくとよい**でしょう。シールには**「ホイールシール」「マーキングシール」「ドライデカール」「水転写シール」**の4種類があるので、まずはそれぞれの特徴を覚えましょう。シール(デカール)貼りは繊細な作業なので、**ピンセットを用意**しておくとよいでしょう。

▶MG RX-78-2 ガンダムVer.3.0

全身に付属のマーキングシール(説明書上は、リアリスティックデカール)を貼った

シールの役割

シールの役割は、主に「細かいパーツに色分け効果をもたらすこと」と「機体の所属部隊などを表現して情報量を増やすこと」の2つ。

シールとデカールのちがい

広い意味ではデカールもシールの一種。一般的には、ウラ面にノリがついていて台紙からはがしてそのまま貼るものをシール、こすりつけたり、水にひたしたりしてから転写するものをデカールという。

シールの種類

主に使用される4種類の中では、台紙からはがして貼るだけの「ホイールシール」や「マーキングシール」が扱いやすい。「水転写シール」や「ドライデカール」は慣れるまでは失敗することもしばしばある。

ホイールシール

≫貼り方はP.63

台紙からはがして使うシール。成型色で表現されていない設定上の色分けを目的としていることが多い。

マーキングシール

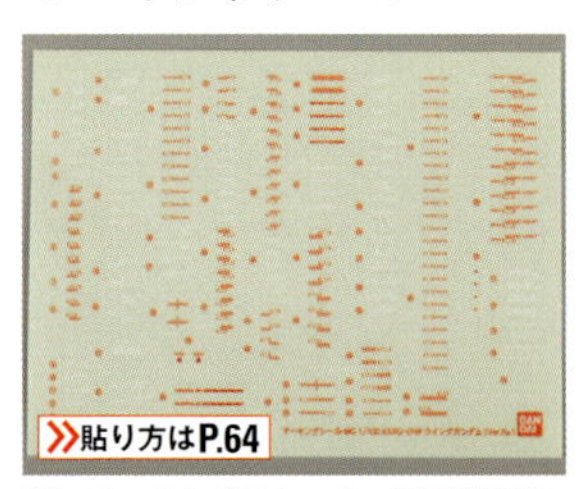

≫貼り方はP.64

薄いフィルム状のシール。所属部隊名など、情報量アップを目的とすることが多い。

ドライデカール

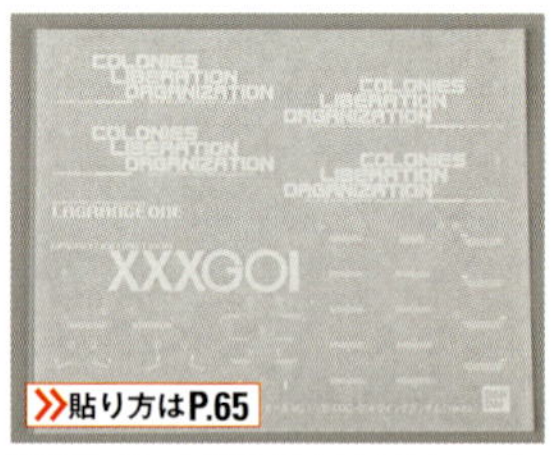

≫貼り方はP.65

裏面のインクをこすりつけてキットに転写するシール。ガンプラ用は、ガンダムデカールとも呼ばれる。

水転写デカール

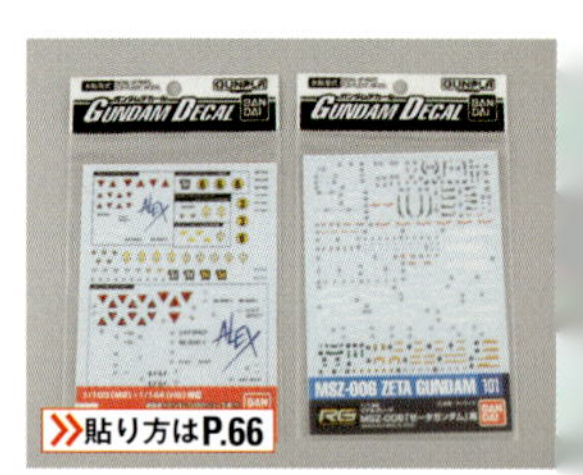

≫貼り方はP.66

水にひたして台紙からはがしたあとにキットに貼るシール。乾燥すると、パーツにぴったりと貼りつく。

さまざまなシール

キットの仕上がりを高めるシールは、付属のものだけではない。別売りシールも市販されているし、戦車や戦闘機など、ほかのジャンルのプラモデルのシールも活用できる。

別売りのシールを購入する

別売りシールは模型ショップやネット通販で入手できる。売られているもののほとんどは、水転写シールとなっている。

ほかのプラモデルのシールを活用する

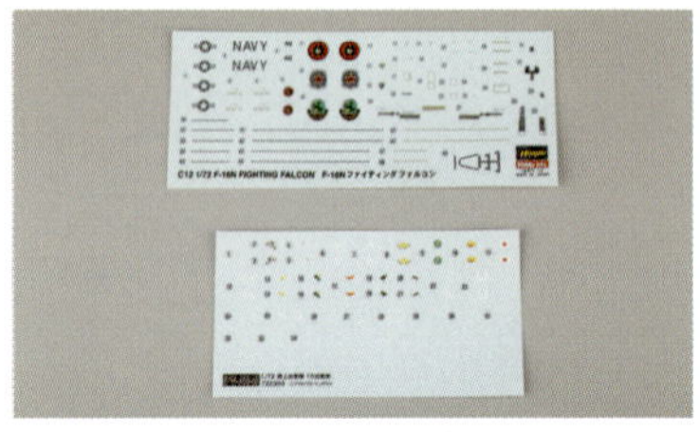

戦車や戦闘機などのミリタリー系やほかのアニメのものなど、ほかのプラモデルのシールを活用してもおもしろい。

オリジナルデカールを作成する

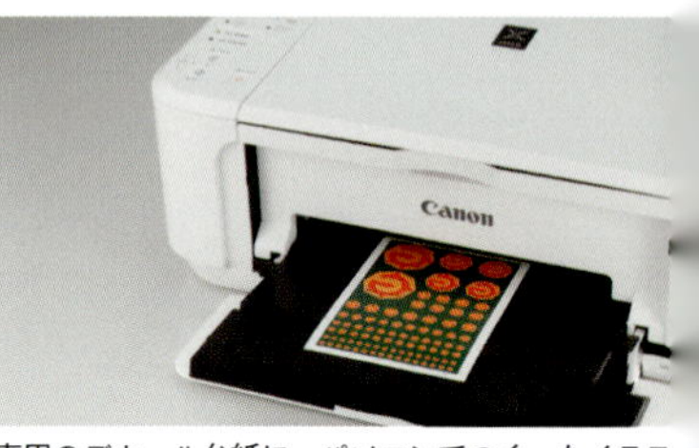

専用のデカール台紙に、パソコンでつくったイラストなどをプリントすることで、オリジナルデカールをつくることもできる。

シール（デカール）を貼る①
ホイールシールを貼る

難易度：**かんたん** ／ふつう／むずかしい
におい：**しない** ／よわめ／つよめ

- ホイールシールを貼(は)るときは**ピンセットを使うとうまくいく**。
- 作業は慎重に行い、**ずれてしまったらゆっくりはがしてやり直す**。
- 位置がずれないためのコツは、**パーツとシールの端で合わせる**こと。ただし、**目のシールはセンターで合わせる**。

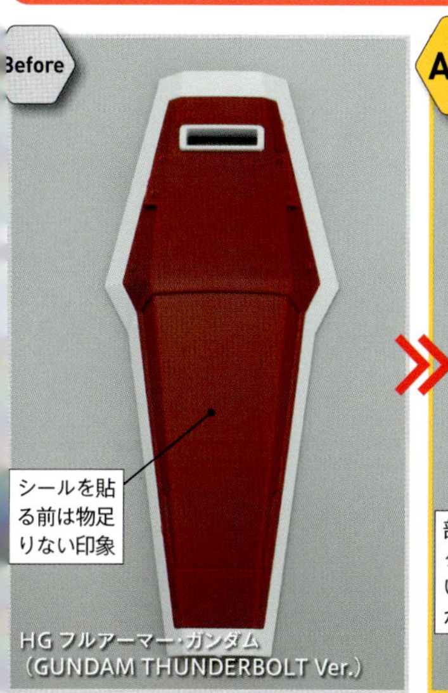

HG フルアーマー・ガンダム（GUNDAM THUNDERBOLT Ver.）

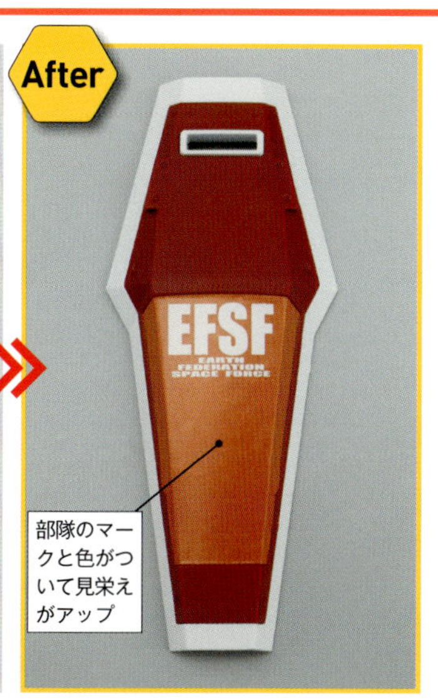

ホイールシールはウラ側が粘着面になっています。台紙からはがしたらそのままパーツに貼っていきます。粘着面に指で触れると、粘着力が弱くなってしまうので気をつけてください。

シールは手軽に使える材料ですが、**ずれているとキット全体が台無し**になってしまいます。**パーツの端とシールの端を合わせて、ゆっくりと貼っていく**ようにしましょう。指で貼るよりも精密に作業ができるので、ピンセットを使うとよいでしょう。

使用する道具

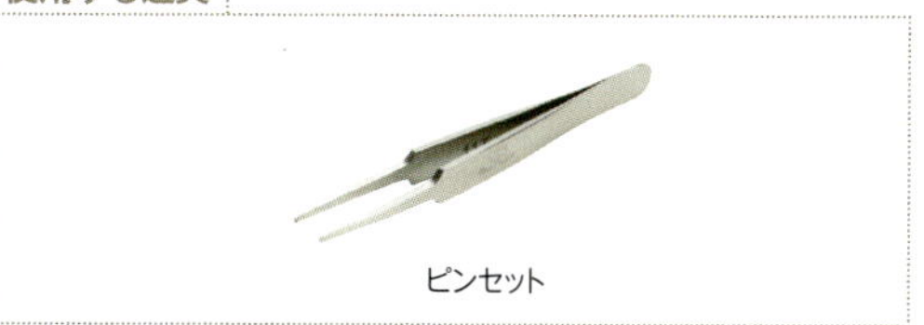
ピンセット

ホイールシールの貼り方

ホイールシールは台紙からはがしたら、そのまま貼るだけ。ピンセットを使って、ずれないように慎重に作業しよう。

1 ピンセットで台紙からはがす

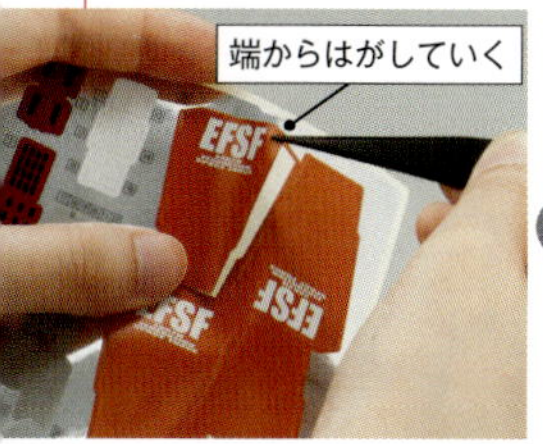

使用するシールと、そのシールを貼る位置を説明書で確認したら、シールを台紙からはがす。

2 シールをパーツに貼る

端同士を合わせてから貼っていく

シールの裏側が粘着面になっているので、そのまま貼ればよい。ずれないようにゆっくり貼ろう。

NG 一気に貼らない

シールを一気に貼ろうとすると、ずれやすくなる。シール貼りは、やり直しが難しいので慎重にやろう。

パーツに対してナナメに貼ってしまった

3 シールを密着させる

指の腹を使って、シールをパーツに密着させていく。指ではなく、綿棒を使用してもよい。

POINT メインカメラのシールはセンターで合わせる

ホイールシールを貼る中で、とくに苦労するのが目のシール。「小さなパーツだから、なかなかうまく貼れない」という人も多いだろう。

目のシールをきれいに貼るコツは、シールのセンターと眉間(みけん)の中央を合わせて貼ることだ。

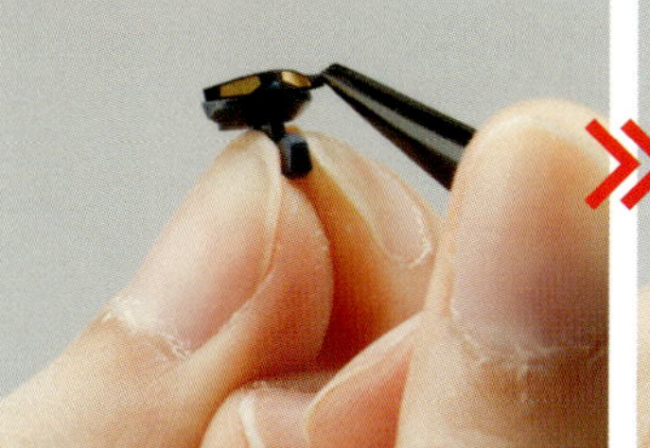

目のシールはシールのセンターと眉間の中央を貼り合わせる。そこから左右均等に押し広げるように、密着させていく。

ずれもなく、左右均等に貼ることができた。このようなシール貼りではピンセットが活躍する。

シール(デカール)を貼る②
マーキングシールを貼る

難易度：かんたん／ふつう／むずかしい
におい：しない／よわめ／つよめ

- マーキングシールは**透明な素材に印刷**されていて、台紙からはがして使う。
- **指紋やホコリが付着**すると、キットに貼ったときに**パーツの表面に浮き出て目立ってしまう**ので気をつけよう。
- 粘着力が強いので、水につけて粘着力を少し弱めてから貼ると微調整しやすくなる。

マーキングシールはホイールシールと同様に、台紙からピンセットなどを使ってはがしてから貼りつけます。裏側が粘着面になっていて、**粘着力がホイールシールより少し強くなっている**点も特徴の１つです。シールは透明な素材に印刷されているので、ホコリや指紋などが付着しないように注意しましょう。

マーキングシールは細かいものが多いので、**ピンセットなどを使って慎重に作業を進める**ことが大切です。

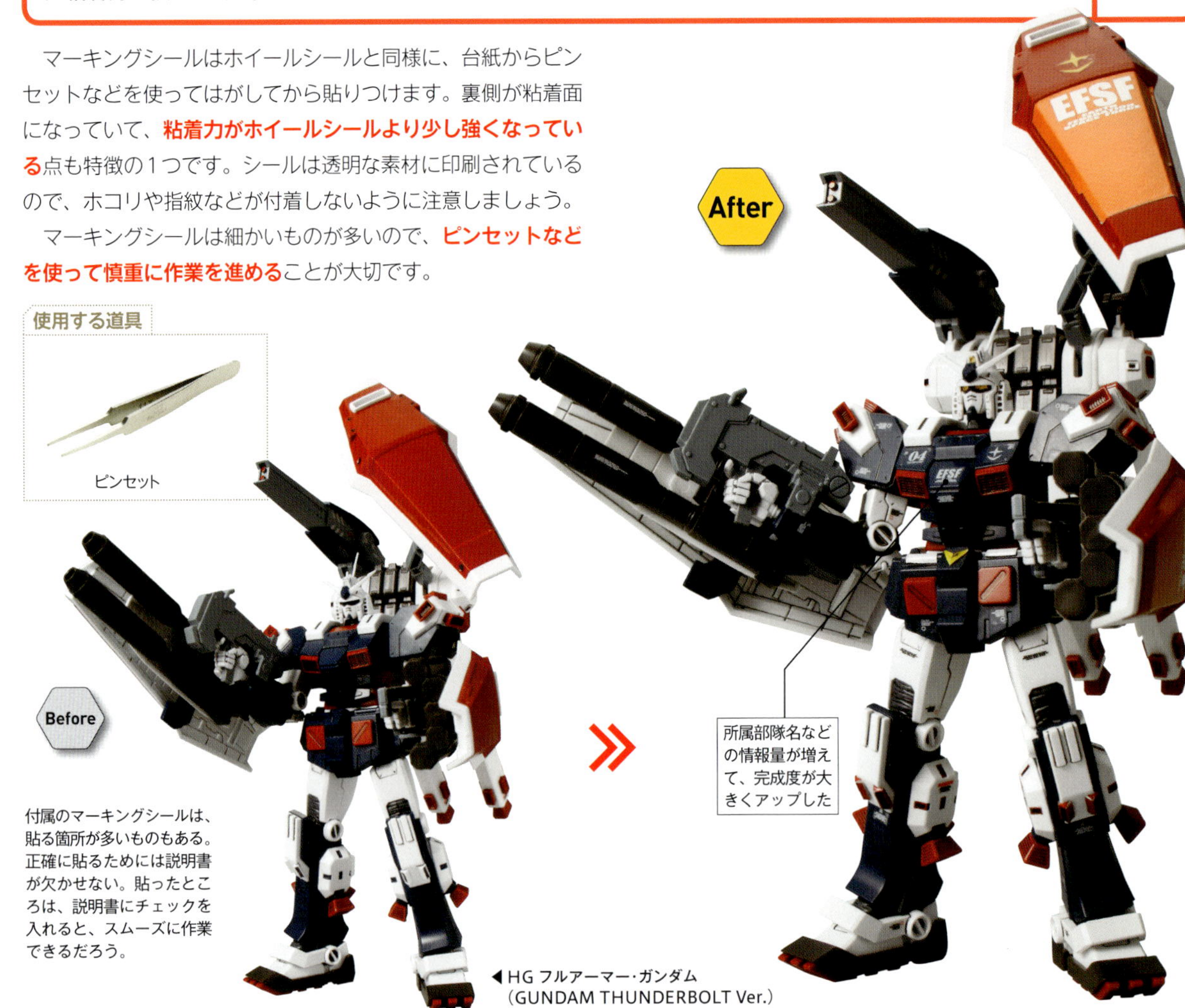

付属のマーキングシールは、貼る箇所が多いものもある。正確に貼るためには説明書が欠かせない。貼ったところは、説明書にチェックを入れると、スムーズに作業できるだろう。

所属部隊名などの情報量が増えて、完成度が大きくアップした

◀HG フルアーマー・ガンダム（GUNDAM THUNDERBOLT Ver.）

マーキングシールの貼り方

マーキングシールはホイールシール（→P.63）と同様に、台紙からはがして貼る。

1 台紙からピンセットではがす

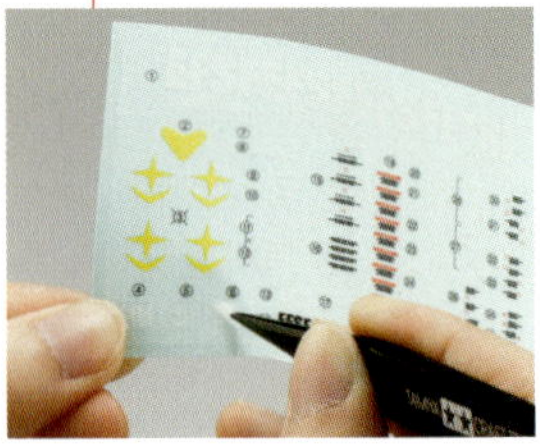

ピンセットを使って、使用するシールをはがす。台紙を軽く曲げて端をつまむとはがしやすい。

NG 粘着面に指で触れない

粘着面に指で触れると粘着力が弱まる上に、指紋がついてしまう。指紋以外にも、ホコリの付着などにも注意したい。

2 位置を合わせてシールを貼る

説明書などで貼る位置を確認したら、その位置に合わせてシールを貼る。貼り直しは難しいので慎重に貼ろう。

プラスα 水にひたすと微調整しやすい

マーキングシールは粘着力が強いので、貼りながら位置を調整することが難しい。貼る前に少しだけ水にひたすと、少し粘着力が弱くなるので、微調整しやすくなる。

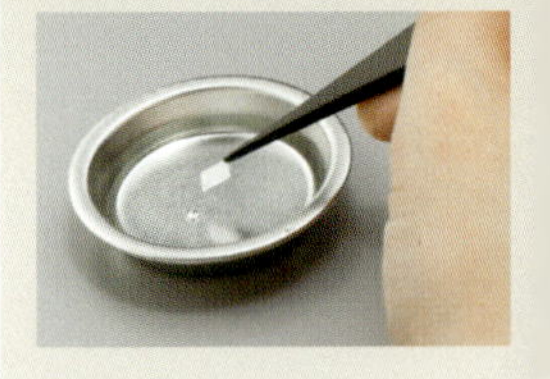

シール(デカール)を貼る③
ドライデカールを貼る

難易度: かんたん / **ふつう** / むずかしい
におい: **しない** / よわめ / つよめ

▶ドライデカールは、台紙のインクをキットにこすりつけて転写するタイプのシール。**こすりつけるのに使うのは、インクが出なくなったボールペンなど、先端がとがっていないものがよい。**

▶固定した半透明の台紙を完全にはがすのは、**「きちんと転写されているか」を確認**してからにすること。

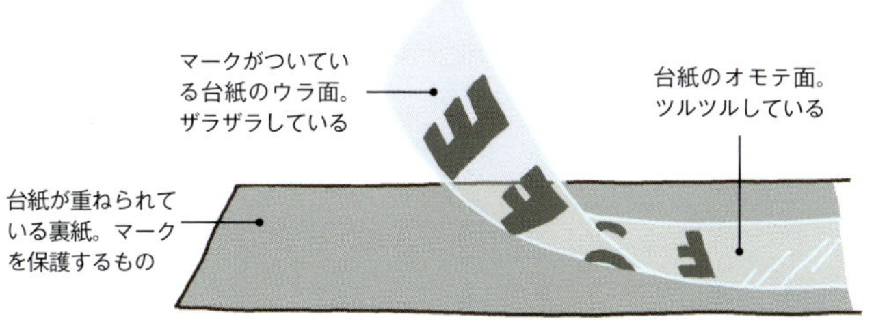

マークがついている台紙のウラ面。ザラザラしている
台紙のオモテ面。ツルツルしている
台紙が重ねられている裏紙。マークを保護するもの

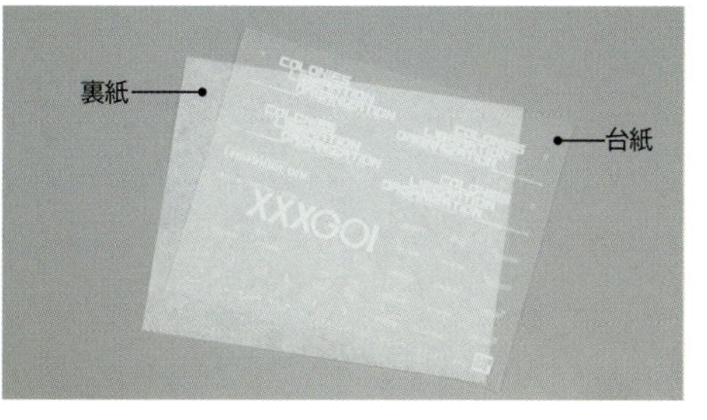

裏紙
台紙

ドライデカールの半透明の台紙には、オモテとウラがある。ツルツルしているのがオモテ面で、ザラザラしているのがウラ面だ。こするときには、ウラ面がパーツ面に接することになる。

ドライデカールは、半透明の台紙についたインクを使用済みのボールペンなどでこすりつけることによって、パーツへと転写するものです。**こすりつける力が弱いとうまく転写できません**し、反対に**必要以上に力を入れてこするとシールが破けてしまうことがある**ため、注意が必要です。

一度転写するとやり直すことができないので、しっかりと位置を確認してから、ていねいに貼りましょう。

使用する道具

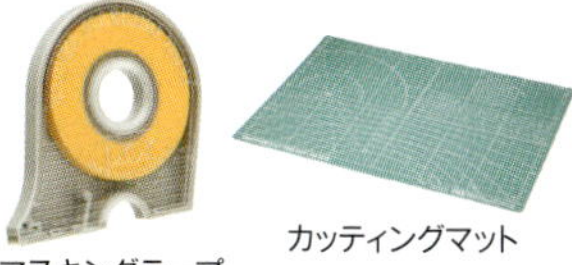

デザインナイフ(カッターなどでもOK)

インクが出なくなったボールペンなど、マークをこすりつけるもの

マスキングテープ

カッティングマット

ドライデカールの貼り方

ドライデカールは文字や記号が精密に表現されているので、貼れば情報量が格段にアップする。貼り直しは難しいので、失敗しないように細心の注意を。

1 対象のデカールを切り出す

インクだけ転写されるのでギリギリで切る必要ない

説明書で貼る位置と対象のデカールを確認したら、使用するデカールを台紙ごと切り出す。

2 マスキングテープで固定する

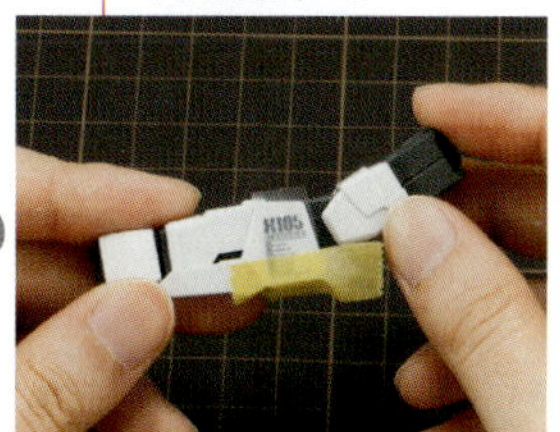

切り出したデカールを貼りたい位置に合わせたら、動かないようにマスキングテープで固定する。

NG セロハンテープは使わない

絶対にダメというわけではないが、固定にセロハンテープを使うと、粘着力が強すぎてはがしたときに跡が残ってしまうことが多い。

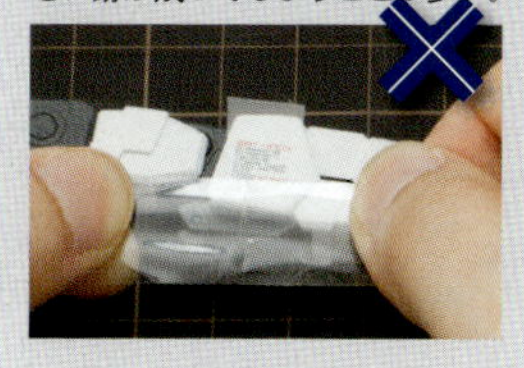

3 マークをこすって転写する

出なくなったボールペンの先などを利用して、マークをこすりつけるとインクがパーツに転写される。

NG 先が鋭利すぎるものはNG

これも完全にNGではないが、つまようじなどの先がとがったものを使おうとすると、デカールが破けてしまうことがある。つまようじを使うなら、とがった先端よりも丸い柄のほうがよい。

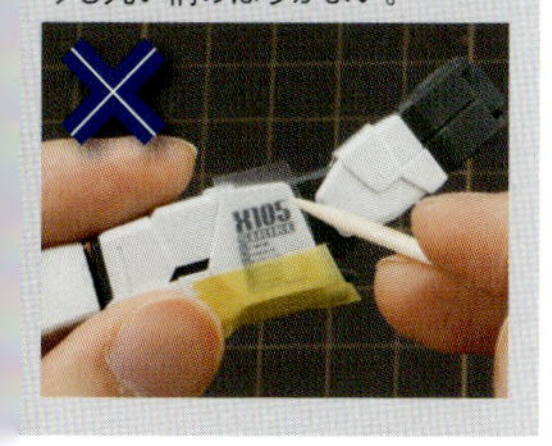

4 透明の台紙をゆっくりはがす

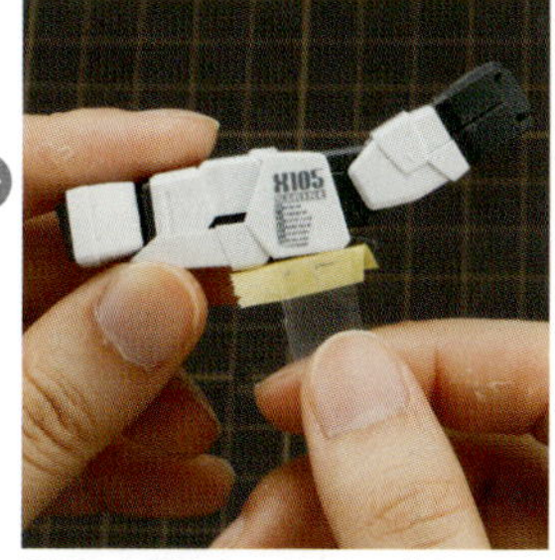

透明の台紙をゆっくりとはがす。マークがキットに転写され、無地になった台紙をはがすことになる。

プラスα 透明の台紙をはがす前に「しっかりと転写されているか」を確認

透明の台紙をはがしたあとで、しっかりとマークが転写されていないことに気がつくケースは多い。残った部分をもう一度こすれば転写できるが、完全にパーツから台紙をはがしてしまうと、位置の調整が難しい。そのため、台紙を完全にはがす前に、台紙の片側は固定したまま、めくるようにして転写の状態を確認するようにしよう。

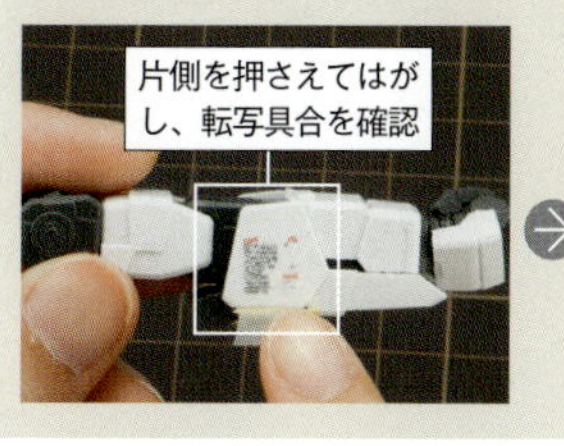

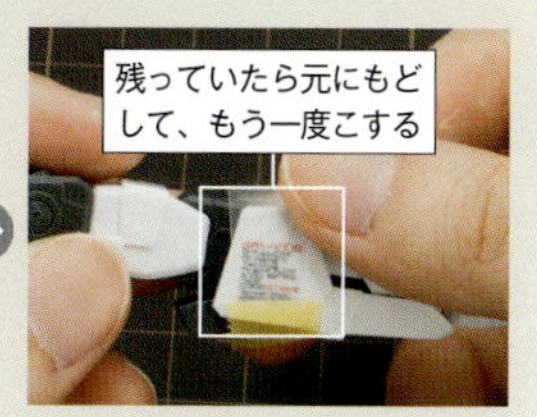

シール（デカール）を貼る④
水転写デカールを貼る

難易度：かんたん／**ふつう**／むずかしい
におい：**しない**／よわめ／つよめ

▶ 水転写デカールは、水を使って貼るシール。**水につけて台紙から浮かせたあとにパーツに貼る。**

▶ 水につけている時間は**30秒が目安**。あまり長い時間つけて、デカールと台紙が水中で完全に離れてしまうと、粘着力が弱くなってしまう。

MG GAT-X105A エールストライクガンダム Ver.RM

水転写デカールはさまざまなジャンルのプラモデルに使用されており、アルファベットや番号、イラストなど、さまざまな種類があります。

使い方としては、使用するデカールを台紙ごと切り出したら、**水につけます**。するとシール部分が台紙から分離されるので、シール部分を**パーツに貼りつけて綿棒で密着させます**。あとは水が乾くのを待つだけです。水ではなく、ぬるま湯を使うと、つけている時間と乾燥時間を短くできます。

使用する道具

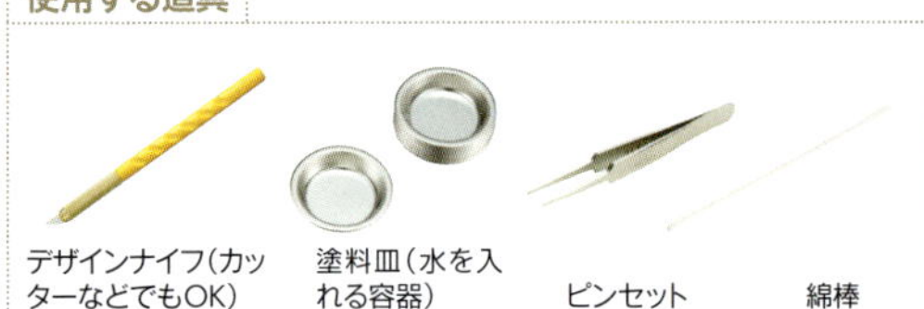
デザインナイフ（カッターなどでもOK）　塗料皿（水を入れる容器）　ピンセット　綿棒

水転写デカールの貼り方

水転写デカールはパーツに貼ってから、乾燥するまでの間は位置をずらすことができるので、微調整しやすいというメリットがある。反対に位置が決まったら、デカールが動かないように気をつけよう。

1 使用するデカールを切り出す

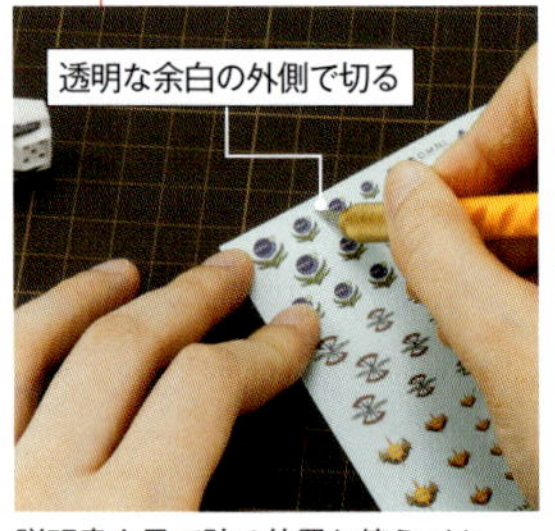

説明書を見て貼る位置と使うデカールを確認し、必要なデカールをデザインナイフなどで台紙ごと切り出す。

2 水にひたしてデカールを浮かせる

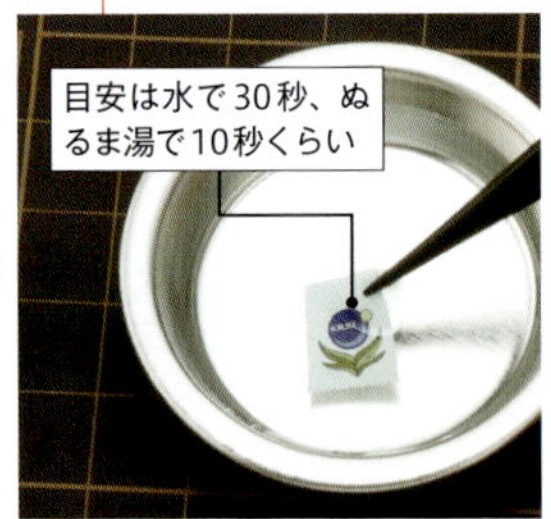

目安は水で30秒、ぬるま湯で10秒くらい

水にひたすと、ノリが少しずつ溶ける。デカールが台紙から少し浮いて動かせるようになるので水から出す。

NG 完全に浮かせると粘着力が落ちる

水転写デカールを長い時間、水につけていると、台紙から浮いて完全に離れ、粘着力が落ちてしまう。「マークセッター」を塗ることで、デカールの接着力を強化することができる。

Mr.マークセッター
GSIクレオス
デカール自体の接着力を強化するためのツール。シールを貼る位置に少量塗り、その上からデカールを貼る。

3 デカールをパーツに貼る

台紙ごと貼る位置に運ぶ。指でデカールを軽く押さえ、台紙だけをスライドさせて引き抜く。

4 綿棒でデカールを密着させる

綿棒で水分をふき取りつつ、軽く押さえてデカールをパーツに密着させる。

プラスα 曲面やデコボコ面はデカール軟化剤がオススメ

曲面やデコボコ面などのデカールを貼りにくいところには、パーツの上にデカールを貼り、その上からデカール軟化剤を塗る。すると、曲面やデコボコ面でもデカールがぴったりと定着する。

Mr.マークソフター
GSIクレオス
デカール軟化剤。デカールをやわらかくする作用があり、曲面でもデコボコ面でのデカール貼りに威力を発揮する。

MISSION_2

ガンプラを塗装する

最近のガンプラは最初から色分けされているが、塗装することでさらに完成度を高められる。
はじめのうちはスミ入れ、ガンダムマーカーによる塗装がオススメ。さらに塗装を楽しみたい人は、
筆塗り、缶スプレー塗装、エアブラシ塗装などの基本的な塗装テクニックを身につけよう。
さらに塗装を極めたい人は、光沢塗装、メタリック塗装、パール塗装、鏡面仕上げといった
ワンランク上の表現方法にチャレンジしてみよう。

ガンダムマーカーの種類と使い方

- ▶ ガンダムマーカーは、そのまま**塗るだけでガンプラを塗装できる**便利なペン。
- ▶ ガンダムマーカーには**スミ入れペン、塗装用、リアルタッチマーカー**などの種類がある。
- ▶ ガンダムマーカー同士を塗り重ねると、**下地のインクを溶かしてしまう**。

ガンダムマーカーはそのまま塗るだけで着色を楽しめる、塗装用のペンです。大きく分けて、**スミ入れに使用する「スミ入れペン」、塗装に使える「塗装用」、汚れやぼかしを表現できる「リアルタッチマーカー(→P.168)」**といった3種類があります。

ガンダムマーカーの**魅力は、なんといっても手軽さ**です。日常生活で使うマジックペンのような感覚で、塗装することができます。**カラーバリエーションも豊富**で、ガンプラづくりでよく使う色がラインアップされています。とくに「初めて塗装に挑戦しよう」という初級者にオススメです。簡単にスミ入れできるスミ入れペンは、中上級者にも人気の高いツールです。

「スミ入れペン」の種類と用途

ガンダムマーカーのスミ入れペンは、ガンプラ愛好者に人気が高いツール。いつでもすぐにスミ入れができるのが1番の理由で、手軽にキットの立体感を表現することができる。

ガンダムマーカーのスミ入れペンは、手軽にスミ入れができるすぐれもの

プラスα スミ入れってなに?

ガンダムマーカー スミいれ/極細タイプ/GSIクレオス

スミ入れとは、パーツのミゾなどに沿って黒やグレー、ブラウンなどで着色すること。陰影の表現を目的としたもので、立体感を出すことができる。94〜97ページで紹介するようにいろいろなやり方があるが、ガンダムマーカーのスミ入れペンを使うと簡単に行うことができる。スミ入れペンには下で紹介している3タイプのほかに、「ガンダムマーカー スミいれペン シャープ」がある。これはシャーペンと同じしくみになっていて、より細いミゾにスミ入れをすることができ、消しゴムで消してやり直すこともできる。

書き込みタイプ

≫使い方はP.94

ガンダムマーカー スミいれペン シャープ
GSIクレオス

シャープペンタイプのスミ入れペン。「スミ入れをしてみたい」という初級者は、まずこの1本を購入しよう。

使い方はミゾをなぞるようにして塗るだけ。下に塗装していない部分なら、消しゴムを使ってやり直せる。

流し込みタイプ

≫使い方はP.95

ガンダムマーカー 流し込みスミ入れペン※/GSIクレオス

ペン先をミゾ上の1点に当てるだけで、インクがミゾに流れ込んでスミ入れができるペン。こちらも初級者にオススメ。

カラーバリエーション

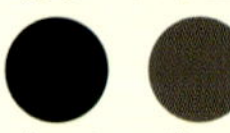

ブラック　グレー　ブラウン

細かくて塗りにくいミゾに、スッとインクが流れ込んでいく。おどろきの使いやすさだ。

ふき取りタイプ

≫使い方はP.96

ガンダムマーカー スミいれ ふでぺん 水性 ふきとりタイプ/GSIクレオス

パーツの全面を塗ったあとにふき取るタイプのスミ入れペン。ミゾが細かく張りめぐらされた部分などに適している。

カラーバリエーション

ブラック　グレー

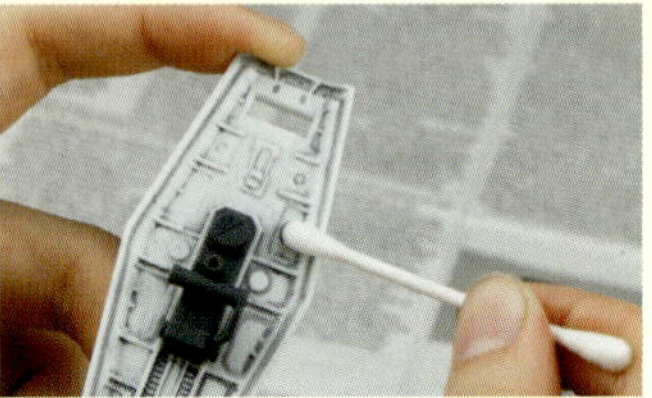

パーツの全面に塗ったら、綿棒などで余分な塗料をふき取る。すると、ミゾだけに塗料が残る。

※「塗装の上から使用した場合、インクが下地の塗料を溶かす」「使用後にコート剤を吹くと、にじむ場合がある」「メッキパーツの上から使用するとメッキ面を溶かす」などの注意点がある。

「塗装用」の種類と用途

ペン先がナナメにカットされているので、パーツへの当て方次第で、塗る面の太さを調節できる。アイカメラなどの細かいパーツに威力を発揮する「細先タイプ」もある。

ガンダムマーカー 塗装用／GSIクレオス

発色のよいアルコール塗料を用いた塗装用のペン。ガンプラづくりでよく使われる色がラインアップされており、簡単に塗装を楽しみたい人にオススメだ。より発色のよいEXシリーズもある。

ガンダムマーカー ベーシック6色セット GSIクレオス

「ガンダムブルー」や「ガンダムイエロー」など、ガンダム塗装にぴったりな色がセットになったもの。ほかに「ジオン軍6色セット」「ガンダムSEEDベーシック6色セット」「MSVセット」などがあり、セットでしか入手できない色もある。

「ガンダムシルバー」でバックパックのバーニアを塗った。手早さが魅力

ガンダムマーカーは塗りムラができやすい

ガンダムマーカーは筆圧がかかりやすく、ムラができやすい。広い面を塗装するには、筆塗りやガンダムマーカーエアブラシがオススメ。

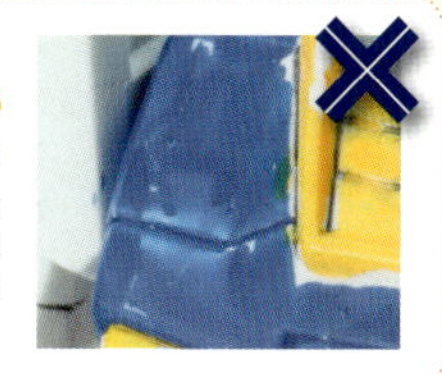

主なカラーバリエーション

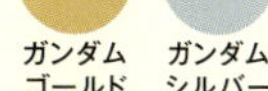
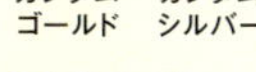
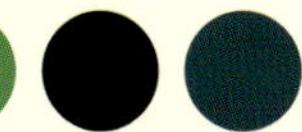

●「ベーシック6色セット」（あと1色は、グレーのスミいれ用ふでペン）
- ガンダムブルー
- ガンダムレッド
- ガンダムイエロー
- ガンダムホワイト
- ガンダムガンメタリック

●EXシリーズ
- EXニューホワイト
- EXシャインシルバー
- EXヘビーガンメタリック
- EXロイヤルメタレッド
- EXコスモメタブルー
- EXルミナスメタグリーン
- EXメッキシルバー

●メタリック系
- ガンダムゴールド
- ガンダムシルバー

●「ジオン軍6色セット」
- シャアピンク
- シャアレッド
- ザクダークグリーン
- ザクライトグリーン
- ファントムグレー
- ジオングレー

●「MSVセット」
- MSVダークイエロー
- MSVレッドブラウン
- MSVダークグリーン
- MSVライトブルー
- MSVブラウングリーン
- MSVダークグレー

●クリアー系
- ・クリアー光沢
- ・クリアーつや消し

「消しペン」の用途

消しペンは名前のとおり、パーツに塗ったガンダムマーカーのインクを消すことができるペン。消しペンを使えば、おおまかに塗っておいて、はみ出た部分を消しペンで消すという塗り方もできる。

ガンダムマーカー 消しペン／GSIクレオス

パーツに塗ったガンダムマーカーを消すときに使用するペン。ペン先から出る除去液がインクを溶かすので、ティッシュなどでふき取ると、パーツを塗る前の状態にもどせる。

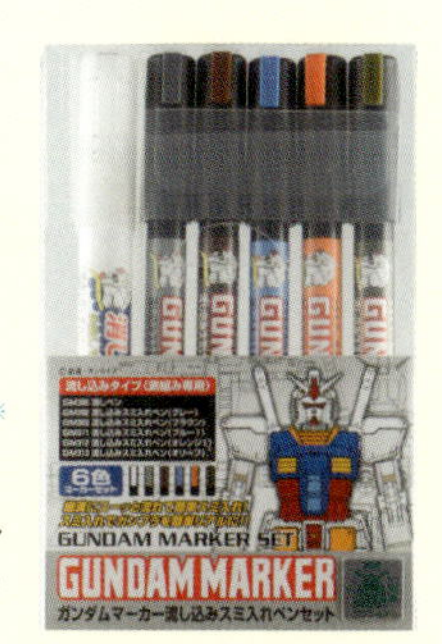

ガンダムマーカー流し込みスミ入れペン※セット／GSIクレオス

「グレー」や「ブルー」などの流し込みタイプのスミ入れペンのセット。消しペンは単体でも市販されているが、このセットには消しペンも含まれている。

POINT

塗料やメッキを溶かすことがある

ガンダムマーカーにはいくつか使用上の注意点がある。たとえば、ほかの種類の塗料で塗った上にガンダムマーカーを使用すると、ガンダムマーカーのインクが下地の塗料を溶かすことがある。また、メッキパーツに使用するとメッキを溶かすこともある。塗装後にコート剤（→P.86）を吹きすぎると、塗料がにじむこともあるので注意が必要だ。

メッキパーツに使用すると、アルコール塗料が侵してメッキを溶かすことがある

用語解説 塗膜（とまく）

塗膜とは、文字どおり塗装した塗料によってできる膜のこと。膜というとイメージしにくいが、プラモデルの表面にできる層と考えるとよい。塗膜は塗料によって「強さ」が異なり、塗膜が弱いと、ツメでひっかいただけでも塗料がはがれてしまう。ガンダムマーカーは塗膜が弱い。反対に塗膜が強いのはラッカー塗料（→P.71）だ。

ガンダムマーカーエアブラシの使い方

▶ 手軽にエアブラシ塗装をしてみたいなら、**ガンダムマーカーエアブラシ**がオススメ。

▶ **準備や色替え、片付けも簡単**で、気軽にエアブラシを使うことができる。使いこなせば、本格エアブラシに匹敵する作品に仕上げることができる。

ガンダムマーカーエアブラシは、ガンダムマーカーのインクをガス缶のエアーで吹き飛ばして塗装するタイプのエアブラシです。**ガンダムマーカーを取り換えるだけで色を変更でき、用具の洗浄(せんじょう)の必要もないので、片付けも簡単。エアブラシの入門にオススメです。**

「ガンダムマーカーエアブラシシステム」(GSIクレオス)はガンダムマーカーエアブラシ本体、エアーホース、エアー調整バルブ、ガス缶(Mr.エアースーパー190)がセットになっていて、買った日からすぐに使うことができます(ガンダムマーカーは別売り)。セットには、エアブラシ専用替芯が3本付属します。**ガス缶で物足りなくなったら、市販のコンプレッサー(→P.81)と接続する部品もあり、さらに使い込むことが可能です。**

●ガンダムマーカー
発色のよいアルコール塗料を用いた塗装用のペン。(→P.68)。キャップを外して、本体に差し込む。
●エアー調整バルブ
ガス缶から排出されるエアーの圧を微調整するバルブ。
●エアーホース
ガス缶と本体をつなぐホースで、エアーをエアブラシ本体へと送り込む。
●ガンダムマーカーエアブラシ
本体。ボタンを押すとエアーが出て、マーカーの塗料を飛ばす。
●ガス缶(Mr.エアースーパー190)
専用のガス缶。上端の差し込み部分にネジが切ってある。別売りもされている。
Mr.HOBBY
McAIR SUPER
190

ガンダムマーカーエアブラシのセット方法

ガンダムマーカーエアブラシとガス缶をエアホースでつなぎ、ガンダムマーカーをセットするだけ。とても簡単だ。

1 ガス缶に接続する

ガンダムマーカーエアブラシとガス缶を、エアーホースでつなぐ。ガス缶に接続する部品の上側はエアー調整バルブで、ガスの噴出量を調整できる。

2 ペン先を押してインクを出す

ガンダムマーカーをよく振ってから、塗料皿などに先端を押しつけてインクを出す。写真のように、芯が塗料を含んだらOK。

3 ガンダムマーカーをセットする

ガンダムマーカーをガンダムマーカーエアブラシに差し込んでセットする。ボタンを押せば、エアーが吹き出して、塗装することができる。

POINT

専用替芯を使ってみよう

マーカーの芯を、付属の専用替芯に替えることもできる。専用替芯を使用すると、より繊細(せんさい)な吹き加減にすることができる。

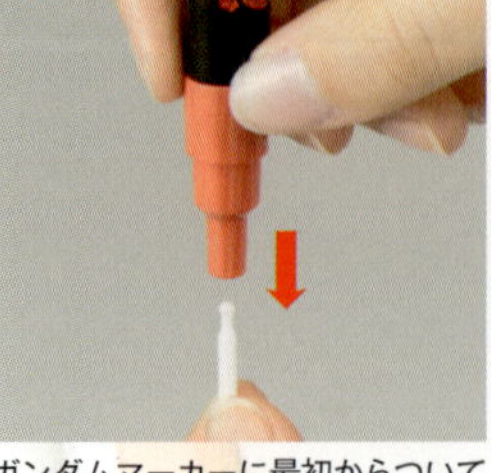

ガンダムマーカーに最初からついている芯を引き抜く。あとでもどすこともできる。

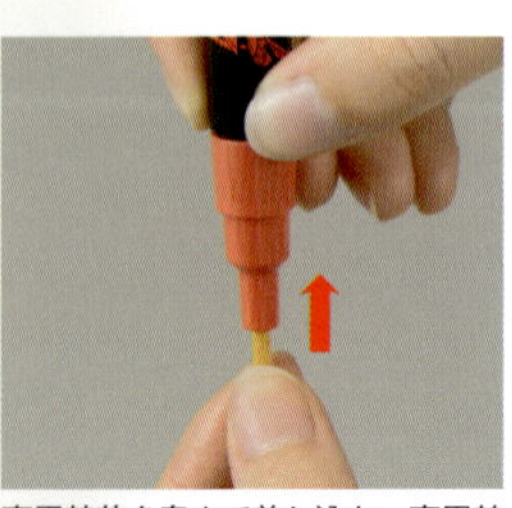

専用替芯を奥まで差し込む。専用替芯は別売りもされているので、必要に応じて入手しよう。

エアブラシ専用替芯に替えた。標準の芯でも使えるが、専用替芯のほうが細やかな吹き加減にできる。

塗料の種類と使い方

- ▶ ガンプラに使用する塗料には、主にアクリル系（水性）、エナメル系、ラッカー系の3種類がある。
- ▶ アクリル塗料は健康面ですぐれていて、においがあまりしないので自宅でも使いやすい。エナメル系はあまりにおいがしなくて、発色が美しい。ラッカー系には塗膜が強く、乾燥が速いなどの特徴がある。

ガンプラに使用する塗料には、主にアクリル（水性）塗料、エナメル塗料、ラッカー塗料の3種類があります。さらに現在では、新水性塗料という位置づけで、「アクリジョン」という従来の水性とは性質が異なる塗料も発売されています。それぞれに特徴がありますが、換気対策が万全でないならアクリル系を選ぶなど、作業環境に合わせて選びましょう。

塗料は基本的に、対応する溶剤（薄め液）で希釈（→P.108）して濃度を薄めてから使います。別の種類の溶剤を混ぜると、塗料の成分が分離して使えなくなってしまいますので要注意です。溶剤は塗料の希釈のほか、筆やエアブラシの掃除にも使うことができます。また、塗料を混ぜて別の色をつくる調色（→P.109）する際、別の種類の塗料を混ぜるのもNGです。

種類

ガンプラでよく使用される塗料は、下の表のように分類することができる。それぞれの特徴を踏まえて、自分の作業目的や作業環境に合った塗料を選ぶようにしよう。

		アクリル（水性）塗料	新水性塗料	エナメル塗料	ラッカー塗料
乾きやすさ		乾きにくい	乾きやすい	乾きにくい	すごく乾きやすい
におい		よわめ	よわめ	よわめ	つよめ
塗りムラ		なりにくい	なりやすい	なりにくい	すごくなりやすい
塗膜の強さ		やや弱い	強い	弱い	すごく強い
ポイント		・使用した筆や塗料皿は、乾燥前なら水で洗うことができる。 ・溶剤ではなく、水で希釈することもできる。	・アクリル塗料本来の安全性に加え、乾きやすく、塗膜も強い。 ・使用した筆などのツールは、乾燥前なら水洗いできる（乾燥後は専用ツールクリーナーを使用）。	・塗りムラになりにくい。 ・大量につけると、プラスチックが割れる可能性がある。 ・火気厳禁。	・プラモデル製作においてもっともポピュラーな種類。 ・合成樹脂でできており、揮発性が高いので使用時や乾燥時は換気に注意。 ・火気厳禁。
メーカー	GSIクレオス	塗料 水性ホビーカラー 対応する溶剤 水性ホビーカラーうすめ液	塗料 アクリジョン 対応する溶剤 水性カラーアクリジョン専用うすめ液	―	塗料 Mr.カラー（ガンダムカラー） 対応する溶剤 Mr.カラーうすめ液　Mr.レベリングうすめ液※
	タミヤ	塗料 タミヤカラーアクリル塗料 対応する溶剤 タミヤカラーアクリル塗料溶剤（X-20A）	―	塗料 タミヤカラーエナメル塗料 対応する溶剤 タミヤカラーエナメル塗料溶剤（X-20）	塗料 タミヤカラーラッカー塗料 対応する溶剤 タミヤラッカー溶剤（LP-10）
	その他	―	塗料 シタデルカラー	―	塗料 ガイアカラー 対応する溶剤 ガイアカラー薄め液など

※Mr.カラーやガンダムカラーをエアブラシで塗装する場合は、「Mr.レベリングうすめ液」で希釈する。

メーカー別オススメの塗料

GSIクレオス製品

水性ホビーカラー

アクリル(水性)塗料。においが弱めで、安全性が高い。溶剤のほか、水での希釈やツールの掃除をすることもできる。塗膜の平滑度が高く、塗りムラになりにくい。

[ラベルの見方]
❶品番：購入時に活用するとよい。
❷色名：色の名称。
❸光沢の種類：「光沢」「半光沢」「つや消し」「メタリック」の4種類。
❹色の分類：基本色のほか、「ドイツ空軍機用」など、特定の用途のための色もある。

アクリジョン

新水性塗料。水性従来の安全性に加え、乾燥時間の遅さや塗膜の弱さを克服した新世代の塗料。乾燥前なら、使用したツールを水洗いできる。

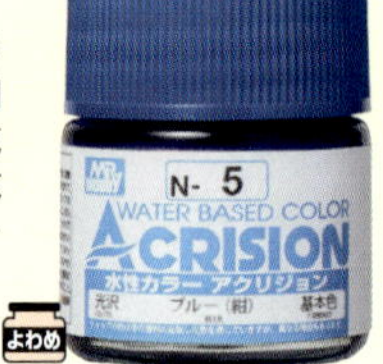

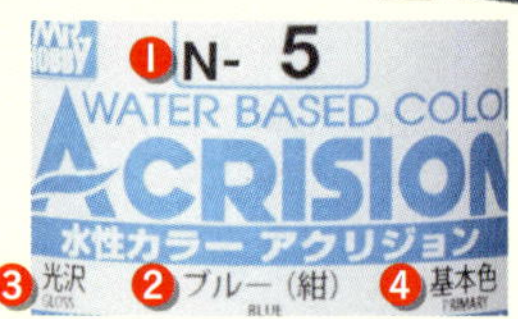

[ラベルの見方]
❶品番：購入時に活用するとよい。
❷色名：色の名称。
❸光沢の種類：「光沢」「半光沢」「つや消し」「メタリック」の4種類。
❹色の分類：基本色のほか、「船・帆船用」など、特定の用途のための色もある。

Mr.カラー

ラッカー塗料。仕上がり抜群で、プラモデル塗装における定番塗料の1つ。注意点としては、ABS樹脂パーツへの使用は避けること。におい(シンナーのにおい)が強めである。

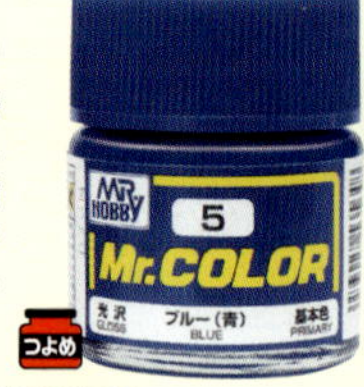

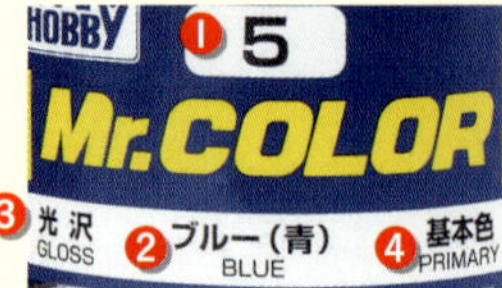

[ラベルの見方]
❶品番：購入時に活用するとよい。
❷色名：色の名称。
❸光沢の種類：「光沢」「半光沢」「つや消し」「メタリック」の4種類。
❹色の分類：基本色のほか、「現用アメリカ海軍機」などバリエーション豊富。

プラスα 豊富なシリーズがそろうMr.カラーシリーズ

Mr.カラーはすでに200種類以上が発売されているなど、クレオスの塗料はラインアップが非常に充実している。上で紹介したもの以外にも、ガンプラ向けの「ガンダムカラー」、パール塗装に特化した「Mr.クリスタルカラー」など、さまざまな塗料のシリーズを展開している。ここでは紹介しきれないほどのラインアップがあるので、詳しくは同社ホームページで確認しよう。

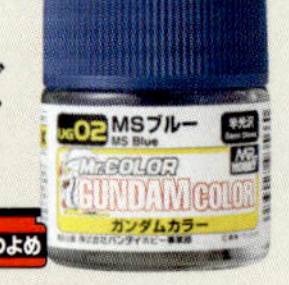

ガンダムカラー
GSIクレオス

モビルスーツの機体色に合わせたカラーがラインアップされている。すべて半光沢。

Mr.メタリックカラーGX
GSIクレオス

豊かな色彩表現を再現したメタリック系の塗料。さらに高級感のあるMr.カラースーパーメタリックというシリーズもある。

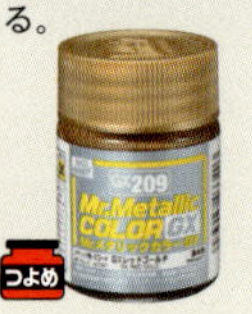

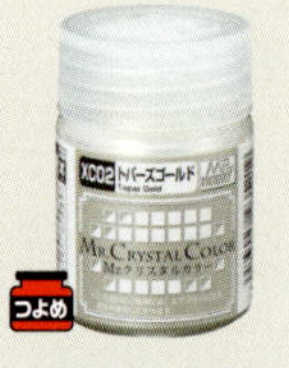

Mr.クリスタルカラー
GSIクレオス

パールに特化した高級シリーズ。光を受けた箇所がパール色を帯びて見える。

ガイアノーツ製品

ガイアカラー

ラッカー塗料。塗料性能が高く、発色がよい。「基本色」をはじめ、「メタリックカラー」や「ミリタリーカラー」など幅広くシリーズを展開しており、カラー数が非常に豊富。

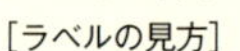

[ラベルの見方]

❶品番：購入時に活用するとよい。❷色名：色の名称。❸光沢の種類：「光沢」「半光沢」「つや消し」「メタリック」などがある。❹色の分類：「基本色」のほか、「ベース・シャドー用」「アメリカ空軍ベトナム迷彩」など、主な用途を記載。

タミヤ製品

タミヤカラー アクリル塗料

アクリル塗料。塗りムラや湿気によるかぶり(白くなる現象)がほとんどなく、においも弱め。使用した筆などのツールは、乾く前なら水洗い可。

[ラベルの見方]

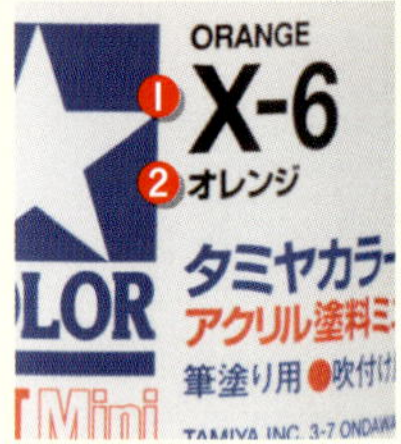

❶品番：数字は製品番号、「X」は光沢または半光沢、「XF」はつや消しを表す。
❷色名：色の名称。
※メタリックやパールは名称から判断。「〜メタリック」「ガンメタル」「〜ゴールド」「〜シルバー」などはメタリック系。

タミヤカラー エナメル塗料

エナメル塗料。主な特徴は、筆の伸びがよく発色がよいこと、乾燥時間は長いがムラが出にくいこと。においもラッカー系ほどは強くない。塗膜が弱く、少しはがれやすい面もある。

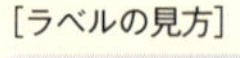

[ラベルの見方]

❶品番：数字は製品番号、「X」は光沢または半光沢、「XF」はつや消しを表す。
❷色名：色の名称。
※メタリックやパールは名称から判断。「〜メタリック」「ガンメタル」「〜ゴールド」「〜シルバー」などはメタリック系。

※タミヤカラーはアクリル塗料もエナメル塗料も品番が同じなので、購入の際は注意してください。

ゲームズワークショップ製品

シタデルカラー

水性塗料。発色がよく、高い隠ぺい力が特徴。においはまったくない。水で希釈できる。

[ラベルの見方]

❶種類：用途ごとに名称がある。
❷色名：色の名称。

用途

塗料を使えば、キットの一部から全体まで幅広い塗り方ができる。塗料を使って、スミ入れを行うこともできる。

部分塗装

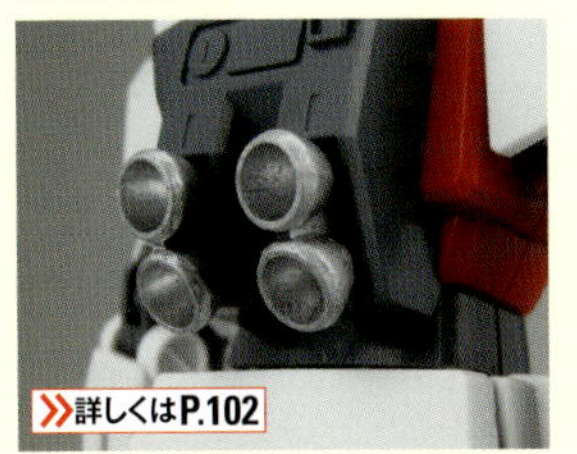
詳しくはP.102

キットの一部を塗ること。色分けがされていない部分だけ塗装するなど、ポイントを絞って塗装する。

全塗装

詳しくはP.32

キットの全体を塗ること。筆塗りで行うと塗りムラができやすいので、エアブラシ塗装のほうがオススメ。

ウェザリング

詳しくはP.150

汚し表現を行うこと。全身の汚れはグレー系、足元の砂汚れなどはブラウン系など、塗料の出番が多い。

スミ入れ

詳しくはP.97

パーツのミゾなどに沿って塗料をつけて、陰影を表現すること。スミ入れペンではなく、塗料をつけた筆で行うこともできる。

プラスα スミ入れ用の塗料も市販されている

スミ入れは、主にスミ入れペンを使う方法と塗料を使う方法の2つがある。さらに塗料を使う場合、筆塗りだけでなく、「スミ入れ専用の塗料」を使う手もある。スミ入れ専用の塗料はタミヤから発売されている。キャップの裏に面相タイプの筆がついているので、エナメル塗料をしっかりとモールドに塗ることができる。

スミ入れ塗料(ブラック)
タミヤ

スミ入れ専用の塗料で、ビンを振って塗料をかき混ぜたら、すぐにスミ入れをスタートできる。ブラック、ブラウン、グレーの3色がある。

キャップについた筆で、塗料をモールドに落とす。使用感は流し込みペン(→P.95)に近い。ABS樹脂などに使用すると、パーツが割れる場合があるので要注意。

使い方

塗料を使って塗装する方法は、主に「筆塗り」「エアブラシ塗装」の2種類がある。いずれの場合も、対応する溶剤で希釈(→P.108)して使う。

筆塗り

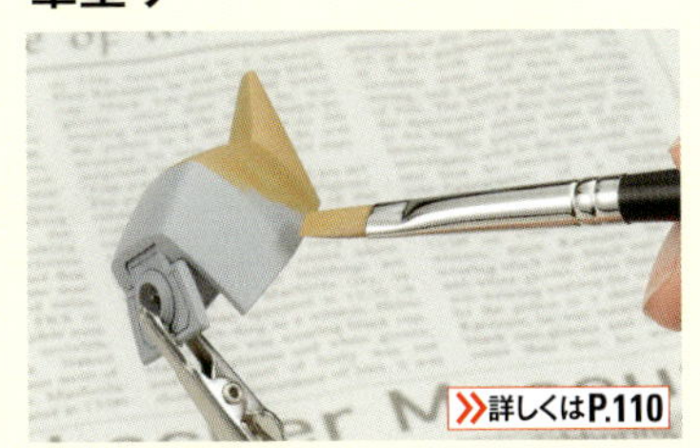
詳しくはP.110

塗料をつけた筆で、パーツを塗る。塗料をそのまま使うこともできるが、基本的には溶剤で希釈してから使用する。

エアブラシ塗装

詳しくはP.116

塗装の専門ツールである「エアブラシ」を使ってパーツに塗料を吹きつける。吹き加減を調節して塗ることができる。

プラスα 塗料に対応した溶剤で希釈する

基本的に塗料はそれぞれの種類に対応した溶剤で希釈(→P.108)し、濃度を調整して使う。ちがう種類の溶剤で、希釈することはできないので注意。

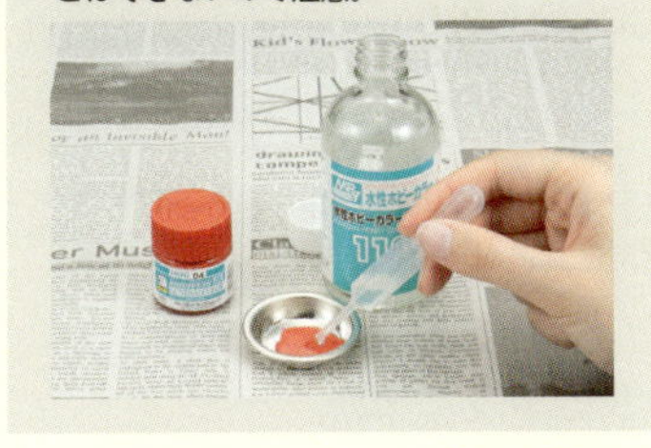

使用上の注意点

調色して別の色をつくりたい場合、ちがう種類の塗料は混ぜないことが基本。重ね塗りする場合も、下地の塗料を侵食するような塗料を上から重ねてしまうと、塗装面がぐちゃぐちゃになってしまうので注意。

塗料に合った溶剤を使う

「アクリル塗料はアクリル系溶剤で希釈する」というように、対応した溶剤を使わないと、塗料が分離するなどして使えなくなってしまう。

よく混ぜてから使う

久しぶりに使う塗料は、成分が沈殿していることがあるので、使用する前によくかき混ぜるようにしよう。

重ね塗りするときの注意点

塗料の種類によって、重ね塗りしたときの相性が異なる。ラッカー系は塗膜が強いので、下地に使うのに向いている。ガンダムマーカーに用いられているアルコール系は、基本的にどの塗料とも相性が悪いので、基本的に単独で使うことになる。

上地 / 下地	ラッカー系	アクリル(水性)系	エナメル系	アルコール系	新水性系
ラッカー系	△	○	◎	×	◎
アクリル(水性)系	×	△	○	×	×
エナメル系	×	○	△	×	◎
アルコール系	×	×	×	×	◎
新水性系	◎	◎	◎	◎	◎

◎…重ね塗りできる
○…わずかに上地が下地を侵食する可能性がある
△…上地が下地を侵す可能性が高い
×…下地の塗料を侵す
※新水性系を塗るときは、下地が完全に乾燥してから。

進化する水性塗料

水性塗料は年々進化し、使いやすさが増している。部分的な塗装から試してみるといいだろう。有害なガスがほとんど発生せず（つまりにおいも少なく）、エアブラシや筆などを水で洗浄できるなど、健康面や環境面でのメリットが大きい。塗膜の強さにも進化が見られているので、使わない手はない！

水性塗料はラッカー塗料にくらべて、乾燥時間が長い、塗膜が弱いなどの理由で使いにくいイメージがついていました。しかし、年々進化して、今ではラッカー塗料と大差のない性能になっています。**においがない(少ない)、乾燥前なら水でエアブラシや筆を洗えるなど、使い方によってはむしろ優れている点もあり、メインで使う塗料になる実力を秘めています。**

サーフェイサー(→P.84)やコート剤(→P.86)にも、高品質の水性製品が登場しており、下地づくりから塗装、コーティングまで、「完全水性プラン」でつくることも可能になりました。

また、ラッカー塗料から完全に移行するのではなく、ABS素材(→P.44)のときはアクリジョンを使ったり、部分塗装だけシタデルカラーを使ったりと、ピンポイントで活用するテクニックもあります。

水性塗料のメリット

におわない

水性塗料の多くは無臭。溶剤が少しにおうものはあるが、ラッカー塗料にくらべるとはるかにマイルドだ。

水で洗える

塗料が乾く前であれば、エアブラシや筆、塗料皿などを水で洗える。乾いたあとでも、キッチン用の合成洗剤できれいに落とせる。

重ね塗りしやすい

水性塗料は溶剤の力が強くないので、下地に塗った塗料を侵さずに重ね塗りすることができる。筆塗りも安心。

オススメの水性塗料

水性塗料はどんどん使いやすく、進化している。水で洗えるからエコで、体にもやさしい。ぜひ試してみよう。

水性ホビーカラー

GSIクレオスの水性ホビーカラーは性能が大幅に進化し、パッケージもリニューアルされた。**乾燥も速くなり、ラッカー塗料と大差ないほど使いやすくなっている。**同社の水性ガンダムカラーも登場して、ますますガンプラづくりがはかどるだろう。希釈には専用うすめ液を使うが、洗浄は水道水でOKだ。

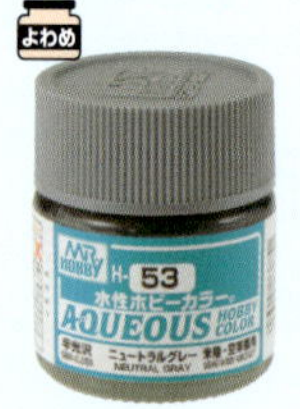

Hで始まるナンバーは水性ホビーカラーだ。

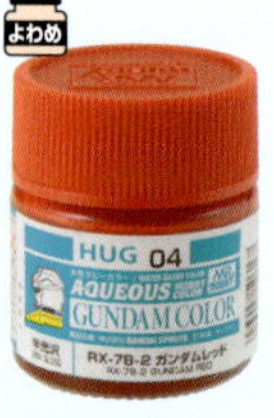

水性ガンダムカラー。ラインアップが増えている。

アクリジョン

アクリジョンは、GSIクレオスの新水性塗料（エマルジョン系）。塗料そのものから水分が抜けて固まるしくみで、**プラスチックを侵さずに定着するので、ABS素材などの塗装にも使用できる。**水性ではめずらしい蛍光塗料もラインアップされている。希釈は専用うすめ液を使用し、洗浄は水道水でできる。

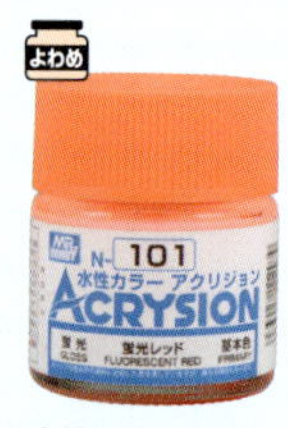

水性ではめずらしい蛍光カラーがある。

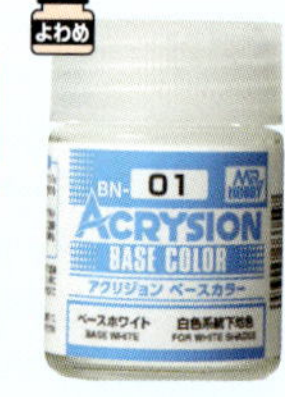

ベースカラーを下地にすると食いつきがいい。

シタデルカラー

ゲームズワークショップのシタデルカラーは、ボードゲームのコマを塗装するために開発された新水性塗料（エマルジョン系）。希釈も洗浄も水でできる。**隠ぺい力が非常に高く、下の色の影響を受けやすい黄色系塗料でも、一発でさっと塗装することができる。**ほかの塗料に比べて価格が高めだが、部分塗装用によく使うものをいくつかもっておくといいだろう。シタデルカラーは用途に応じていくつかの種類がある。筆塗り用にはBASEシリーズ、ドライブラシはDRYシリーズが向いている。

シタデルカラーの各シリーズ

BASE（ベース）	下地の次に使う筆塗り用。ラインアップが多い。
LAYER（レイヤー）	ベースの次に使う。少し薄めになっている。
DRY（ドライ）	ペースト状で、ドライブラシに使いやすい。
CONTRAST（コントラスト）	隠ぺい力が低く、下地の色を生かして塗装するためのもの。
SHADE（シェイド）	ウォッシングで使う薄いタイプの塗料。
TECHICAL（テクニカル）	血のりや泥（どろ）など、特殊エフェクト用の塗料。
AIR（エアー）	エアブラシ用に調整された塗料。筆塗りには向かない。

重ね塗りが基本のシタデルカラーは、BASEから順に重ねていくことで、塗装が完成するように開発されている。ガンプラにはBASEとDRYがオススメ。

オススメのシタデルカラー

シタデルカラーBASE
AVERLAND SUNSET

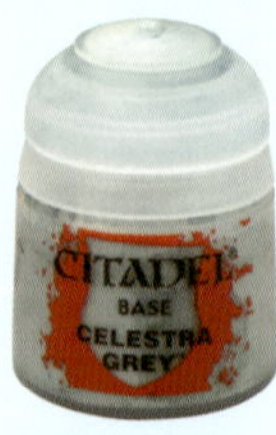

シタデルカラーBASE
CELESTRA GREY

シタデルカラーDRY
NECRON COMPOUND

AVERLAND SUNSETは、カメラアイなどの黄色をバシッと1発で塗れるすぐれもの。内部メカなど、グレー系のメカの塗り分けはCELESTRA GREYがオススメ。DRYはひとまずメタリック系があれば、幅広く使える。

いろいろな塗料用ツール

▶ **塗料皿**や**スポイト**、**ツールクリーナー**など、塗装や洗浄(せんじょう)に欠かせないツールは用意しておきたい。
▶ **メーカーのホームページやカタログを見る**と、思わぬ便利ツールが見つかることも多い。
▶ 最初からすべて揃(そろ)える必要はなく、**必要に応じて買い足して**いこう。百円均一ショップの製品もなにかと重宝する。

塗料皿

塗料や溶剤を出して使うための皿。塗料の希釈(→P.108)や調色(→P.109)に欠かせない。

Mr.塗料皿／GSIクレオス

金属製で、使用後に溶剤などで塗料を洗い落とせば、繰り返し使うことができる。広いフチがあるので、筆をしごきやすい。

薬味皿

薬味などを入れるための使い捨ての皿だが、塗料皿としても使える。塗料の種類によっては、皿が溶けてしまうこともあるので要注意。百円均一ショップなどで購入できる。

調色＆かき混ぜ用ツール

塗料をビンから出したり、かき混ぜたりするのに役立つツール。電動式のものもある。

調色スティック／タミヤ

調色用スプーン。塗料を混ぜ合わせるために使用する。また、塗料をビンから塗料皿に移す際に、このスティックを伝わらせると便利。長さ15cmで2本セット。

Mr.攪拌(かくはん)用メタルボール
GSIクレオス

塗料の容器の中に適量を入れて軽く振るだけで、まんべんなく塗料を混ぜ合わせることができる。

ペイントミキサー／ウェーブ

電動のかき混ぜ用ツール。先端にスクリューがついており、約20秒、塗料の中で作動させるだけで塗料を混ぜられる。

塗料を移すためのツール

希釈や調色を行うために、溶剤や塗料を塗料皿に移す際に便利なツール。

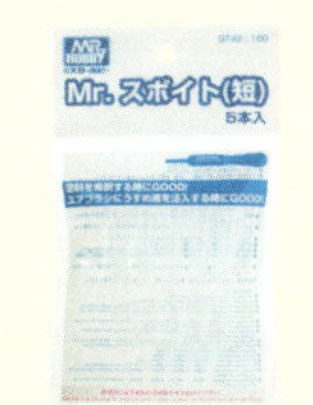

Mr.スポイト(短)5本入り
GSIクレオス

塗料の希釈時に、溶剤を塗料皿に入れるために使う。目盛りがついているので、濃度調整を行いやすい。

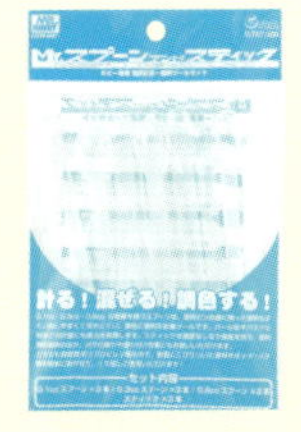

Mr.スプーン＆スティック
GSIクレオス

0.1mℓ、0.3mℓ、0.8mℓのスプーンと調色用のスティックが各3本、同梱されている。正確な割合で色をつくるのに役立つ。

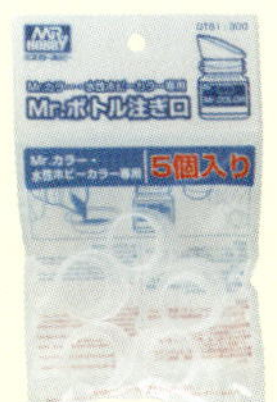

Mr.カラー、水性ホビーカラー専用Mr.ボトル注ぎ口／GSIクレオス

GSIクレオス製品の塗料ビンに装着することで、ビンの口を汚さずに塗料を塗料皿に移すことができる(下の写真)。同様に「Mr.うすめ液」用の「注ぎ口キャップ」もある。

メンテナンス用ツール

とくに筆などについた汚れを落としてくれる「ツールクリーナー」は効果抜群のすぐれもの。

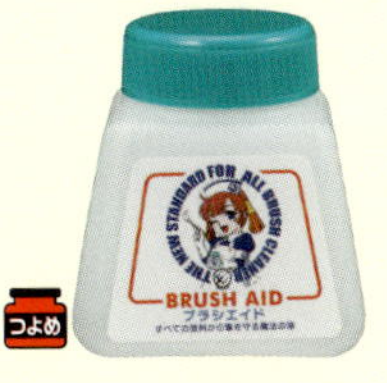

ブラシエイド／トライデント

筆の洗浄＆トリートメント剤。中に筆を入れて底のデコボコにこすりつけるようにして洗う。

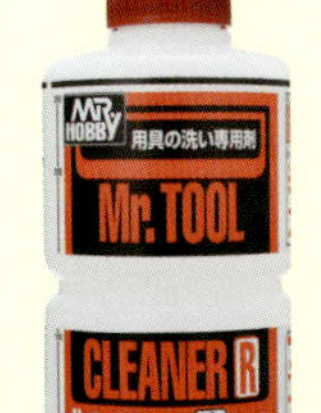

Mr.ツールクリーナー改
GSIクレオス

強力に塗料を分解する作用を持った洗浄溶剤。筆や調色用スプーンなど、塗装で使用したツールの洗浄に大活躍する。ただし、プラスチックを溶かすので注意が必要。

Mr.リターダーマイルド
GSIクレオス

気温が高く、塗料の乾燥が速くて困るときに便利なツール。塗料に混ぜて使うことで、乾燥を遅らせ、塗りムラやかぶりを防止できる。

Mr.ブラシウォッシャー
GSIクレオス

筆洗浄用ツール。溶剤などを入れて、洗いたい筆を中のプレートにこすりつけることで、効果的に筆を洗える。※商品に筆は入っていない。

筆の種類と使い方

▶ 筆にはいろいろな形状のものがあるが、ガンプラの塗装でよく使われるものに**平筆**(ひらふで)**と面相筆**(めんそうふで)**の2種類**がある。それぞれ筆先にはいろいろなサイズがあるので、つくるキットや用途に応じたものを選ぼう。

▶ 筆は消耗品(しょうもうひん)だが、**使用後にツールクリーナーで洗浄**(せんじょう)**する**など、ケアすることで長持ちさせることができる。

筆の主な用途は、塗料をつけてキットを塗ること。さまざまな形の筆がありますが、ガンプラ塗装でよく使われるのは、**毛先が平らな形状をしている「平筆」**と、**先が細くなっている「面相筆」**の２種類です。**平筆は広い面積**を塗るのに適しています。**面相筆は細かいパーツを塗る**ときに便利です。それぞれで毛先の太さのちがうものが市販されているので、用途に応じて使い分けましょう。

オススメの筆

平筆

毛先が平らになっている筆。広い面積の塗装に向いている。

Mr.ブラシ 平筆／GSIクレオス

グリップ軸にシリコンを採用。持ちやすく、疲れにくい。太いほうから「８号」「６号」「４号」「２号」の４種類がある（写真は「６号」）。

タミヤ モデリングブラシHG 平筆／タミヤ

やわらかく塗料の含みにすぐれた馬毛を使用。太さは「中」「小」「極小」の３種類（写真は「小」）。

面相筆

毛先が細くなっている筆。細かい部分の塗装に適している。

Mr.ブラシ 面相筆／GSIクレオス

毛先が非常に細いが、腰が強い化学繊維(せんい)を使っており、塗りやすい。グリップ軸にシリコンを採用。「細」と「極細」の２種類（写真は「細」）。

タミヤ モデリングブラシHG 面相筆／タミヤ

合成樹脂毛を使用し、毛先の揃(そろ)いがよい。繊細(せんさい)な塗装作業に威力を発揮する。「小」「細」「極細」「超極細」の４種類（写真は「細」）。

用途

筆の代表的な用途は、塗料をつけてパーツに色を塗ること。ほかにも、パーツについたホコリを払うことにも使える。

塗装する

部分的な塗装を行いたいのであれば、筆塗りが便利。エアブラシ（→P.116）などにくらべて、塗りムラになりやすいので注意。

ホコリを払う

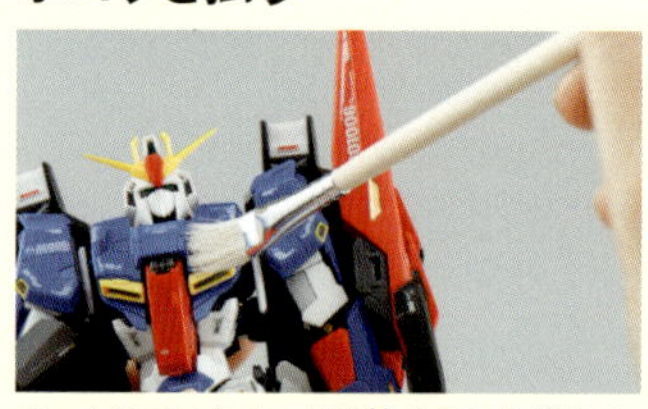

キットについたホコリを払うのにも使える。平筆でささっと払えば、ちょっとしたホコリなら簡単に落とせる。

プラスα 用途に応じてサイズを選ぼう

筆には筆先の太さに応じて、いくつかの種類がある。広い範囲を塗るときには太めの平筆を使う、顔など細かい部分を塗る場合は極細タイプの面相筆を使うなど、用途に応じて使い分けよう。

GSIクレオスの「平筆」の場合

使い方

筆の使い方はとてもシンプル。筆先に塗料をつけて、対象のパーツに塗るだけだ。ポイントは、塗る範囲に適した筆先のサイズを選ぶこと。

広い面積は「平筆」で塗る

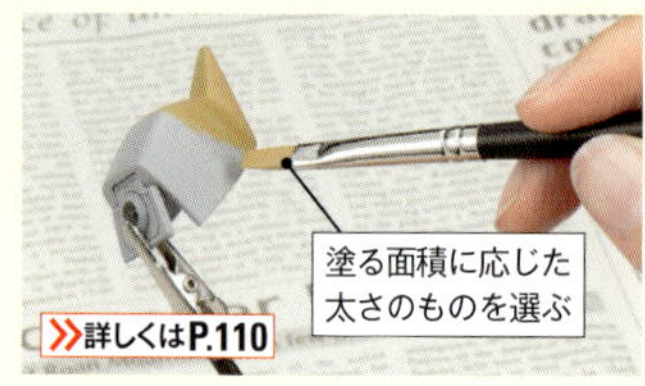

広い面積を塗る場合は、平筆が適している。面相筆では、塗るのに時間がかかる上に、ムラになりやすい。

細かいところは「面相筆」で塗る

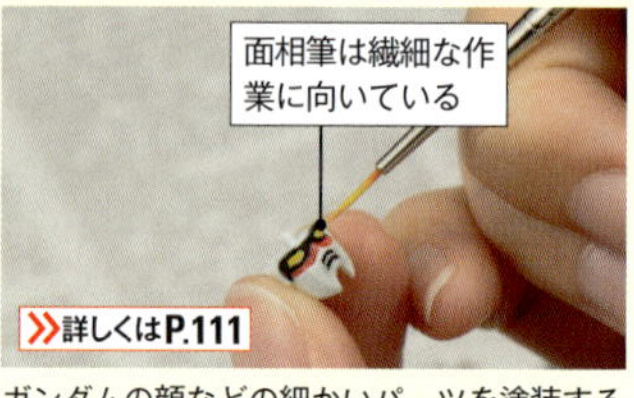

ガンダムの顔などの細かいパーツを塗装するときや、スミ入れ（→P.97）をするときには、面相筆が適している。

プラスα ドライブラシというテクニックに使うこともある

ウェザリングのテクニックの１つに、ドライブラシというものがある。筆についた塗料を新聞などで落としてから、パーツにこするようにして塗るテクニックで、エッジのみに塗料がつき、立体感が強調される。

消耗して毛先が荒れた筆を使おう

メンテナンス

筆は使用後、しっかりと洗浄してから乾かすことが大事。そうすることによって長い期間、性能を保つことができる。

1 筆に残った塗料をふき取る

使用後は、まず筆に残っている余分な塗料を落とす。新聞紙やキムワイプ(→P.179)などでふき取ろう。

NG ティッシュは使わない

筆についた塗料をふき取る際、ティッシュペーパーでふき取るのはオススメできない。ティッシュペーパーは、細かいケバが筆につきやすいためだ。

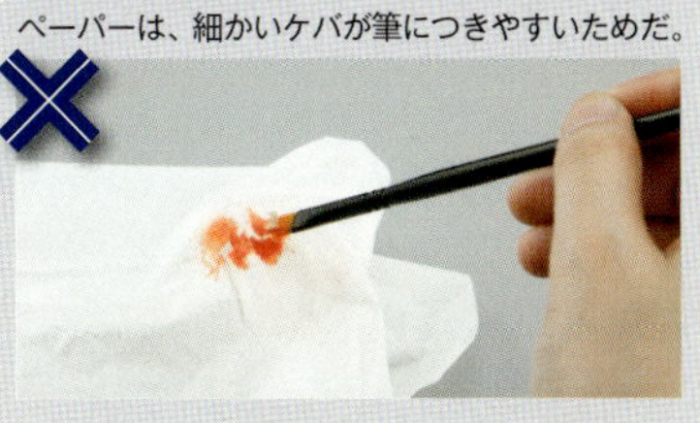

2 筆を溶剤で洗う

Mr.COLOR THINNER
250
「Mr.ブラシウォッシャー」などを使うと、洗浄効果がアップする

筆を塗料の種類に合った溶剤で洗って、塗料を完全に落とす。アクリル塗料や新水性塗料を使用した場合、乾燥前なら水洗いも可。

3 筆をビンに立てて乾燥するのを待つ

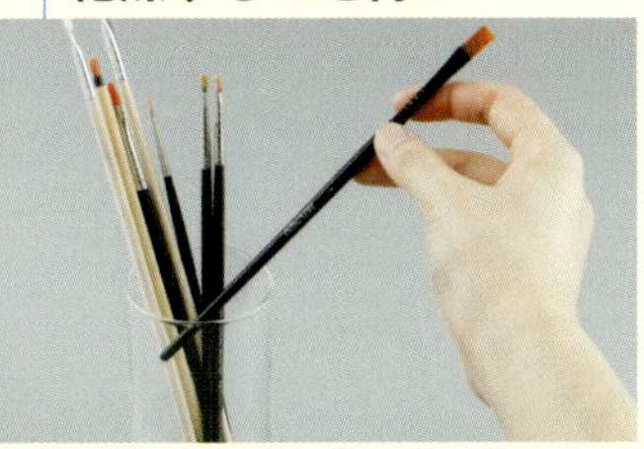

筆をビンに立てるなどして、自然乾燥させる。筆立ては、市販のペン立てでも、コップでもなんでもOK。

プラスα 洗浄専用ツールを使って筆の状態を維持する

筆の洗浄は、溶剤以外のツールでも行うことができる。代表的なものに「ブラシエイド」がある。溶剤よりも筆にダメージを与えにくく、毛先を整えるトリートメント効果もある。使い方は、筆についている塗料を新聞紙などでふき取ったら、筆を「ブラシエイド」の容器に入れて洗浄する。また、塗料が溶剤では落ちにくい場合には、「ツールクリーナー」を使うとよい。

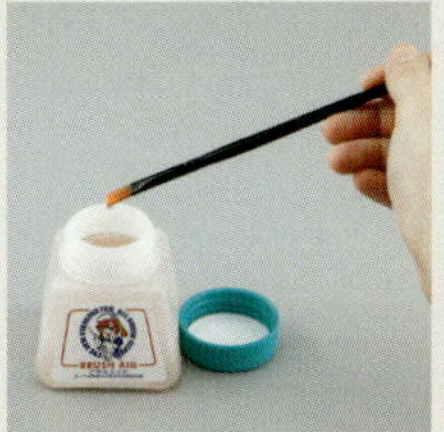

「ブラシエイド／トライデント」を使った筆の洗浄。筆を中に入れて、底面のデコボコにこすりつけて洗う。

「Mr.ツールクリーナー改／GSIクレオス」を使うと、がんこな塗料の残りを簡単に落とすことができる。

保管方法

筆は筆先が荒れると、塗装には役立たないものになってしまう。そこで、使用後は無造作に置いておくのではなく、筆立てや筆入れに入れてきちんと保管したい。

筆立てに立てておく

筆立てなら、洗浄後の筆の乾燥と保管を同時に行うことができる。ちょうどよい大きさのビンやコップなどで代替してもOKだ。

NG 筆先を下にしない

筆立てやビンで筆を保管する場合、毛先を下にして入れると、毛先にクセがついてしまう。一度クセがつくと、なかなか元にもどらないので気をつけよう。

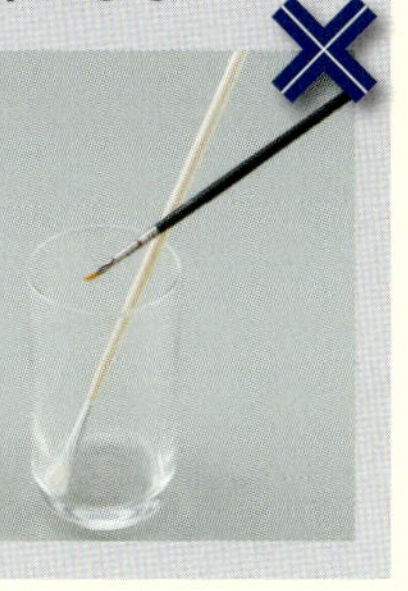

ツールボックスに入れておく

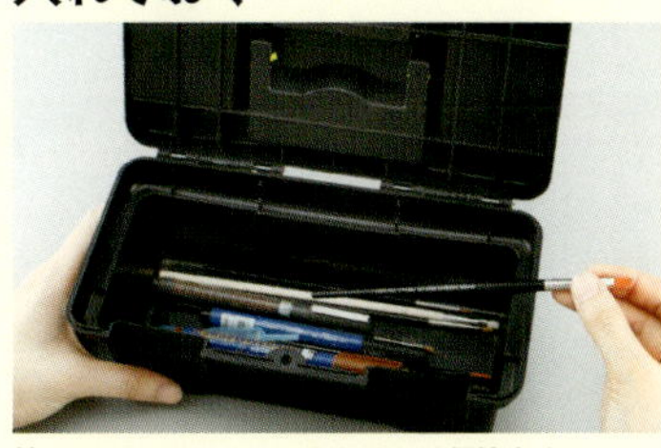

筆をツールボックスに入れておく保管方法もある。筆を持ち運んで、自宅以外の場所で作業する場合に便利だ。

交換時期

筆は消耗品なので、ある程度使って毛先が荒れてきたら交換する必要がある。

筆先が荒れたら交換時期

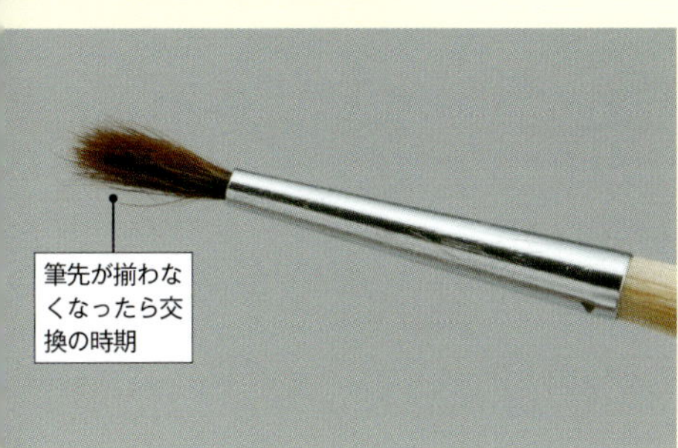

筆先が荒れてしまったら、塗装に使うことはできない。このような筆はウェザリング用やホコリ払い用に利用するとよい。

プラスα 安い筆には注意!

販売店には数多くの筆が並んでいるので迷う人も多いだろう。性能は価格に比例することが多いので予算と相談するとよい。ただし、安い筆や百円均一ショップで売られている筆は、毛が抜けやすく、せっかく塗った面に毛が残ってしまうことがある。きちんと筆塗りをしたいなら、左ページで紹介しているような模型用の筆を使うようにしよう。

缶スプレーの種類と使い方

▶ 缶スプレーを使えば、**エアブラシがなくても広い面積を手軽にムラなく塗装することができる**。主にGSIクレオスとタミヤから発売されていて、どちらも色数が豊富だ。

▶ 使用済みの缶は穴を開けるなどして、**各自治体の決まり**に従って廃棄(はいき)すること。

塗装用の缶スプレーの中には塗料とガスが封入されていて、ボタンを押すことで噴射口(ノズル)から塗料が吹き出されます。広い面積を均一に塗ることができるので、**エアブラシを持っていない人でも、手軽に塗装を行うことができます**。筆塗りではムラが出てしまって難しいメタリック塗装(→P.132)やパール塗装(→P.136)なども缶スプレーなら可能です。

ガンプラづくりでよく使われるのは、GSIクレオスの**「Mr.カラースプレー」**と、タミヤの**「タミヤカラー スプレー」**。どちらもラッカー系で発色がよいのが特徴です。ただし、有機溶剤が含まれ、**においがある**ため、**使用時には換気などに気をつけて**ください。

オススメの缶スプレー

GSIクレオス製品

GSIクレオスから発売されていて、ガンプラでよく使われる缶スプレーは「Mr.カラースプレー」と「ガンダムカラースプレー」の2種類だ。

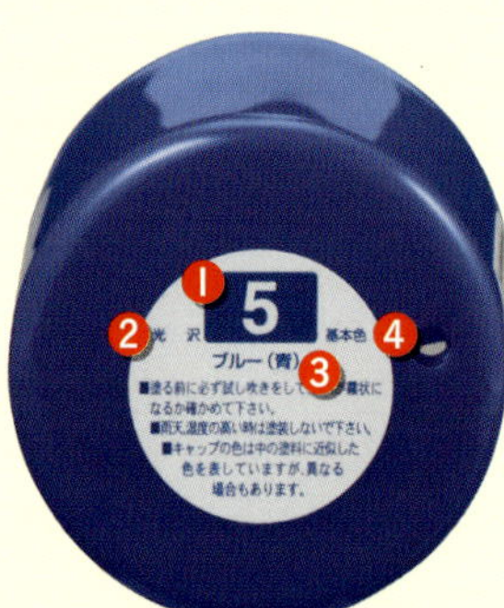

[ラベルの見方]
※ラベルは缶のフタの上部にある
❶品番
❷光沢の種類
「光沢」「半光沢」「つや消し」「メタリック」などの種類がある。
❸色名
❹色の分類
さまざまな用途に使える「基本色」のほか、「日本海軍機 上面色」など特定の用途に使えるものがある。

Mr.カラースプレー
GSIクレオス

超微粒顔料を使用し、強くて質の高い塗膜をつくることができる。カラーバリエーションも豊富。容量100mℓ。

つよめ

ガンダムカラースプレー
GSIクレオス

「MSグレー連邦系」や「MSシャアレッド」など、ガンプラに特化した色がラインアップされている。容量100mℓ。

つよめ

タミヤ製品

タミヤから発売されている「タミヤスプレー」は、ガンプラに限らず、さまざまなジャンルのモデラーからの信頼が高い。カラーバリエーションも多彩。

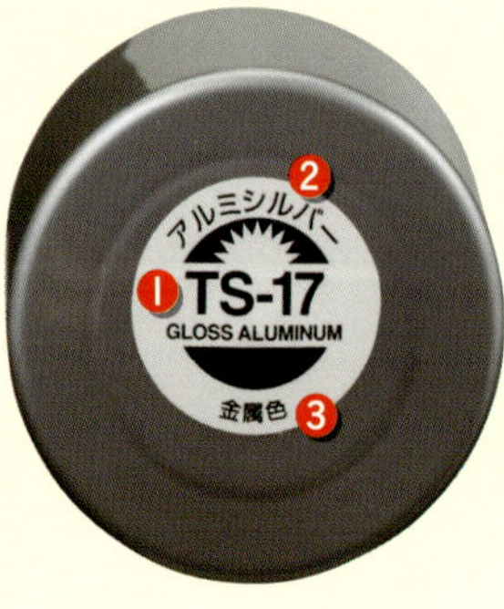

[ラベルの見方]
※ラベルは缶のフタの上部にある
❶品番:「TS」と「AS(エアーモデル用)」はガンプラに使用可能。「PS(ポリカーボネート用)」はRCカー用のものなので、ガンプラには使用しない。
❷色名:メタリックやパールは名前で判断。「〜メタリック」「ガンメタル」「〜ゴールド」「〜シルバー」などはメタリック系。「〜パール」「〜マイカ」はパール系。
❸塗料の種類:「つやあり」「半つや消し」「つや消し」「金属色」などがある。

タミヤスプレー
タミヤ

独特のノズル形状を採用していて、ムラが起きにくい。容量100mℓ。

つよめ

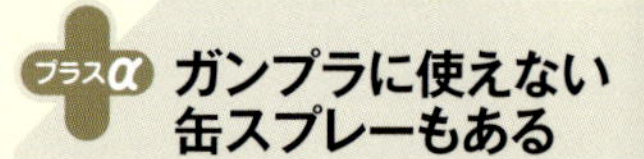

ガンプラに使えない缶スプレーもある

タミヤの缶スプレーは、基本的に「TS」が使われる。ほかには「AS」も使用可能だが、ポリカーボネート用の「PS」はRCカー用なのでガンプラには使用しない。パッケージが似ているので、購入時には注意しよう。

エアーモデル用(AS)　ポリカーボネート用(PS)

用途

缶スプレーは、主に広い面積を塗るときに使う。カラーバリエーションが豊富で、筆にくらべてムラなく、きれいな仕上がりになる。ただし、調色して自在に色味をコントロールすることはできない。

塗装する

エアブラシにくらべて、準備や使用後の掃除に手間がかからないのが缶スプレーの魅力だ。

ボタンを押すと、噴射口(ノズル)から塗料が吹き出す

「HG デスティニーガンダム」を缶スプレーで部分的に塗り替え、ハイネ専用機にした作例(→P.114)。

使い方

缶スプレーを使う際に大事なのが、使用前によく缶を振ること。しばらく使っていない缶スプレーは、中で成分が分離してしまっているためだ。

使用する前によく振る

20~30 回
振ればOK

缶スプレーはしばらく使わないでいると、塗料の成分が分離していることが多い。使用前によく振ろう。

上から下に動かしてサッと吹きつける

上から下に動かして吹きつける

缶スプレーは数回に分けて、薄く吹いていく(→P.114)。吹き始めと吹き終わりはパーツにかけないこと。

使用後に噴射口をふく

布などでふく

塗料の噴射口に塗料が残って固まってしまうと、次に使うときに噴射することができなくなる。

プラスα 塗装環境に気を配る

塗料用の缶スプレーのほとんどは、ラッカー塗料。塗装時は手袋やマスクを着用したほうがよい。換気にも注意すること。

塗装マスク(DPM-77TM) トラスコ中山

ホビー用ゴム手袋 プロホビー

エアブラシとの比較

空気圧(ガス圧)を利用して塗料を吹きつけるという点では、缶スプレーもエアブラシも同じ。それぞれの特徴について理解しよう。

VS.
エアブラシと缶スプレーはよく比較される。目的に合わせて適したほうを使うようにしよう。

	メリット	デメリット
缶スプレー	●よく振って吹くだけなので、手軽に塗装できる。 ●使用後のメンテナンスが不要。	●一定の強さでしか吹けないので、吹く量を調整するのが難しい。 ●自由に色を調色して使うことはできない。 ●エアブラシで吹く場合にくらべて、長期的に見ると割高になる。
エアブラシ	●吹く強さや細さを調節できるので調整しながら塗装できる。 ●調色して好きな色を塗ることができる。	●塗料の準備や使用後の手入れなどに、手間がかかる。 ●エアブラシ本体を購入する必要があり、初期投資にお金がかかる。

缶スプレーのすて方

缶の中のガスを抜き切ってすてる自治体が多いが、中には穴を開けて廃棄するところもある。自治体のルールに従おう。

1 中のガスを出し切る

残った塗料を新聞紙などに吹いて使い切ったら、屋外など換気のよいところでガスも完全に出し切る。

2 缶に穴を開ける

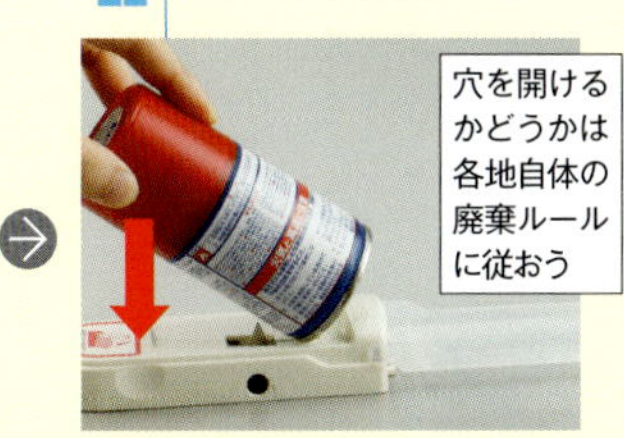
穴を開けるかどうかは各地自体の廃棄ルールに従おう
中のガスを出し切ったら、缶に穴を開ける。ここでは専用の穴空け器を使ったが、キリなどで開けてもよい。

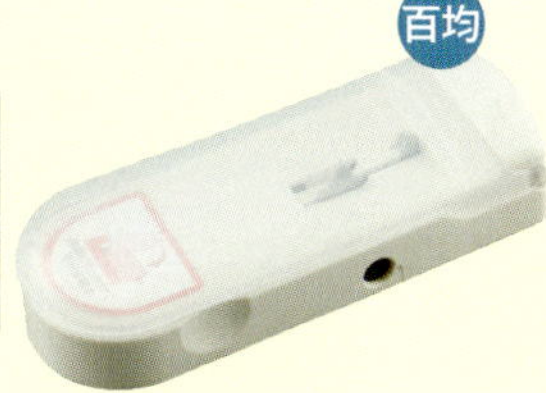
百均
スプレー缶ガス抜き器

缶スプレーに簡単に穴を開けることができるツール。百円均一ショップなどで入手できる。

プラスα 作業はビニール袋の中で行う

缶に穴を開ける作業は、ビニール袋の中などで行おう。穴を開けたときに残っていた塗料が飛び散ることがあるからだ。ビニール袋の中に新聞紙を入れておくと、さらに万全だ。

エアブラシの種類と使い方

▶ エアブラシには**シングルアクション、ダブルアクション、ダブルアクショントリガータイプ**などの種類がある。
▶ エアブラシを使用するためには**エアコンプレッサーが必要**。さらに**エアレギュレーターもあると便利**だ。
▶ 使用後にはエアブラシに塗料が残らないように、**洗浄(せんじょう)などしっかりとメンテナンスを行う**必要がある。

エアブラシは塗装に使うためのツールで、圧縮したエア(空気)の圧力によって塗料を吹きつけます。吹き出し加減を調節することができるので、**広い面積を塗ることはもちろん、細吹き(→P.120)のように細かい塗装を行うこともできます。自分で調色したオリジナルのカラー**を吹きつけることができるのも、エアブラシの大きな魅力です。

エアブラシを使用するためには**エアコンプレッサー**という空気を送り出すための機械が必要です。さらに、エア圧の調整ができる**エアレギュレーター**もあると便利です。

エアブラシで欠かせないのは、使用後のメンテナンス。高価なツールなので、しっかり手入れをして長持ちさせましょう。

オススメのエアブラシ

シングルアクション

ボタンを押すだけで、空気と塗料が同時に吹き出されるタイプ。

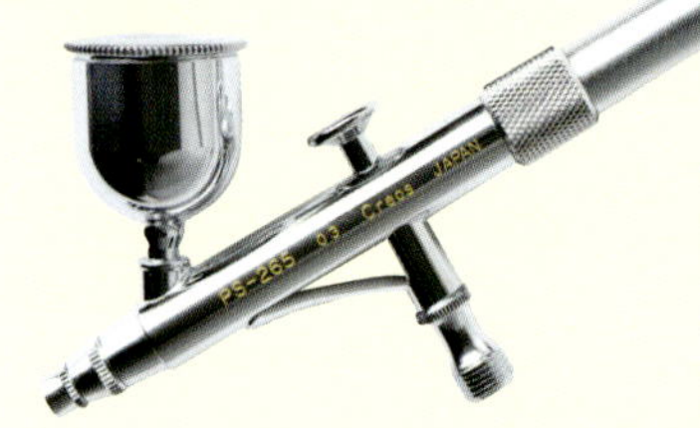

プロコンBOY SAe シングルアクション
GSIクレオス

コストパフォーマンスに優れたエアブラシ。吹き出し加減の調整は、本体のダイヤルで行う。塗料カップが着脱式で、塗料カップの容量は7cc。

ダブルアクション

ボタンを押すことで空気が噴出され、押したままボタンを後ろに引くと塗料が吹き出されるタイプ。

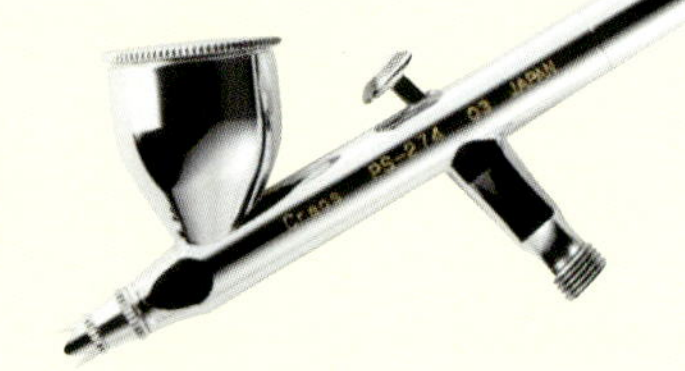

プロコンBOY WA ダブルアクション 0.3mm／GSIクレオス

ダブルアクションタイプの吹き出し加減の調整はボタンの引き具合で調整する。扱いやすく、人気が高い。塗料カップの容量は10cc。

ダブルアクション トリガータイプ

トリガー(引き金)に指をかけて後ろに引くことで、空気と塗料が噴出されるタイプ。

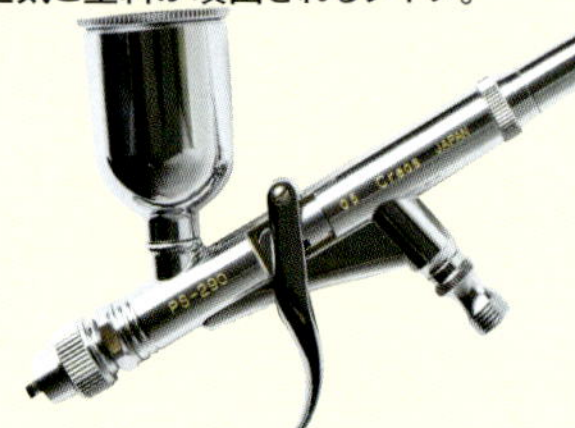

プロコンBOY LWAトリガータイプ ダブルアクション
GSIクレオス

吹き出し加減の調整は、本体のダイヤルで行う。指への負担が軽いので、長時間の塗装に向いている。塗料カップは大容量の15cc。

プラスα エアブラシなしで塗料を吹きつける

エアブラシを入手するには「ちょっと予算が足りない」という人にオススメなのが「イージーペインター」だ。ビン入りの塗料を塗料1：溶剤1程度で希釈して専用ボトルに入れて、そのボトルを本体のアタッチメントに装着。あとはボタンを押すだけで塗料が吹き出される。調色もできて繰り返し使える缶スプレー、といったところだ。

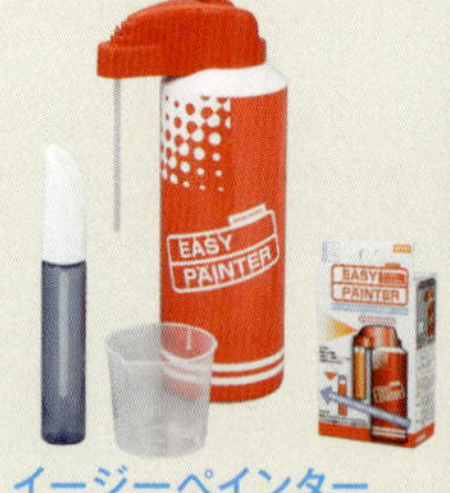

イージーペインター
ガイアノーツ

用途 エアブラシは塗装用のツール。エアブラシによる塗装は筆塗りや缶スプレーでの塗装よりもムラになりにくく、きれいに仕上げやすい特徴がある。

塗装する

詳しくはP.116

エアブラシを使えば自由自在に塗装を行うことができる。換気など、作業環境を整えてから取りかかろう。

サーフェイサーを吹く

詳しくはP.107

サーフェイサー(→P.84)は、缶スプレーとビン入りのものがある。ビン入りを使えば、エアブラシでサーフェイサーを吹くことができる。

コート剤を吹く

詳しくはP.123

コート剤も缶スプレーとビン入りのものがある。コスト面やエア圧を調整できる点などから、ビン入りのコート剤をエアブラシで吹く人も多い。

セッティング

エアブラシは単体で使用することができない。エアブラシに空気を送るためのコンプレッサーが必要になる。送り出すエア圧を調整できるエアレギュレーターがあると、さらに使いやすくなる。

コンプレッサーとエアレギュレーターを接続する

エアレギュレーターを使う場合、まずはそれぞれのホースをつないでコンプレッサーと接続する。

エアレギュレーターとエアブラシを接続する

エアブラシのホースとエアレギュレーターをつなぐ。ネジを回すだけなので、難しいことはない。

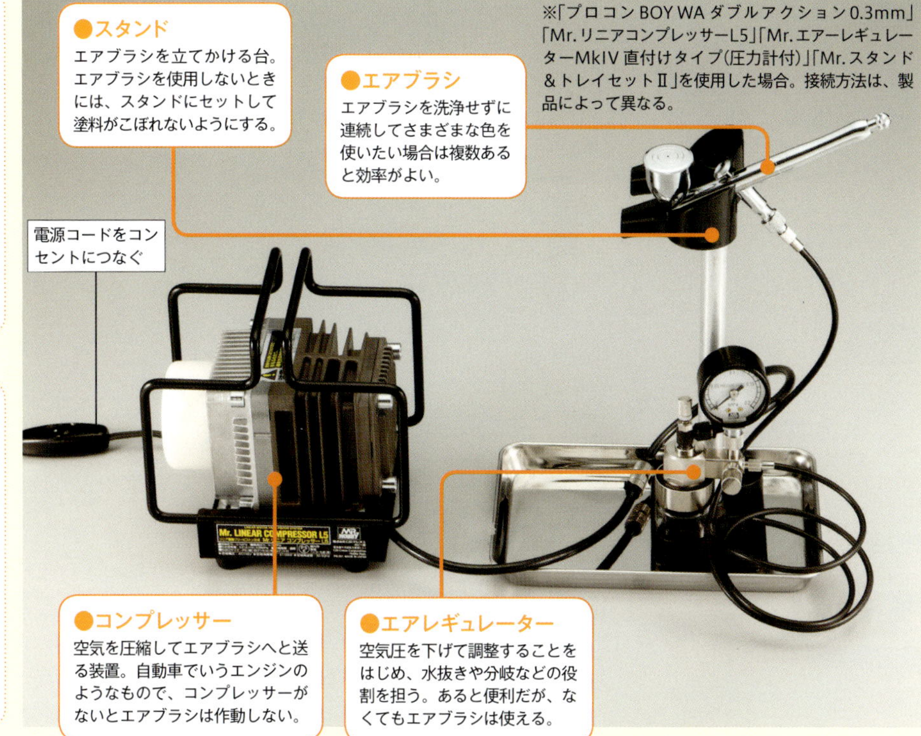

●スタンド
エアブラシを立てかける台。エアブラシを使用しないときには、スタンドにセットして塗料がこぼれないようにする。
●エアブラシ
エアブラシを洗浄せずに連続してさまざまな色を使いたい場合は複数あると効率がよい。
電源コードをコンセントにつなぐ
●コンプレッサー
空気を圧縮してエアブラシへと送る装置。自動車でいうエンジンのようなもので、コンプレッサーがないとエアブラシは作動しない。
●エアレギュレーター
空気圧を下げて調整することをはじめ、水抜きや分岐などの役割を担う。あると便利だが、なくてもエアブラシは使える。

※「プロコンBOY WAダブルアクション0.3mm」「Mr.リニアコンプレッサーL5」「Mr.エアーレギュレーターMkIV 直付けタイプ(圧力計付)」「Mr.スタンド＆トレイセットⅡ」を使用した場合。接続方法は、製品によって異なる。

コンプレッサーの役割

空気を圧縮して送り出す

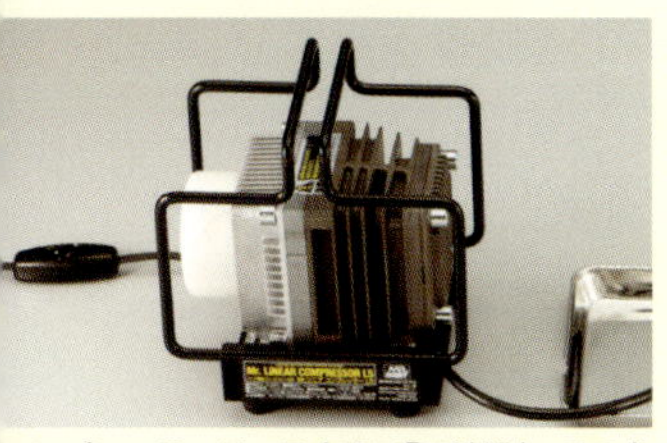

コンプレッサーは、日本語で「圧縮機」。その名のとおり、空気を圧縮してエアブラシへと送り出す役割を担う。

プラスα コンプレッサーは置き場所と騒音にも気を配ろう

コンプレッサーはわりと重く、製品によって1～3kgある。不安定なところに置くと、コンプレッサーが倒れてしまって、思わぬアクシデントにつながることがあるので注意が必要だ。音が気になる場合は、下に騒音防止のマットを敷くなどして対策をとろう。

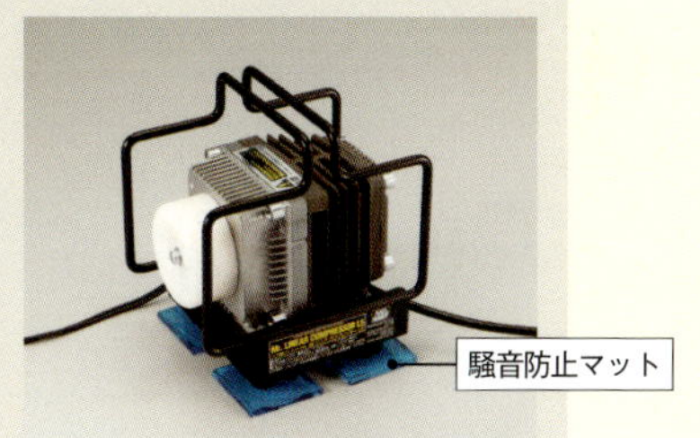

エアレギュレーターの役割

エアレギュレーターの代表的な役割は、「減圧」「水抜き」「分離」の3つ。目盛りはエアブラシに送り出す圧力を表している。

エアブラシに送り出すエア圧を調整する

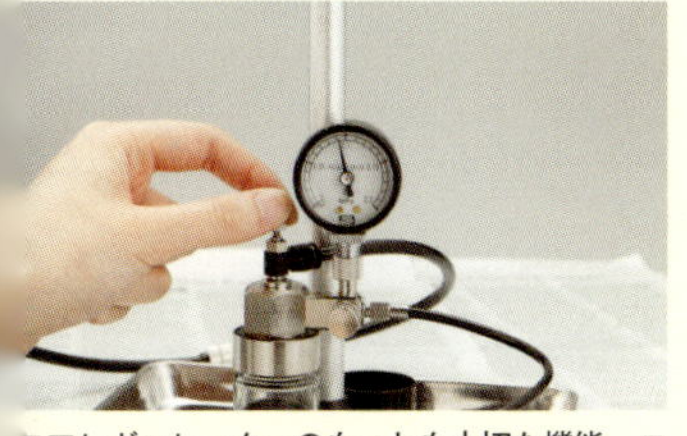

エアレギュレーターのもっとも大切な機能。コンプレッサーからエアブラシに送られる空気を減圧して、塗装しやすい状態に調整する。

水を抜く

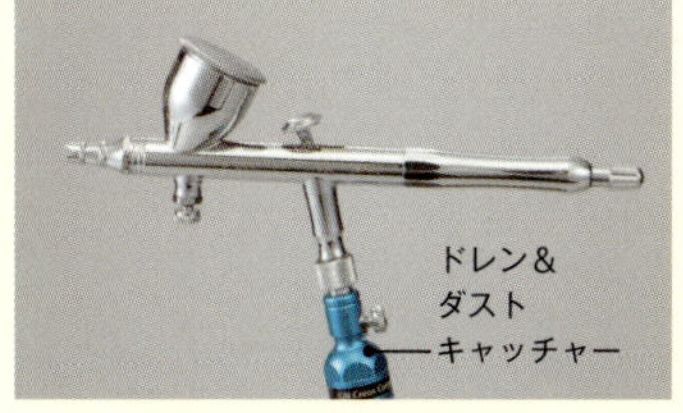

空気を圧縮すると水が出る。高湿のときはさらに水が出てエアブラシから吹き出すことがあるが、ドレン＆ダストキャッチャーで除去できる。

空気の送り先を分岐する

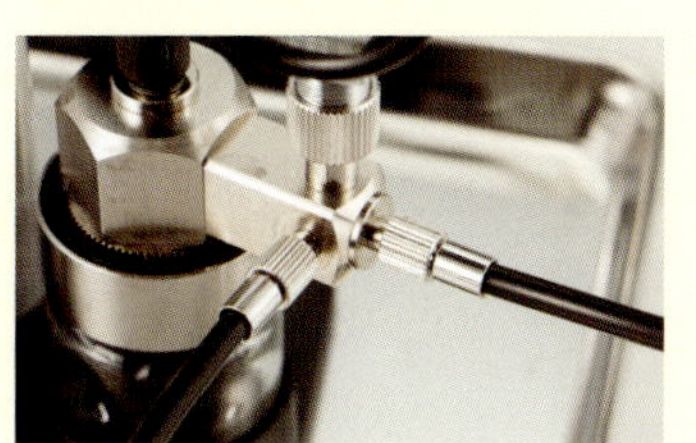

分岐機能があるエアレギュレーターなら、複数のエアブラシを同時に接続できる。複数のエアブラシを使って塗りたいときに便利。

構造

エアブラシは精密に設計されているが、構造自体はそれほど複雑なものではない。基本的なしくみを覚えておくと、メンテナンスをするときなどに役立つ。

各部の名称

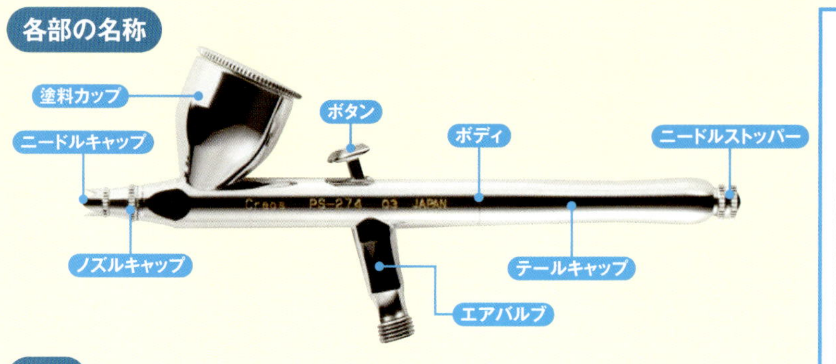

構造

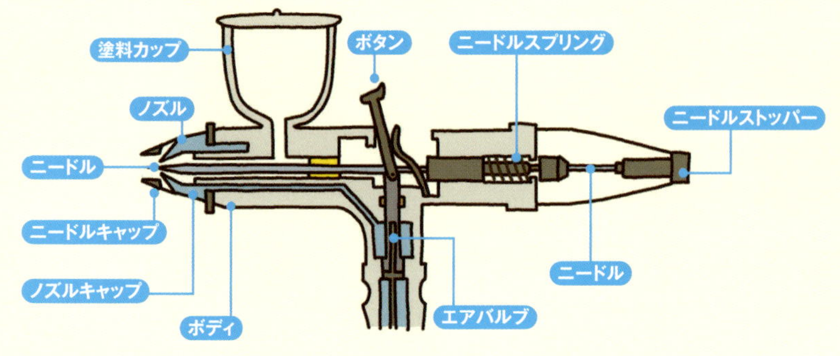

ニードルストッパーの役割

エアブラシに採用されているニードルストッパーは、ニードルの後退量を制限するためのもの。塗料を吹きつける最大量を好みに応じて設定できるということであり、精密な塗装に役立つ。

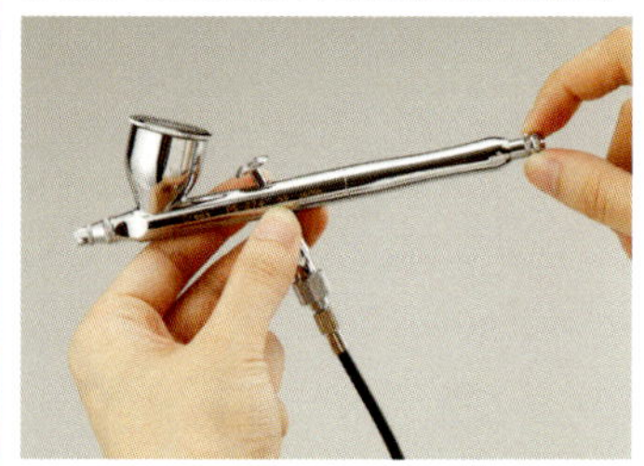

[しくみ]

❶ボタンを押す(下げる)とエアバルブが開いて、コンプレッサー(エアレギュレーター)からの空気がノズル方向へと流れ出す。

❷ボタンを押した状態で後ろに引くと、ニードルがテール方向へと後退して塗料が流れる。その塗料が圧縮空気と混合されたものがキットに吹きつけられることになる。

操作方法

もっともポピュラーなダブルアクションの操作方法を紹介。ボタンを押してエアを出し、ボタンを押したまま引いて塗料を吹き出させる。

1 ボタンを押し込む

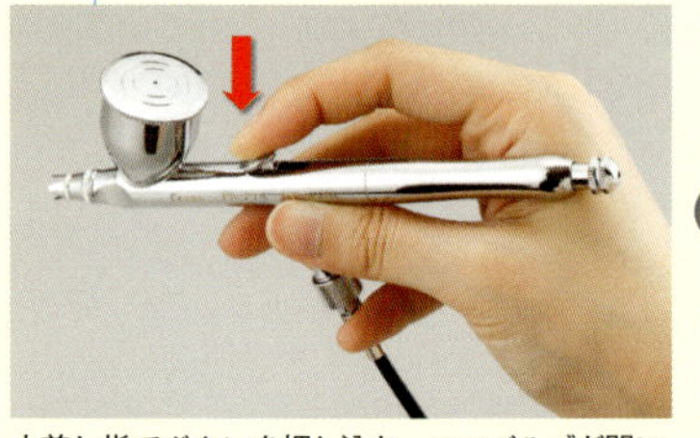

人差し指でボタンを押し込む。エアバルブが開いて、コンプレッサーからの空気がノズル方向へ流れ出す。

2 ボタンを押し込んだまま後ろに引く

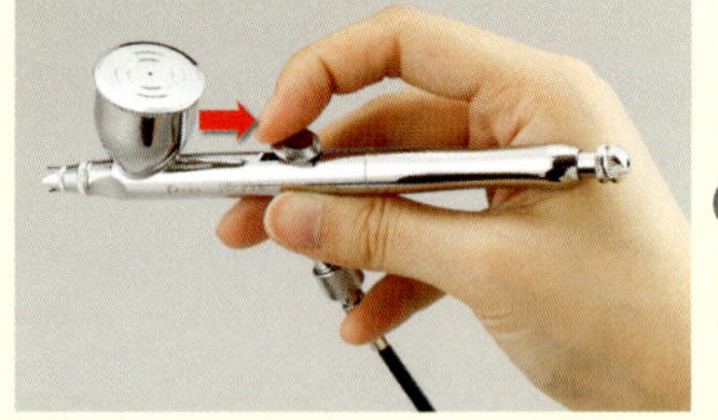

押し込んだボタンを後ろに引くことで、ニードルが後ろ側へと送り出され、塗料が流れる。

3 ボタンを離せば塗料が止まる

吹きつけるのをやめたいときは、ボタンから指を離すだけでOK。

POINT

距離によって塗料のつき方が変わる

エアブラシで塗装するときは、キットとの距離感も大切になる。近すぎても遠すぎても、均一に吹きつけることができない。適切な距離はだいたい5～15cmほどだが、不要なランナーに試し吹きするなどして、ほどよい距離感をつかんでから塗装するようにしよう。

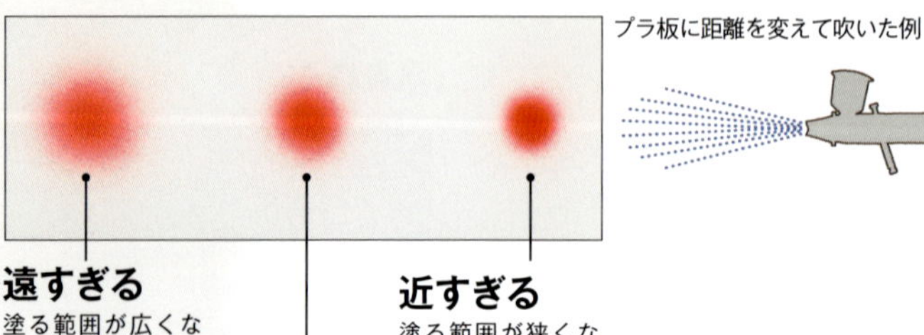

遠すぎる
塗る範囲が広くなり、外側に広がるほど密度が薄くなる

適切な距離
密度が均一になる

近すぎる
塗る範囲が狭くなり、中心ほど密度が濃くなる

使用後のケア つ/よ

エアブラシは使用後のメンテナンスが必要不可欠。塗料カップに溶剤やツールクリーナーを入れて、ブクブクと洗浄する。この方法を「うがい」といい、数回繰り返してきれいにする。

1 余った塗料を元の容器にもどす

塗料カップの中に残った塗料を元の塗料の容器(もしくはスペアボトル)に移す。残った塗料はティッシュなどでふき取る。

2 塗料カップに溶剤を入れる

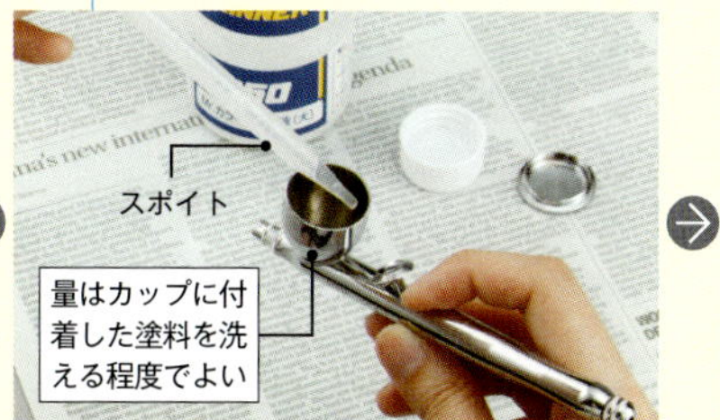
スポイト
量はカップに付着した塗料を洗える程度でよい

塗料カップに、使用した塗料に対応する溶剤(もしくはツールクリーナー)を入れる。アクリル塗料や新水性塗料の場合、乾燥前なら水でもOK。

3 カップに付着した塗料を筆で洗い落とす

塗料カップの内面に付着した塗料を、筆で洗い落とす。落とし残しがないか、しっかりと確認しながら行おう。

4 塗料カップの中身を吹き切る

クリーナーボトル

塗料カップの中を洗浄したら、中に入れた溶剤をクリーナーボトル(もしくはビニール袋の内側にウエスを敷いたもの)に吹き、最後まで吹き切る。

※写真のMr.クリーナーボトルは2022年3月現在販売終了しており、Mr.クリーニングボトルが発売中です。

プラスα エアブラシのメンテナンスに役立つさまざまなツール

エアブラシのメンテナンスに役立つ、いくつかのツールを紹介。1つめは、クリーニングボトル。塗料カップを洗浄した溶剤を吹き出すのに使うものだ。2つめはツールクリーナー。溶剤よりも洗浄力が強いため、洗浄用として、ツールクリーナーでエアブラシを掃除する人も多い。

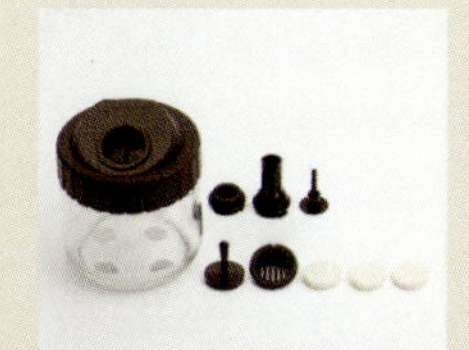

Mr.クリーニングボトル
GSIクレオス

エアブラシの洗浄時に、周りに塗料などが拡散しないようにするためのツール。

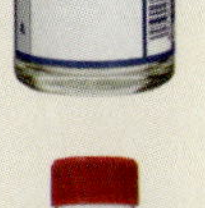

Mr.スペアボトル
GSIクレオス

調色した塗料が余ったときに、保管用として使用する。

Mr.ツールクリーナー改
GSIクレオス

洗浄力が強力で、しつこい塗料汚れも落としてくれる。

5 塗料カップに溶剤を入れる

空になったエアブラシの塗料カップに溶剤(もしくはツールクリーナー)を再び入れる。

6 ノズルをゆるめる

反時計回りに回してゆるめる

エアブラシのニードルキャップを回して、1mm程度ゆるめる。写真のようなクラウン型の場合、これで先端から空気が出なくなる。

プラスα 先端を押さえてブクブクさせるタイプも

エアブラシの種類によっては、「空気が出ないようにノズルを回す」という機構が採用されていないものもある。その場合は先端を押さえて、「うがい」を行う。

写真のようなフラット型のニードルキャップの場合、先端を押さえる

7 「うがい」でカップの中を洗浄

これが「うがい」

塗料を吹きつけるときのように、エアブラシのボタンを押して引き、1～2分程度、液をブクブクさせる。終わったら工程4にもどり、吹き切る。

8 塗料カップの溶剤の色を確認する

工程4～7を数回繰り返して、「うがい」をしたあとに塗料カップの中の溶剤が透明になっていたら終了。最後に溶剤を吹き切る。

プラスα ツールクリーナーを使って洗浄してもOK

ノズルキャップやニードルキャップが汚れている場合は、対応する溶剤かツールクリーナーを使って洗浄する(毎回行う必要はない)。

サーフェイサーの種類と使い方

▶ サーフェイサーは塗装前の下地づくりに用いるもので、「塗料のノリをよくする」「パーツの小傷を見つける」「パーツの小傷を消す」「パーツの透けを防ぐ」などの効果がある。
▶ 主にグレー、白、黒の3色があり、それぞれで塗装したときの仕上がりが変わる。

サーフェイサーは、主に塗装前の**下地づくり**に使用され、細かい粒子をパーツに吹きつけることで、**塗料のノリがよくなる**などの効果を得られます。色は主に**グレー**、**白**、**黒**の3色があります。塗装の下地としてサーフェイサーを吹くことで、キットの成型色の影響を受けにくくできます。**サーフェイサーはグレーを使うのが一般的**ですが、より明るい色に仕上げたい場合は白を、明るさを抑えたい場合やメタリック塗料の場合は黒を選択するとよいでしょう。

オススメのサーフェイサー

缶スプレータイプ
そのままサッと吹くことができる。

Mr.サーフェイサー 1000 スプレー
GSIクレオス
汎用性の高いスタンダードなサーフェイサー。ほかに粒子の細かさがちがう500番と1200番がある。色はグレー。

Mr.ホワイト サーフェイサー1000
GSIクレオス
白色のMr.サーフェイサー。黒など、成型色が濃いプラモデルを塗装する場合に役立つ。

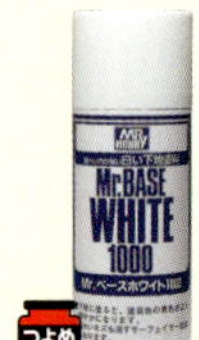

Mr.ベースホワイト 1000 スプレー
GSIクレオス
白色のサーフェイサー。新開発の特殊塗料が強い隠ぺい力を発揮し、上塗り色の発色を助ける。

水性サーフェイサー 1000スプレー／GSIクレオス
水性のサーフェイサー。ラッカー系に比べ、においがマイルド。1000番はグレー、ホワイト、ブラックの3種。500番のグレーもある。

Mr.フィニッシング サーフェイサー1500 ブラック スプレー／GSIクレオス
非常に細かい粒子で、モールドなどを埋めにくいサーフェイサー。黒色なので、メタリック塗装などの黒立ち上げに適している。

ファインサーフェイサーL (ライトグレイ)
タミヤ
きめ細かいなめらかな仕上がりが特徴のサーフェイサー。色には、ライトグレイやホワイトなどがある。

ビン入りタイプ
筆やエアブラシで使う。

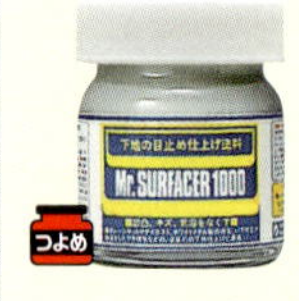

Mr.サーフェイサー 1000／GSIクレオス
ビン入りタイプのMr.サーフェイサー。筆塗りして紙やすりでみがけば、小さな傷もしっかりと埋めることができる。ほかに500番と1200番がある。色はグレー。

Mr.フィニッシング サーフェイサー1500 ブラック
／GSIクレオス
ビン入りタイプの黒色サーフェイサー。1500番と、非常に粒子が細かいのでパーツ表面がなめらかに仕上がる。メタリック塗装の黒立ち上げなどにも使える。

水性サーフェイサー 1000
／GSIクレオス
ビン入りタイプの水性サーフェイサー。粒子が粗目の500番と、きめ細かい1000番がある。グレー、ホワイト、ブラックの3種。

サーフェイサー／タミヤ
液状のラッカーパテなので筆塗りに便利で、小さな傷を修復できる。ラッカー系溶剤で希釈すれば、エアブラシで吹くこともできる。色はライトグレイとホワイト。

メカサフ 【メカニカルサーフェイサー】ヘヴィ
ガイアノーツ
濃いグレーで、そのまま塗料としても使える。ガイアノーツからは、ほかにもシルバーや赤系のサーフェイサーが発売されている。

粒子のちがい

サーフェイサーには小さな粒子が含まれており、それがパーツの表面に吹きつけられることで効果を発揮する。サーフェイサーによっては、粒子の大きさを選ぶことができる。※下の写真はプラ板に各種を吹いたもの。

500番
粒子は粗め。パーツについた大きめの傷などを埋めることができる。モールドを埋めてしまう場合もあるので注意。

1000番
スタンダードなタイプなので、通常の塗装用の下地づくりを行うなら、これを選ぼう。

1200番
粒子が細かいサーフェイサー。小さな傷口にも入り込むので、細かな表面処理を行いたいときに最適。

使い方

缶スプレー、ビン入りともに共通しているのは、使用前に中身をよくかき混ぜること。ビン入りタイプの場合は、希釈(→P.108)することで濃さを調整できる。サーフェイサーの多くはラッカーなので、ラッカー系溶剤で希釈する。

缶スプレーは使用後に噴射口を掃除する

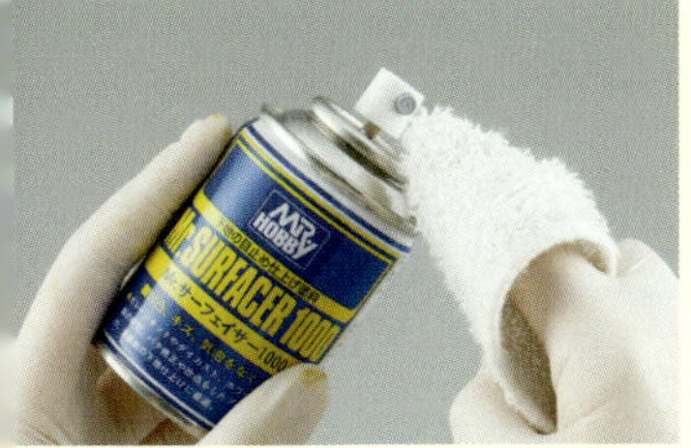

スプレーはそのまま吹いて使うが、使用後には噴射口をふくように。そのまま放置すると、固まって噴射口をふさぐことがある。

使用前によく混ぜる

サーフェイサーは容器の中で成分が沈殿していることがあるので、使用前にビン入りはよくかき混ぜ、缶スプレーはよく振る。

ビン入りは溶剤で希釈する

Mr.COLOR THINNER
250
塗料皿にサーフェイサーと溶剤を入れてかき混ぜる

ビン入りはエアブラシ、もしくは筆で塗って使う。とくにエアブラシの場合は希釈が必須。希釈に使う溶剤は、各製品の説明書などに従うこと。

用途

サーフェイサーには、さまざまな使い道がある。サーフェイサーを施すというひと手間で、いくつもの効果が得られるので、塗装する場合は積極的に使うとよいだろう。

塗料のノリをよくする

サーフェイサーには、塗料のノリ(食いつき)をよくする効果がある。

サーフェイサーの上に、通常の塗料で塗装。きれいに塗料が食いつくのは、サーフェイサーのおかげ。

小さな傷を見つける

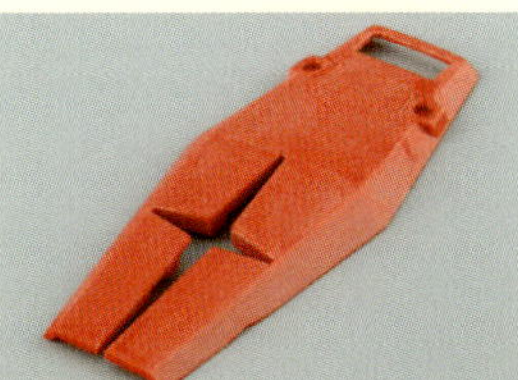

パーツを紙やすりでみがいたとき、そのままの状態では小さな傷が目立たないことがある。

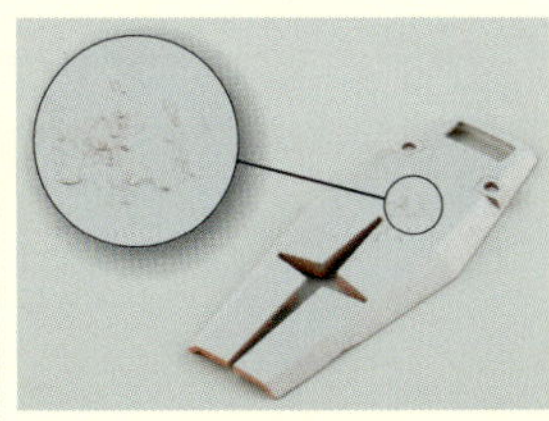

サーフェイサーを施したところ、小さな傷が見つかった。傷が見つかるのもサーフェイサーの効果の1つ。

極小の傷を消す

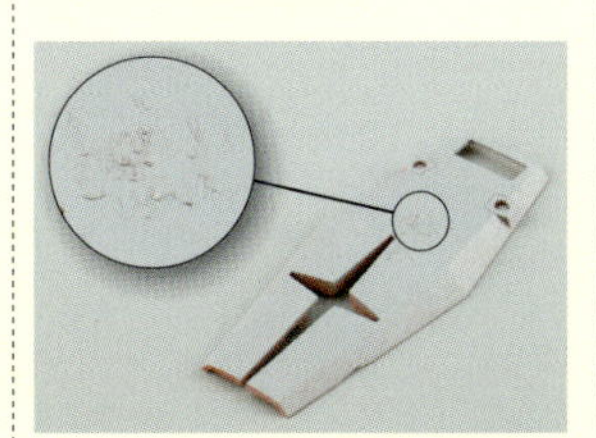

サーフェイサーによって、小さな傷が発見されたパーツ。このまま塗装すると、さらに傷が目立ってしまう。

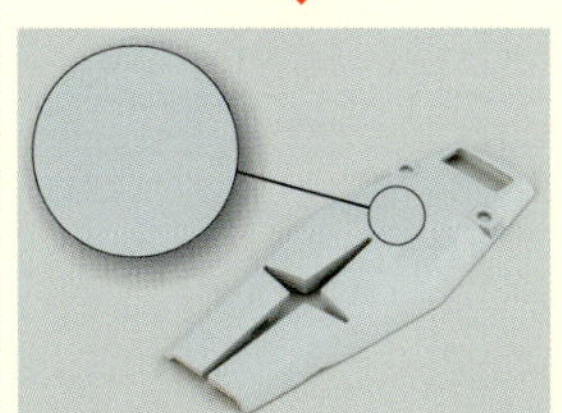

乾燥後、さらにサーフェイサーを吹いたパーツ。細かい粒子が傷を埋めてきれいに消えた。

パーツの透けを防ぐ

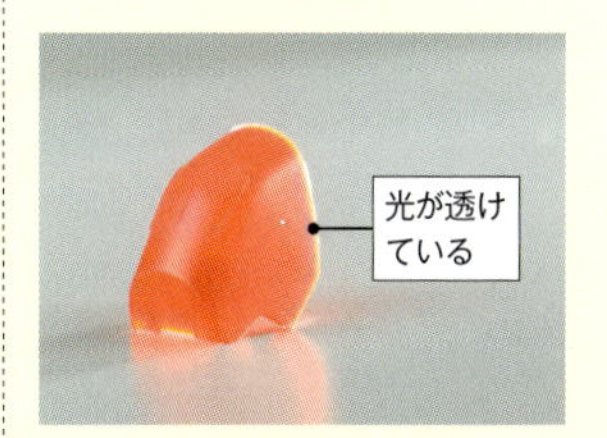

パーツによっては薄くて、光を透かしてしまうものもある。気になる人はサーフェイサーを活用しよう。

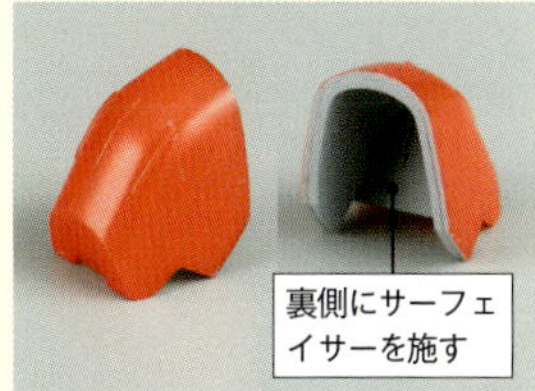

パーツの内側からサーフェイサーを施すと、光が透けるのを防ぐことができる。

プラスα

塗装は下地の色で変わる

塗装を行う際は、下地の色を考慮する必要がある。白などの薄い色(明るい色)の上に黒などの濃い色(暗い色)を塗る場合は問題ないが、濃い色の上に薄い色を塗る場合は、上塗りする色が下地の影響を受けてしまう。右の写真はプラ板に白、グレー、黒のサーフェイサーを施して、その上に赤い塗料で塗装したもの。使用した塗料は同じだが、仕上がりの色味が異なっていることがわかる。

白のサフに赤い塗料を吹いた

白いサーフェイサーの下地に赤を塗ると、明るい仕上がりになる。

グレーのサフに赤い塗料を吹いた

グレーのサーフェイサーの下地に赤を塗ると、塗料本来の色味に近くなる。

黒のサフに赤い塗料を吹いた

黒いサーフェイサーの下地に赤い塗料を塗ると、かなり暗い色になる。

コート剤の種類と使い方

▶ コート剤は透明の粒子をつけるもので、「パーツ表面のつやをコントロールする」「ウェザリングの塗料やパステルを定着しやすくする」「表面を保護する」などの目的で使われる。
▶ 主に「光沢」「半光沢」「つや消し」の3種類があり、それぞれ「水性」と「溶剤（ラッカー）系」がある。

コート剤はサーフェイサーと異なり、透明の粒子をパーツ表面につけるものです。主な用途は、**「パーツ表面のつやをコントロールする」「ウェザリングの塗料やパステルを定着しやすくする」「表面を保護する」**の3つ。とくに「つやのコントロール」が重要で、「光沢」「半光沢」「つや消し」の3種類を使い分けることで、仕上がり具合を調整できます。「つや消し」はプラスチック特有のテカテカ感をなくし、**オモチャっぽさをなくす**ことができるので人気です。

オススメのコート剤

缶スプレータイプ

よく振ってからキットに吹きつけるだけで、キットの表面のコーティングができるので便利。

トップコート（水性スプレー）
GSIクレオス
水性なので、水性塗料で塗装したときの表面コーティングに最適。「光沢」「半光沢」「つや消し」の3種類。溶剤系とくらべると弱いが、においはある。

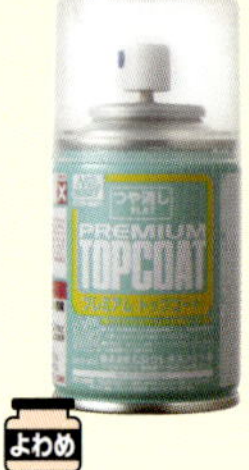

Mr.プレミアムトップコート
GSIクレオス
水性で、においはひかえめ。キメが細かく、白化しにくくなっている。水性なので、塗装に使った塗料を選ばず使用できる。「光沢」「半光沢」「つや消し」の3種類。

Mr.スーパークリアー（溶剤系スプレー）
GSIクレオス
溶剤系素材なので塗膜が強いが、水性塗料の上に使用できない。「光沢」「半光沢」「つや消し」の3種類。においは強い。

Mr.スーパースムースクリアー（溶剤系スプレー）つや消し
GSIクレオス
つや消しでも、キメが細かく、白化しにくくなっている。パーツがこすれ合うところに吹いておくとよい。成型色仕上げでも、塗装したような質感に仕上げられる。上からウェザリングもできる。

ビン入りタイプ

エアブラシに入れて吹くことができる。コート剤というよりも、塗料ラインアップの1つとして発売されていることが多い。

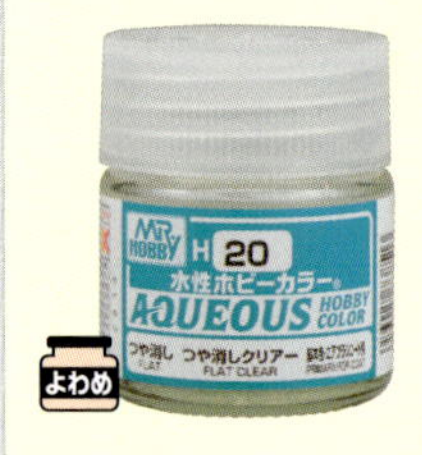

水性ホビーカラー つや消しクリアー（H-20）
GSIクレオス
エアブラシで吹くことでコート剤として使える。ほかに、「クリアー（H-30）」がある。

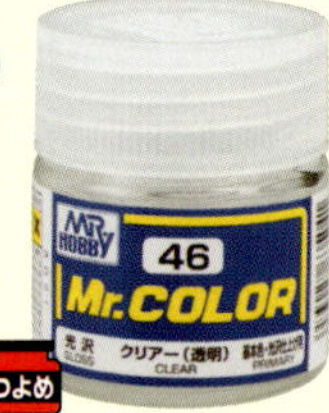

Mr.カラー クリアー（透明）（C46）
GSIクレオス
エアブラシによるコーティングが可能。ほかに「スーパークリアー半光沢（C181）」「スーパークリアーつや消し（C182）」がある。

プラスα 色あせを防ぐUVカットタイプもある

日光や屋内の照明の影響によって、せっかく塗装した色があせてしまうことがある。そのような色あせを防ぐものとして、紫外線をカットするタイプのコート剤も発売されている。

Mr.スーパークリアUVカット（溶剤系スプレー）
GSIクレオス
紫外線の影響を軽減する特殊なクリアー塗料を使用。「光沢」と「つや消し」の2種類。

用途 コート剤の大きな役割はパーツの表面を保護し、つやをコントロールすること。ほかにも細かい粒子が付着することで、塗料のノリ（食いつき）をよくする効果もある。

表面のつやをコントロールする

≫詳しくは右ページ

主に「光沢」「半光沢」「つや消し」の3種類があり、目的に応じて使い分けることで表面のつやをコントロールすることができる。

塗料などを定着しやすくする

≫詳しくはP.176

成型色を活かしたままウェザリングを行う場合、事前につや消しのコート剤を施しておくと、ウェザリングの塗料やパステルのノリがよくなる。

表面を保護する

≫詳しくはP.177

塗装やウェザリングをした場合、はがれ落ちないように保護するためにも使われる。

使い方

缶スプレーはよく振ってから吹きつける。ビン入りは希釈してから、エアブラシに入れて使う。

缶スプレーは使用前によく振る

缶スプレーは、そのまま吹きつけて使う。その際、塗装用の缶スプレーなどと同じように、使用前によく振って中の成分を混ぜ合わせよう。

ビン入りは使用前に希釈する

ビン入りはエアブラシを利用して吹くのが一般的。コート剤の種類に合った溶剤で希釈してから使用する。

エアブラシに入れて吹く

ビン入りは塗料の１種でもあるので、基本的な吹き方は塗料と同じ。薄く吹きつけて、重ね塗りしていく。

つやの種類

コート剤には、主に「光沢」「半光沢」「つや消し」の３種類がある。光沢はパーツの表面がピカピカと輝き、つや消しは落ち着いた質感に仕上がる。半光沢はその中間だ。

光沢

◀HGUC キュベレイMk-Ⅱ

光をよく反射してピカピカの仕上がりになる。「合金」のイメージで仕上げたいときやメタリック塗装の輝きを増したいときなどに有効。

半光沢

光沢とつや消しの中間の仕上がりで、元のキットの光沢度合いに近い。吹き方にもよるが、わずかにつやが残る。

つや消し

光沢感がなくなるので、とくに輝かせたい場合でなければつや消しがオススメ。

使用時の注意点

コート剤の大きな役割はパーツの表面を保護し、つやをコントロールすること。ほかにも細かい粒子が付着することで、ウェザリングの塗料やパステルのノリ（食いつき）をよくする効果もある。

環境に注意する

とくに溶剤系のコート剤は塗膜が強い半面、ラッカー系と同じようににおいが強いので換気を意識して作業しよう。

⚠ 窓を開ける

⚠ 換気扇を回す

⚠ マスクや手袋などをつける

使用した塗料によって使い分ける

塗装後の表面保護としてコート剤を使う場合、使った塗料の種類に応じて、コート剤も使い分ける必要がある。たとえば、アクリル塗料で塗装した上から、溶剤系のコート剤を吹くと、塗装を侵食してしまうことがある。

コート剤の種類 ＼ 塗料の種類	水性	溶剤系
アクリル（水性）系	○	×
新水性	○	○
エナメル系	○	○
ラッカー系	○	○

さまざまな塗装&乾燥用ツール

▶ たくさんの塗装サポートツールが市販されているので、必要性や予算などに応じて揃(そろ)えていこう。とくに室内でエアブラシや缶スプレーを使用する場合は、**塗料の飛び散りや換気に配慮した塗装環境**をつくる必要がある。

▶ 新聞紙や段ボールなど、**身の回りで活用できるもの**も多いので創意工夫しよう。

塗装環境用ツール

塗装時に気をつけたいのは、塗料の飛び散りと換気。室内でラッカー塗料などを使う場合は、塗装ブースを設けて安心・安全に作業しよう。

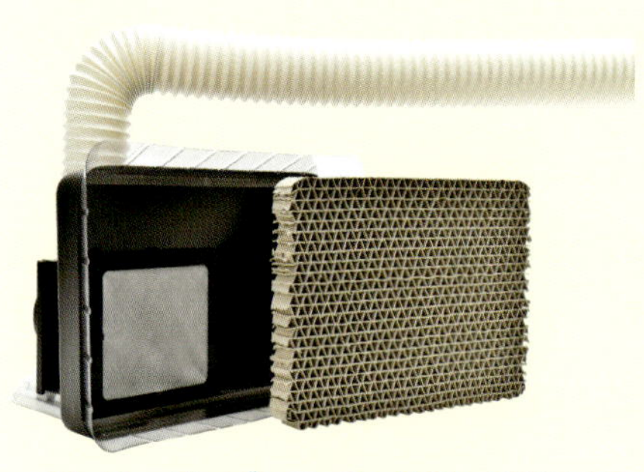

Mr.スーパーブース コンパクト／GSIクレオス

室内でエアブラシの作業ができる塗装ブース。強力モーターによって、塗料ミストをぐんぐん吸い込む。音も静か。従来品から吸気の有効面積は保ったまま、コンパクトになって使いやすさが向上した。

Mr.スーパーブース用 ハニカムフィルター
GSIクレオス

Mr.スーパーブース用の別売り付け替えフィルター。フィルターが汚れて、機能が落ちたら付け替えよう。

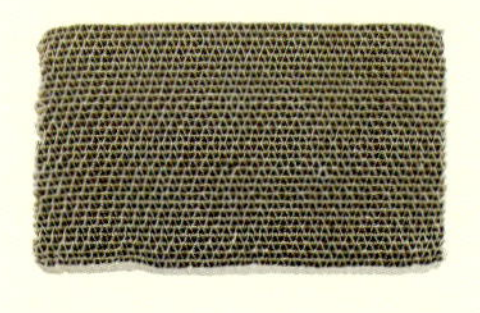

スプレーワーク ペインティングブースII(ツインファン)／タミヤ

タミヤから発売されている塗装ブース。ファンを1つ装備したシングルファンタイプもある。

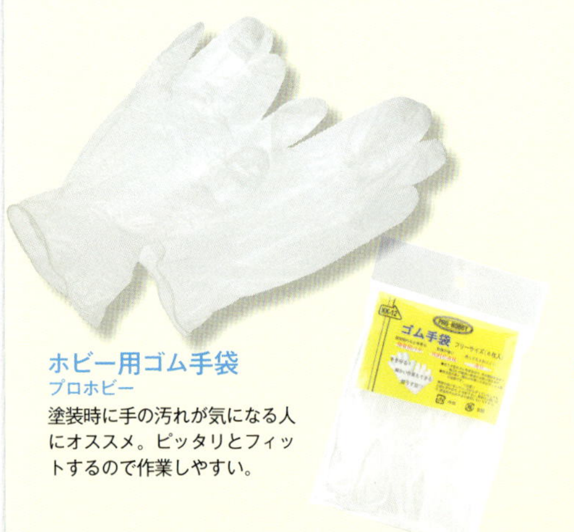

ホビー用ゴム手袋
プロホビー

塗装時に手の汚れが気になる人にオススメ。ピッタリとフィットするので作業しやすい。

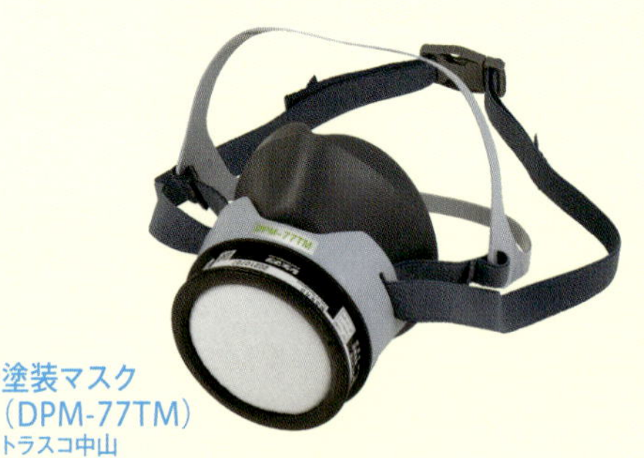

塗装マスク(DPM-77TM)
トラスコ中山

有機溶剤から発せられるガスを取りのぞいてくれる、軽量小型マスク。吸収缶が切れたら、別売りのものを入手しよう。

タミヤエプロン(ミニ四駆ブルー)／タミヤ

塗料が飛び散っても服が汚れないようにするためのエプロン。

塗装作業用ツール

塗装作業を行うときにあると重宝するツール。安全性や精度を高めるために、必要に応じて手に入れよう。

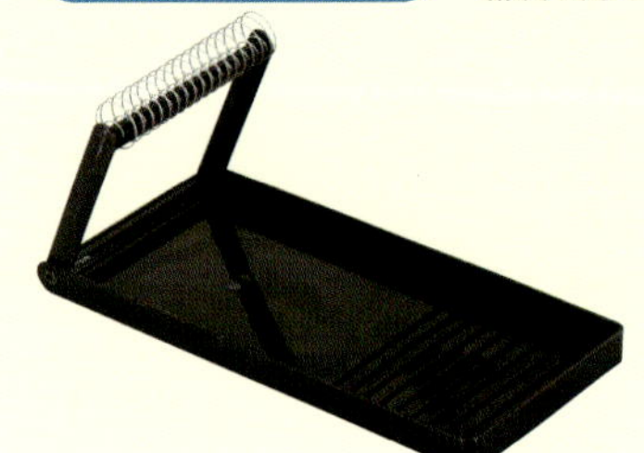

Mr.筆置き／GSIクレオス

塗装中の筆を置くためのツール。筆を置く部分は特殊形状のスプリングになっているので、筆がしっかり固定される。

ペインティングクリップM(20本入り)
ハイキューパーツ

パーツをクリップにはさむことで、手を汚さずに塗装作業ができる。クリップがより薄型になるなど、リニューアルされた。オールメタル製なので、溶剤や塗料にも強く長持ちする。

プラスα アウトドア用ヘッドライトのすすめ

模型用ツールではないが、アウトドアショップなどで購入できるヘッドライトも便利。頭につけて前方を照らすライトだが、手元が暗くて見えにくいときに威力を発揮する。いろいろな価格、性能のものが市販されているので店頭でつけるなどして、使いやすいものを選ぼう。

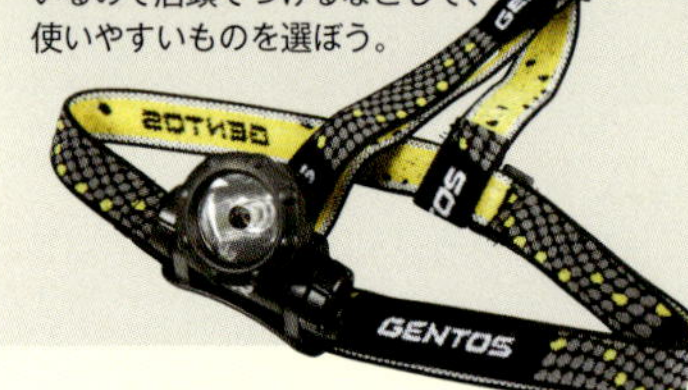

マスキング関連ツール

マスキングとは塗りたくない部分を覆う作業のこと。マスキングツールは、大別するとテープタイプとゲルタイプの2種類がある。

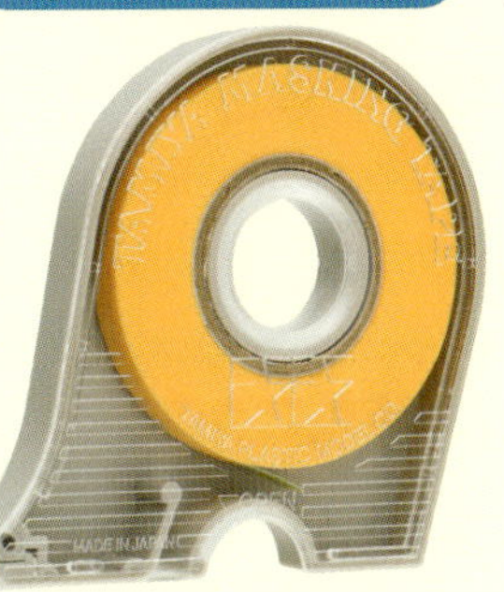

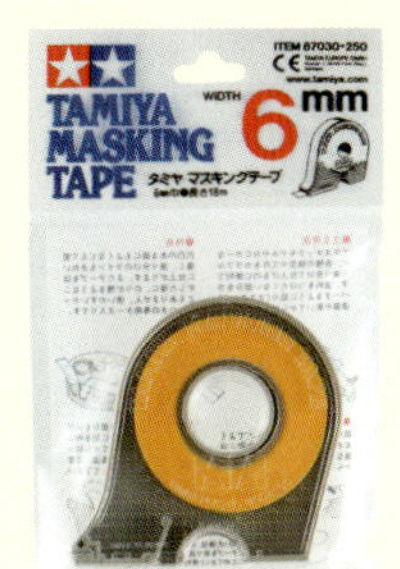

マスキングテープ6mm／タミヤ

模型用に開発された、薄くて接着力の強いテープ。テープカッターがついた専用透明ケースが付属している。テープ幅はほかに「10mm」「18mm」など。

Mr.マスキングゾルNEO
GSIクレオス

独自のゴム系の素材でできており、曲面や細かい部分のマスキングも簡単。乾燥後はスムーズにはがすことができる。容量25mℓ。

Mr.マスキングゾル改
GSIクレオス

安全性に配慮した水溶性のマスキングゾル。「NEO」とのちがいは乾燥したら、カットしてはがすことができること。容量20㎖。

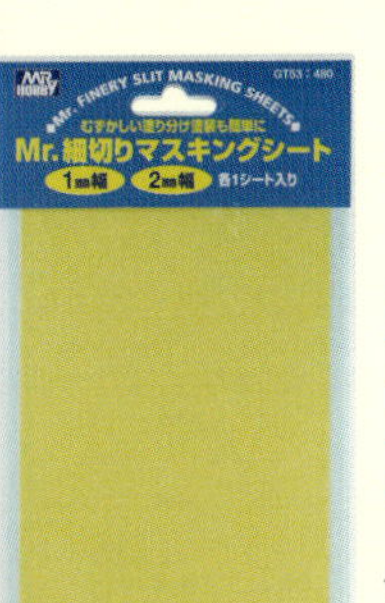

Mr.細切りマスキングシート1mm幅/2mm幅セット
GSIクレオス

1mm幅と2mm幅の切れ込みが入っていて、すぐに細いマスキングテープとして使える。長さは166mm。

HGステンレスT定規【L】
／ウェーブ

T字形の金属製定規。マスキングテープのカットやプラ板に直角線をけがく（スジ彫りをする）などに使える。目盛りが彫られているので、長く使っていても目盛りがなくなることはない。

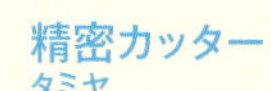

精密カッター
タミヤ

シャープな切れ味で、マスキングテープのカットに便利。にぎりやすくて使いやすい。プラスチックを切ることはできないので要注意。

乾燥用ツール

塗った塗料を乾燥させるのには、ある程度の時間が必要。乾燥中にパーツが落ちて汚（よご）れたりしないように、乾燥用ツールも用意しておきたい。

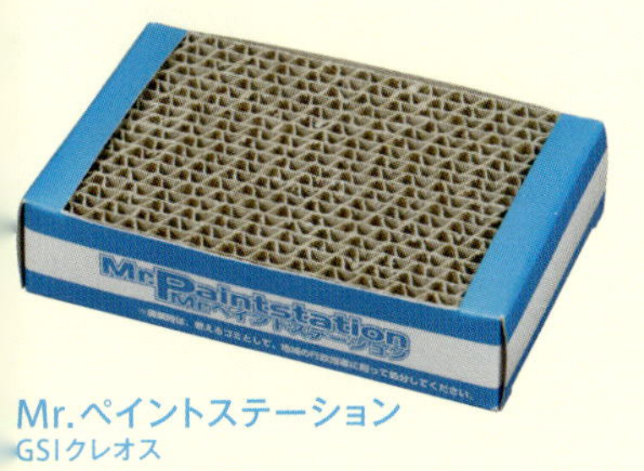

Mr.ペイントステーション
GSIクレオス

ペインティングクリップなどを差して固定できる乾燥台。

食器乾燥機

一般の食器乾燥機を乾燥ブースにしている人も多い。専用の乾燥ブースのような安心感はないが、乾燥を早めてくれる。

身の回りのもの

模型専用ではないものでも、塗装に使えるツールは数多い。
予算の問題で専用ツールを購入できない人は、身の回りのものを工夫して使おう。

新聞紙

塗装時の養生に使ったり、段ボールでつくる簡易塗装ブース（→P.101）に詰め込んだり、何かと役に立つ。

段ボール

段ボールを使えば、簡易塗装ブースを自作できる。

ウエス

ウエスとは、清掃に用いられる布切れのこと。着古したTシャツなどでもよい。

塗装プランを考える

▶ ガンプラは成型色のままでもすばらしい仕上がりになるが、**塗装をするとさらに完成度が高まる。**
▶ 塗装はいろいろなやり方があるが、初心者には**「素組み+スミ入れ+コート剤」の「かんたんフィニッシュ」**がオススメ。
▶ **「全体的に塗るのか」「部分的に塗るのか」**、自分なりのプランを決め、道具やテクニックを選択していこう。

手軽にできる
スミ入れだけでも
やろうかな?
いや、部分的に
塗るだけでも
印象が変わるなら
チャレンジ
してみようか?
それならいっそ
全体的に塗り替えて
オリジナル機を
つくるか?
コート剤を
吹きつけると
光沢具合を調節
できるの!?
そもそも予算や
作業時間は
どれくらい
用意しようか?

現在のガンプラは最初からある程度色分けされているので、そのまま組んでもよい仕上がりになります。さらに**塗装をすれば、完成度はグンと高まります**。塗装は、ガンプラの大きな楽しみの1つでしょう。

「スミ入れする」「部分的に塗る」「全体的に塗る」「コート剤で光沢具合を整える」など、塗装にはいろいろな方法があり、それを実現するための塗装テクニックも数多くあります。そこで、まずは自分なりに「どのように仕上げるか」のプランを組み立てましょう。

こいつ、
"かんたん"なのに
よい仕上がりだぞっ

初めての人にオススメの塗装プラン

初めてガンプラ塗装に挑戦する人には、**「かんたんフィニッシュ」がオススメ**。必要な道具は、**スミ入れペン(→P.92)とコート剤の2つだけ**。手軽にできて、素組みとはちがう仕上がりを味わうことができる。「かんたんフィニッシュ」の流れは右のとおり。

「かんたんフィニッシュ」はこうやる!

1 素組みをする

説明書どおりに、キットを組み立てる。

2 スミ入れをする

モールドやくぼみ、段差をスミ入れペンで塗る。

3 コート剤を吹く

コート剤(オススメは「つや消し」)を吹く。

スミ入れはどうする?

スミ入れとは専用のスミ入れペンや筆を使ってモールドやくぼみ、段差をなぞり、立体感を強調するテクニック。手軽に印象を変えることができる。よく使われるのは「ガンダムマーカー スミいれペン シャープ」など。

素組みしただけのガンダムの顔。十分かっこいいが何かが足りない。

スミ入れをしたガンダムの顔。陰影がついて、立体感が増した。

専用のスミ入れペンを使うと、手軽にスミ入れすることができる。

塗装する場合のスミ入れの注意

塗装する場合は塗装後にスミ入れするのが一般的だが、塗装したパーツに「ガンダムマーカースミいれ/極細タイプ」を使うと、下に塗った塗装を溶かしてしまうことがある。塗装後は「ガンダムマーカー スミいれペン シャープ」を使うか、「スミ入れ塗料(→P.73)」を使うとよいだろう。

コート剤は何を使う?

コート剤は、つやの調整や塗装などの保護を目的としたもの。ガンプラでは、主に最後の仕上げとして使われる。基本的に「光沢」「半光沢」「つや消し」の3種類があり、どれを吹きつけるかによって仕上がりが変化する。

つるつるしたクリア層ができることで光を反射し、ピカピカに光を放つ仕上がりになる。

光沢とつや消しの中間くらいの仕上がりで、素組みのキットに吹いた場合の変化は小さい。

ざらざらしたクリア層ができるため、光をあまり反射せず、落ち着きのある仕上がりになる。

コート剤はこう吹く!
光沢

専用の缶スプレーなら手軽に吹くことができる。エアブラシを使ってビン入りのクリア塗料を吹く方法もある(→P.123)。

どのように塗装する?

塗装には、とてもたくさんの方法がある。「部分的に塗るのか」「全体的に塗るのか」、全体的に塗るなら「どのように塗っていくのか」、あるいは「メタリックやパールなど輝く塗装にするのか」。自由な発想で楽しもう。

部分的に塗る

設定カラーになっていない部分を塗る、シールを貼る代わりに塗って質感を変える、バーニアや動力パイプなどを塗ってディテールアップするなどの方法がある。少しの手間で大きな変化を与えられる。

説明書やパッケージ写真やアニメ映像などと比較して、成型色では色分けされていない部分を塗る。

シールでは周りと変わってしまう質感を、塗装によって整えることができる。

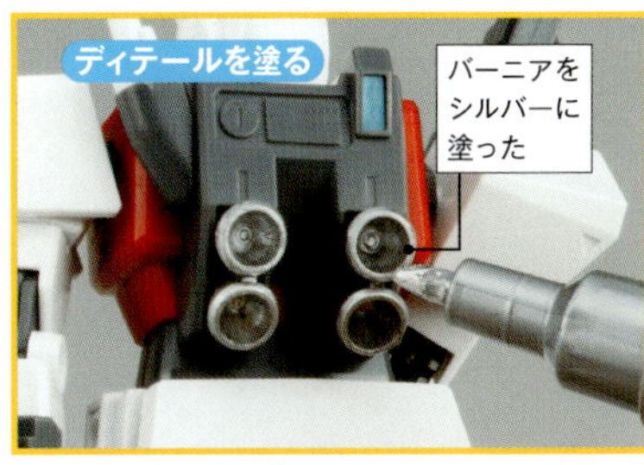

バーニアや動力パイプなど、モビルスーツの材質に合わせて塗り分けることで、手軽に凝った仕上がりになる。

全体的に塗る

別のバリエーション機にする、完全にオリジナルのカラーリングにする、設定カラーどおりに塗り替えるなど、さまざまな考え方がある。また、光沢、メタリック、パールなど、見栄えを大きく変える塗装方法もある。

小説やゲームなどに登場するモビルスーツの中には、キット化されていないものもあるが、塗装によってそれらのモビルスーツをつくることができる。また、自由な発想で、別パイロットの専用機の色に替える手もある。

ガンプラづくりには、「こうあるべき」という決まりはない。だから、塗装も自由に楽しもう。コンセプトを決めるなら、写真のような迷彩塗装もオススメ。どのような戦場で戦うのかを考えて、オリジナルの機体をつくろう。

キラキラ塗装を行う
「HGFC マスターガンダム&風雲再起」のマスターガンダムをメタリック塗装した。金属色に輝く機体となった

光沢塗装(→P.128)やメタリック塗装(→P.132)やパール塗装(→P.138)のように、きれいな輝きを放つように仕上げる塗装も人気が高い。キラリと輝く姿には、プラモデルとは思えないほどの美しさがある。

設定カラーどおりに塗装する

設定カラーどおりに塗り替える手もある。素組みの色に近い仕上がりとなるが、「細かい塗り分けができる」「合わせ目消しをした場合、その跡を完全に隠せる」「プラモデルの質感をなくすことができる」など、メリットは少なくない。

キホン

スミ入れの基本

- ▶ パーツの**モールドやくぼみなどに沿って、黒などの塗料で着色すること**を「スミ入れ」という。専用のスミ入れペンを使えば手軽に行えて、陰影がついて**機体の立体感を強調**することができる。
- ▶ スミ入れは、**専用のスミ入れペン**を使うほか、**ビン入りの塗料で行う**方法もある。

スミ入れとは、パーツのモールドやくぼみ、段差などを塗料で着色して、陰影を表現するテクニックのことです。機体の立体感を強調することができます。**専用のスミ入れペンで塗る方法**と、**ビン入りの塗料で塗る方法**の2つがあります。

モールドなどに沿ってていねいに塗料を塗っていくだけですが、それだけで見栄えが大きく変わります。**「どこにスミ入れするか」「何色でスミ入れするか」は好みに応じて決めてOK**。自分好みのスミ入れを見つけましょう。

Before

RG MSZ-006 ゼータZガンダム

After
モールドなどが黒く着色されて立体感が増した

スミ入れに使う専用ペン

手軽にスミ入れを行いたい人は、専用のスミ入れペンがオススメ。「ガンダムマーカー」シリーズ（→P.68）では、さまざまなスミ入れペンがラインアップされている。

タイプ	使用するペン	マーカーの写真	使い方	メリット	デメリット
書き込みタイプ ≫詳しくはP.94	ガンダムマーカー スミいれペン シャープ	GUNDAM スミ入れペン SHARP 0.3mm	モールドなどに沿ってなぞる	手軽にきれいなラインを書きやすい	ペン先が届かないところにはスミ入れができない
流し込みタイプ ≫詳しくはP.95	ガンダムマーカー 流し込みスミ入れペン※	GUNDAM MARKER	モールド上の1点にペン先を当てて、塗料を流し込む	細いモールドや奥まったところもスミ入れができる	モールドではなく、合わせ目に塗料が流れることがある
ふき取りタイプ ≫詳しくはP.96	ガンダムマーカー スミいれ ふでぺん 水性 ふきとりタイプ	GUNDAM MARKER	全面を塗ったあとにふき取る	細かい彫刻部分にもスミ入れができる	ふき取り方次第で仕上がりが変わるので、きれいに仕上げるのが難しい

※「塗装の上から使用した場合、インクが下地の塗料を溶かす」「使用後にコート剤を吹くと、にじむ場合がある」「メッキパーツの上から使用するとメッキ面を溶かす」などの注意点がある。

色のちがいによる効果

スミ入れは黒系の塗料で行われることが多いが、好みに応じて色を替えるとちがった印象に仕上がる。

黒でスミ入れをした場合

黒のスミ入れペンを使用してスミ入れした。モールドがくっきりと浮かび上がり、立体感が増す。

グレーでスミ入れをした場合

グレーのスミ入れペンを使用。黒ほど強い印象はないが、やわらかい陰影を表現することができる。

プラスα スミ入れのカラーを替える

「青いパーツには黒でスミ入れ」「赤い部分には茶色でスミ入れ」など、パーツの色に合わせてスミ入れのカラーを替えると、さらに機体の立体感が引き立つ。下の写真はオススメの組み合わせだが、ほかにもさまざまなパターンがあるので、自分なりにいろいろと試してみよう。

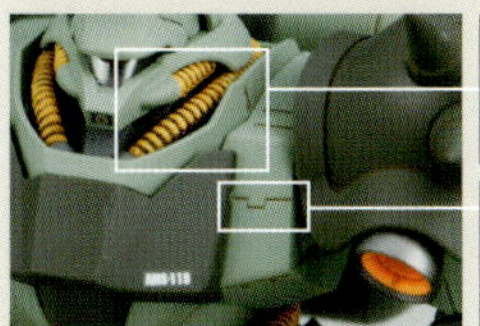

黄色の動力パイプに茶色でスミ入れ

グレーや緑のパーツも茶色でスミ入れ

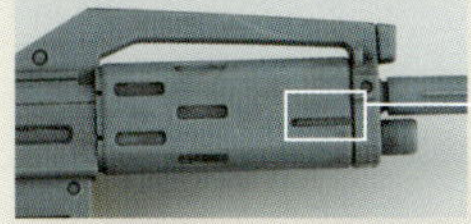

グレーのパーツに黒でスミ入れ

青のパーツに黒でスミ入れ

赤のパーツに茶色でスミ入れ

白のパーツに青でスミ入れ

道具の選び方

スミ入れする部分の形によって、使用するアイテムを使い分けると、作業効率や仕上がりがアップする。とくにオススメなのが、ガンダムマーカーの「書き込みタイプ」と「流し込みタイプ」だ。

A バルカン砲などのくぼみ

B パーツの段差

C 細かく張りめぐらされたモールド

A くぼみは「書き込み」か「流し込み」で

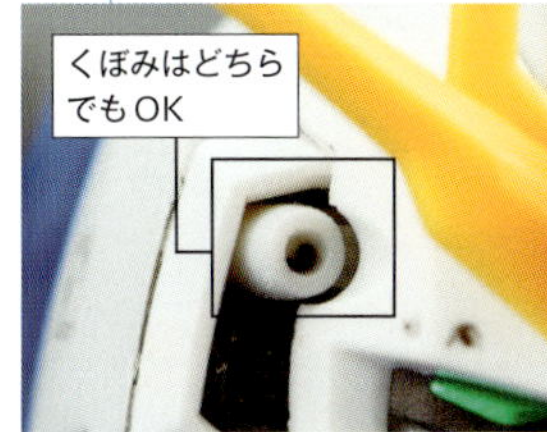

くぼみはどちらでもOK

バルカン砲の穴などのくぼみには、書き込みタイプか流し込みタイプのペンの先端を差し込んでスミ入れする。

B 段差は「書き込み」で

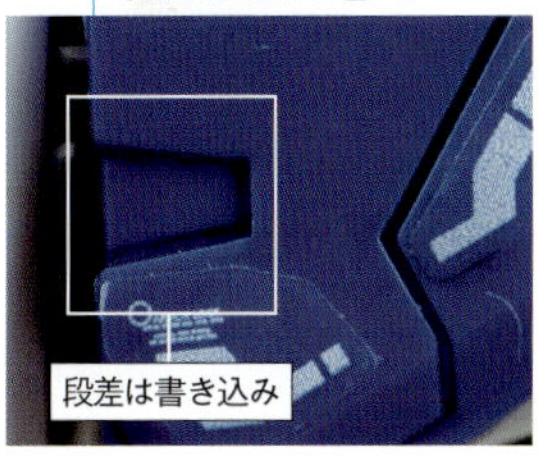

段差は書き込み

段になっているところは、書き込みタイプで。モールドとはちがい、ペンがズレやすいので慎重に。

C 細かいモールドは「流し込み」で

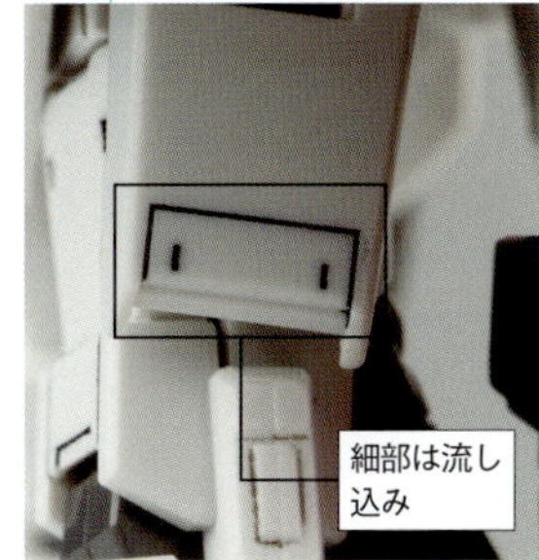

細部は流し込み

張りめぐらされるようにモールドが細かく入った部分は、流し込みタイプのほうが適している。

プラスα 迷ったらパッケージでチェック

実際にスミ入れするとき、どこに入れるか迷うことも多い。そのような場合はパッケージや説明書などで塗装見本を確認すると、強調するとよさそうなラインがわかる。

スミ入れをする①
書き込みタイプのスミ入れ

難易度：かんたん／ふつう／むずかしい
におい：しない／よわめ／つよめ

- ▶ 書き込みタイプのスミ入れは、**モールドに沿ってペンでなぞって着色する**。
- ▶ **はみ出した場合は、消しゴムなどで消し**、再度塗り直して修正する。
- ▶ 幅が狭いモールドには、**先端をとがらせて使う**ときれいに書ける。

モールドやくぼみなどをなぞるようにペンで着色していくのが、書き込みタイプのスミ入れの方法。直感的に作業することができ、**準備するものもスミ入れペンと修正用のツールだけでよいので初級者にもオススメのテクニック**です。オススメのペンは、GSIクレオスの「ガンダムマーカー スミいれペン シャープ」。0.3mmの極細芯で濃いめの芯を採用した、スミ入れ用のシャープペンです。紙などにななめにこすって芯をとがらせれば、細部まで芯の先端が入ります。

使用する道具

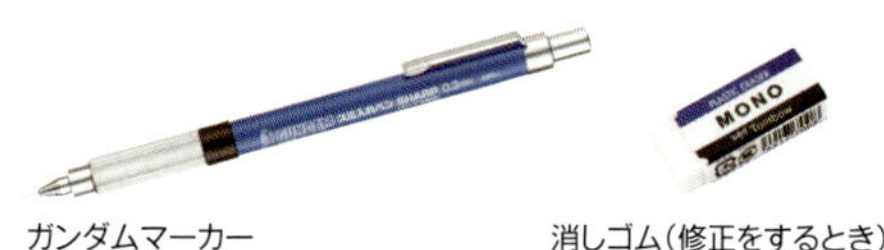

ガンダムマーカー スミいれペン シャープ　　消しゴム（修正をするとき）

書き込みタイプでスミ入れする方法

書き込みタイプでのスミ入れは、モールドに沿ってシャープペンでなぞるようにして塗るだけ。とても手軽にできる。

1 モールドに沿ってペンでなぞる

シャープペンの先端をモールドに当てて、描いていこう。薄いときは、何度か重ね描きして濃くしていく。

NG はみ出しに要注意

書き込みタイプのスミ入れは決して難しいものではないが、はみ出してしまうこともある。焦らず、ていねいに作業しよう。

2 はみ出した部分を修正する

はみ出したら消しゴムで消す。消しゴム以外に、練り消しなどを使って微調整することもできる。

3 仕上がりを確認する

「描き残しがないか」などを確認。コート剤（→P.86）を吹いておくと、シャープペンのカーボンが落ちにくくなる。

POINT モールドの太さに応じてペンを使い分ける

書き込みタイプで、幅の狭いモールドにスミ入れする場合、使用するペンのペン先が太いとモールドの奥まで届かないことがある。この場合は、ペン先の細いペンを使うようにしよう。または流し込みタイプを使うと、モールドの奥まで着色できる。

狭いモールドには届かない場合がある!

モールドの幅に対してペン先が太いと、下図のように奥まで塗料が届かずにラインが二重になってしまう。

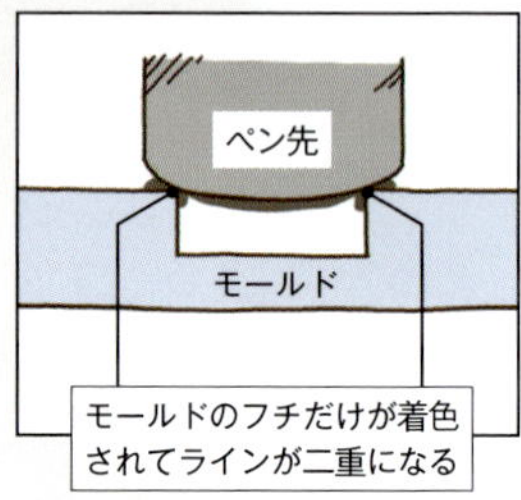

ペン先の細いペンを使う

幅が狭いモールドにスミ入れする場合はペン先の細いものを使う。塗料が奥まで届いてしっかり塗れる。

ガンダムマーカー スミいれ／極細タイプ／GSIクレオス
油性ペンタイプのスミ入れペン。ブラック、グレー、ブラウンの3色がある。くっきりとスミ入れできる。

コピックモデラー0.02 ブラック／Too
ペン先が細い模型塗装用のペン。ペン先は0.02mm。ブラックのほか、ウォームグレーがある。

テクニック

スミ入れをする②
流し込みタイプのスミ入れ

難易度: **かんたん** / ふつう / むずかしい
におい: **しない** / よわめ / つよめ

▶ 流し込みタイプのスミ入れペンは、**モールドの1点に当てると自然に塗料がモールドに流れていく**。当てる位置をずらして点を打つようにすることで、モールド全体にスミを入れることができる。
▶ **合わせ目に塗料が流れ込まないように気をつける**。もし流れ込んだら、パーツを分解して修正する。

Before
RG MSZ-006 ゼータガンダム

After
細かいモールドに
塗料が流れ込んだ

流し込みタイプのスミ入れは、モールドに沿ってペンでなぞる必要はありません。**ペン先をモールド上の1点に当てると、モールドに沿ってインクが自然に流れ込んでいく**ので、それを繰り返してスミ入れを行っていきます。書き込みタイプにくらべて、**より細かいところや奥まったところをスミ入れしやすい**というメリットがあります。上手に使えばスミ入れの作業効率を上げられるので、部位に応じて書き込みタイプなど使い分けるとよいでしょう。

使用する道具

GUNDAM MARKER
MONO

ガンダムマーカー
流し込みスミ入れペン※

消しゴムや消しペン、ティッシュなど
(修正をするとき)

流し込みタイプでスミ入れする方法

流し込みタイプは、モールド上に点を打つようにしてスミ入れしていく。ペンを当てたところに跡が残ったら、修正して自然な仕上がりにしよう。

1 ペン先をモールドに当てる

ペンを動かさなくて
もインクが流れ込む

モールド上の1点にペン先を当てる。写真のように、細かくモールドが張りめぐらされた部分で威力を発揮する。

2 少し離れたところにペンを当てる

インクが止まったところに、再びペン先を当てる。モールドが分岐しているところに当てると効率がよい。

3 モールド全体にインクを流し込む

対象のモールド全体にスミ入れをしていく。流し込みタイプを使うと、モールドの奥まで着色できる。

4 はみ出しを修正する

ペン先を当てたところに
丸い跡が残ることが多い

はみ出しやペン先を当てた跡は、乾燥後に消しゴムで消す。消しペンを塗ってティッシュなどでふき取ってもOK。

5 仕上がりを確認する

「塗り残しがないか」などを確認。コート剤(→ P.86)を吹くと、インクが落ちる心配がなくなる。

プラスα 合わせ目へ塗料が流れ込んでしまったら?

流し込みタイプでスミ入れするときによく起こるトラブルが、パーツの合わせ目など、スミ入れしたくないミゾに塗料が流れ込んでしまうこと。修正するためにはいったんパーツを分解し、合わせ目部分についた塗料を消しペンなどで消す。
また、あらかじめ分解してからスミ入れを行えば、このようなトラブルを避けることができる。

合わせ目に塗料が流れた

「ガンダムマーカー 流し込み入れスミペン」でスミ入れをしたところ、合わせ目にまでインクが流れ込んだ。

パーツを分解して修正

消しペンで対応する。パーツを分解し、修正したい部分に消しペンのインク(修正液)を塗り、ティッシュでふき取る。

※「塗装の上から使用した場合、インクが下地の塗料を溶かす」「使用後にコート剤を吹くと、にじむ場合がある」「メッキパーツの上から使用するとメッキ面を溶かす」などの注意点がある。

テクニック

スミ入れをする③ ふき取りタイプのスミ入れ

難易度：かんたん／ふつう／むずかしい
におい：しない／よわめ／つよめ

- ▶ ふき取りタイプは、専用のスミ入れペンで**パーツ全面を塗ったあとに綿棒などでふき取って**仕上げる。
- ▶ **ふき取り加減によって、仕上がりが変化する**。ふき取りすぎたら、再びペンでパーツを塗ってやり直すなど、微調整しながらスミ入れをしよう。

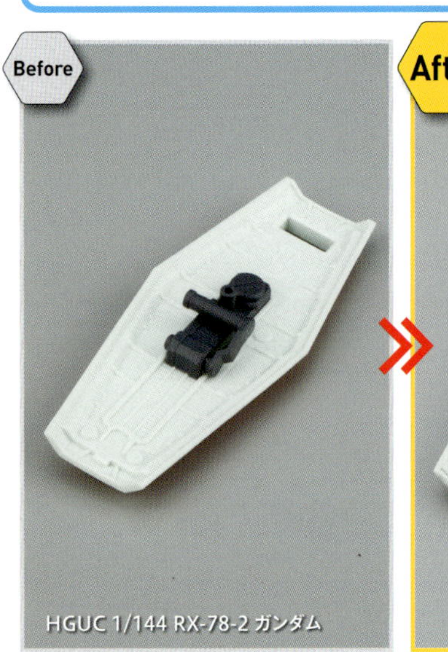
Before
HGUC 1/144 RX-78-2 ガンダム

After
細かい彫刻部分に
陰影がついた

ふき取りタイプによるスミ入れは、**ガンダムのシールドの裏側のような細かい彫刻部分に向いています**。使用するのは、ペン先が筆になっている「ガンダムマーカー スミいれ ふでペン」。はみ出しなどを気にしながら塗る必要はなく、**パーツ全面を大まかに塗っていきます**。そのあと、**綿棒などで塗料をふき取って**仕上げていきます。塗料の残し加減が仕上がりを左右するので、ふきすぎたら再び塗るなど、微調整を行いながら作業しましょう。

使用する道具

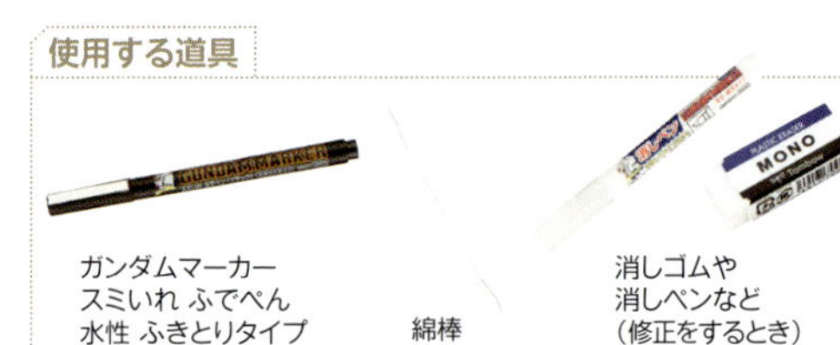
GUNDAM MARKER
MONO

ガンダムマーカー スミいれ ふでぺん 水性 ふきとりタイプ　綿棒　消しゴムや消しペンなど（修正をするとき）

ふき取りタイプでスミ入れする方法

ふき取りタイプはパーツ全面を塗ってから、綿棒などを使ってインクをふき取る。

1 対象のパーツをペンで塗っていく

ふき取りタイプは、写真のシールド裏のような細かい彫刻部分に向いている。モールドを中心にスミ入れしたい部位にガシガシとペンで塗っていく。

2 塗り残しがないことを確認する

モールドを中心に
塗られているよう
な状態になる

スミ入れしたい箇所が全体的に塗られていることを確認。ふき取りタイプを使う場合、細かいはみ出しなどを気にする必要はない。

3 綿棒で塗料をふき取る

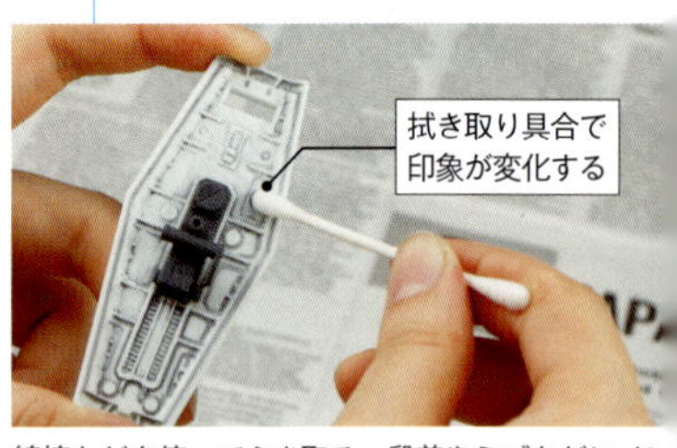
拭き取り具合で
印象が変化する

綿棒などを使ってふき取る。段差やミゾなどにインクが残ることで、スミ入れの効果が得られる。仕上げにコート剤を吹くと、インクが落ちにくくなる。

POINT

ふき取り加減を調整する

ふき取りタイプは、塗ることよりもどのようにふき取るかが重要。インクをどれくらい残すかによって、仕上がりのイメージが変わる。ふき取りすぎたら、もう一度ペンで塗って微調整しよう。

ふき残しが多い

全体的にくすんでいるイメージとなる。

ほどよいふき取り

細かい彫刻が浮かび上がり、立体感が増す。

ふき取りすぎ

薄くてスミ入れの効果があまり感じられない。

スミ入れをする④ スミ入れ塗料のスミ入れ

難易度: かんたん / ふつう / むずかしい

におい: しない / よわめ / つよめ

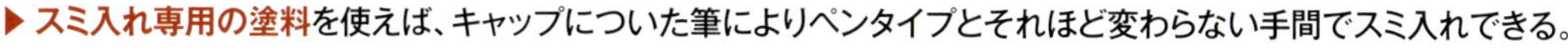

▶ スミ入れ専用の塗料を使えば、キャップについた筆によりペンタイプとそれほど変わらない手間でスミ入れできる。

▶ 溶剤で薄めたビン入り塗料を筆で塗ってスミ入れすることもでき、それには好きな色でスミ入れできるメリットがある。ビン入りの塗料を使う場合には、塗料が自然に流れていくような濃さに希釈（→P.108）する。

HG シャア専用ザクII

赤系パーツに茶のスミ入れで立体感が増した

スミ入れ用のツールの1つに、タミヤのスミ入れ塗料があります。使い方はとても簡単。「流し込みタイプ（→P.95）」のペンと同じように、キャップの裏についている筆先を、モールド上の1点に当てるだけで自然に塗料が流れていきます。

また、スミ入れは溶剤で薄めたビン入り塗料を面相筆（→P.76）で塗って、スミ入れをすることもできます。この方法には、好きな色でスミ入れができるというメリットがあります。

使用する道具

スミ入れ塗料

エナメル溶剤や綿棒など（修正をするとき）

スミ入れ塗料でスミ入れする方法 よわめ

スミ入れ塗料によるスミ入れは、スミ入れペンの流し込みタイプ（→P.95）に近い。モールド上の1点に筆先を当てて、塗料を流し込んでいく。

1 ビンを振って塗料をかき混ぜる

ここではタミヤの「スミ入れ塗料（ブラウン）」を使用。まずは使用前によく振って、塗料の成分をかき混ぜる。

2 筆についた塗料の量を調節する

ビンのフチで軽く落として量を調節
PANEL LINE ACCENT COLOR

キャップの裏側に筆がついているので、キャップを開けたら筆についた塗料の量を調節する。

3 モールドに筆を当てる

専用ペンの「流し込みタイプ」と同じように、モールド上の1点に筆先を当てて、塗料が流れ込むのを待つ。

4 別の点に筆を当てる

モールド上で筆先を当てる点を移動させながら、対象のモールド全体に塗料を流し込んでいく。

5 はみ出しを修正する

塗料のはみ出しや筆先を当てた跡は、乾燥後にエナメル溶剤をしみ込ませた綿棒でふいて修正する。

6 仕上がりを確認する

ひと通りの作業が終わったら、「塗り残しがないか」「濃さに問題がないか」などを確認する。

プラスα 通常の塗料なら好きな色でスミ入れできる

「好きな色でスミ入れしたい」と思ったら、通常のビン入り塗料やMr.ウェザリングカラー（→P.170）を使おう。ビン入り塗料はどの種類のものでもスミ入れが可能だが、それぞれの専用のうすめ液で希釈しよう。塗装したキットの場合は塗料の相性（→P.73）にも配慮すること。

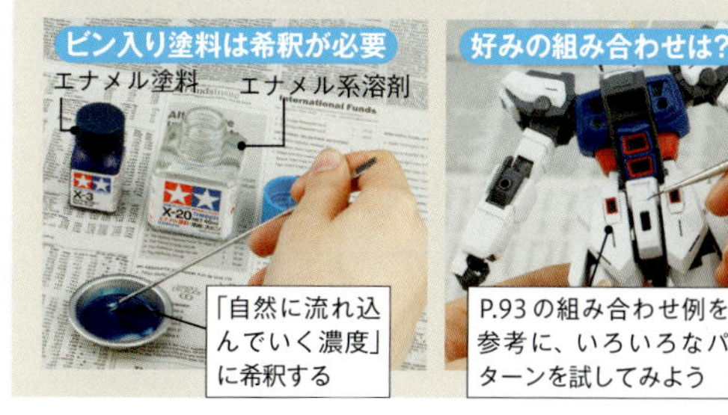

テクニック

塗装前の準備①
ダボとダボ穴を処理する

難易度
かんたん
ふつう
むずかしい

におい
しない
よわめ
つよめ

▶ 塗装をする場合、まず塗装プランを考える。**一度組んだあとに分解する**ほうがスムーズに塗装できることが多い。そのために**仮組み（分解を前提に仮で組み立てること）**を行う。

▶ **仮組みを行う前にあらかじめダボを短くして、ダボ穴を広げておく**と、あとで分解するときに楽になる。

Before
After
ダボをカットし、ダボ穴を広げると分解しやすくなる
HGUC 1/144 RX-78-2ガンダム

「塗装をしよう」と思ったら、まずは「どの部分を、どのように塗るのか」という**塗装プラン（→P.90）を考えます**。その塗装プランによっては、そのあとの作業が変わってきます。たとえば、キット全体を塗り替える場合には、パーツ単位に分解したほうがよい場合があります。その場合には、キットをスムーズに分解できるように、**ダボとダボ穴を処理しておいたほうがよいでしょう。その上で仮組み（分解を前提に仮で組み立てること）**を行います。

使用する道具

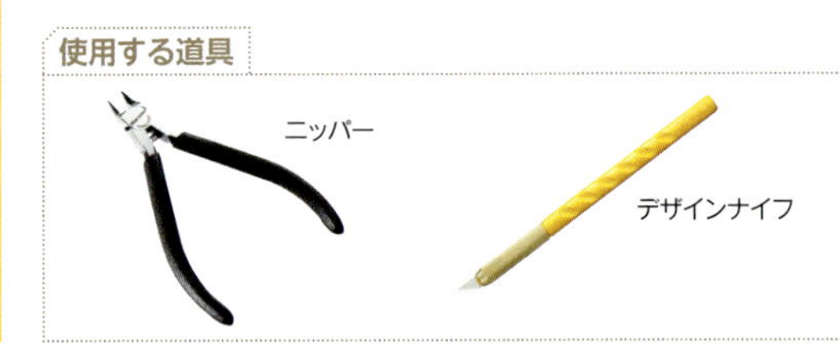
ニッパー
デザインナイフ

タボとダボ穴を処理する方法

ダボはニッパーで半分程度にカット。これだけでも外しやすくなるが、さらにダボ穴をデザインナイフで広げておけば万全だ。

1 ニッパーでダボをカットする

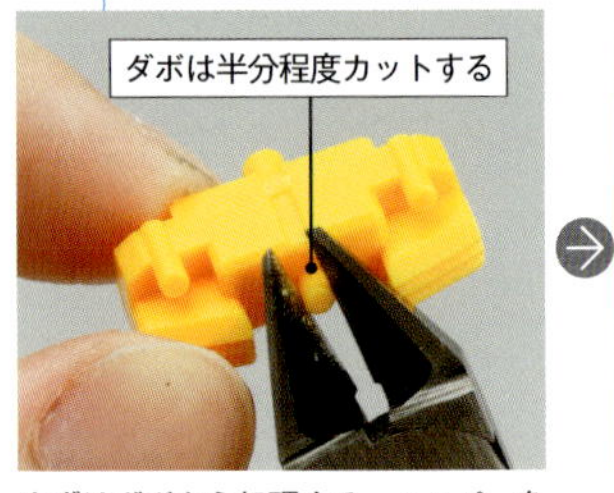
ダボは半分程度カットする

まずはダボから処理する。ニッパーを使って、ダボを短めにカットをする。

2 半分くらい残っていればOK

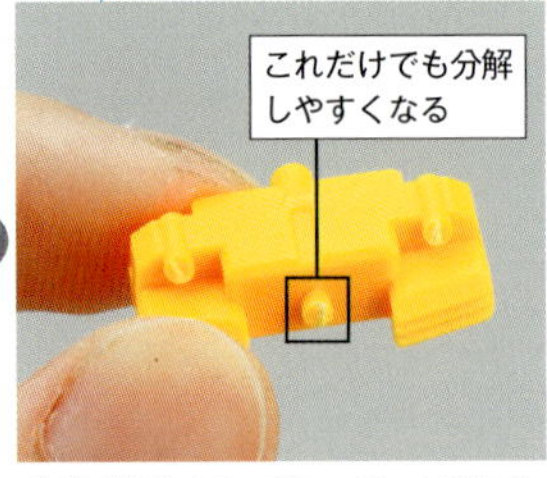
これだけでも分解しやすくなる

ダボは半分くらい残っていればOK。あとで分解するパーツのすべてのダボをカットしておく。

3 デザインナイフでダボ穴を広げる

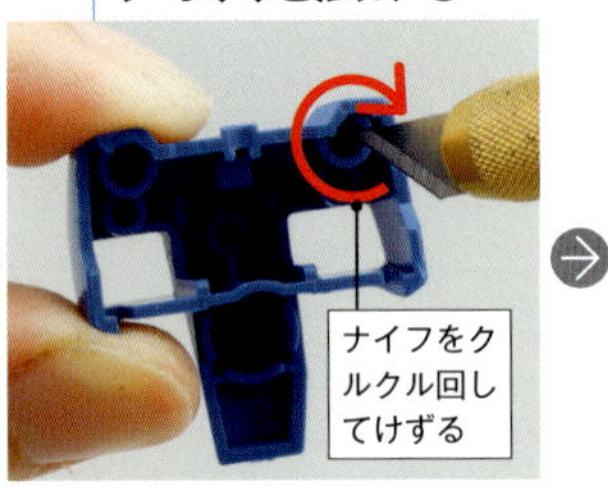
ナイフをクルクル回してけずる

次にダボ穴をデザインナイフで広げる。刃をダボ穴に入れ、ナイフを回してけずっていく。

4 対応するすべてのダボ穴を広げる

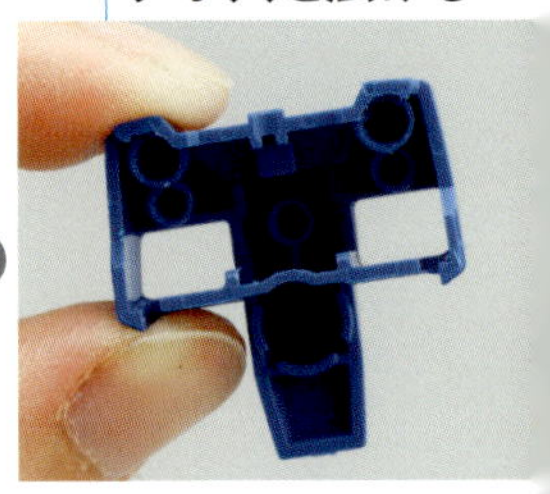

カットしたダボに対応するすべてのダボ穴を広げる。これで仮組み後にスムーズに分解できる。

POINT

ダボの処理は必要に応じて行う

「塗装をしよう」と思ったら、まずは説明書などを参考にしてイメージをふくらませて塗装プランを考える。さらに仮組みしたあとで分解することになるが、ダボとダボ穴の処理は塗装プランに応じて、分解することになる部分だけ行えばよい。仮組み前に塗る場所を確認しておけば、ムダな処理をしなくて済む。

塗装までの流れ

①塗装プランを考える

「どのように塗装するか」を決める。説明書のイラストなども参考になる。

②仮組みする

分解することを前提に組み立てて、塗装する部分を確認する。ダボとダボ穴処理は仮組み前に行う。

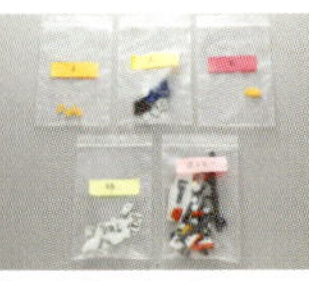

③分解する

塗装プランに応じてキットを分解する。塗装の色ごとに分けると、スムーズに塗装できる。

④塗装用クリップにセット

必要に応じて、分解したパーツを塗装用クリップにセットする。

塗装前の準備②
仮組みと分解

難易度：かんたん／ふつう／むずかしい
におい：しない／よわめ／つよめ

- 仮組み後は、「ゲート跡はきちんと処理してあるか」など、きれいに仕上げるためのポイントを確認する。
- 塗装プランに応じて、塗装前にキットを分解する。塗装する色ごとに分けるとスムーズに塗装できる。
- 缶スプレーやエアブラシで塗装する場合、分解したパーツは塗装用クリップにセットする。

分解前のチェックポイント
パーツ
・パーツはすべてあるか？
・クリアパーツはないか？（塗装前に外しておく）
塗装箇所
・どのパーツをどのように塗るか？
・部分塗装なら成型色を残すのはどこか？
シール
・ホイールシールを使うのか、シールは使用せずに塗装するのか？（シール部分も塗ると質感を統一できる）
ゲート跡
・ゲート跡はきちんと処理してあるか？（していないと、塗装時に目立つことがある）

HGUC 1/144 RX-78-2ガンダム

仮組みをしたら、キットを見て「どの部位を何色で塗るか」を確認しましょう。このとき、「ゲート跡がきれいになっているか」などのチェックもします。それらを確認したら、**塗装しやすいようにキットを分解し、洗浄(せんじょう)します**。分解後は、塗る色ごとにパーツを分けるとスムーズに塗装ができるでしょう。

また、塗装後に再び組み立てるとき、ダボとダボ穴を処理している場合は、接着剤をつけながら組み立てるとパーツが外れないようになります。

使用する道具

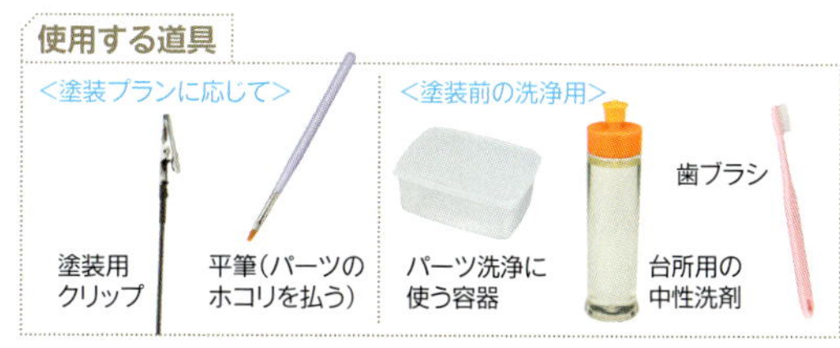

塗装前にキットを分解する方法

全体的に塗装する場合は、事前にキットを分解。

1 手でパーツを分解していく

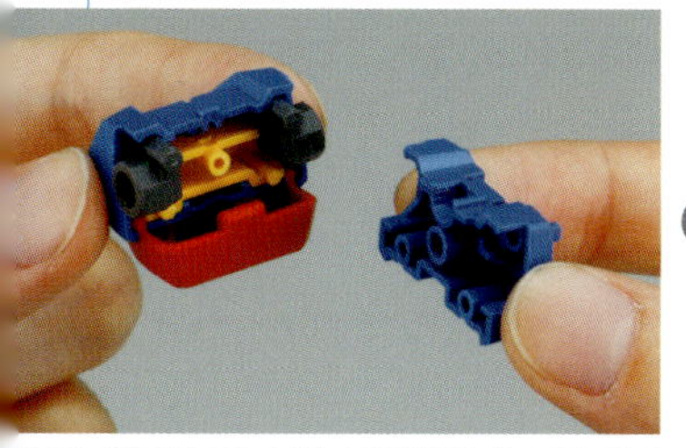
ダボ穴を処理していれば、手で簡単に外すことができる。パーツを傷つけないように注意。

2 分解して塗る色ごとに分ける

分解したパーツは、塗装プランにしたがって塗る色ごとに分ける。成型色を残すパーツもまとめておく。

プラスα 組み立てたパーツを外したいときは？

ダボとダボ穴の処理を忘れた場合には、パーツ・オープナー（ウェーブ）を使うと便利。パーツを傷つけないように気をつけよう。

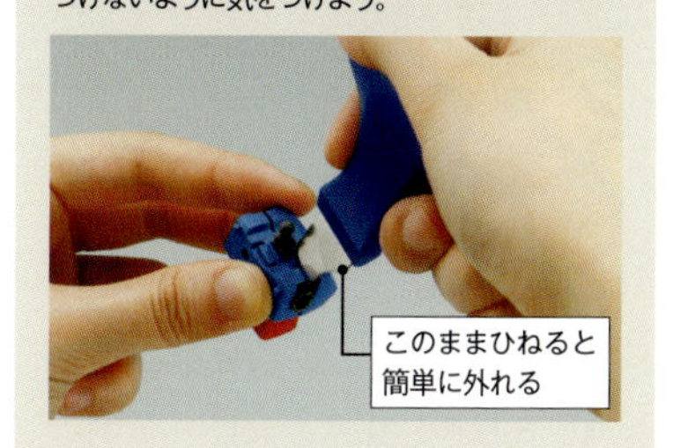

このままひねると簡単に外れる

塗装するパーツの持ち方

缶スプレーやエアブラシで塗装するときは、パーツを塗装用クリップにセットする。

塗装用クリップで持つ

市販の塗装用クリップでパーツをはさんで持つ。はさむのは裏側のダボなど、塗装しない部分。

自作の塗装用クリップで持つ

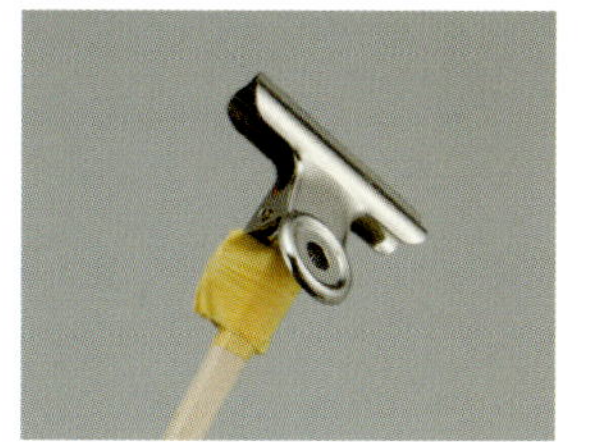
持ち手は自作することもできる。つくり方は、目玉クリップをわりばしなどにテープで固定する。

パーツを手で直接持つ

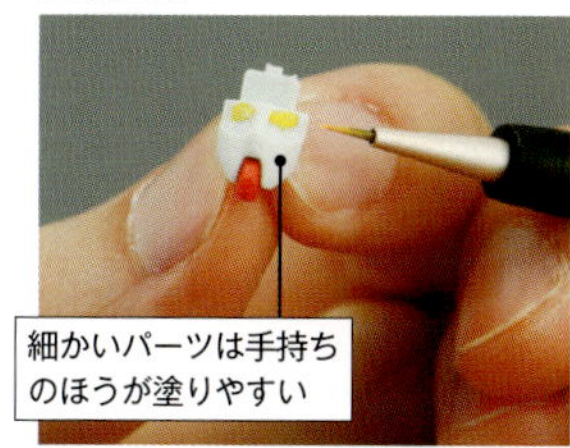

細かいパーツは手持ちのほうが塗りやすい

筆やマーカーで塗るときは、パーツを手で持って塗装することが多い。塗りやすい方法を選ぼう。

プラスα 塗装前に洗浄する

塗装前には筆などで、キットについたホコリを払っておく。また、中性洗剤で洗浄すると、手の油分や出荷時の離型剤※の影響を受けなくて済む。

※プラモデルを生産するときに金型から外しやすくするための薬剤。

塗装環境を整える

▶ 塗装は有機溶剤を含む塗料を使うことがあるので、**「換気をよくする」「新聞紙で養生する」「周囲を整理整とんしておく」**など、安全性や作業効率に配慮して作業環境を整えることが大切。
▶ **屋外に塗装環境を設ける**ことができれば、エアブラシや缶スプレーをより気軽に使うことができる。

塗装を行う前には、塗装に適した環境をきちんと整えることが大切です。**「換気が不十分で具合が悪くなった」「塗料が飛び散って部屋が汚れた」などのトラブルに見舞われないように**気をつけましょう。とくに家族と一緒に生活している場合には、においや塗料の飛び散りなどで迷惑をかけないようにする配慮も必要です。

とくに意識したいのが換気。**窓を開けたり、換気扇を回したりして、部屋の空気の流れをよくしてから作業に取りかかりましょう。**換気の問題をクリアする方法として、屋外に塗装環境を設ける方法があります。たとえば、**ベランダを養生して、簡易塗装ブース(→右ページ)を設置すれば、エアブラシや缶スプレーをより気軽に使えるようになる**でしょう。

屋内の塗装環境（筆塗り用）

筆塗りする際は、テーブルや床などに塗料がつかないようにすること。新聞紙などで養生する。ラッカー塗料を使用する場合には、窓を開けるなど換気に注意。

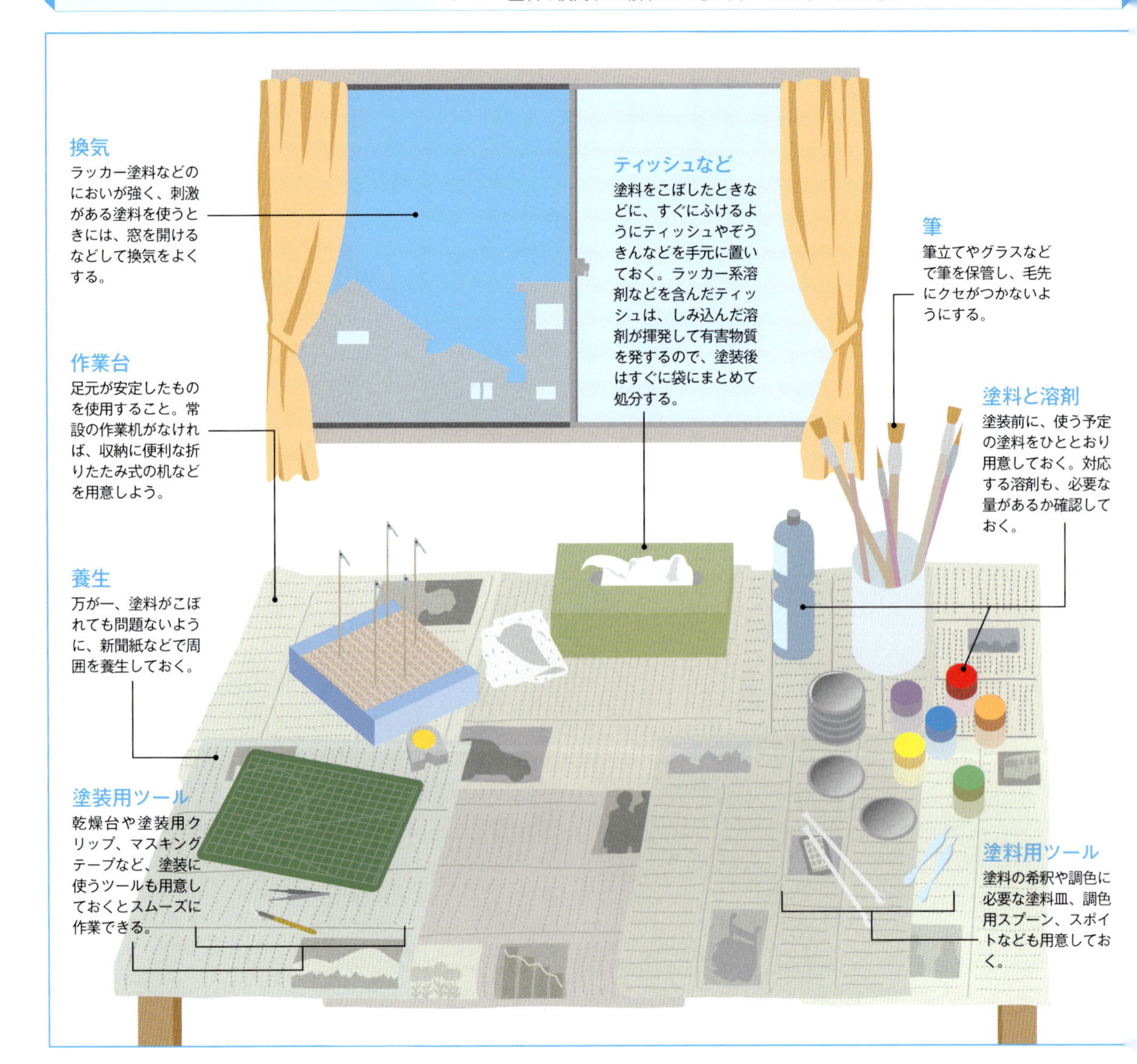

換気
ラッカー塗料などのにおいが強く、刺激がある塗料を使うときには、窓を開けるなどして換気をよくする。
ティッシュなど
塗料をこぼしたときなどに、すぐにふけるようにティッシュやぞうきんなどを手元に置いておく。ラッカー系溶剤などを含んだティッシュは、しみ込んだ溶剤が揮発して有害物質を発するので、塗装後はすぐに袋にまとめて処分する。
筆
筆立てやグラスなどで筆を保管し、毛先にクセがつかないようにする。
作業台
足元が安定したものを使用すること。常設の作業机がなければ、収納に便利な折りたたみ式の机などを用意しよう。
塗料と溶剤
塗装前に、使う予定の塗料をひととおり用意しておく。対応する溶剤も、必要な量があるか確認しておく。
養生
万が一、塗料がこぼれても問題ないように、新聞紙などで周囲を養生しておく。
塗装用ツール
乾燥台や塗装用クリップ、マスキングテープなど、塗装に使うツールも用意しておくとスムーズに作業できる。
塗料用ツール
塗料の希釈や調色に必要な塗料皿、調色用スプーン、スポイトなども用意しておく。

屋外の塗装環境（エアブラシ・缶スプレー用）

「屋内に十分な塗装スペースがない」などの理由で、自宅のベランダなどで塗装を行う人も多い。屋外とはいえ、しっかりと養生しよう。

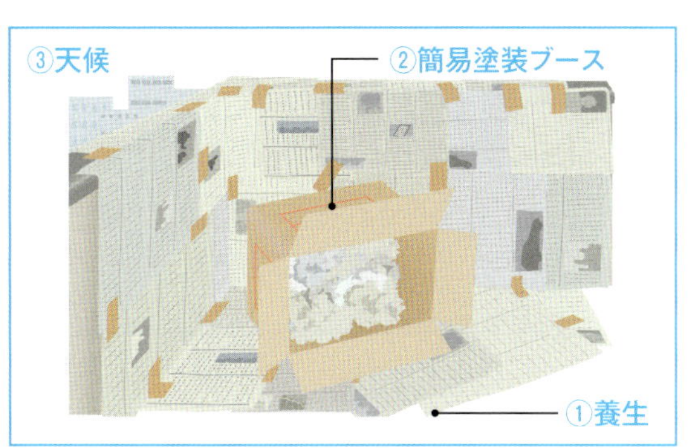

①養生
ベランダでエアブラシなどを吹く場合でも、塗料の飛散には気をつける。まずは新聞紙などで周りを養生しよう。

②簡易塗装ブース
塗料ミストの飛び散りを抑えるため、塗装ブースを用意。屋外の場合は、右のような自作の簡易塗装ブースでもOK。

③天候
屋内での塗装にも共通することだが、塗装は湿気の少ない晴れた日がオススメ。湿気が多い日は、水気が塗料に混じってカブり（白くなること）やすくなる。

自作の簡易塗装ブース

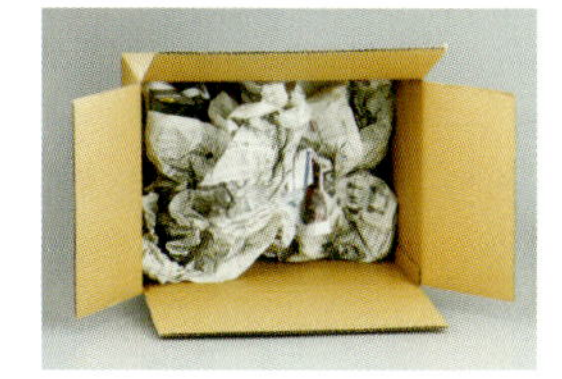

塗装ブースは、段ボールに新聞紙を入れて自作することも可能。吸引機能はないが、新聞紙に塗料が付着することで、ある程度は塗料ミストの飛散を防ぐことができる。

屋内の塗装環境（エアブラシ・缶スプレー用）

エアブラシなどで塗装する場合は、塗装ブースも必要。

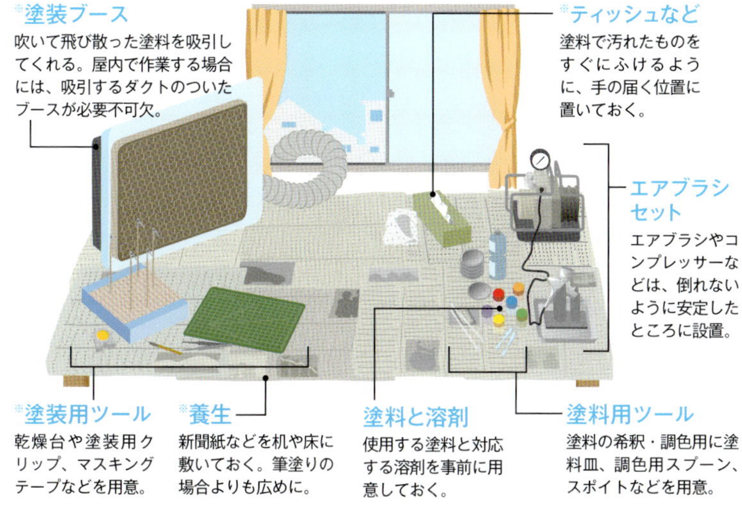

※塗装ブース
吹いて飛び散った塗料を吸引してくれる。屋内で作業する場合には、吸引するダクトのついたブースが必要不可欠。

※ティッシュなど
塗料で汚れたものをすぐにふけるように、手の届く位置に置いておく。

エアブラシセット
エアブラシやコンプレッサーなどは、倒れないように安定したところに設置。

※塗装用ツール
乾燥台や塗装用クリップ、マスキングテープなどを用意。

※養生
新聞紙などを机や床に敷いておく。筆塗りの場合よりも広めに。

塗料と溶剤
使用する塗料と対応する溶剤を事前に用意しておく。

塗料用ツール
塗料の希釈・調色用に塗料皿、調色用スプーン、スポイトなどを用意。

缶スプレーのみを使用する場合は、※印のものがあればOK。

屋内では市販の塗装ブースを使う

屋内でエアブラシや缶スプレーを使って塗装する際は、市販の吸引ダクトがついた塗装ブースを使用したい。飛散した塗料ミストやにおいを吸い込んでくれるので、部屋が汚れにくくなる。

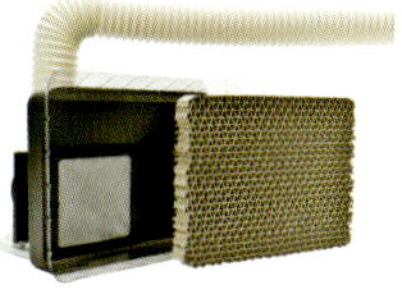

Mr.スーパーブース コンパクト
GSIクレオス

強力モーターとシロッコファンによって、塗料ミストをしっかり吸い取ってくれる。ハニカムフィルターとペーパーフィルターの2段構造で、排気も万全。

プラスα マスクや手袋を着用して塗装しよう

ラッカー塗料などは、刺激が強いので吸引しないように要注意。また、肌につくとなかなか落ちず、肌が荒れてしまうこともある。そこで、マスクや手袋を着用して、万全の状態で作業しよう。

ホビー用ゴム手袋
プロホビー
塗料が手に付着するのを防ぐ。模型製作用の手袋は、フィット感が高いのでオススメ。

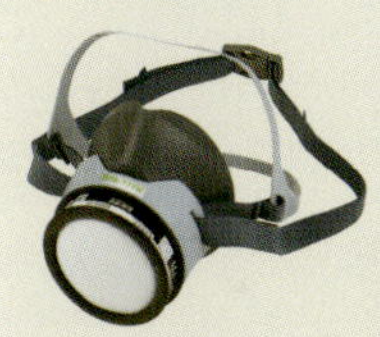

塗装マスク（DPM-77TM）
トラスコ中山
有機溶剤から発せられるガスを取りのぞいてくれる、軽量小型マスク。吸収缶が切れたら、別売りのものを入手しよう。

タミヤエプロン（ミニ四駆ブルー）
タミヤ
ラッカー塗料が衣服に付着すると、通常の洗濯では落とすことができない。エプロンを着用すれば、塗料のはね返りを気にしないで済む。

乾燥環境

乾燥環境を整えることも、塗装の仕上がりをよくするために大切な要素だ。

乾燥台を使う

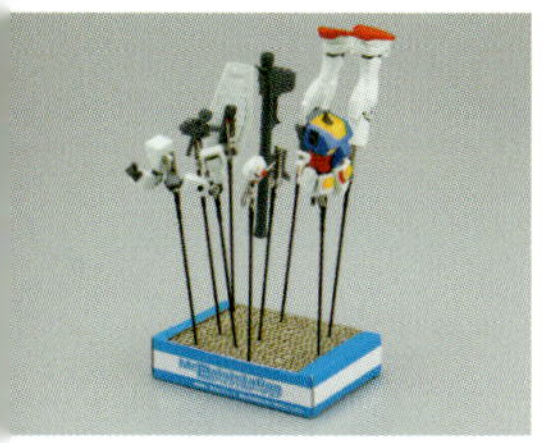

市販の乾燥台に、パーツをつけた塗装用クリップを挿して乾かす。乾燥中にホコリがつかないように気をつけよう。

市販の乾燥ブースを使う

市販の乾燥ブースを利用すれば、乾燥時間を短縮できる上に、ホコリがつく心配も少ない。

プラスα 日用品を利用して乾燥環境をつくる

私たちが普段、使っている日用品の中には、乾燥環境を整えるのに役立つものもある。たとえば、百円均一ショップなどで入手できるファイルケース。横に穴が開いているものであれば、簡易乾燥台として利用できる。また、食器乾燥機を乾燥ブースとして活用している人も多い。

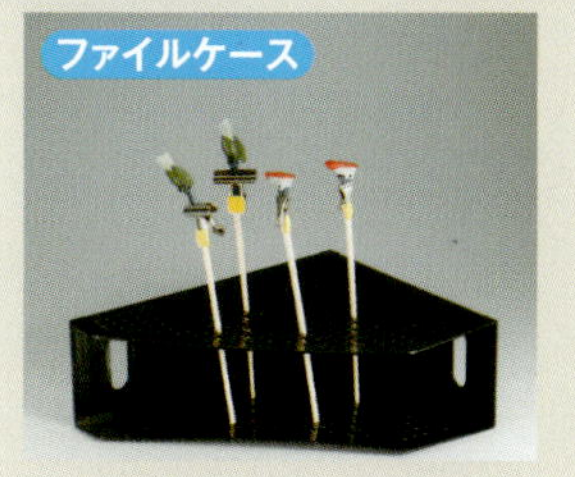

ファイルケース

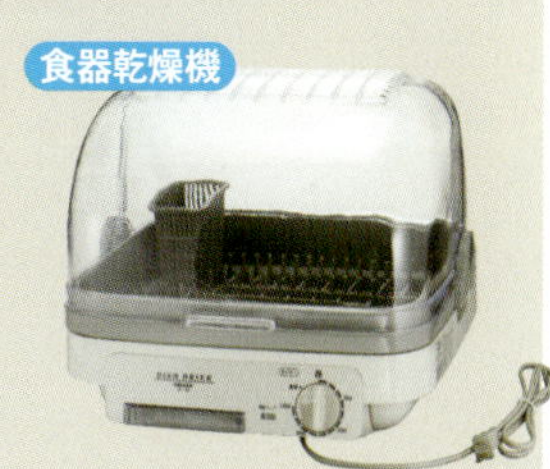

食器乾燥機

MISSION_2 ▸ 塗装

テクニック

ガンダムマーカーで塗る
細かい部分を塗り分ける

難易度: **かんたん** / ふつう / むずかしい

におい: **しない** / よわめ / つよめ

▶「ガンダムマーカー 塗装用」は、**キットでは再現されていない細かい部分の塗り分け**など、ちょっとした塗装を行いたいときに役立つ。手軽に完成度を高めることができるのでオススメ。

▶ **塗りムラができないように**、ていねいに作業しよう。

Before
HGUC ジムII

After
バーニアが銀色になった

ガンプラはもともと着色されていますが、塗装しないままの状態では設定カラーが完全に再現されていない部分もあります。また、ホイールシールで色分けを表現している場合、シールとプラスチックでは質感が異なります。

そのような部分が気になるときに、**手軽に塗装できるのが「ガンダムマーカー 塗装用」**です。ペン先がナナメにカットされているので、**ペン先を当てる角度を変えることで、塗る太さを変える**こともできます。

使用する道具

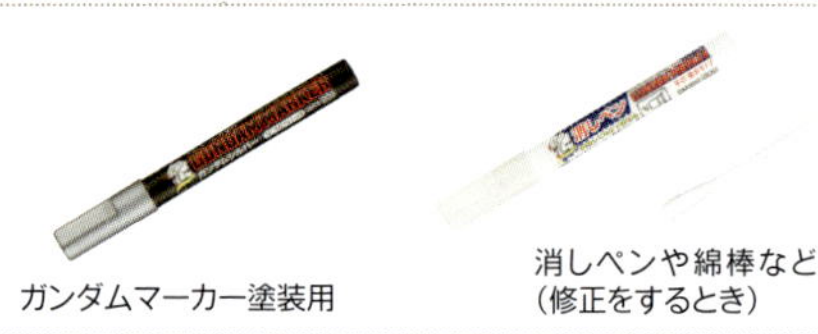

ガンダムマーカー塗装用

消しペンや綿棒など（修正をするとき）

ガンダムマーカーで塗る方法

ガンダムマーカーはバーニアのように、一部分を塗るのに適している。はみ出しなどに気をつけながら、慎重に作業しよう。

1 塗る部分を確認する

ここではバーニアを外して塗るが、分解せずに作業できるならそのまま塗ってもOK。作業しやすいようにしよう。

2 ガンダムマーカーで塗る

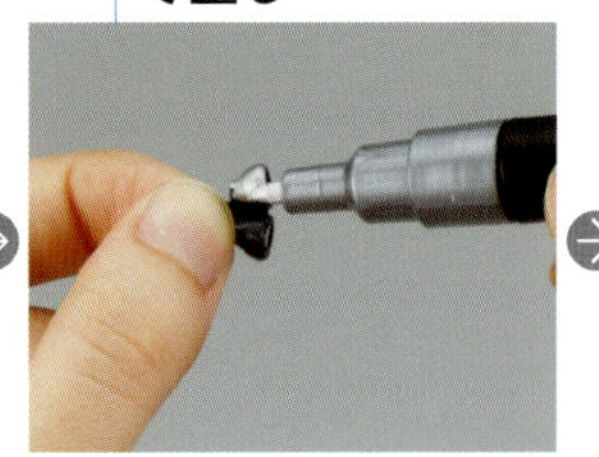

ガンダムマーカーでバーニアを塗装していく。塗りムラを防ぐために、塗りすぎには注意しよう。

3 仕上がりを確認する

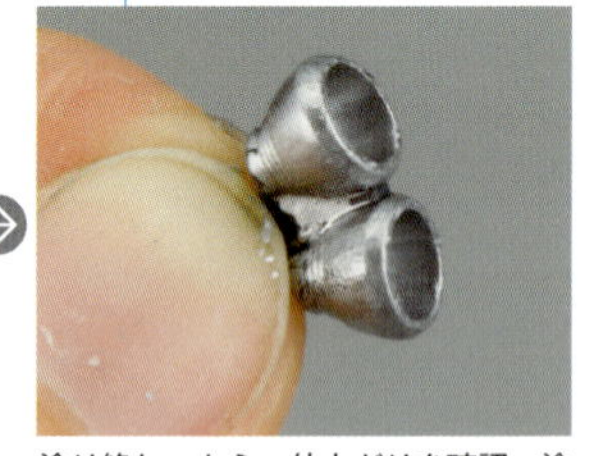

塗り終わったら、仕上がりを確認。塗り残しやはみ出しがないかチェックしよう。

プラスα はみ出した場合は消しペンで修正する

ガンダムマーカーがはみ出してしまった場合は、消しペン（→P.69）を塗り、ティッシュなどでふき取る。すると、マーカーのインクを落とすことができる。

ティッシュ

ガンダムマーカー 消しペン
GSIクレオス

NG 重ね塗りはできない

アルコール系の「ガンダムマーカー 塗装用」は、重ね塗りに不向き。重ね塗りすると、下地のガンダムマーカーのインクが溶けることがある。

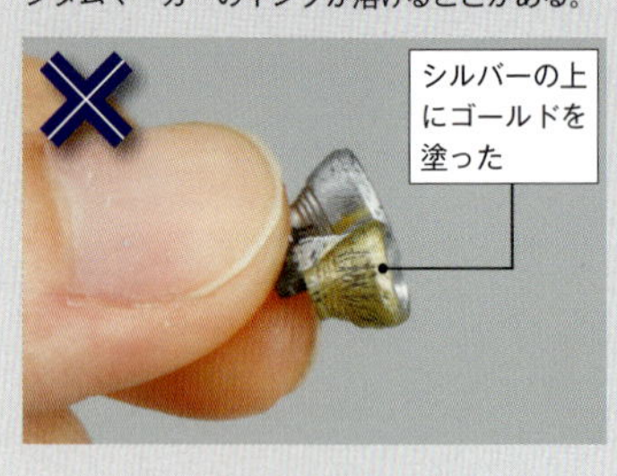
シルバーの上にゴールドを塗った

プラスα ガンダムマーカーのインクを塗料として使う

細かいところを塗る際に、ガンダムマーカーではみ出してしまいそうだと思ったら、マーカーのインクを塗料皿に出して、筆塗りする方法がある。塗料皿にペン先を何度も押しつければ、塗料皿にインクがたまる。

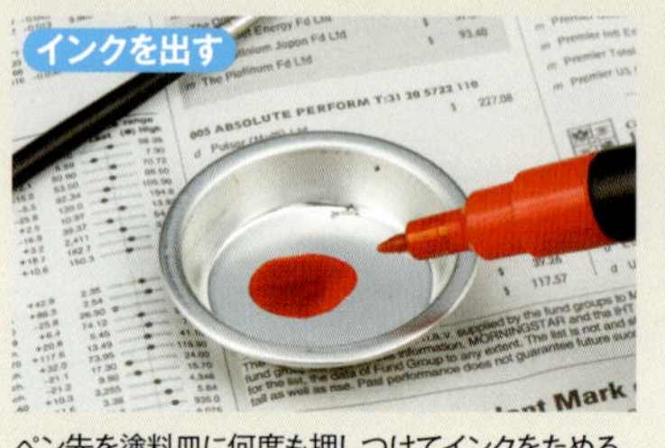
インクを出す

ペン先を塗料皿に何度も押しつけてインクをためる。

筆につける

面相筆にインクをつければ、細かい部分を塗れる。

リアルタッチマーカーで塗る シャドウを表現する

難易度: かんたん / **ふつう** / むずかしい

におい: **しない** / よわめ / つよめ

▶ **「リアルタッチマーカー」を使って、シャドウ(影)を表現することができる。シャドウを表現**すると、キットの陰影が増し、スミ入れ(→P.92~97)とはちがう立体感を楽しめる。

▶ **マーカーを塗ったあとでふき取る**ことでシャドウをつけるが、ふき加減がポイント。

MG GX-9900 ガンダムX

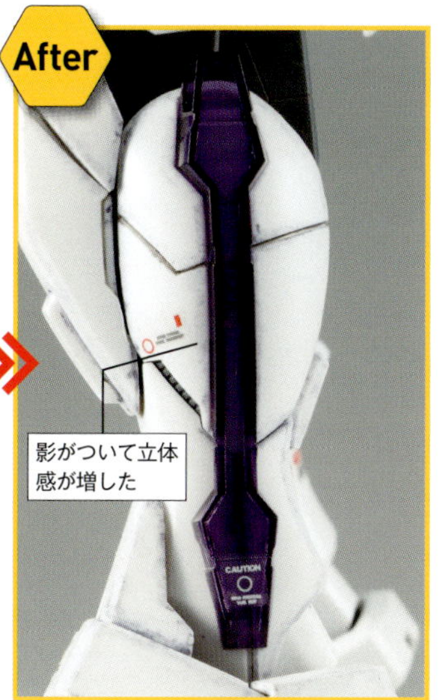

After
影がついて立体感が増した

ガンダムマーカーシリーズの1つである「リアルタッチマーカー」を使うことで、シャドウ(影)を表現し、立体感のあるキットに仕上げることができます。

やり方は、**①パーツのフチやモールドに沿ってリアルタッチマーカーを塗る→②パーツに塗られた塗料をぼかしペンでにじませる→③余分なインクを綿棒でふき取る**という3ステップです。スミ入れ(→P.92)とは異なる陰影が楽しめるので、ぜひチャレンジしてみてください。

使用する道具

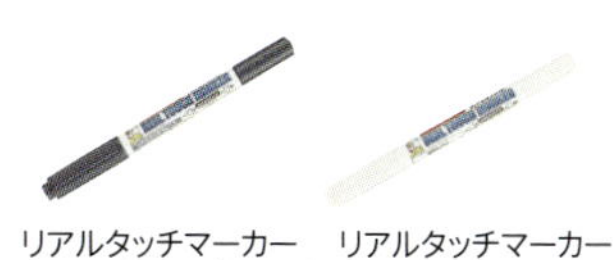

リアルタッチマーカー(リアルタッチグレー1)　リアルタッチマーカー ぼかしペン　コート剤(つや消し)　綿棒

シャドウを表現する方法

ポイントはふき取り加減で、ぼかしペンや綿棒を通常のペンで塗るように使うと、ふき取りすぎてしまう。ポンポンとたたくように使おう。

1 塗装の妨げになるパーツを外す

基本的に細かく分解する必要はないが、クリアパーツなど塗料をつけたくないパーツは外したほうがよい。

2 コート剤を吹いて下地をつくる

リアルタッチマーカーのインクのノリ(食いつき)をよくするために、コート剤(→P.86)を吹く。

3 リアルタッチマーカーで塗る

どの辺に影が出るのかを想像して塗ろう

パーツのフチや段差などに沿って、マーカーで塗る。ここでは「リアルタッチグレー1」を使う。

プラスα ぼかし表現に使えるぼかしペン

「ぼかしペン」はリアルタッチマーカーのインクをにじませるためのペン。リアルタッチマーカーセットに入っているほか、単品で購入することもできる。

リアルタッチマーカー ぼかしペン/GSIクレオス

4 ぼかしペンで塗った部分をぼかす

リアルタッチマーカーで塗った部分を、ぼかしペンで上塗りする。そうすることで、独特のにじみが表現される。

5 綿棒で余分なインクをふき取る

綿棒で余分なインクをふき取ったら完成。自然な影になっているか、仕上がりを確認しよう。

NG ふき取りすぎは努力が台無し……

ふき残しが多いと「やりすぎ」という印象が強くなり、反対にふき取りすぎると立体感が出なくなってしまう。

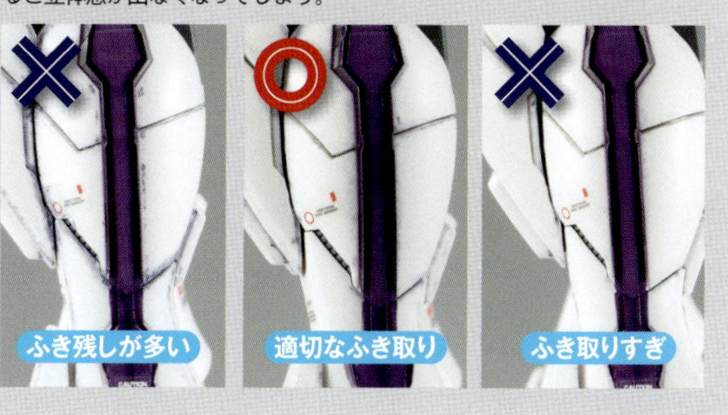

テクニック

マスキングする

難易度: かんたん / **ふつう** / むずかしい

におい: **しない** / よわめ / つよめ

▶ マスキングとは、**塗装前に塗りたくない部分をマスキングテープやマスキングゾルなどの専用ツールを使って覆うこと**。それほど難しくはないが、繊細な作業なので根気が必要になる。

▶ マスキングテープを**あらかじめ使いやすい形に切る**など、目的に応じて工夫をしよう。

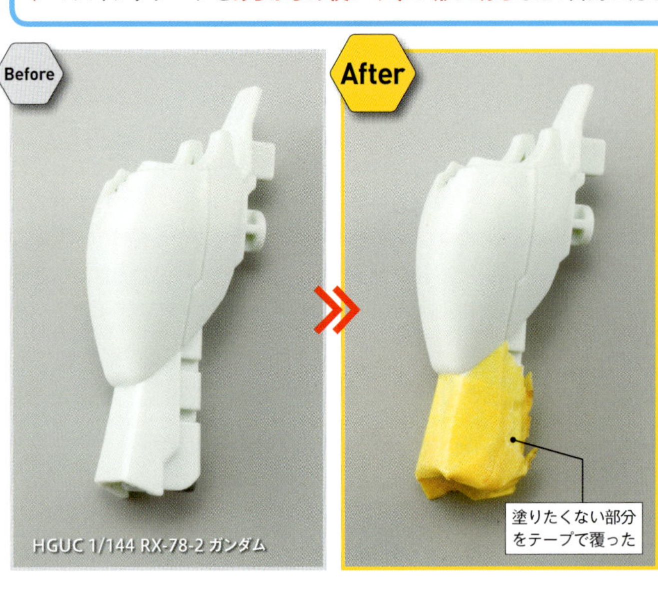
Before
After
塗りたくない部分
をテープで覆った
HGUC 1/144 RX-78-2 ガンダム

エアブラシなどで塗装する場合、塗装前にパーツを分解（→P.99）しておきます。しかし、1つのパーツを塗り分けたいときなど、**それ以上、分解するのが難しいときはマスキングを行います**。マスキングとは、**塗りたくない部分にテープなどを貼って、塗料がつかないようにすることです**。ポイントは、ていねいに根気よく行うこと。パーツとテープとの間に隙間があると、そこに塗料が流れ込んでしまい、せっかくの作業がムダになってしまいます。

使用する道具

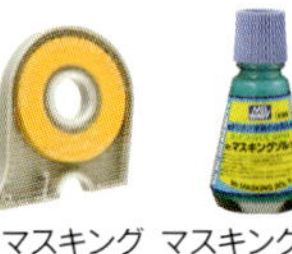
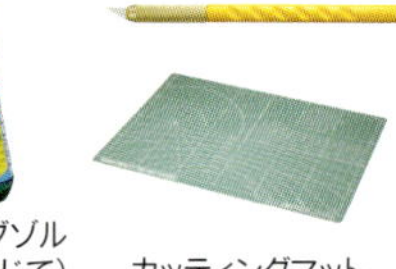

マスキングテープ　マスキングゾル（必要に応じて）　デザインナイフ　カッティングマット　ピンセット（つまようじなどもあると便利）

マスキングテープを使う方法

マスキングは塗り分けやすいように、キットを分解するところからスタート。マスキングテープを使用する場合は、重ね貼りして隙間をつくらないようにするのがポイントだ。

1 塗り分けやすいようにキットを分解する

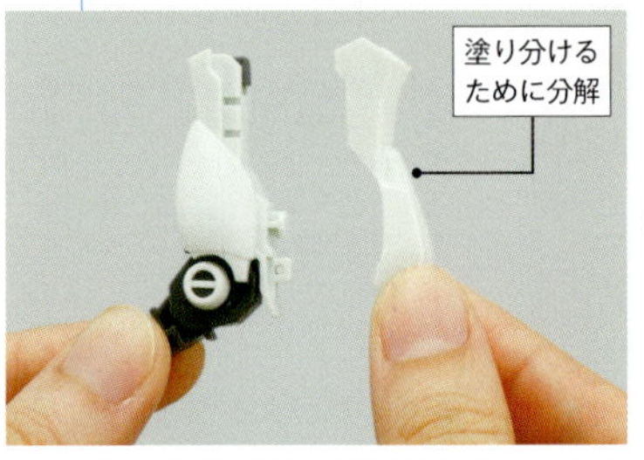
塗り分ける
ために分解

まずはキットを分解する。組んだままでは、ていねいにマスキングをしても、完全に隙間を埋めることは難しい。

2 マスキングテープの端をカットして取り除く

端が汚れて、ゴミが
付着しているテープ
ピンセット

テープの端が汚れている場合は、テープをカッティングマットに貼って汚れがついている端をカットし、ピンセットで取り除く。

3 マスキングテープを貼る

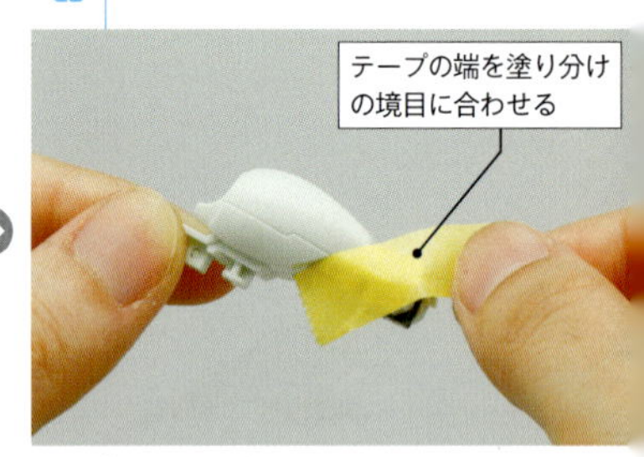
テープの端を塗り分け
の境目に合わせる

テープをパーツの大きさに合わせて切り、塗装したくない部分を覆うように貼る。最初の1枚は、塗り分けの境目に沿って貼る。

4 マスキングテープを貼り重ねる

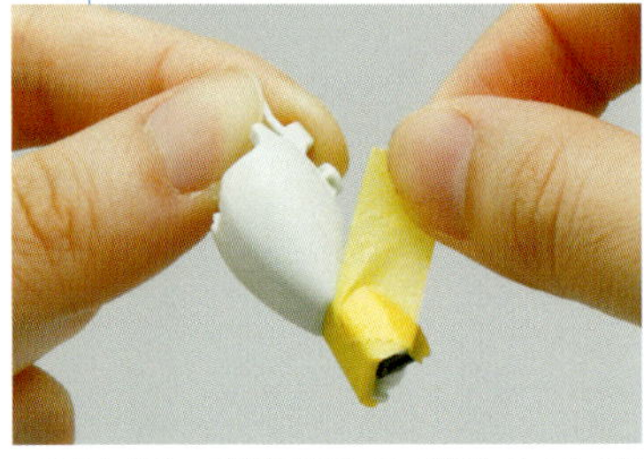

マスキングテープを貼り重ねて、塗装したくない部分をすべて覆っていく。一度で終わらせようとしないで、根気よく作業しよう。

5 浮いているところを密着させる

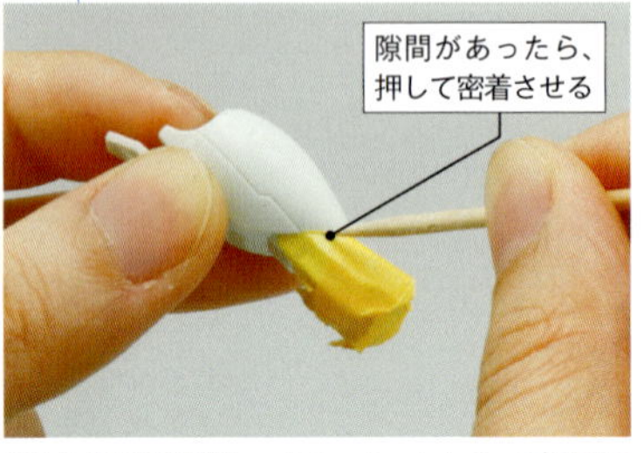
隙間があったら、
押して密着させる

ひととおり貼り終わったら、キットとテープの間で浮いているところがないことを確認する。見つけたら、つまようじなどを使って密着させる。

6 塗装したくない部分を完全に覆ったらOK

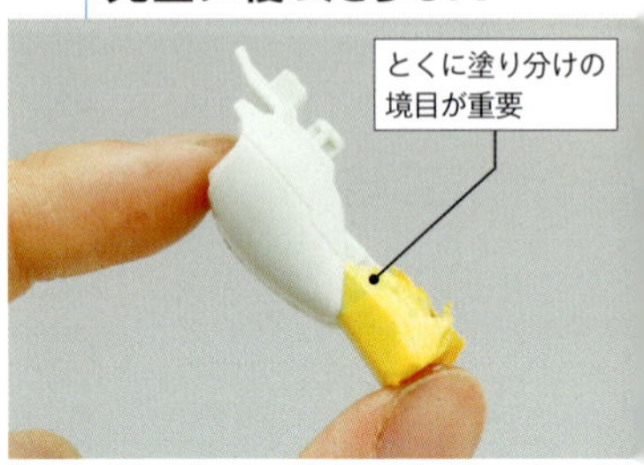
とくに塗り分けの
境目が重要

塗装したくない部分がしっかりとマスキングテープで覆われ、テープが浮いているところがないことを確認したら、マスキングは完了。

細かい部分をマスキングする方法

細かい部分をマスキングする場合は、覆う部分の形に合わせて、あらかじめマスキングテープをカットしておくとスムーズに作業できる。

1 マスキングする部分を確認する

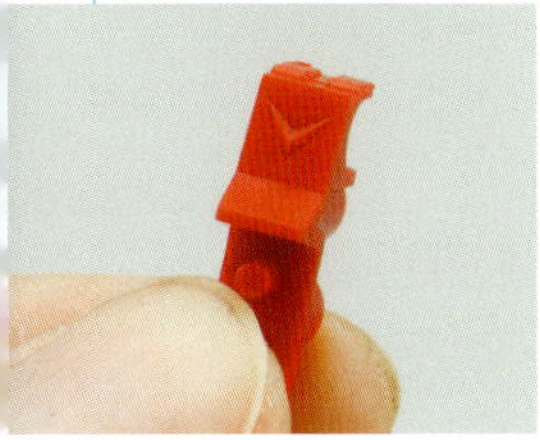

ガンダムの腹部の「Vマーク」のように細かい部分のマスキングは難しい。ちょっとした工夫が必要だ。

2 切っておいたテープを貼る

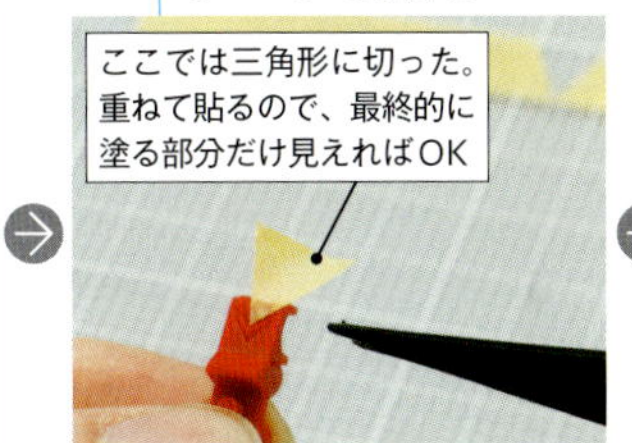

ここでは三角形に切った。重ねて貼るので、最終的に塗る部分だけ見えればOK

マスキングテープを覆う部分の形に合うように、何枚かに分けて切っておき、ピンセットを使ってパーツに貼る。

3 切ったテープを重ね貼りしていく

塗装したくない部分を覆うように、ピンセットを使って切ったマスキングテープを重ね貼りしていく。

4 浮いている部分がないか確認する

ひととおりマスキングをしたら仕上がりを確認する。浮いている部分は、つまようじなどで密着させる。

マスキングゾルを使う方法

ゲル状の「マスキングゾル」は、曲面や細かい部分など、テープでは対応が難しいところで活躍する。乾燥後にカットできるタイプなら、ある程度大まかに塗って、乾燥後に形を調整できる。

1 マスキングゾルをパーツに塗る

脚部の曲面をマスキングする。キャップについているハケを使い、ゾルを塗装したくない部分を覆うように塗る。

2 乾燥後にはみ出し部分をカットする

ゾルが固まったら、境目をしっかりと塗り分けられるように、はみ出したゾルをカットする。

3 カットしたゾルを取り除く

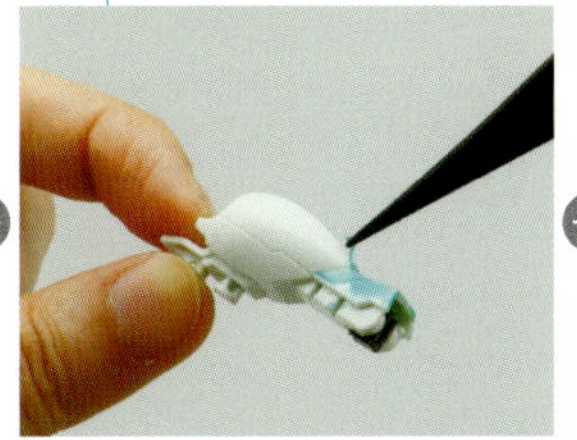

カットしたゾルをピンセットなどで取りのぞく。これで境目はきれいなラインになる。

4 はみ出しや塗り漏れがないか確認する

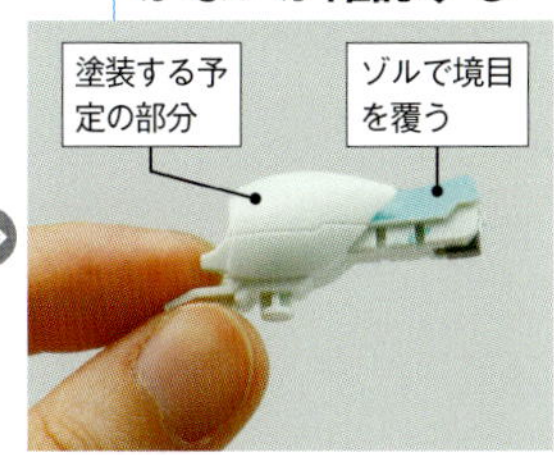

塗装の境目にゾルがきちんと塗られているかなど、塗り漏れがないかを確認する。

塗装後にはがす方法

塗装して塗料が完全に乾燥したら、マスキングテープ（ゾル）ははがす。塗料が流れ込んでいたら、筆塗りなどで微調整しよう。

1 マスキングした部分も含めて塗装する

エアブラシなどを吹く場合は、マスキングした部分に塗料が流れ込まないように、パーツに対して垂直に吹く。

2 塗料が乾燥したらテープをはがす

塗料が完全に乾燥したら、ていねいにマスキングテープをはがす。ゾルも簡単にはがせる。

3 はみ出している部分を調整する

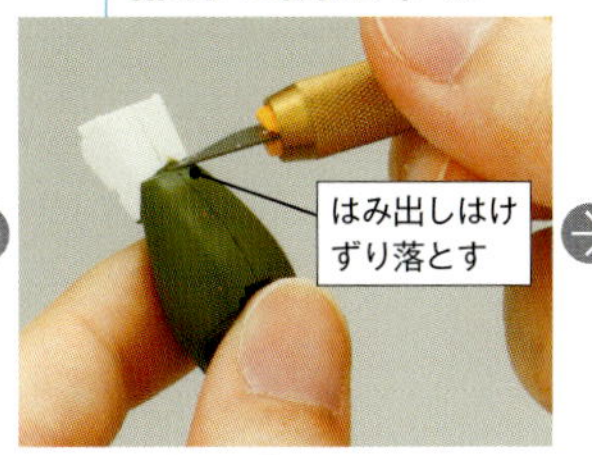

はみ出しはけずり落とす

マスキングテープをはがしたあとにはみ出しなどを見つけたら、デザインナイフなどを使って修正する。

4 しっかり塗り分けできたらOK

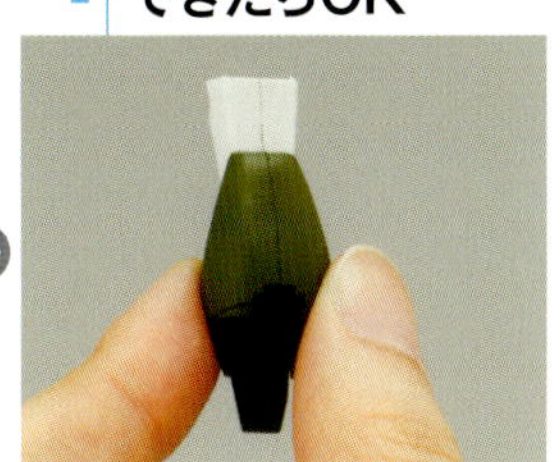

塗り分けできたらOK。覆った部分に塗料が流れ込むと、修正できない場合もあるのでマスキングはしっかりと。

POINT ツールを使いこなして入念なマスキングを行う

マスキング用のテープとゾルは、あわせて使用することもできる。大部分はテープで覆い、隙間など細かい部分をゾルで埋める方法だ。テープの隙間に塗料が流れ込むリスクがなくなるので効果的。

また、パーツの曲面に対しては、テープを事前に細く切っておいたほうが使いやすい。

テープとゾルの使用

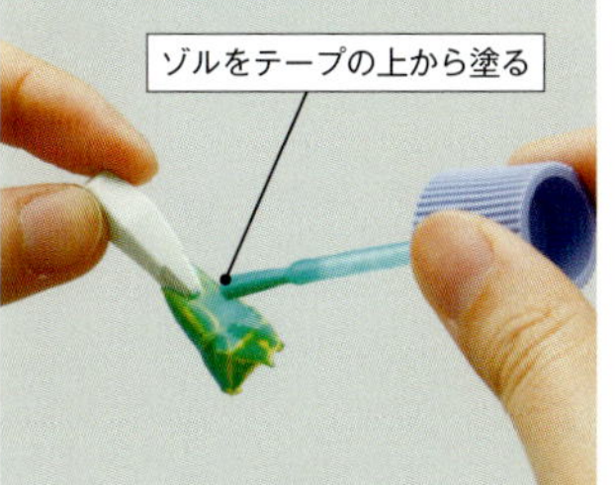

テープの上からゾルを塗ると、ゾルがテープとパーツの隙間を埋めてくれる。マスキングの精度を高めることができる。

細く切ったテープを使う

テープは細く切っても使える

テープは細いほうが、貼る場所を調整しやすい。とくに曲面をマスキングするときなどにオススメ。

MISSION 2 ▸ 塗装

テクニック

サーフェイサーで下地をつくる

難易度: かんたん / ふつう / むずかしい

におい: しない / よわめ / つよめ

▶ 塗装前にサーフェイサーを吹くことで、**成型色など下地の色による塗装の影響を抑えられる。**

▶ そのほかの効果としては、**「パーツの表面がわずかに荒れることで、塗料が定着しやすくなる」「全体的に塗装する場合は、塗装の色味を揃えやすくなる」**などがある。

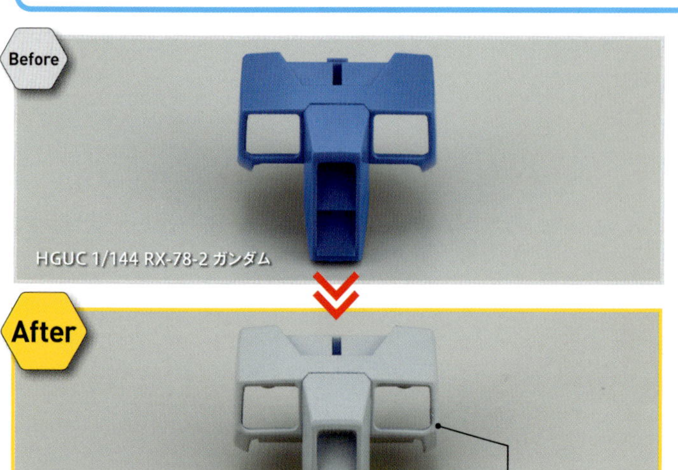
Before
HGUC 1/144 RX-78-2 ガンダム
After
これで成型色の影響を
受けずに塗装ができる

サーフェイサーは、主に塗装前に下地をつくるために使われます。濃い色の上に薄い色で塗装すると、下地の色の影響を受け、発色が悪くなる場合があります。明るいサーフェイサーを吹けば、そのような影響を受けず、発色がよくなります。また、パーツの表面がわずかに荒れるので、塗料のノリ（食いつき）がよくなります。必ずしも使用しなければならないわけではありませんが、全体の色味を整えたいときなどは吹いたほうがよいでしょう。

使用する道具

<方法①>	<方法②>	<方法③>
･サーフェイサー 1000（缶スプレー）	･サーフェイサー 1000（ビン入り） ･ラッカー系溶剤 ･エアブラシセット ･塗料皿 ･調色用スプーン ･スポイト など	･サーフェイサー 1000（ビン入り） ･ラッカー系溶剤 ･塗料皿 ･使用する筆 ･スポイト など ※必要に応じて、ブラシエイドなど筆を洗うツールを用意。

※塗装用クリップ、乾燥台などは共通で使用する。

方法① 缶スプレーでサーフェイサーを吹く（つよめ）

缶スプレーなら、そのまま吹くだけで手軽に下地をつくれる。塗装用の缶スプレーを吹くとき（→P.114）と同様に、全体が均一になるようにしよう。

1 塗装しやすいようにキットを分解する

サーフェイサーは塗装前の下地づくりのために吹くので、まずは塗装前にキットの分解（→P.99）を行う。

2 分解したキットを確認する

あとで塗装しやすいように、細かく分解する。ポリキャップも外しておくと安心。

3 塗装用クリップにセットする

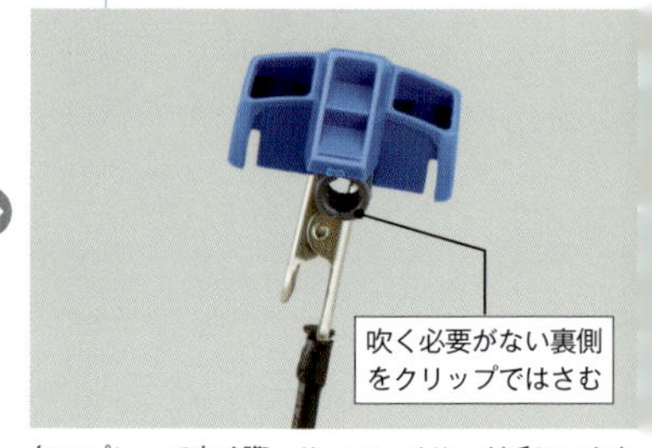
吹く必要がない裏側
をクリップではさむ

缶スプレーで吹く際、サーフェイサーが手につかないように塗装用クリップにパーツをセットする。

4 サーフェイサーを吹きつける

缶を上から下に振り
ながら吹きつける

よく缶を振ってから、サーフェイサーを吹きつける。塗装用クリップを回して、全体が均一になるように塗る。乾燥台などに固定して乾かす。

NG 厚く塗るとモールドが消えてしまうこともある

サーフェイサーを厚く塗ると、モールドが消えてしまうことがある。吹いたあと、すぐにラッカー系溶剤をつければ落とすことができるが、手間がかかる。基本は薄く吹き、薄すぎるようなら乾燥後に再び吹きつけよう。

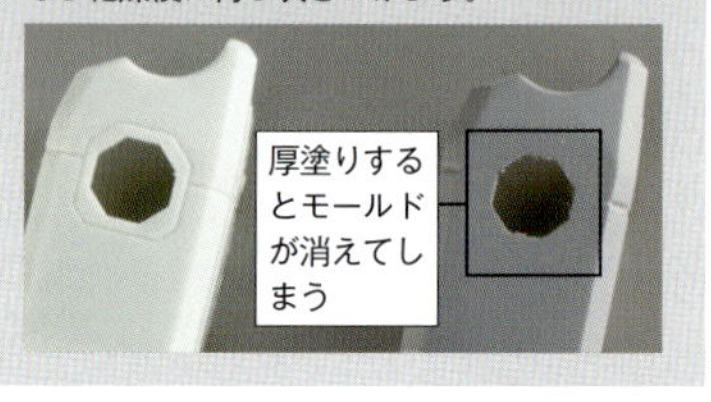
厚塗りする
とモールド
が消えてし
まう

5 全体的に均一に吹きつけたらOK

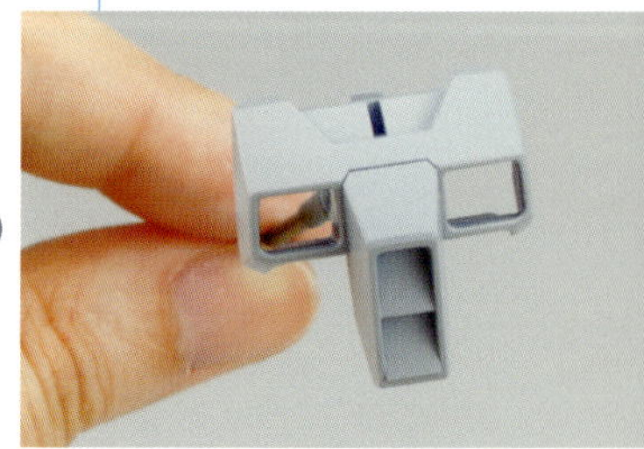

サーフェイサーが乾いたら、仕上がりを確認する。傷などを見つけたら、右ページのPOINTのように紙やすりで処理しよう。

方法② エアブラシでサーフェイサーを吹く 

準備や後片付けに少し手間がかかるが、エアブラシは薄く吹きつけやすく、きれいに下地をつくりやすい。

1 塗装前の準備としてキットを分解する

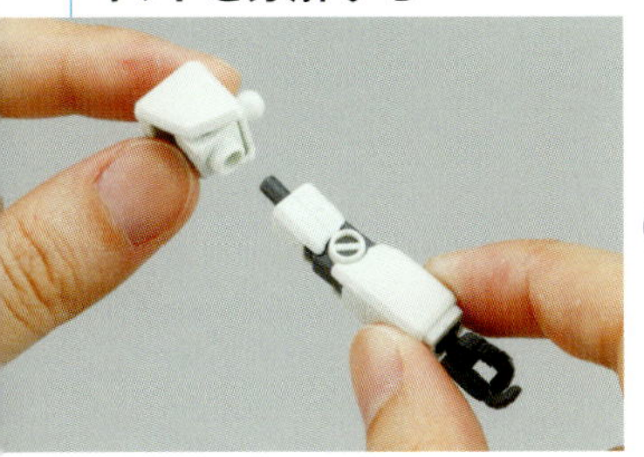

塗装しやすいようにキットを分解するところからスタートする。

2 塗装用クリップにセットする

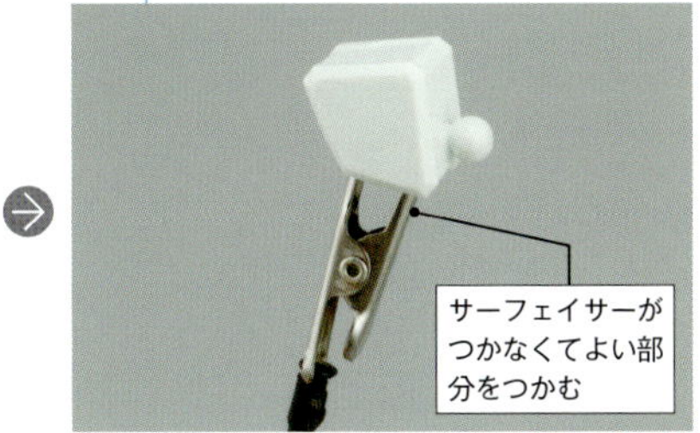

エアブラシで吹く際に、サーフェイサーが手についてしまうのを防ぐために、塗装用クリップにパーツをつける。

3 ビンの中身をよくかき混ぜる

使用前にビンの中身をよくかき混ぜる。調色用スプーンなどを使って、全体が混ざり合うようにしよう。

4 ラッカー系溶剤で希釈する

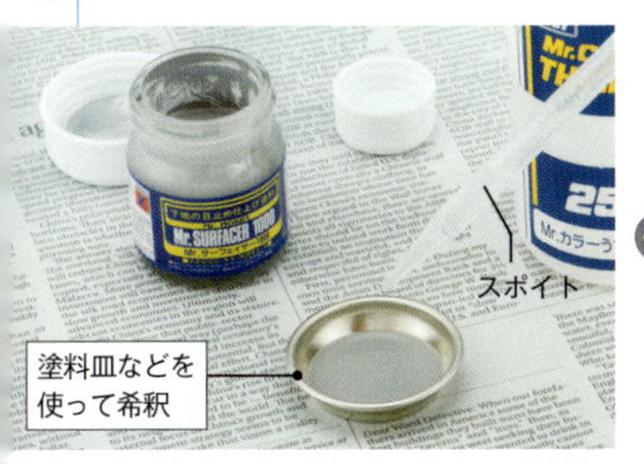

エアブラシで吹きつける場合は、ラッカー系溶剤で希釈する。塗料皿を傾けたときに、サラリと流れるような薄さにしよう。

5 エアブラシでサーフェイサーを吹きつける

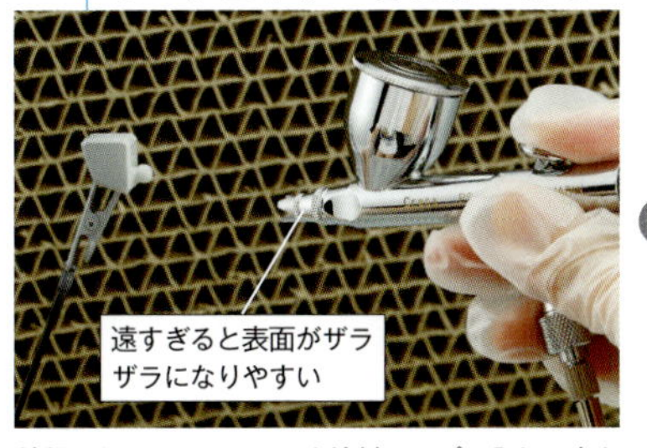

遠すぎると表面がザラザラになりやすい

希釈したサーフェイサーを塗料カップに入れて吹きつける。吹き残しがないように、塗装用クリップを回しながら行う。乾燥台などを利用して乾かす。

6 塗り残しや傷がないかチェックする

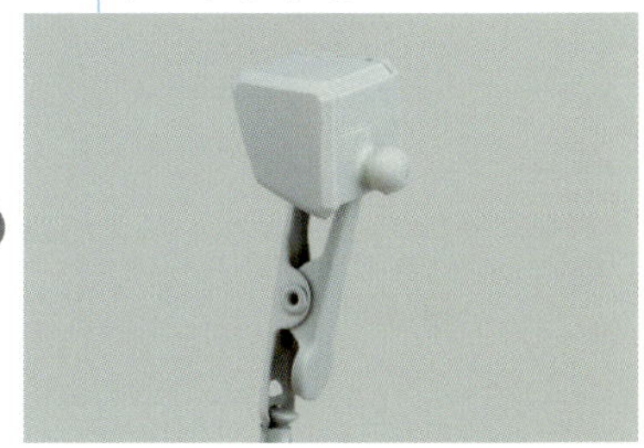

仕上がりを確認。塗り残しがあったら再度、薄めに吹きつける。傷を見つけたら紙やすりでけずって再度サーフェイサーを吹く。

方法③ 筆でサーフェイサーを塗る つよめ

ビン入りのサーフェイサーは、筆で塗ることもできる。筆塗りは部分的にピンポイントで塗ることに向いているので、「傷消し」にも使える。

1 分解したパーツを塗装用クリップにセット

まずは塗装のためにキットを分解。そのあと、筆塗りするパーツを塗装用クリップにセットする。

2 ラッカー系溶剤で希釈する

筆塗りも、ラッカー系溶剤で希釈したほうが使いやすい。塗料皿を傾けたときに、トロリと流れるくらいにしよう。

3 サーフェイサーを筆で塗る

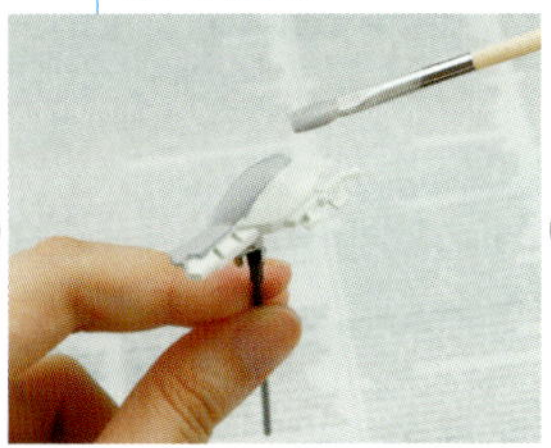

サーフェイサーを筆で塗る。とくに筆塗りは厚く塗ってしまいがちなので、モールドを消さないように注意。

4 仕上がりを確認する

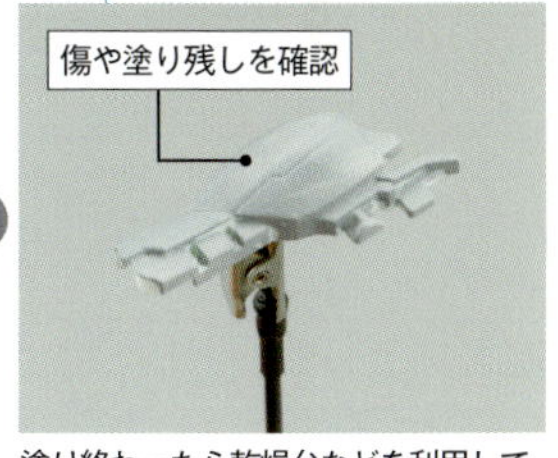

塗り終わったら乾燥台などを利用して、サーフェイサーが乾くのを待つ。乾燥後に仕上がりを確認する。

POINT パーツの傷を見つけたら？

サーフェイサーを吹くと、パーツの色が単色になるので傷が見つかりやすくなる。紙やすりでけずって傷を消してから、もう一度サーフェイサーを吹くときれいになる。

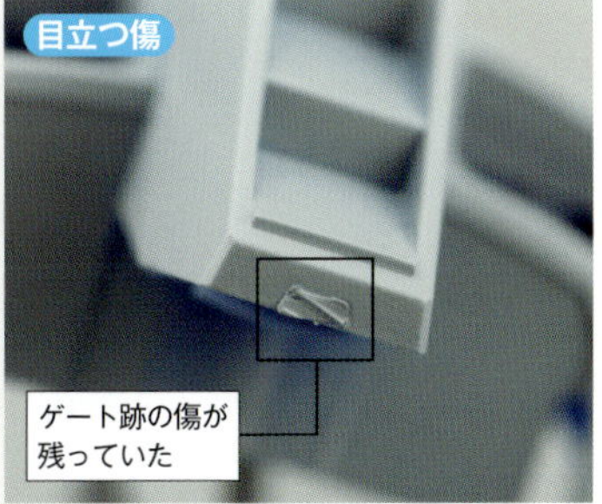

目立つ傷
ゲート跡の傷が残っていた

サーフェイサーを吹いたあとに気がついた傷。このまま塗装をすると、傷が目立ってしまう。

紙やすりで傷を消す

400番、600番、800番と順番に紙やすりでけずる

このような大きめの傷は紙やすりでけずって、そのあとにサーフェイサーを吹くときれいにすることができる。

塗料を希釈する

難易度: **かんたん** / ふつう / むずかしい

におい: しない / **よわめ** / **つよめ**

- ▶ 塗料の希釈とは、**塗りやすい濃さになるように塗料を専用の溶剤で薄めること**である。
- ▶ 基本的には、筆塗りよりも**エアブラシ塗装のほうが濃度を薄めにする**。
- ▶ 希釈をするときは、**溶剤を少しずつ加えて調整**していく。

塗料に溶剤を加えて、濃度を薄める。筆塗りなら「トロリ」、エアブラシなら「サラリ」が目安

ビン入りの塗料で塗装をする場合、基本的に**塗料に溶剤を混ぜて濃度を調整**する必要があります。これを**希釈**といいます。希釈に使う溶剤は、**使用する塗料に対応した溶剤**を必ず使用してください。エアブラシ塗装の場合、希釈は絶対に必要で、筆塗りの場合よりも濃度を薄くします。塗料と溶剤をどれくらいの割合で混ぜ合わせるかは、塗料の種類などによって異なります(→下表)。かき混ぜながら状態を確認し、**溶剤を少量ずつ加えていく**とうまくいくでしょう。

使用する道具

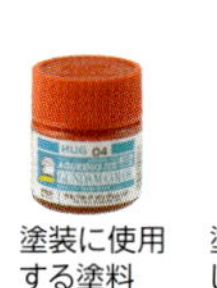
塗装に使用する塗料

塗料に対応した溶剤

調色用スプーン

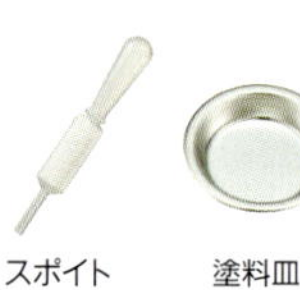
スポイト

塗料皿

希釈の基本

溶剤を加える量は、塗料の種類や状態によっても変わる。塗料の種類ごとの希釈の割合は下表を参照。筆塗りよりもエアブラシ塗装のほうがより薄めにして使うのが一般的。

エアブラシの場合の塗料の種類ごとの希釈の割合(目安)

塗料の種類	シリーズ名	エアブラシ使用時の希釈の目安
アクリル系	水性ホビーカラー GSIクレオス	塗料1:水(または溶剤)0.05
	タミヤカラー アクリル塗料/タミヤ	塗料2:溶剤1
新水性系	アクリジョン GSIクレオス	塗料3:溶剤1
エナメル系	タミヤカラー エナメル塗料/タミヤ	塗料1:溶剤1〜2
ラッカー系	Mr.カラー GSIクレオス	塗料1:溶剤2〜3

筆塗りの場合は、エアブラシの場合よりも塗料の濃度を少し濃くする。

適切な濃度で塗装する

	濃い	適切	薄い
筆塗り			
エアブラシ塗装			

上の写真は、白いプラ板に濃度の異なる赤の塗料を塗装したもの。適切な濃度で使用しないと、均一に塗ることができない。先にランナーなどに塗るなどして、濃度を確かめるようにしよう。

希釈する方法

塗料の希釈は塗料皿で行うのが基本。溶剤は、塗料の状態を確認しながら、少量ずつ加えていこう。なお、塗料のフタはビンの口の周りをふいてから閉めないと、口周辺についた塗料が固まり、フタが開きにくくなってしまう。

1 塗料をよくかき混ぜる

塗料ビンのフタを開けたら、まずはビンの中で塗料をよくかき混ぜる。調色用スプーンなどを使うと便利。

2 塗料を塗料皿に移す

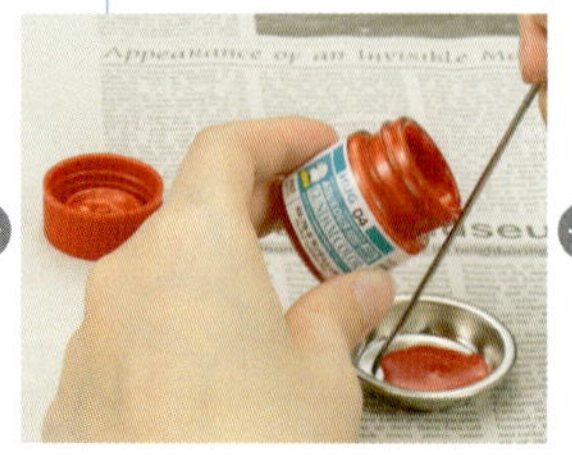

塗料を適量、塗料皿に移す。調色用スプーンなどで塗料を伝わらせるとやりやすい。

3 対応した溶剤を加える

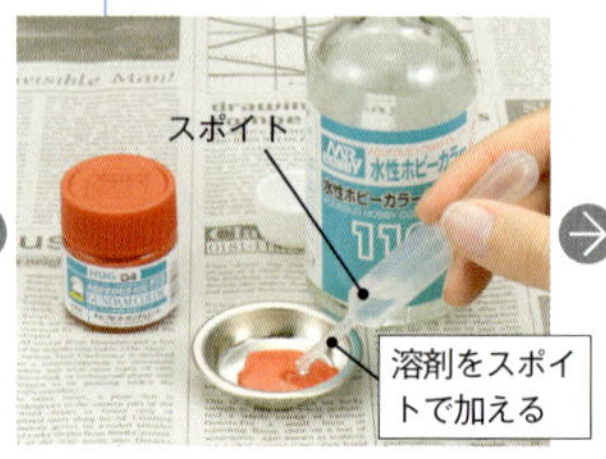

塗料を移した塗料皿、対応した溶剤を加える。溶剤は塗料の状態を見ながら、スポイトを使って少しずつ加えていく。

4 塗料皿の中でよくかき混ぜる

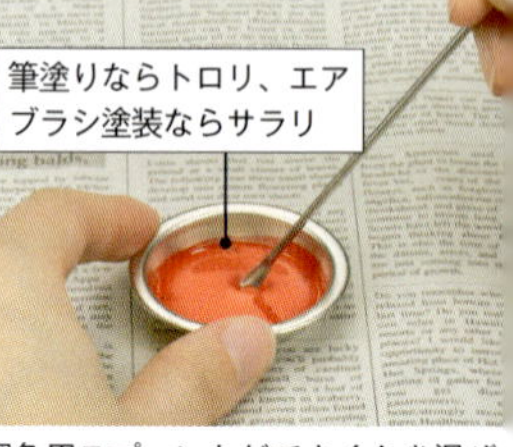

調色用スプーンなどでよくかき混ぜ、濃度を確認する。濃いようなら、さらに溶剤を加えて、またかき混ぜる。

テクニック

塗料を調色する

難易度
かんたん
ふつう
むずかしい

におい
しない
よわめ
つよめ

▶ 調色とは、**2種類以上の塗料を混ぜて、好きな色をつくること**。ただし、「ラッカー塗料とエナメル塗料」など、別の種類の塗料を混ぜてはいけない。

▶ 設定カラーどおりの色で塗装したい場合は、キットの説明書の**カラーガイドで示す調色の割合を参考に**しよう。

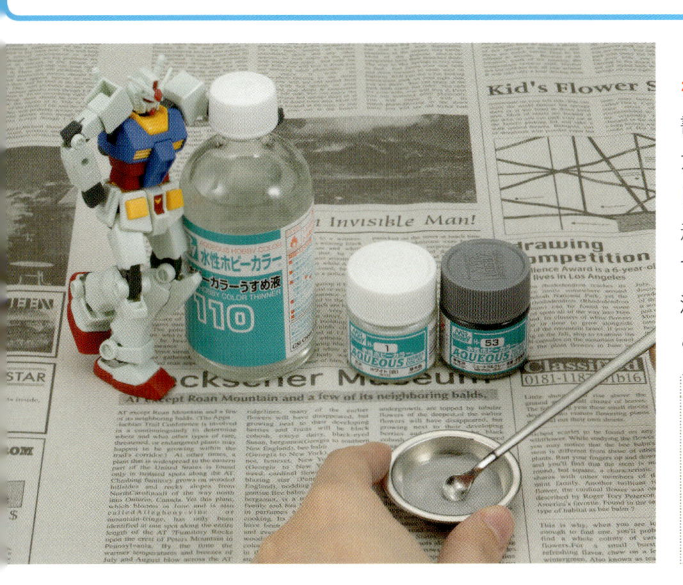

市販されていない色を使いたい場合は、2色以上の色を混ぜて、色をつくる必要があります。各キットの説明書には、設定カラーの再現に必要な色をまとめたカラーガイドが記載されています。カラーガイドには、「モンザレッド85%+イエロー15%」などのように調色の割合が示されていることもあるので、ここで調色の方法を学んでおきましょう。調色でのNGは、ちがう種類の塗料を混ぜて使うこと。たとえば、「ラッカー系+エナメル系」というように、**種類が異なる塗料を混ぜるのは厳禁です。**

使用する道具

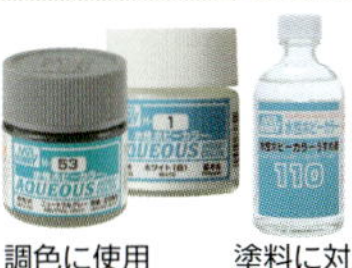
調色に使用する塗料
塗料に対応した溶剤

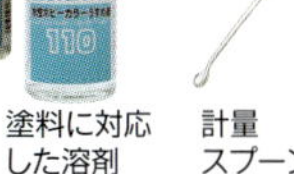
計量スプーン
スポイト

塗料皿

調色する方法

調色は塗料皿を使って行う。先に明るい色（薄い色）を入れ、あとから暗い色（濃い色）を加えるのが基本。計量は模型塗装用の計量スプーンなどを使うと、便利。

1 先に薄い色の塗料を塗料皿に移す

量スプーン
などで量りな
ら移す
計量
スプーン

ここでは白とグレーを混ぜて調色する。まずは薄い色である白の塗料を塗料皿に移す。

2 あとから濃い色の塗料を加える

次に濃い色であるグレーの塗料を加える。あとから加える塗料は少しずつ加えて、色味を調整していく。

3 よくかき混ぜる

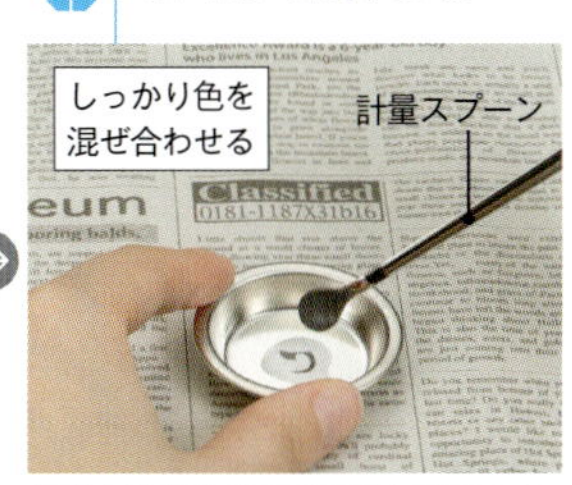
しっかり色を
混ぜ合わせる
計量スプーン

必要な塗料を塗料皿に移し終えたら、よくかき混ぜる。色味を確認し、必要な色になっていなければ塗料を追加。

プラスα 模型塗装用の計量スプーンを使う

正確な割合で塗料を混ぜたいときは、模型塗装用の計量スプーンとスポイトが役に立つ。

Mr.ミックスII（調色計量セット）
GSIクレオス

POINT 調色で失敗しないためのコツ

塗料を調色する際に失敗しないために、次のポイントを押さえておこう。

- 異なる種類の塗料は混ぜない。
- 調色は明るいところで行う。
- カラーガイドを参考にすると、設定カラーをつくれる。
- 塗装時に足りなくなって困ることがないように多めにつくる。
- 多くの色を混ぜると色がくすみがちになる。とくに4色以上は要注意。
- 薄い色（明るい色）をベースに、濃い色（暗い色）を加える。
  その際、濃い色は少しずつ加える。
- キットに塗る前にランナーなどで試し塗りをする。

あると便利なアイテム

スペアボトル

基本的に同じ色を二度つくることはできないので、色は多めにつくりたい。スペアボトルなどの空きビンがあると、余った塗料を保管できる。

Mr.スペアボトル／GSIクレオス

塗料添加剤

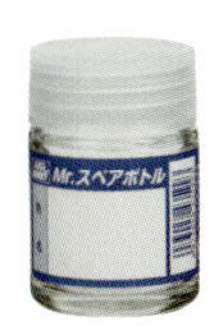

元の塗料の色味をあまり濁らせずに調色できる添加剤。シアン（青系）、マゼンタ（赤系）、イエローの3色。ラッカー塗料に使用できる。

Mr.カラー色ノ源／GSIクレオス

筆塗りをする①
広い面積を塗る

難易度：かんたん／**ふつう**／むずかしい
におい：しない／**よわめ**／**つよめ**

- ▶ 広い面積を筆塗りする場合には、**平筆**を使う。
- ▶ 塗り方次第で**塗りムラになりやすい**ので気をつける。きれいに塗るコツは、塗料が**乾燥したあとに重ね塗り**をすること。重ね塗りは、**1回目と2回目で筆を動かす方向（塗る向き）を変える**。

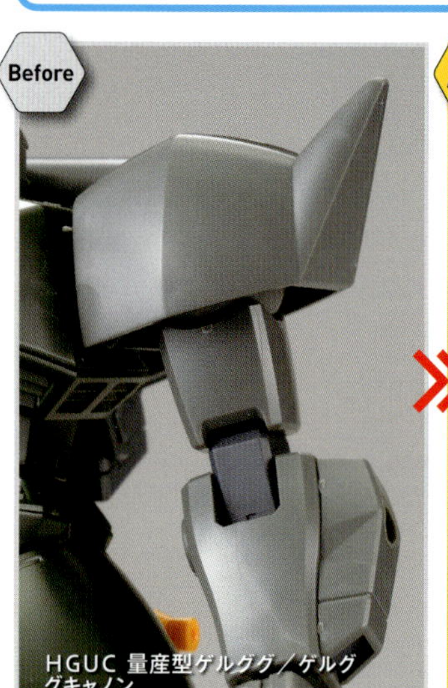

HGUC 量産型ゲルググ／ゲルググキャノン

筆塗りでMSV仕様※のカラーにした

筆でパーツの**広い面を塗る場合には、平筆**を使います。筆塗りは塗りムラになりやすいので気をつけましょう。塗りムラ対策の1つは、重ね塗りをすることです。1回目に塗った塗料が完全に乾いてから、**「1回目は横方向に塗ったから、2回目は縦方向に塗る」と塗る方向を変えて塗る**と、塗りムラが目立ちにくくなります。とくに乾燥が速いラッカー塗料は、塗りムラになりやすいのでていねいに重ね塗りしましょう。塗料の乾燥を遅らせるリターダーを少量混ぜるのも有効です。

使用する道具

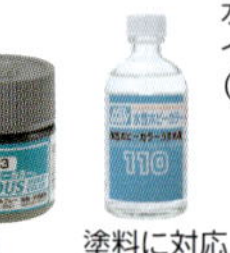

使用する塗料／塗料に対応する溶剤／水性サーフェイサー1000（缶スプレー）／平筆／スポイト／塗料皿／ブラシエイドなど（筆を洗うのにあると便利）

広い面を塗る方法 コ/よ

平筆を使えば、広い面積も手軽に塗ることができる。塗料のはみ出しが気になる人は、事前にキットを分解したり、マスキングをしたりしてから行おう。

1 下地としてサーフェイサーを吹く

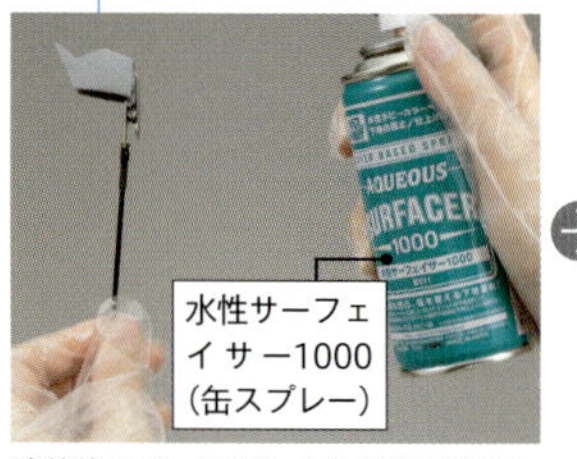

塗装後にパーツごとの色の差が出ないように、下地としてサーフェイサーを吹いておくとよい。

2 1色目を平筆で縦に塗る

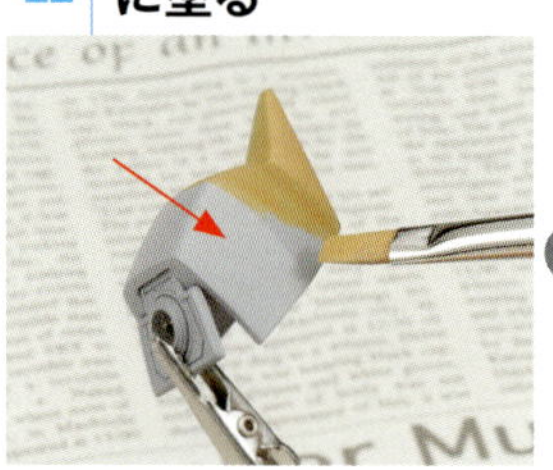

広い面積を塗る場合は平筆を使う。まずは、縦方向に1回ずつ塗っていく。乾くまでは、重ね塗りをしない。

3 1色目を平筆で横に塗る

1回目が乾いたら、違う向きに2回目の筆塗りをする。乾く前に重ねると、塗膜が乱れて塗りムラが消えない。

4 2色目以降を筆塗りする

2色目を重ねていく。1色目よりも濃くて暗い色をあとから塗るようにすれば、仕上がりがよくなる。

POINT 乾燥前の重ね塗りは塗りムラの原因に

広い面積を筆塗りするときには、塗りムラに気をつけたい。ムラになる原因はさまざまだが、とくに多いのが乾燥前に重ね塗りしてしまうこと。1回目に塗った乾きかけの塗料がくずれてムラになる。

乾燥スピードと塗りムラの関係

乾燥スピード：速い → 遅い
色ムラ：できやすい → できにくい
ラッカー系／水性（アクリル系）／エナメル系

新水性系（→P.71）は乾燥スピードが速めだが、下地を侵さないのでムラになりにくい。上記の関係性からは外れる塗料なのだ。

重ね塗りのNG例

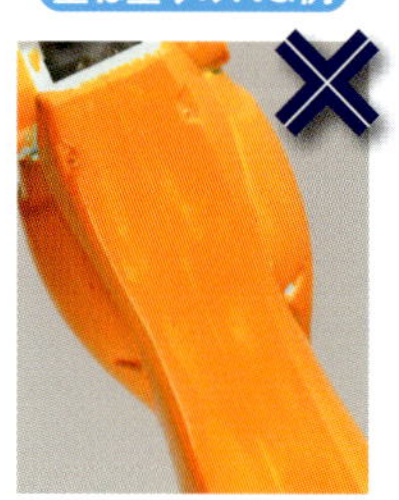

重ね塗りは塗りムラをなくすためのポイントの1つだが、塗料が乾燥する前に塗り重ねると、ムラになってしまう。

あると便利なアイテム

リターダー

ラッカー塗料の乾燥を遅らせ、塗りムラになりにくくしてくれる。希釈時に混ぜて使う。ただし、つや消しの塗料に光沢が出る場合がある。

Mr.リターダーマイルド
GSIクレオス

※MSVとはモビルスーツバリエーションのことで、本編には登場しなかった機体をガンプラ化したもの。

筆塗りをする②
細かいところを塗る

難易度：かんたん／**ふつう**／むずかしい
におい：しない／**よわめ**／**つよめ**

▶ 細かいところを筆塗りする場合は、**面相筆**を使う。
▶ 繊細な作業なので、焦らず慎重に行おう。**模型塗装用のルーペを装着したり、スミ入れペンを併用したりする**と作業効率が上がる。

細かいところを筆塗りする場合には、筆先の細い面相筆を使用します。はみ出しや塗り残しに気をつけながら、ていねいに塗っていきましょう。

手元が見えにくければ、模型塗装用のルーペを使うとよいでしょう。耳にかけるタイプのルーペなら、両手を自由に使えるので作業効率がアップします。また、顔など細かいところの塗装では、スミ入れペンなどを併用すると、スムーズにきれいに仕上げることができます。

使用する道具

細かいところを塗る方法

メインカメラはホイールシールで対応することが多いが、筆塗りすると質感が変わる。

1 塗装前に塗りやすいようにキットを分解する

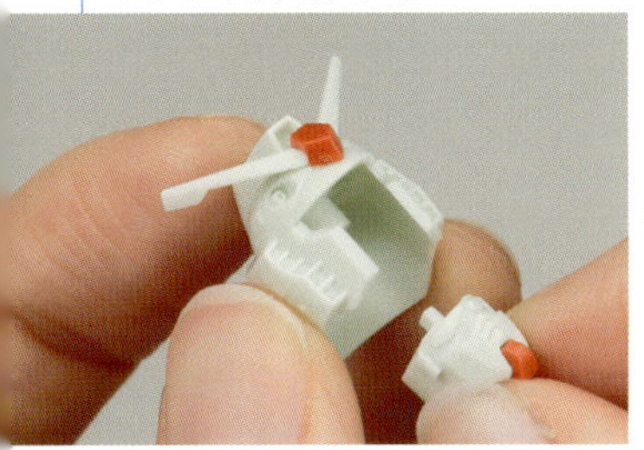

まずは塗りやすいようにキットを分解。ここではガンダム RX-78-2 のメインカメラを塗るために、頭部パーツを分解して顔だけにする。

2 1色目は奥まったところから塗る

薄い色から濃い色の順に塗るのが基本。ただし、パーツが入り組んでいる場合は、奥まったところから塗るほうがいい。今回は、黒部分を先に塗装する。

プラスα 細かい作業ではルーペが大活躍

ガンダムの顔を塗るような細かい作業では、模型塗装用のルーペが重宝する。メガネ型やメガネの上からでも装着できるタイプなどがあるので、自分に合ったものを選ぼう。

Mr.メガネルーペ／GSIクレオス

メガネの上から着用できるルーペ。メガネをしている人でも、そうでない人でも使うことができる。

3 2色目はさらに外側を塗る

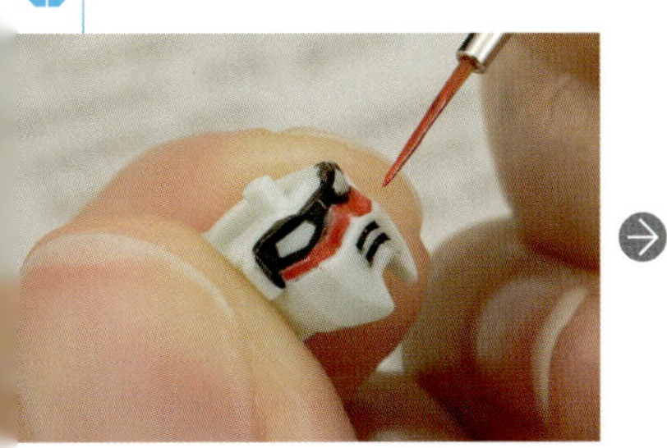

次に目の下を赤く塗る。筆塗りで色を替える場合は、色を替えるたびに筆をしっかりと洗うこと。毛に塗料が残っていると、色が混ざってしまう。

4 3色目は一番塗りやすいところを塗る

3色目はメインカメラを塗る。少し出っぱっているので、はみ出しにくい。仮にはみ出しても、周囲は黒いのであまり目立たない。

5 スミ入れペンで仕上げ

仕上げとして、顔の周辺もスミ入れしておく。黒系の塗料を使って面相筆で塗ってもよいが、スミ入れペンでもOK。

ガンダムマーカーエアブラシで塗装する

難易度: かんたん / **ふつう** / むずかしい

におい: **しない** / よわめ / つよめ

- ▶ **手軽に塗装できるガンダムマーカーエアブラシ**を使い、組み立てが簡単なENTRY GRADE(→P.23)のRX-78-2ガンダムを、「キャスバル専用ガンダム」風のカラーリングに仕上げてみた。
- ▶ ENTRY GRADEのキットはパーツ分けが細かく、塗装後に組み立てられるので、**エアブラシの練習に適している。**

ガンダムマーカーの色数は限られており、調色などもできませんが、**ガンダムシリーズ特有のカラーばかりなので、手軽に専用機カラーに塗り替えることができます。**

ここではゲームなどに登場して人気の「キャスバル専用ガンダム」風に塗装するプランで、ガンダムマーカーエアブラシでの塗装方法を解説していきます。キットは仮組み(→P.98〜99)などしなくても、塗装後に簡単に組み立てができるENTRY GRADEのRX-78-2ガンダムを使います。

ガンダムマーカーエアブラシによる塗装のポイントは、十分に乾燥させることです。3日間乾燥させれば、塗膜がしっかりとしてきます。仕上げには、ガンダムマーカークリアーを使いましょう。光沢とつや消しがあります。

使用する道具

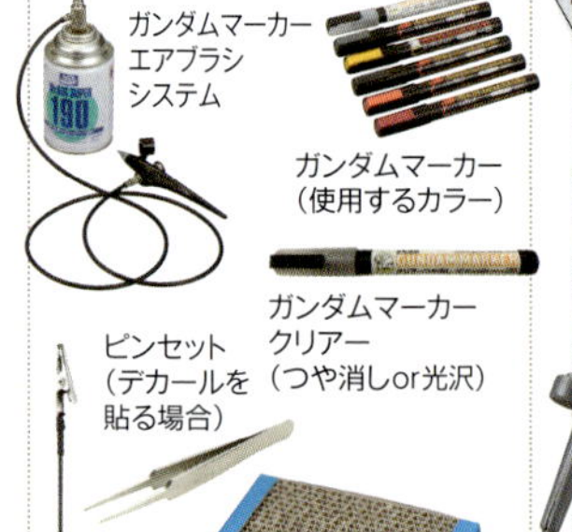

カラーレシピ
- シャアレッド
- シャアピンク
- ファントムグレー
- ジオングレー
- ガンダムイエロー

ガンダムマーカーエアブラシの調整

ガンダムマーカーは手軽に使える入門ツール。慣れれば繊細なエアブラシ塗装が可能になる。

ペンの高さを調節する
吹き出すエアーの高さに、マーカーの先端がちょうどくるように合わせると、きれいな霧状に吹くことができる

ガンダムマーカーエアブラシは、ガンダムマーカーの芯に含まれている塗料をエアーで吹き飛ばして塗装するもの。

プラスα エアーの方向にペン先を合わせる

専用替芯(→P.70)を使用しなくてもエアブラシを使用できるが、標準芯の場合、先端の向きをエアーの向きに合わせる必要がある。

プラスα 重ね塗りもできる

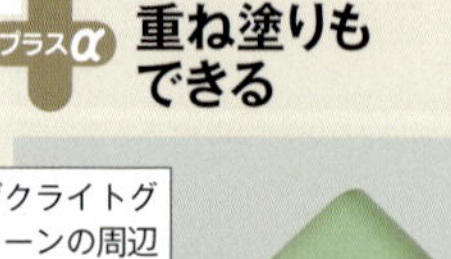
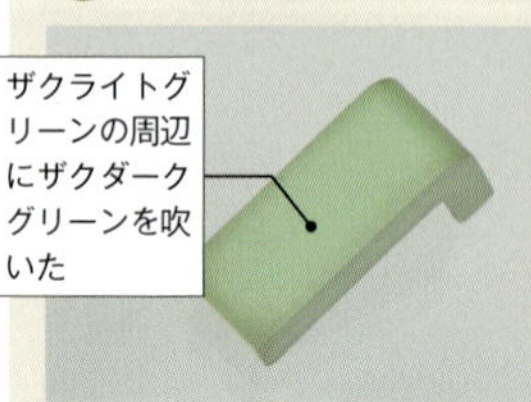

ガンダムマーカーで直接塗る場合は重ね塗りが難しいが、ガンダムマーカーエアブラシなら正しく調整していねいに吹けば重ね塗りもできる。

ガンダムマーカーエアブラシで塗装する方法

ガンダムマーカーエアブラシは色替えが簡単。何色でも手軽に吹くことができる。ただし、乾燥時間はしっかりととること。

1 塗装する色でパーツを分ける

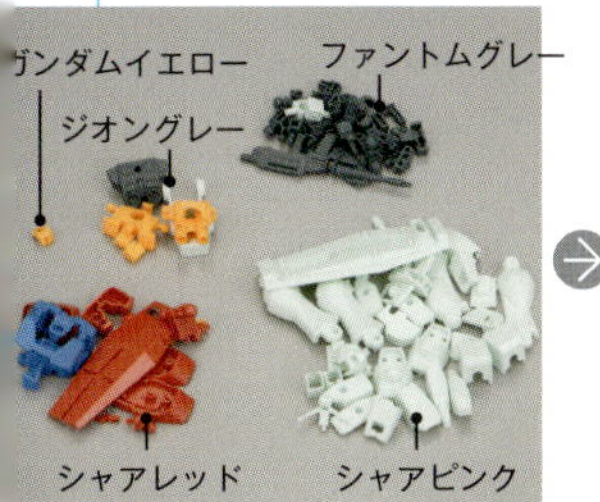

切り出したパーツを、中性洗剤で洗って乾かし、塗装する色ごとに仕分ける。今回は上記の5色に塗装する。

2 パーツをクリップにセットする

パーツを塗装用クリップにつける。塗装する色ごとに分けておくと、作業がしやすい。

3 ガンダムマーカーをセットする

ガンダムマーカーのインクを芯にしみ込ませ、エアブラシにセットする。試し吹きをしてマーカーの高さを調整。

4 1色目を吹く

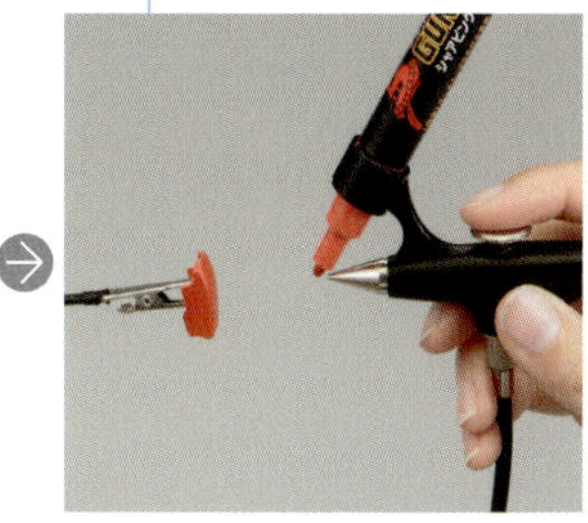

まず、シャアピンクを吹いていく。全体にジュワッと塗れるぐらいがよい。吹きすぎると、塗料がダレるので注意。

5 2色目以降を吹く

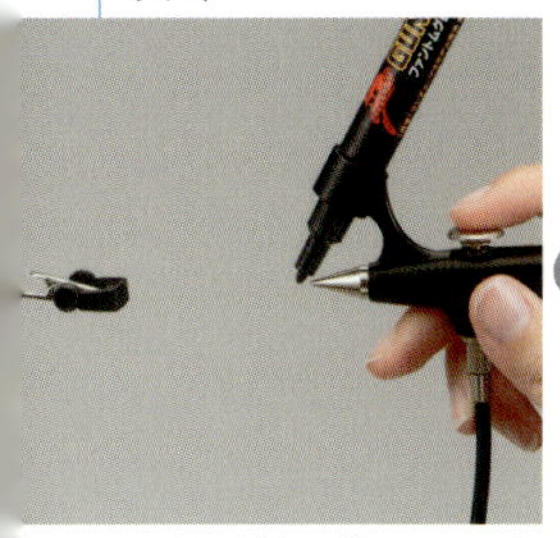

シャアレッド、ジオングレー、ファントムグレーと順番に吹く。マーカーを交換するだけで簡単に色替えができる。

6 細かいパーツも吹く

メインカメラなどに、ガンダムイエローを吹く。細かいパーツや1パーツだけでも、気軽に吹けて便利なツールだ。

7 しっかりと乾燥させる

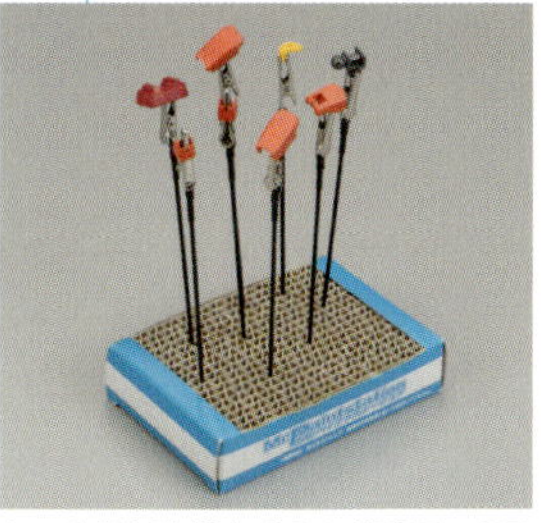

しっかりと乾燥させるのが重要。3日間は、乾燥ブースに入れるなどしてほこりがかぶらないようにして乾燥させたい。

NG メッキシルバーは7日間乾燥!

ガンダムマーカーメッキシルバーは、乾燥時間が短いと簡単に指紋がつく。最低でも7日間は乾かそう。

8 デカールを貼る

乾燥したらデカールを貼る。ガンダムデカールにあるシャア・アズナブルのパーソナルマークなどを使用した。

9 スミ入れをする

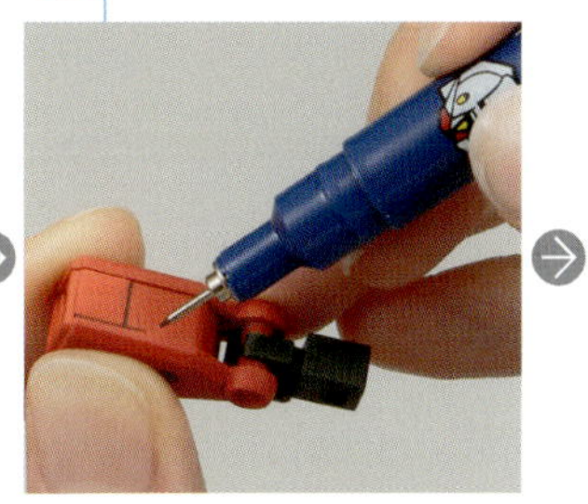

全体に色が濃い目なので極細タイプのスミ入れペンで、くっきりとスミ入れを行う。

10 クリアーのつや消しを吹く

仕上げとして、ガンダムマーカークリアーのつや消しを全体に吹く。部位ごとに組み立ててから吹いてもいい。

NG 水性トップコートは要注意

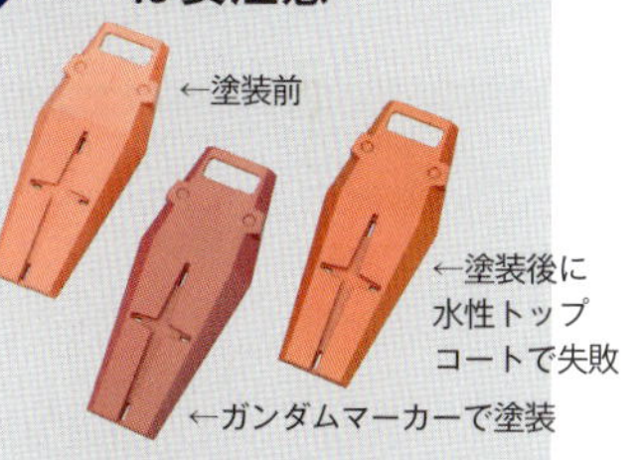

水性トップコートの成分は、ガンダムマーカーを溶かすことがある。使わないほうが無難だ。

11 組み立てる

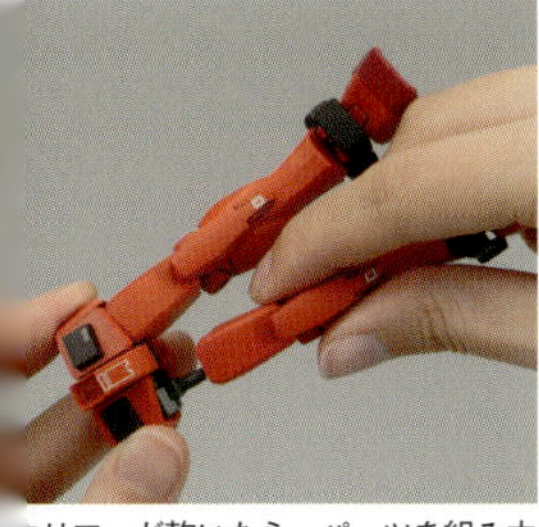

クリアーが乾いたら、パーツを組み立てて完成。しっかりと乾いていれば、指紋がつくことはない。

POINT 失敗したらやり直せばいい

ガンダムマーカーには、消しペン(→P.69)がある。失敗した場合は消しペンできれいにはがせるので、納得するまでやり直せる。ガンダムマーカーエアブラシでは、先端にたまった塗料が大きな粒で飛びやすくなる。きれいに塗装するコツとしては、先に紙などに試し吹きをして大きな粒を飛ばしてから、塗装するパーツに吹きつけるとよい。

大きな粒子はそのまま残って目立つ。できればやり直したい。

消しペンを塗ってティッシュでふき取れば、きれいにはがせる。

缶スプレーで塗装する

難易度: **かんたん** / ふつう / むずかしい

におい: しない / よわめ / **つよめ**

▶ 缶スプレーは筆塗り(→P.110~111)にくらべて塗りムラになりにくく、**広い範囲を手早く塗装することができる。** エアブラシのような準備や後片付けの手間が必要ないので、手軽に行うことができる。

▶ 缶スプレーは上から下に振りながら吹きつける。**薄く塗るのが基本で、数回に分けて重ね塗りする。**

※『機動戦士ガンダムSEED DESTINY』に登場するハイネ・ヴェステンフルスのパーソナルカラー。

缶スプレー塗装の魅力は、**手早く、広い範囲を塗装できること。筆塗りよりも塗りムラになりにくく、エアブラシ(→P.116)のような準備や後片付けの手間も必要ありません。** ただし、缶スプレーは基本的にラッカー塗料なので、換気には気を配りましょう。コツは薄く吹き、数回に分けて重ね塗りすること。1回で塗りきろうとすると、塗料が垂れてかたまり(ダマ)ができやすくなります。乾燥時間を含めると、完成まで少し時間がかかるので、十分に時間を確保して作業してください。

使用する道具

缶スプレー塗装の基本

缶スプレーは塗料の希釈やエアブラシの準備をしなくても使えるので、手軽に塗装できる。ただし、基本的に吹き出すエア圧が強いので、気をつけないとすぐ厚塗りになってしまう。

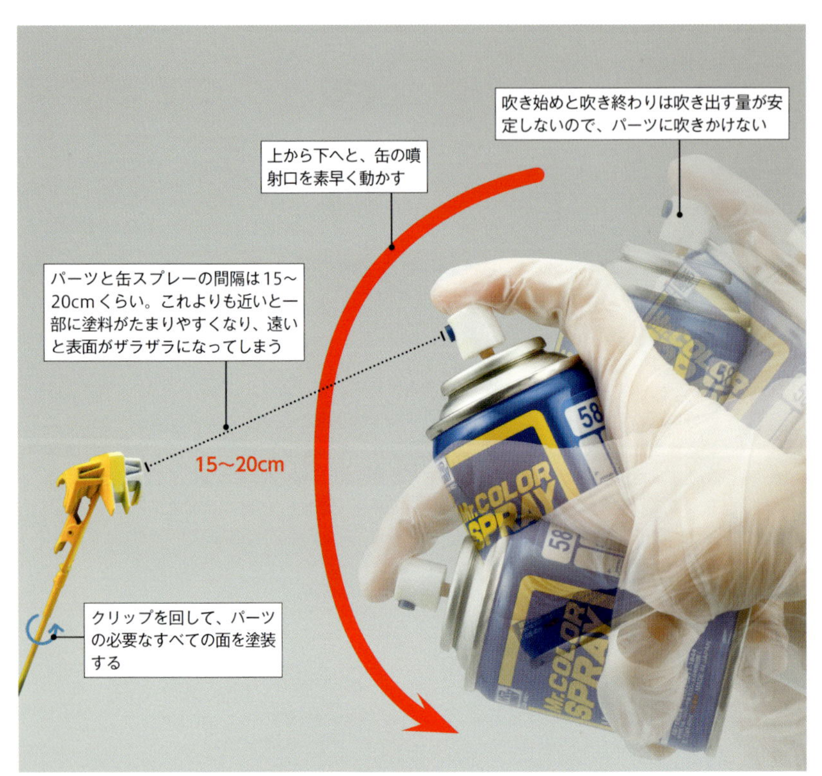

吹き始めと吹き終わりは吹き出す量が安定しないので、パーツに吹きかけない
上から下へと、缶の噴射口を素早く動かす
パーツと缶スプレーの間隔は15~20cmくらい。これよりも近いと一部に塗料がたまりやすくなり、遠いと表面がザラザラになってしまう
15~20cm
クリップを回して、パーツの必要なすべての面を塗装する

缶スプレーは缶を持つ手首を動かして、上から下に振りながら吹きつける。さらにパーツの向きを変えながら、この動作を繰り返して全面を塗っていく。初めて使う人はパーツに吹きつける前に、ランナーなどで練習するとよいだろう。

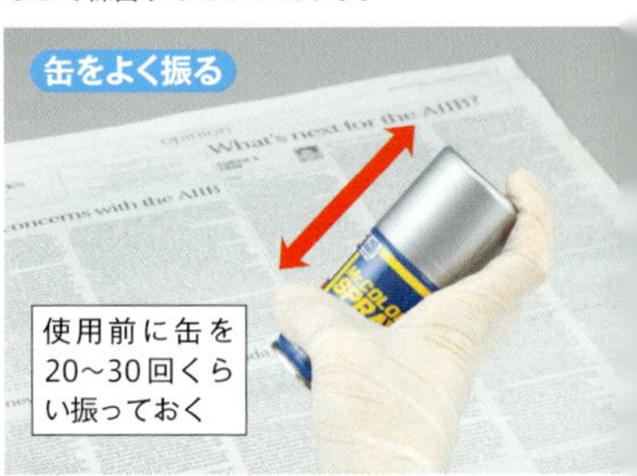

缶をよく振る
使用前に缶を20~30回くらい振っておく

使用前の缶スプレーは、中で塗料の成分が分離している。そのまま塗るとムラになりやすいので、よく振って塗料を混ぜ合わせよう。

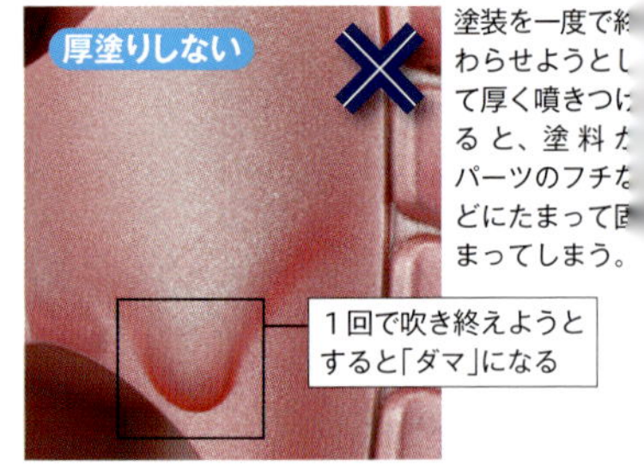

塗装を一度で終わらせようとして厚く噴きつけると、塗料がパーツのフチなどにたまって固まってしまう。

缶スプレーで塗装する方法 つよめ

缶スプレー塗装は薄く吹くのが基本。乾燥後に重ね塗りをして、仕上げていく。「一度で終わらせよう」という焦りは失敗のもとだ。

1 塗装しやすいようにキットを分解する

まずは塗り分ける色ごとにパーツを分解(→P.99)。分解できないパーツの塗り分けはマスキングを行う(→P.104)。

2 パーツをクリップにセットする

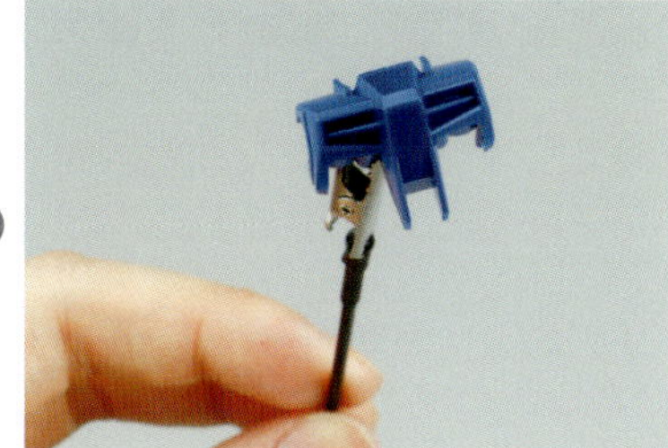

分解したパーツごとに塗装用クリップにセット。同じ色に塗るパーツはすべてセットしておき、テンポよく塗装できるようにしよう。

3 サーフェイサーで下地をつくる

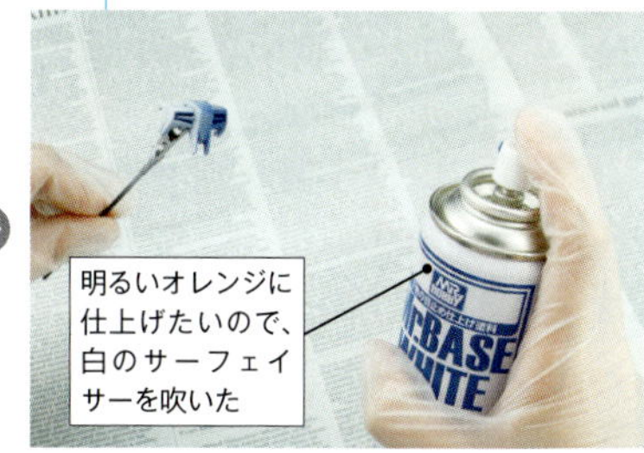

イメージどおりの色に仕上げるために、サーフェイサーを吹いておく。明るい色を塗装する場合は、下地も白くするとよい。

4 缶スプレーを吹きつける

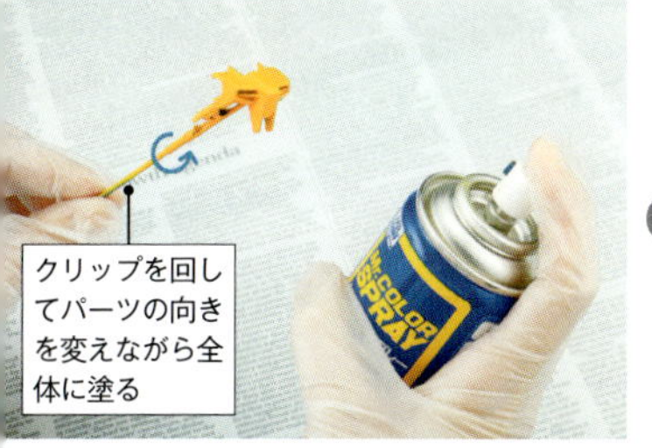

缶スプレーを上から下に振って塗装する。1回目はうっすら色がつく程度でOK。薄く塗って、数回に分けて塗り重ねていく。

5 全体に色が塗れたらOK

数回に分けて吹き(目安は3～4回)、しっかりとパーツ全体に色がついたらOK。塗り残しがないか、確認しよう。

プラスα 重ね塗りは乾いてから行う

塗料が乾く前に再び吹きつけてしまうと、余計にムラになったり、もともと塗ってあった部分に塗料がたまり、ダマができてしまったりする。缶スプレーは重ね塗りが基本だが、必ず1回ずつ乾燥させてから行おう。

乾く前に塗り重ねると
大きな失敗につながる

塗料を出して筆で塗る方法 つよめ

缶スプレーで塗装したとき、パーツの奥まった部分などを塗り残してしまうことがある。そういうときは、缶スプレーの塗料を出して、筆塗りでカバーしよう。

1 細部を確認する

排気ダクトの奥まで塗装できなかった

缶スプレー塗装は、奥まったところに塗り残しができることがある。その場合は、塗料を出して筆塗りで対応する。

2 スプレーの中身をフタに出す

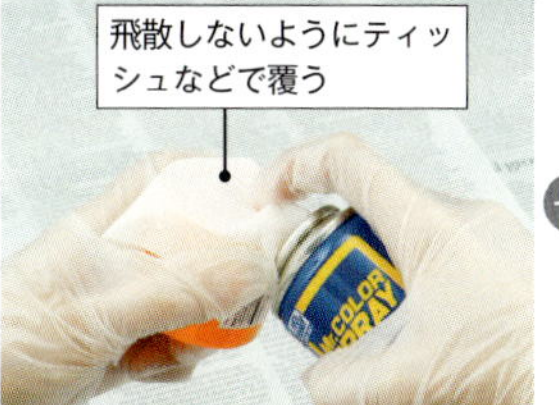

飛散しないようにティッシュなどで覆う

まずは筆で塗れるように塗料を出す。フタ(塗料皿などでもOK)に向けて、スプレーを吹こう。

3 面相筆に塗料をつけて塗る

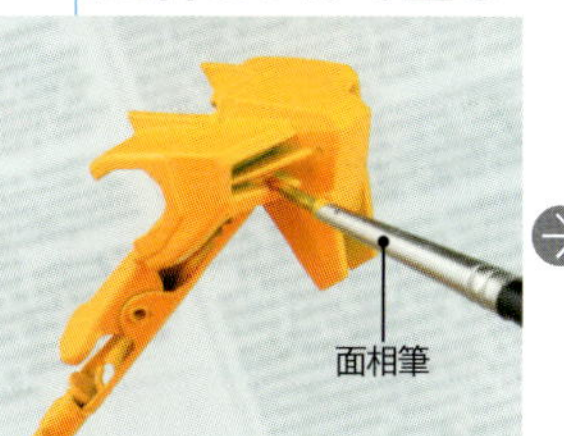

筆先の細い面相筆を使う。缶のフタに出した塗料を筆につけて、塗り残した部分を塗っていく。

4 塗りムラがないか確認する

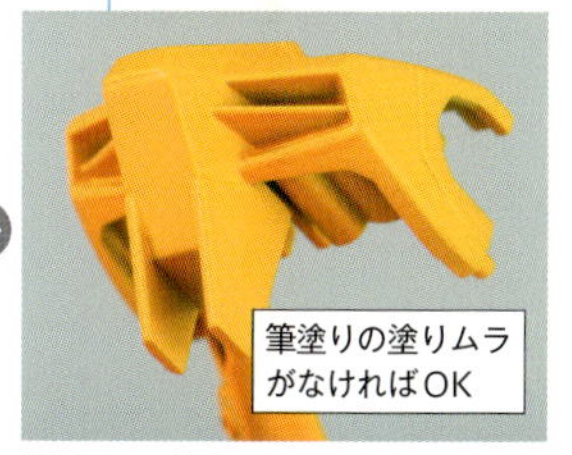

乾燥したら仕上がりをチェックしよう。このような細かい部分を缶スプレーで重ね塗りしようとすると失敗しやすい。

塗料の「ダマ」を直す方法 つよめ

一度に厚塗りしすぎると、段差やフチなどに塗料のかたまり(ダマ)ができてしまう。美しい仕上がりとはいえないので、修正しよう。

1 塗料のかたまりを発見

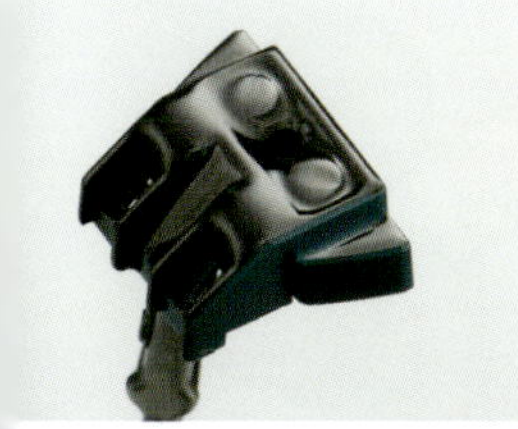

全体的に厚塗りして、かたまりができてしまった。とくに段差の部分に「ダマ」が目立つ。

2 塗料のかたまりをみがいてけずる

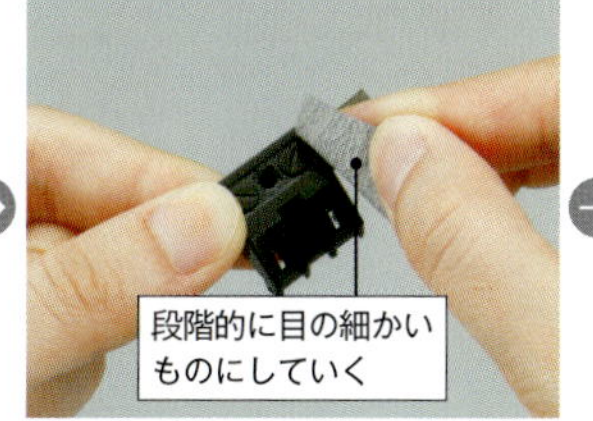

段階的に目の細かいものにしていく

塗料が乾いたあとに、ダマになった部分を紙やすりでみがく。番手は400番から始め、800番あたりで仕上げる。

3 表面が平らになったことを確認する

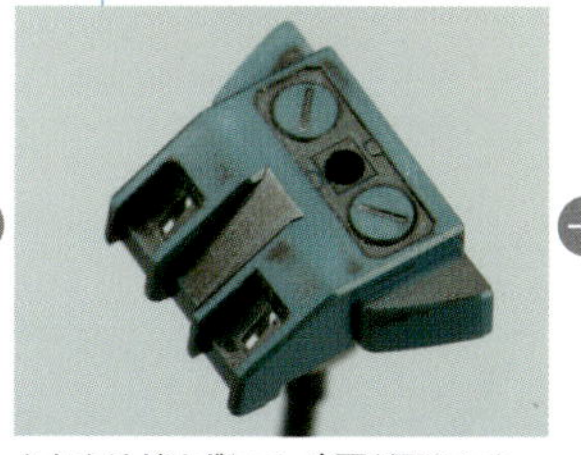

かたまりがけずれて、表面が平らになっていればOK。塗装前の状態に近づいたことになる。

4 再度スプレーで塗装する

再び缶スプレーを吹いて塗装する。今度は「ダマ」ができないように、薄く塗り重ねよう。

エアブラシによる塗装①
パーツ全体を均一に塗る

難易度：かんたん／ふつう／むずかしい

におい：しない／よわめ／つよめ

▶ エアブラシを使えば、パーツ全体を均一に塗ることができる。**吹く量を調節できるので、厚塗りを避けやすい。**

▶ 上手に塗装するコツは、**塗料の濃度やパーツとの距離、吹きつけ具合などをコントロール**して、乾燥させながら薄く重ね塗ること。

Before
After
エアブラシ塗装でリアルタイプカラー※に。マーキングシール(→ P.64)も貼って見栄えがさらによくなった
HGUC 1/144 RX-78-2 ガンダム

※ガンダムが実在兵器として存在した場合をイメージしたカラーリング。

エアブラシを使えば、市販のカラーはもちろん、**自分で調色した塗料でキットを塗装できるようになります。**広い範囲を塗りやすいのはもちろんのこと、**エア圧を調整することで厚塗りを避けやすくなります。**

エアブラシ塗装のコツは塗料を薄く吹きつけて、しっかり乾燥させながら重ね塗りしていくことです。塗料が定着しにくいエッジや奥まったところから吹きつけていくことで、ムラを予防できます。

使用する道具

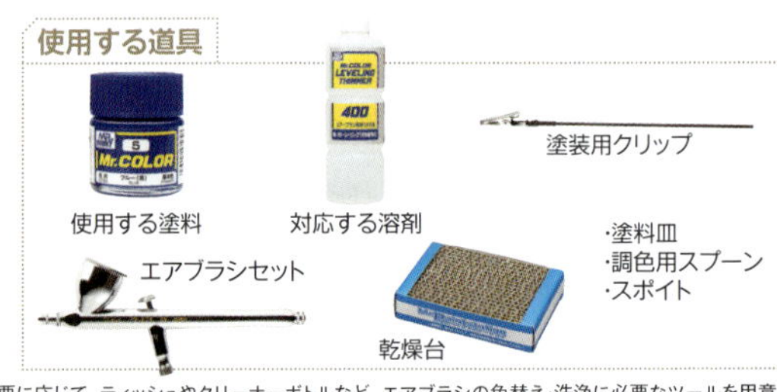

※必要に応じて、ティッシュやクリーナーボトルなど、エアブラシの色替え·洗浄に必要なツールを用意。

エアブラシ塗装の基本

エアブラシ塗装の基本ポイントは、塗料を希釈する濃度(→P.108)、エア圧の調整、パーツとの距離の3つ。慣れるまで、実際に塗装する前にプラ板などに吹きつけて練習をしておこう。

塗料の濃度は筆塗りのときよりもやや薄め、塗料皿を傾けたときに「サラサラ」と流れるくらいにする。エア圧は0.05~0.1Mpaくらいを基本に、吹き出し具合を見ながら調整しよう。パーツとの距離は5~15cmくらい。距離によって、パーツへの塗料のつき方が変わるので、仕上がりに合わせて距離を決めよう。

塗装前にホコリを払う

塗料を入れる前にエアブラシを吹いてエアを出し、パーツについたホコリを落としておく。平筆でホコリを払ってもOK。

試し吹きをする

パーツに吹きつける前に、プラ板や新聞紙などに試し吹きをして濃度や色を確認する。

エア圧を調整する

エアレギュレーターを操作して、エア圧を調整。メーカーのマニュアルに従うか、0.05~0.1Mpaくらいを基本にする。

エアブラシで塗装する方法 コ/よ

塗料は薄く吹きつけること。厚塗りや塗りムラを避けるため、塗装と乾燥を繰り返して重ね塗りしていく。

1 キットを分解してサーフェイサーを吹く

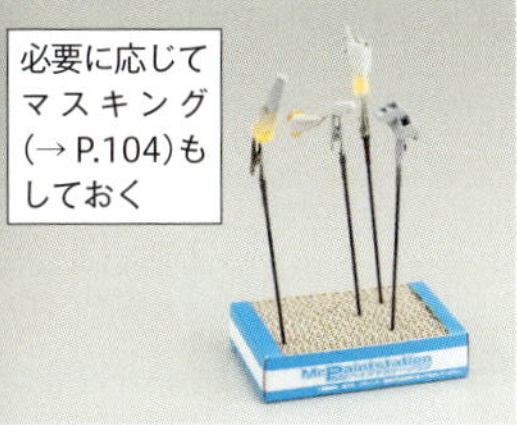

同じ色をまとめて塗れるように、塗装する色ごとにパーツを分け、サーフェイサーを吹いておく(→P.106)。

2 パーツの角やフチなどから吹きつける

パーツの角やフチ、奥まったところは塗料がノリにくいので、そちらから先に吹いていく。

3 塗装用クリップを回しながら吹く

吹き残しがないように、クリップを回しながら吹きつけていく。この段階では、パーツの角やフチなどを中心に。

プラスα 奥まった部分も忘れずに吹く

胸部の排気ダクトなど、奥まった部分で組み立て後に見えるところも、早い段階で吹いておく。組み立て後に吹き残しが見えると、格好悪くなってしまう。

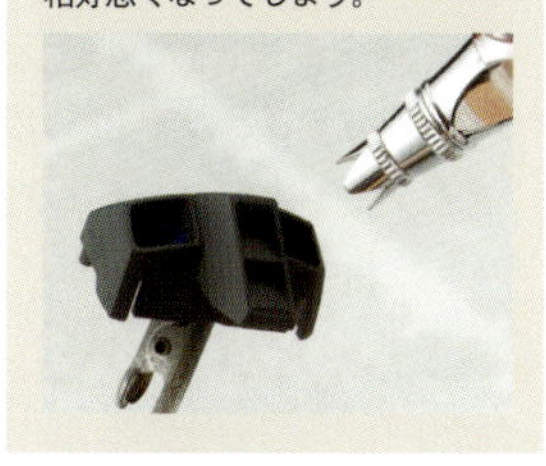

4 塗料が乾くのを待つ

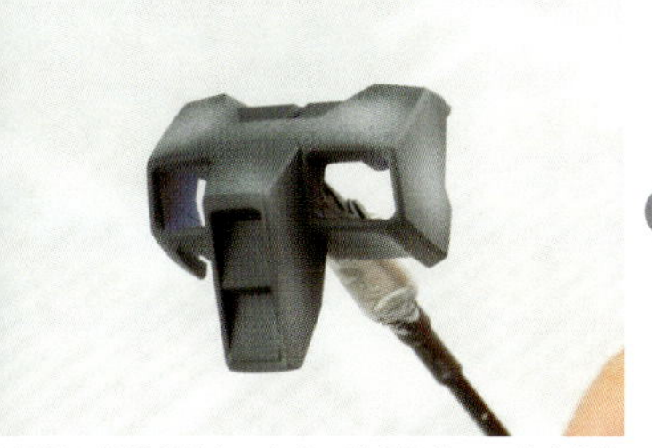

1回目の塗装が終わったら、乾燥を待つ。乾きが速いラッカー塗料を使った場合なら、ほかのパーツを塗装しているうちに乾くだろう。

5 端から内側へと塗装範囲を広げていく

塗料が完全に乾いたら2回目の塗装。端から中心部へと塗装の範囲を広げて、パーツ全面を均一に塗装していく。

6 塗り残しや塗りムラがないか確認する

塗装が終わったら仕上がりを確認する。エアブラシ塗装は薄く吹きつけるのがポイント。塗り残しがあれば、乾燥後にもう一度吹きつける。

塗装する色を替える方法 

エアブラシで使用する塗料を替えるときは、「使用後のケア(→P.83)」とほぼ同じ。塗料カップ内に残った塗料を完全にきれいにし、次に使う塗料を入れよう。

1 残った塗料を塗料ビンにもどす

使用した塗料は元の塗料ビンやスペアボトルに入れ、塗料カップの内部をウエスなどでふく。

2 溶剤を入れて筆で洗う

塗料カップの中に使用した塗料に対応する溶剤を入れ、筆で内部をこすって洗う。

3 塗料カップ内の溶剤を吹き切る

塗料カップ内の溶剤をクリーナーボトル(もしくはビニール袋の内側にウエスを敷いたもの)に吹き出す。

4 カップに溶剤を入れてノズルを回す

再び溶剤を塗料カップの中に入れる。うがい(→P.83)をするためにノズルキャップを回してゆるめる。

5 カップ内をブクブクさせる

溶剤の量が多いと飛び散ることがあるので、実際にはフタを閉めて行う

エアブラシのボタンを押して引き、うがいをする。1～2分経過したら、カップ内の溶剤をクリーナーボトルに出す。

6 カップ内の溶剤の色を確認する

「ブクブクをしたあとでも溶剤が透明」という状態になるまで、うがいを数回繰り返す。

7 キャップを掃除する

塗料カップのフタにも塗料が付着している可能性があるので、きれいにティッシュなどでふき取っておこう。

8 次に使う塗料をカップに入れる

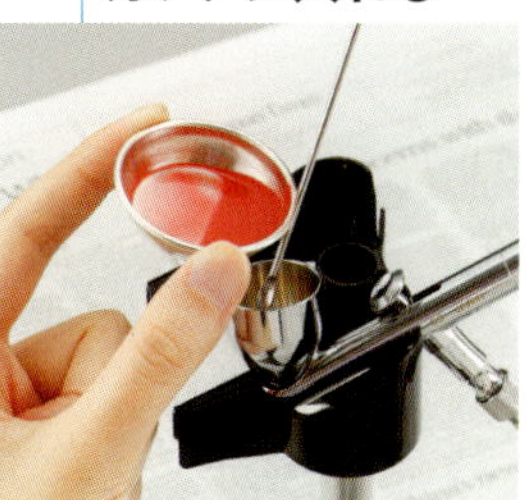

次に使用する塗料を塗料カップに入れる。塗料の希釈や調色は、カップに入れる前にしておく。

エアブラシによる塗装②
グラデーションをつける

難易度：かんたん／ふつう／**むずかしい**

におい：しない／**よわめ**／**つよめ**

▶ **下地に黒（もしくは暗い色・濃い色）を塗り、その上に陰となるところを吹き残す**ことになって、グラデーションを表現することができる。この手法を「黒立ち上げ」という。

▶ エア圧を調節できるエアブラシ特有のテクニックが必要で、**薄く、細く吹くのが基本。**

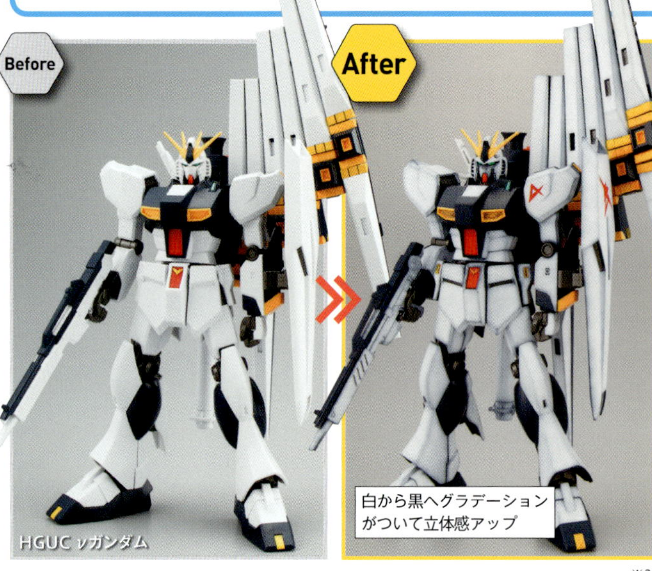

白から黒へグラデーションがついて立体感アップ

黒い色でグラデーションをつける「黒立ち上げ」は、もともとAFV※1モデラーを中心に活用されてきたテクニック。エッジに黒い色を残すグラデーション塗装を行うことで、立体感を表現します。方法としては、**下地として黒の塗料（もしくはサーフェイサー）を塗り、その上から白などの薄い色をエアブラシで吹きつけます。**このとき、最終的には**エッジにだけ黒が残るようになることを意識しながら、薄く細く吹きつける**のがポイントです。

使用する道具 ※2

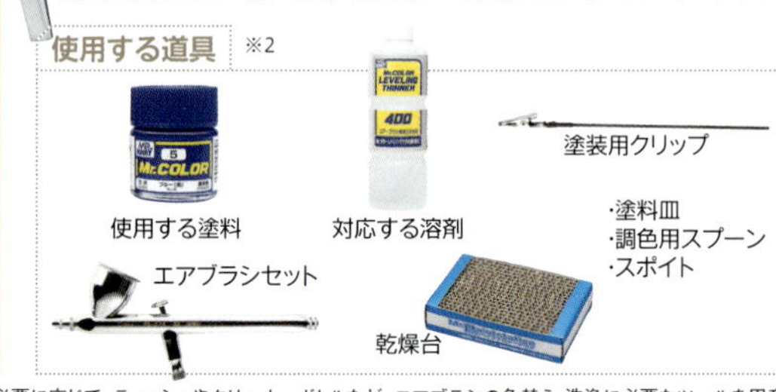

※2 必要に応じて、ティッシュやクリーナーボトルなど、エアブラシの色替え・洗浄に必要なツールを用意。

グラデーション塗装の基本

グラデーション塗装は、立体感を表現するためのテクニック。まずはパーツのエッジから中央に向かって、徐々に色が薄くなるようにしていく。

効果
エッジの黒によって、立体感が強調されている

方法
下地色（ここでは黒）がエッジに残るように、上に塗る色（ここでは白）を重ねて吹いていく

仕上がり
エッジは黒で、そのエッジに向けてうっすらとグラデーションがかかった仕上がりとなる

グラデーション塗装では、基本的に２色の塗料を使う。まず、下地を黒などの濃い色で塗装し、上から白などの薄い塗料を薄く吹きつけていく。中心に向かって徐々に色が薄くなるように、エアブラシを薄く細く吹くことがポイントとなる。１回の重ね吹きでグラデーションをつくることはできない。パーツの大きさなどにもよるが、５〜６回くらいは塗装と乾燥を繰り返すことになる。塗り重ねた境目が目立ったり、下地の黒が目立ちすぎたりしないように気をつけよう。

下地に使う塗料

ブラック

黒など濃い色
濃い色で下地色を塗る。黒立ち上げの場合は、黒のサーフェイサー（→ P.84）を使用してもよい。

上に塗る塗料

ホワイト

白など薄い色
上に塗るのは薄い色の塗料。ここではキットの設定カラーに合わせて、白の塗料を使用。

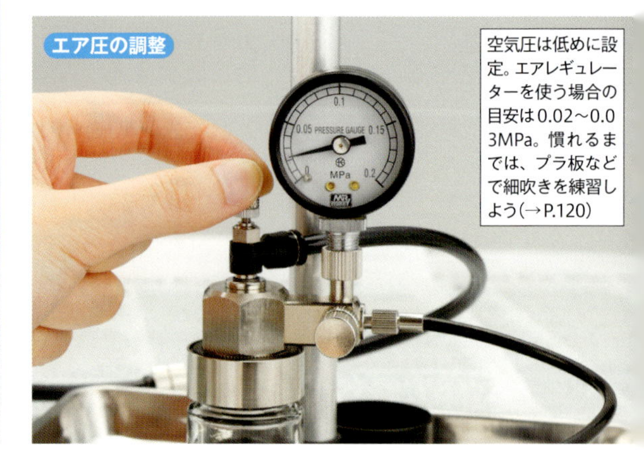

空気圧は低めに設定。エアレギュレーターを使う場合の目安は0.02〜0.03MPa。慣れるまでは、プラ板などで細吹きを練習しよう（→ P.120）

※1 Armored Fighting Vehicleの略。戦車などの攻撃用の武装と防御用装甲板のある戦闘用車両。

グラデーション塗装の方法

コツ／よ グラデーション塗装は重ね塗りの回数が多いので根気よく進めよう。

1 パーツをクリップにセットする

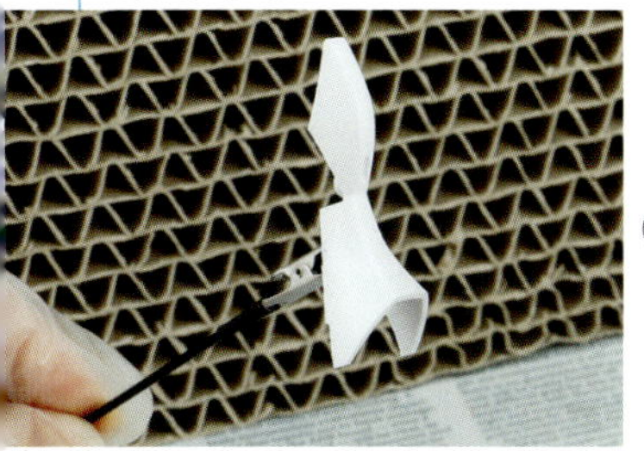

グラデーション塗装では、できるだけ細かくパーツを分ける。そのほうが塗りやすく、塗り残しも少なくなる。

2 下地を塗装する

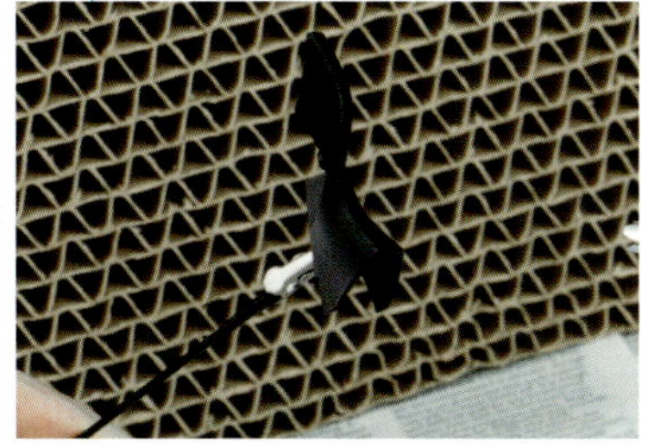

下地の色として、パーツ全体を黒で塗装する。エアブラシ用に希釈(→P.108)して吹こう。黒のサーフェイサーでもよい。

3 下地の塗料の定着具合を確認する

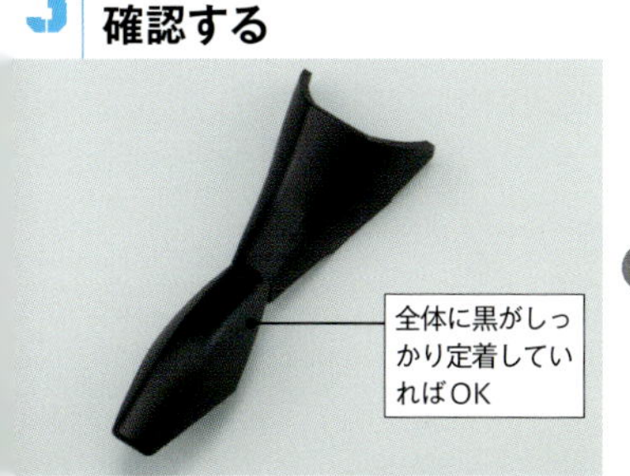

下地として、パーツの表面全体を黒に塗装した。

4 上から白の塗料を薄く吹きつける

上塗りする塗料(ここでは白)をエアブラシで吹きつける。薄く塗っていくのが重要で、乾燥させながら塗り重ねていく。

5 「乾燥→塗装」を繰り返す

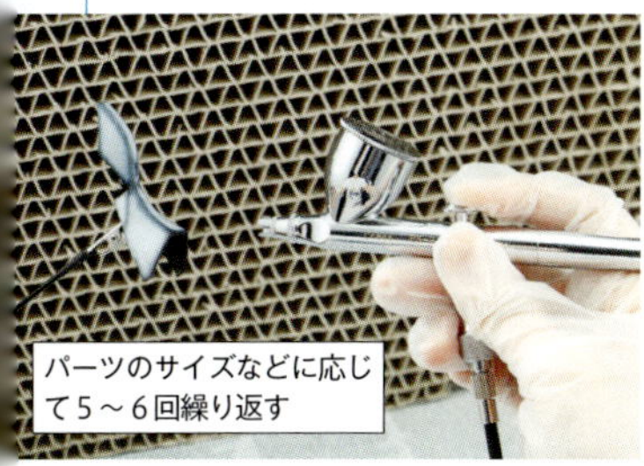

パーツのサイズなどに応じて5～6回繰り返す

1回目の上塗りした塗料が乾燥したら、2回目の上塗りを行う。やはり薄く細く吹いて、徐々に白い面を広げていく。

NG エア圧が強いと失敗する

上塗りするときにエア圧が強かったり、エアブラシとパーツの距離が近すぎたりすると、塗り加減をコントロールできなくなる。

6 グラデーションの具合をチェックする

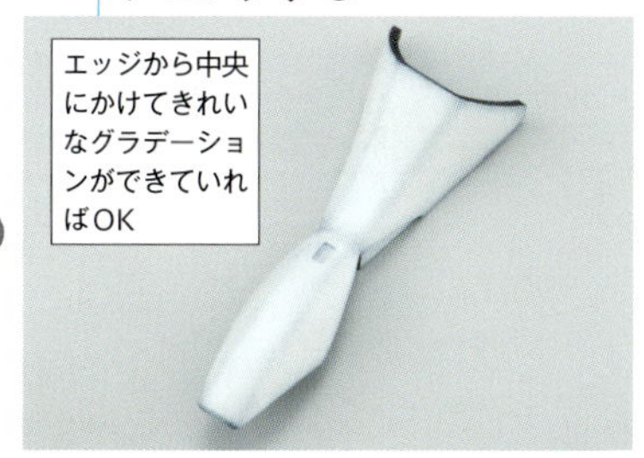

イメージどおりのグラデーションができるまで塗り重ねて、完全に乾燥したら仕上がりをチェックする。

プラスα 上塗りはパーツの中心から吹いていく

上塗りする塗料は細く吹き出すようにエア圧を調整して、パーツの中央から円を描くように吹きつけていく。そして、塗り重ねるたびに、徐々に上塗りする面積を広げていく。また、1つのパーツだけ進めるのではなく、すべてのパーツを同じ段階で進めることも大切。全体を均一に仕上げやすくなる。

吹きつけ方

中央から外側へと円を描くように塗装範囲を広げていく。

バランスをチェック

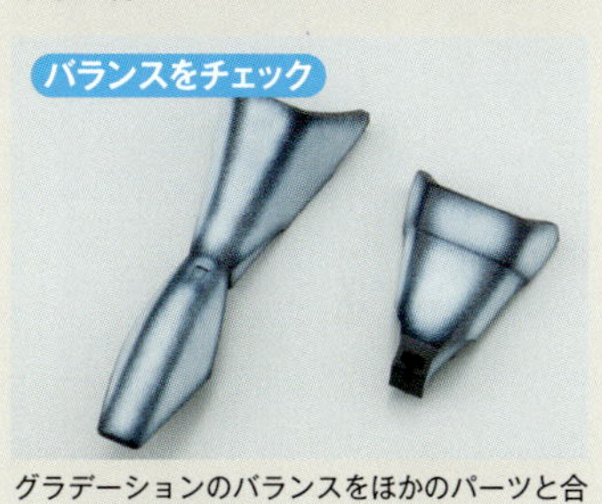

グラデーションのバランスをほかのパーツと合わせながら塗装していく。

POINT 上塗りの塗装範囲を徐々に広げていく

グラデーション塗装は1回の上塗りで仕上げることはできない。1回ずつしっかり乾燥させることで、パーツのエッジから徐々に色の濃さが変化していく様子を表現できるからだ。1回で上塗りしようとすると、どんなにエア圧を変えるなどして調整しようとしても、ただ2色に塗られただけになってしまう。仕上がりを楽しみにして、根気よく塗り重ねていこう。

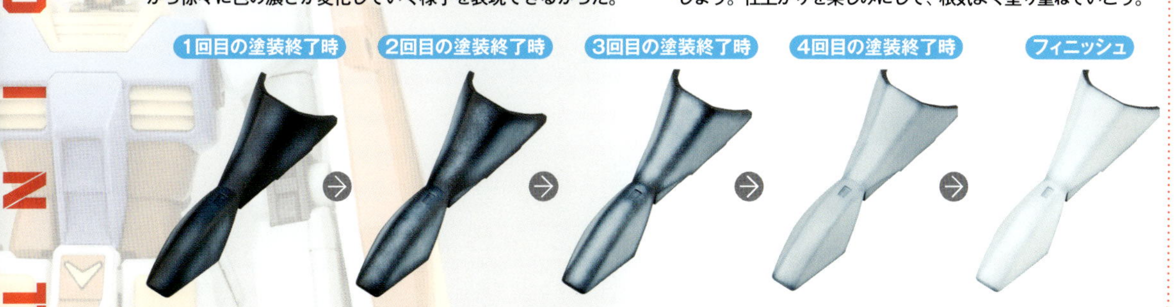

エアブラシによる塗装③ シャドウ吹きをする

難易度：かんたん／**ふつう**／むずかしい
におい：しない／**よわめ**／**つよめ**

▶ シャドウ吹きとはパーツのエッジやモールド、奥まったところなどに**うっすらと塗料を吹きつけて陰影を強調するテクニック**のこと。立体感や重厚感を演出することができる。

▶ 使用する塗料は、**スモークグレーなどのクリア系の塗料（光が透ける塗料）**や**下地より暗い色**を選ぶのが基本。

エッジなどに影がついて重厚感が増した

パーツのエッジやモールドなどを、スモークグレーなどのクリア系の塗料でうっすらと塗装するテクニックをシャドウ吹きといいます。**陰影が強調されて、立体感や重厚感を演出できます。**吹きつけ具合をコントロールできるエアブラシならではの表現方法といえるでしょう。ポイントは細く薄く吹く「細吹き」で塗装すること。エッジなど、シャドウの中心とするラインから外に広がるにつれて、薄く吹くと、リアルな影に仕上げられます。

使用する道具

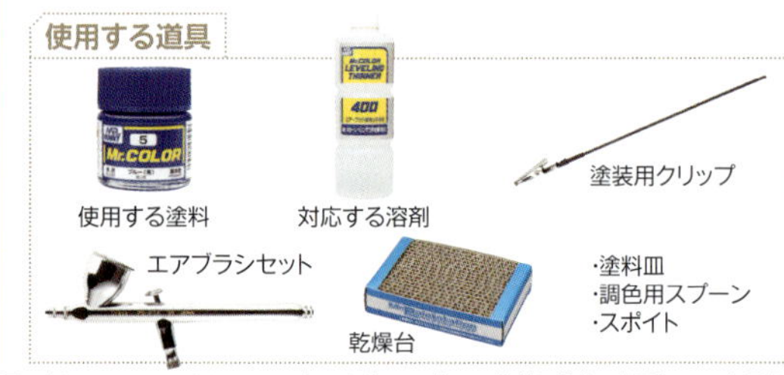

※必要に応じて、ティッシュやクリーナーボトルなど、エアブラシの色替え・洗浄に必要なツールを用意。

シャドウ吹きの基本

シャドウ吹きのポイントは「細吹き」。細く薄く塗料を吹くテクニックで、エア圧やボタンの操作具合によって調整する。慣れないうちは、プラ板や新聞紙などで練習しよう。

効果
パーツのエッジやモールドの周りなどにうっすらとシャドウ（影）が出て、立体感や重厚感が増す

方法
スモークグレーなど、くすんだ色の塗料を細く薄く吹きつける。吹いたところから、外側にいくほど薄くなるようにするのがポイント

仕上がり
薄いグラデーションになっているが、グラデーション塗装（→P.118）とはちがった陰影の強い仕上がりに

シャドウ吹きははっきりした色を使うと、メリハリがつきすぎて不自然な印象になってしまうことがある。キットの色によっても変わるが、基本的にはスモークグレーなど、クリア系の塗料（光が透ける塗料）や下地より暗い色を選択しよう。希釈は通常の塗装から変える必要はないので、塗料皿を傾けたときにサラリと流れるように薄くする（→P.108）。細く薄く吹く「細吹き」が重要で、通常時の塗装よりも低めにエア圧を設定して、ていねいに吹いていく。

使用する塗料

スモークグレー　ブルー　ブラウン

スモークグレーなら、どのようなパーツの色でも合う。ほかにはブルーやブラウンなどを使うと、またちがった印象に仕上がる。

慣れるまでは細吹きの練習をしよう

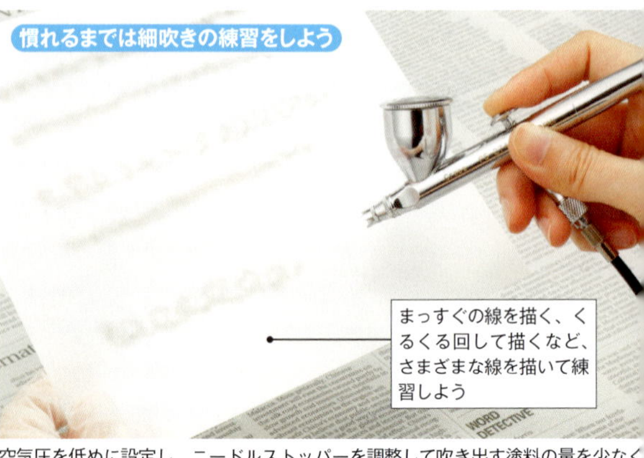

まっすぐの線を描く、くるくる回して描くなど、さまざまな線を描いて練習しよう

空気圧を低めに設定し、ニードルストッパーを調整して吹き出す塗料の量を少なくすることで細く薄く吹く。慣れるまではプラ板や新聞紙、段ボールなどに吹きつけて練習しておこう。同時に塗料の色味や濃度もチェックする。

シャドウ吹きを行う方法 コツ/よ

キットを分解(→P.99)してから行う。エッジやパネルラインに沿って薄くなるように。

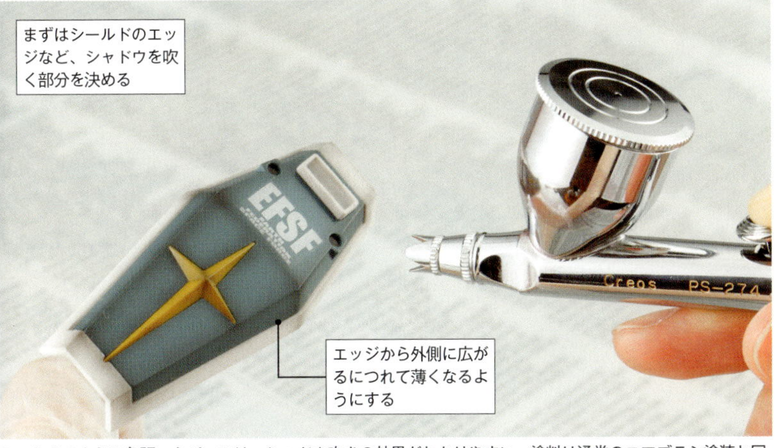

まずはシールドのエッジなど、シャドウを吹く部分を決める
EFSF
Creos PS-274
エッジから外側に広がるにつれて薄くなるようにする

シールドのように角張ったパーツは、シャドウ吹きの効果がわかりやすい。塗料は通常のエアブラシ塗装と同じくらいの濃度で希釈しておく。

シャドウを吹く部分

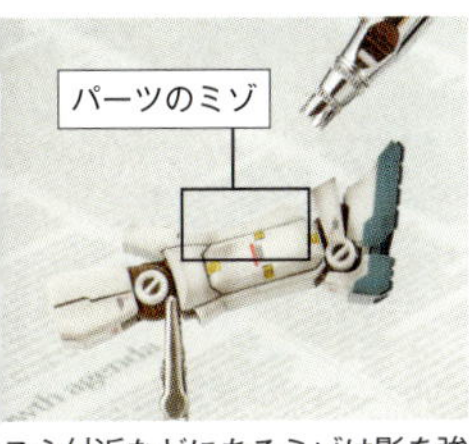

スネ付近などにあるミゾは影を強調したい部分。

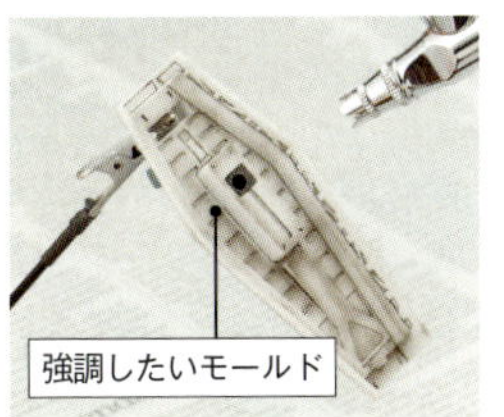

シールドの裏側などの細かいところはうっすらと色づく程度に。

胸部の排気ダクトなどの奥まったところもシャドウ吹きの対象だ。

プラスα 全体のバランスとパーツの色を確認

シャドウ吹きをきれいに仕上げるには、いくつかのコツがある。1つめは、全体のバランスを整えること。たとえば左右でシャドウの濃淡がちがうと、ちぐはぐな印象になってしまう。2つめは、シャドウの濃さを調整すること。パーツの色が濃い部分はシャドウを強めにし、パーツの色が薄い部分にはシャドウを弱めにすると、全体的に自然な仕上がりになる。

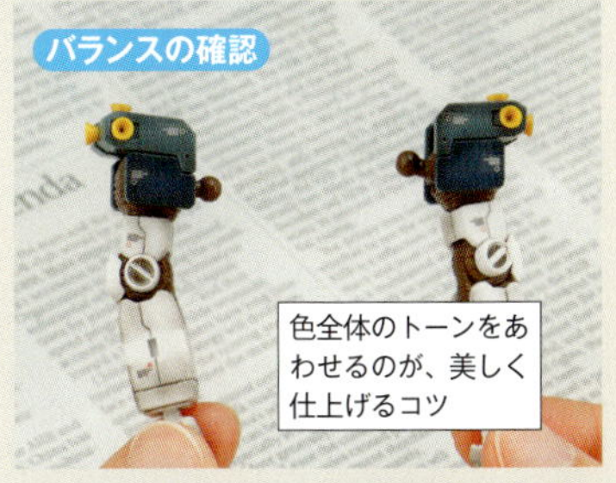

バランスの確認
色全体のトーンをあわせるのが、美しく仕上げるコツ

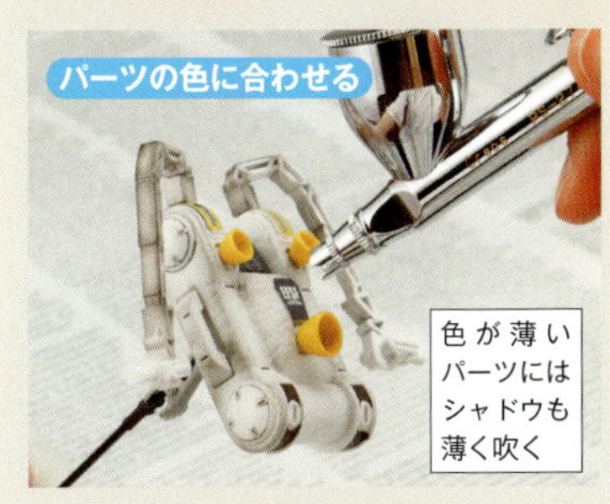

パーツの色に合わせる
色が薄いパーツにはシャドウも薄く吹く

プラスα 金メッキパーツはクリアオレンジ系の塗料で

金メッキパーツにシャドウ吹きをすることもできる。オススメはクリアオレンジ系の塗料を使うこと。吹き方はスモークグレーと同じ。

NG シャドウ吹きで塗料を吹きすぎたら?

シャドウ吹きでは、吹き加減で仕上がりが決まる。好みにもよるが、あまりにシャドウが濃いと、美しい仕上がりとはいえない。下に塗装していない場合だけだが、「シャドウが濃すぎる」と感じたら、使用した塗料に対応する溶剤をつけた綿棒で、塗料をふき取ろう。

POINT シャドウ吹きをきれいに仕上げるには

シャドウ吹きは、スミ入れ(→P.92〜97)とあわせて施すとさらに効果が高まる。「スミ入れはしたけれど、少し物足りない」と感じたら、シャドウ吹きを加えてみよう。

また、シャドウ吹きはシールを貼(は)ったあとに行う。シャドウ吹きをしたあとにシールを貼ると、そこだけ浮いてしまって不自然になってしまう。

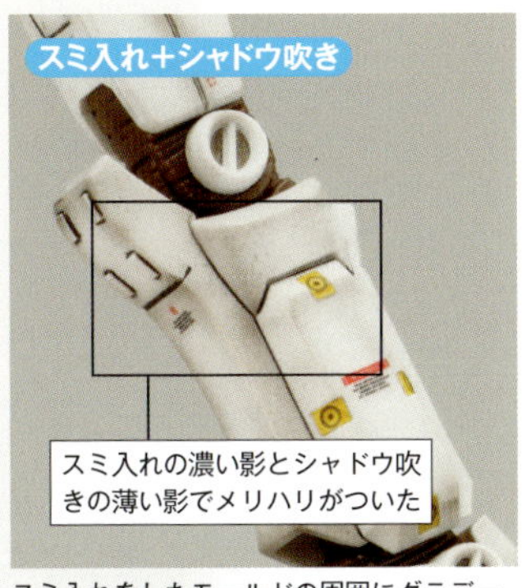

スミ入れをしたモールドの周囲にグラデーションがつくようにシャドウ吹きをすると、さらに立体感を出すことができる。

シールについた塗料は落とせないので、「吹きすぎ」に要注意。失敗したら、シールを請求する(→P.57)などの対応を。

コート剤を吹く

難易度: かんたん ／ ふつう ／ むずかしい
におい: しない ／ よわめ ／ つよめ

▶ コート剤を使うことで、**キット表面のつやを調整できる**。また、塗装やウェザリング（→P.150）を行った際は、**塗料やパステル類が落ちないように保護する効果**もある。
▶ 大きく分けて、**「缶スプレーで吹く」**と**「エアブラシで吹く」**という2つの方法がある。

缶スプレーの吹き方
上から下へ缶を動かして、サッと吹きつける。吹きつける面を変えながら、この作業を繰り返していく
15〜20cm
吹き始めと吹き終わりは、吹き出る量が安定しないのでパーツにかけない
HGUC 1/144 RX-78-2 ガンダム

コート剤には、**「つやの調整」や「表面保護」などの効果があります。**かんたんフィニッシュ（→P.25）の場合は、素組みしたキットにスミ入れして、コート剤を吹けば完成です。方法としては、缶スプレーでそのまま吹く方法と、エアブラシで吹く方法の2つがあります。エアブラシで吹く場合に使われるのは、クリア（透明）の塗料です。光沢系のクリア塗料を使えば、光沢仕上げに、つや消し系のクリア塗料を吹けば、つや消し仕上げになります。

使用する道具

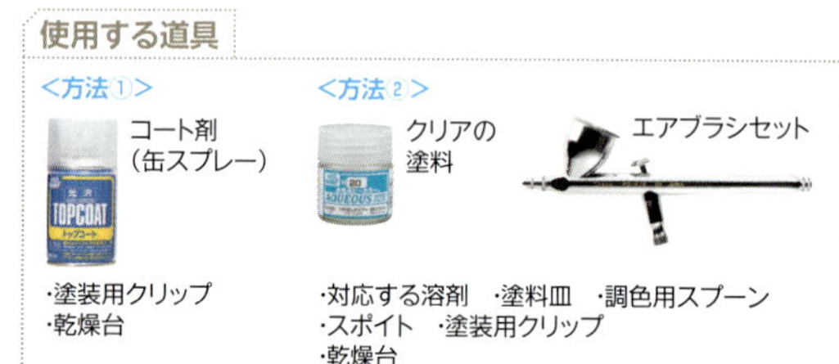

<方法①>
・塗装用クリップ
・乾燥台

<方法②>
・対応する溶剤　・塗料皿　・調色用スプーン
・スポイト　・塗装用クリップ
・乾燥台

※必要に応じて、ティッシュやクリーナーボトルなど、エアブラシの色替え・洗浄に必要なツールを用意。

方法① 缶スプレーでコーティング

缶スプレーなら、そのまま吹きつけるだけなので簡単。

1 分解したキットにコート剤を吹きつける

部位単位にキットを分解し、それぞれを塗装用クリップにつける。1部位ごとにコート剤を吹きつけていく。

2 クリップを回しながら全体に吹きつけていく

塗装用クリップをクルクルと回して、吹き残しがないように全体にしっかりと吹きつけていく。

プラスα クリアパーツは事前に外しておく

つや消しや半光沢のコート剤をクリアパーツに吹きつけると、パーツが白くもってしまう。クリアパーツはコート剤を使用する前に外すか、マスキングしておこう。

POINT 組み立てた状態で吹いてもOK

「かんたんフィニッシュ」で仕上げるときなど、「手早くコート剤を吹いて仕上げたい！」というときは、キットを分解せず、そのまま吹いてもOK。ただし、わきの下など、吹き残される部分は出る。

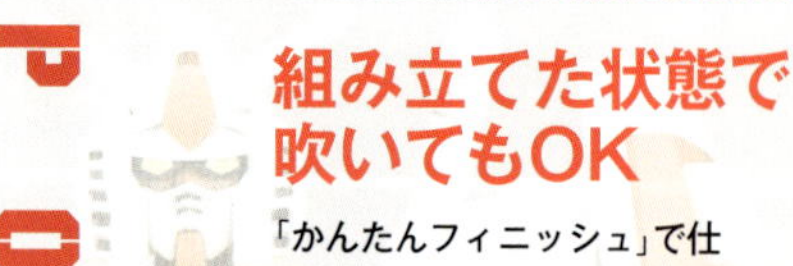

「かんたんフィニッシュ（→P.25）」などで手軽に仕上げたいときはキットを分解せず、箱や新聞紙などの上に置いてコート剤を吹きつける。

吹き残しがないように、オモテ面が乾いたらキットのウラ側などにも忘れずに吹きつける。終わったら、ウラ面もしっかり乾燥させる。

方法② エアブラシでコーティング

クリア(透明)の塗料を使えば、エアブラシでコーティングすることができる。クリア塗料はアクリル系・ラッカー系それぞれで、つや消し、光沢が市販されている。

1 部位単位でキットを分解する

HG デスティニーガンダム
※ハイネ・ヴェステンフルス専用機カラーに塗装。

コート剤を吹きつけやすいように、事前にキットを分解しておく。分解したら、塗装用クリップにセットして、パーツについたホコリを払う。

2 クリア塗料をかき混ぜる

塗料は放置しておくと、中の成分が分離する。そこで、使用する前には必ず調色用スプーンなどを使ってかき混ぜておく。

3 クリアの塗料を希釈する

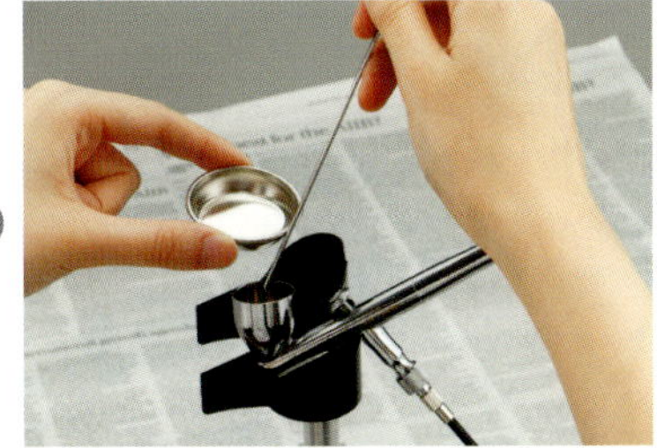

クリアの塗料はあくまで「塗料」なので、塗装するときと同じように希釈(→P.108)が必要。塗料の種類に合った溶剤を使う。

4 塗料カップにクリアの塗料を入れる

エアブラシをセッティングしたら、塗料カップに希釈したクリアの塗料を入れてキャップをかぶせる。

5 対象の部位にコート剤を吹きつける

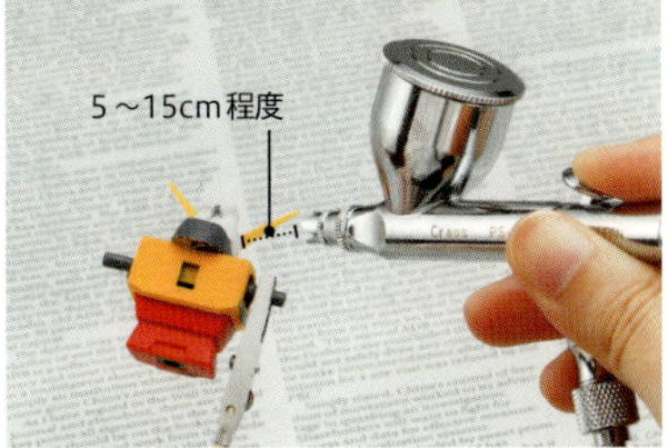

塗料が定着しにくいパーツの角やフチ、奥まったところから先に吹きつけていく。厚塗りしないように気をつけよう。

6 パーツのウラ側にも吹きつける

クリップを回転させながら、側面からウラ側へと吹きつける。塗料が乾いたら、内側へと塗っていって、キット全体をクリア塗料でコーティングする。

7 仕上がりを確認する

吹いた直後と乾燥後ではつやの具合が変わるので、乾燥後に仕上がりをチェック。光沢具合やつやの消え具合が足りないと思ったら、再び吹く。

プラスα 関節部分は「曲げ」と「伸ばし」の2段階で吹く

コート剤の吹き残しがあると、部分的につやが変わってきれいな仕上がりではなくなってしまう。とくに気をつけたいのは関節周辺。たとえば、関節を曲げた状態で吹きつけただけでは、関節を伸ばしたときに吹きつけていないところが残ってしまう。そこで、曲げた状態と伸ばした状態の2段階に分けて、コート剤を吹くようにしよう。

NG にじみや白化に気をつけよう

コート剤を上手に扱えるようになれば、鏡のようにピカピカに仕上げることもできる(→P.140)。慣れるまでは、何かと失敗してしまうもの。たとえば、アクリル塗料で塗装した上から溶剤系のコート剤を吹くと、下地の塗装を溶かしてにじんでしまう(写真左)。また、厚く吹きすぎると、厚く吹いた部分が白くなってしまうことがある(写真右)。

また、上手にコート剤を吹くことで、筆塗り(→P.110)した際の筆ムラを目立たなくする効果が期待できる。

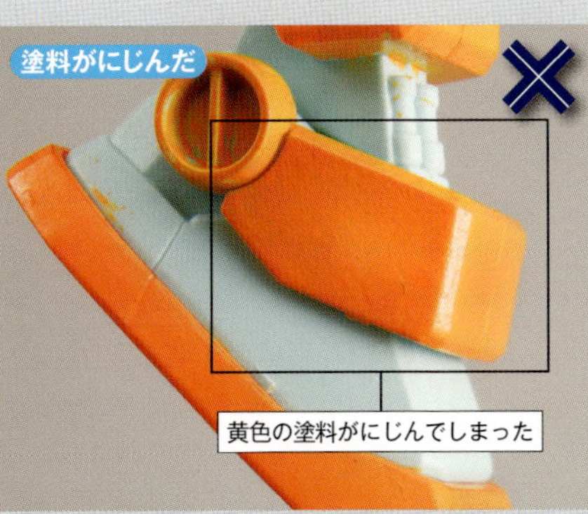

アクリル塗料で塗装した上から溶剤系のコート剤を吹くと、塗料がにじんでしまう。アクリル塗料には、水性コート剤を使う。

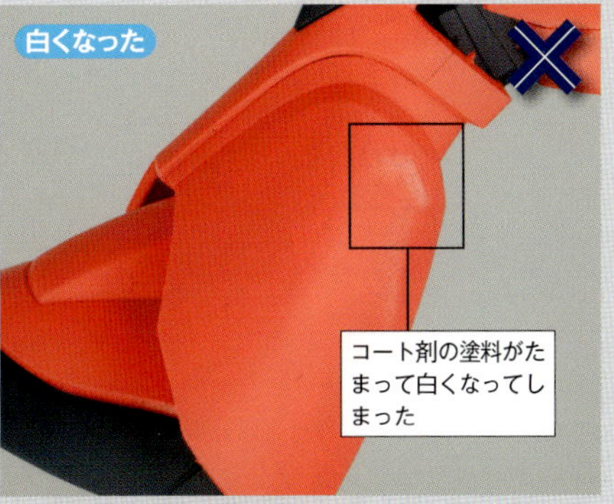

コート剤を必要以上に厚く吹くと、白くなってしまうことがある。少しずつ吹き重ねるのが基本で効果が足りないと思ったときは、乾燥後に再び吹けばよい。

キラキラ塗装の基本

▶ ただ塗るだけではなく、**より美しく特別な質感を持たせるための塗装**を本書では「キラキラ塗装」と呼ぶ。

▶ 具体的には**光沢塗装**、**メタリック塗装**、**パール塗装**、**鏡面仕上げ**など、存在感のあるキラキラ塗装のテクニックを紹介する。じっくりていねいにつくって、満足のいくガンプラに仕上げていこう。

ガンプラのつくり方は人それぞれですが、その1つに「美しく塗装する」というものがあります。つややかに、あざやかに塗装し、飾る。ていねいに仕上げた作品はもはや立派なインテリアの1つになるでしょう。じっくりつくって、満足のいくガンプラに仕上げてみましょう。

本書では、**光沢塗装**、**メタリック塗装**、**パール塗装**の3つの方法について、**缶スプレーで簡単にできる「簡易プラン」**と、**エアブラシなどを使ってしっかり仕上げる「本格プラン」**に分けて解説しています。また、キットを鏡のようにみがき上げる鏡面仕上げという方法も紹介します。

≫詳しくはP.128~131

光沢系の塗料やコート剤で塗装することで、ピカピカと輝くガンプラに仕上げるもの。曲線が多いジオン系モビルスーツは、光沢塗装が映えるものが多い。

メタリック塗装
HGFC マスターガンダム&風雲再起
※マスターガンダムを使用。

≫詳しくはP.132~135

メタリック系塗料を使って、金属のような質感に仕上げるもの。コート剤の選択次第で、異なる仕上がりが楽しめる。「キャンディ塗装」というテクニックもある。

≫詳しくはP.136~139

パール粉を含んだ塗料を吹きつけることで、キラリとした深みのある輝きが得られるもの。しっとりとした高級感が魅力。パール塗料のつくり方はさまざま。

≫詳しくはP.140~141

表面の光沢層をとことんみがき上げ、鏡のように光る表面に仕上げるもの。時間と根気のいるテクニックだが、完成したときの出来栄えは格別。

キラキラ塗装の基本チャート

本書で紹介する4つのキラキラ塗装の基本手順は、下のとおり。キットやつくりたいものに合わせて塗料を替えたり、仕上げのコート剤を替えたりすることで、幅広い表現が可能になる。

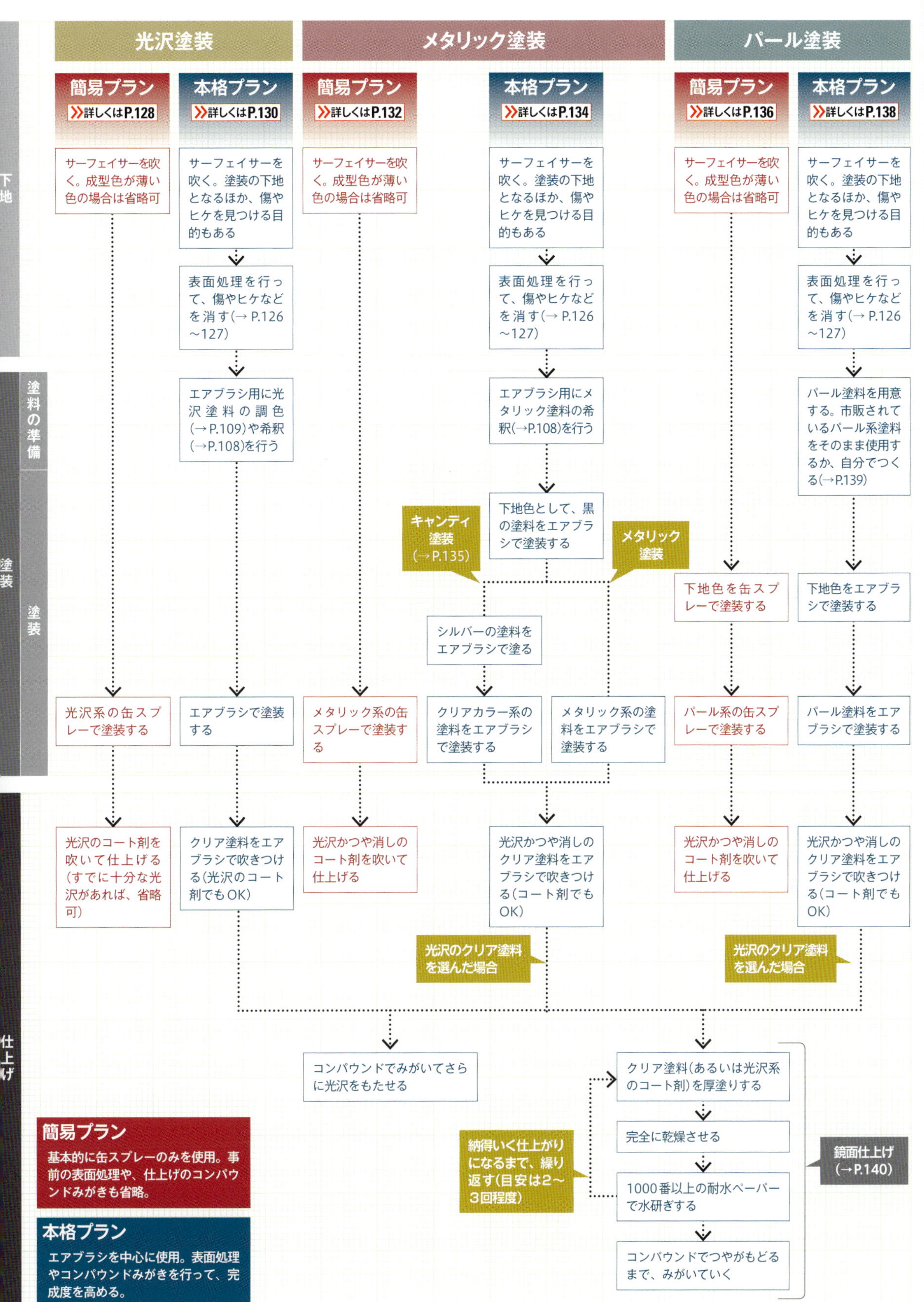

シールやデカール、スミ入れなどの工程は省略しています。
このチャートは、あくまで一例です。

MISSION 2 ▸ 塗装

表面処理をする①
傷を処理する

難易度：かんたん／**ふつう**／むずかしい

におい：しない／よわめ／**つよめ**

▶ キラキラ塗装の完成度を高めるためには、**表面の処理**が重要になる。

▶ **傷があったり、ゲート処理（→P.50～53）が甘かったりすると、キラキラ塗装を行ったあとで、傷が目立ち、美しさが損なわれてしまう。**そのため、塗装前に傷を処理しておくことが大事になる。

かんたんフィニッシュ（→P.25）や通常の塗装などであれば、表面の処理が多少雑でもそれほど目立ちません。しかし、**メタリック塗装やパール塗装などを行うと、表面の均一さ、なめらかさによって完成度が大きく変わってきます。**そのためには、表面処理をしっかり行っておくことが大切です。具体的には、ゲート処理（→P.50～53）や合わせ目消し（→P.58～61）を行ったら、**サーフェイサーを吹いて（→P.106～107）、傷などを確認しておきます。**

使用する道具

サーフェイサーで傷を消す方法 つよめ

グレーのサーフェイサーを吹きつけると、細かな傷までよく見えるようになる。傷を発見したら紙やすりで処理してしまおう。

1 サーフェイサーを全体に吹く

塗装用クリップを回して全体に吹きつける

部位ごとに分解して、全体にグレーのサーフェイサーを吹きつける。厚くなりすぎないように、少しずつ何度かに分けて吹くこと。

2 傷が浮きぼりになる

サーフェイサーを吹くと、気がつかなかった傷が見えてくることもある。傷はやすりがけして、表面を均一にならしておく。

3 サーフェイサーを筆塗りする

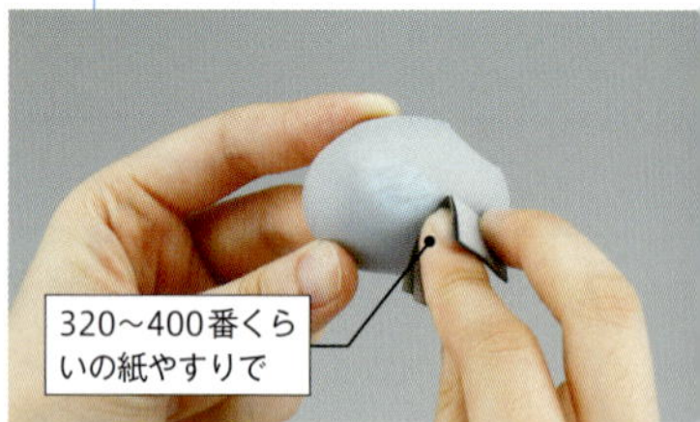

320～400番くらいの紙やすりで

傷をならしたら、サーフェイサーを吹き直して仕上げる。ビン入りのサーフェイサーを筆で塗ってもOK。

サーフェイサーの色によるちがい

下地とするサーフェイサーの色によって、上から吹きつける塗料の発色がまったく変わってくる。

グレーのサーフェイサー

もっとも基本的なサーフェイサー。どのような色にも合う。傷を見つけやすいのもメリット。

ホワイトのサーフェイサー

白いサーフェイサーは、色の発色がよくなる。陰影が見えにくいので、傷を見逃しやすい。

ブラックのサーフェイサー

上から塗る色が少し暗くなる。とくにパール系塗料は隠ぺい力（→P.137）が低いので、下地色の影響を受けやすい。

プラスα エアブラシで吹くとコストパフォーマンスが高まる！

たくさんガンプラをつくっていると、缶スプレーのサーフェイサーがたくさん必要になり、コストがかさんでしまう。エアブラシを持っている人は、ビン入りのサーフェイサーを優先して使うことで、費用を抑えることができる。

つよめ

Mr.サーフェイサー1000
GSIクレオス

表面処理をする②
ヒケを処理する

難易度：かんたん／**ふつう**／むずかしい
におい：しない／よわめ／**つよめ**

▶ パーツに「ヒケ」という製造時に生じるわずかなへこみができているものがある。
▶ ヒケを処理するには、全体を薄くけずるか、へこみをパテで埋めるかのどちらかの方法になる。「ヒケかな」と思ったら、まずはサーフェイサーを吹いて状態を確認しよう。

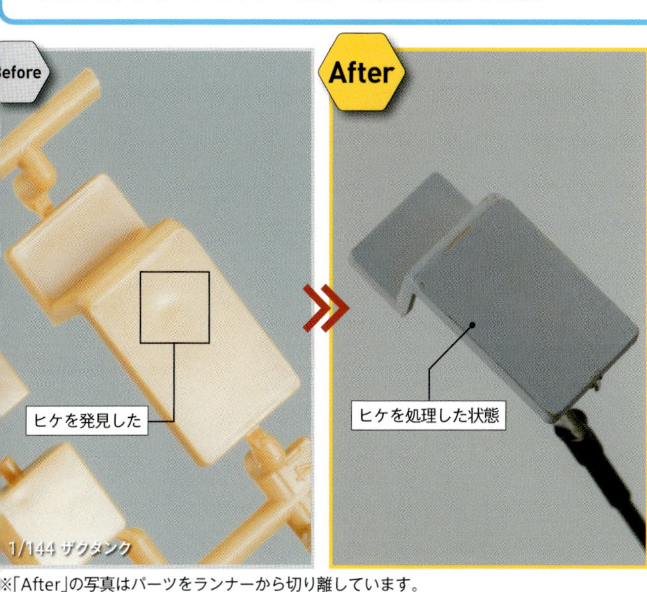

※「After」の写真はパーツをランナーから切り離しています。

少し古いキットであれば、面積の広いパーツに「ヒケ」が出ていることがあります。製造時にプラスチックの充填がわずかに足りず、表面にへこみができているものです。へこんだ側に合わせて全体をけずるか、**へこんだ部分にパテを埋めて平らにするか**、どちらかの方法で処理します。

使用する道具

方法① 全体をけずってヒケを処理する（つよめ）

ヒケが小さい場合は、ヒケとその周辺を中心に、パーツ全体を紙やすりでけずって、表面を均一にする。

1 ヒケができていないかを確認する

ヒケを発見したら、まずはサーフェイサーを吹く。ヒケは面積の広いパーツにできることが多い。

2 全体が平らになるまでやすりがけする

ヒケが小さい場合は、全体を紙やすりでけずって、表面を平らにならしていく。あて板つきの紙やすり(→P.41)なら、手軽にフラットに仕上がる。

3 不自然なデコボコがないかよく確認する

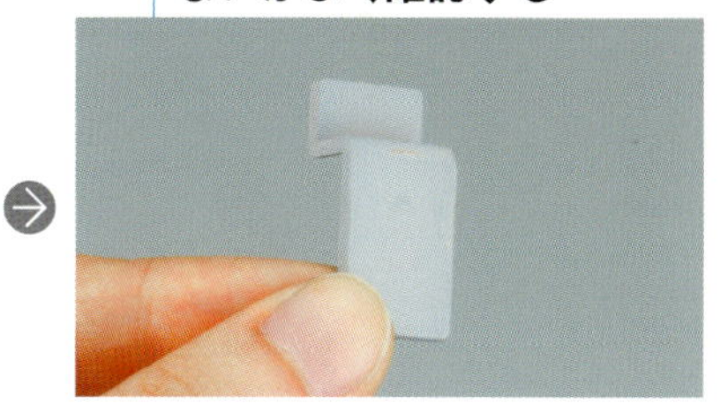

全体が平らになったら、傷が残らないように番手を上げてみがき、再度サーフェイサーを吹く。

方法② へこみをパテで埋めてヒケを処理する（つよめ）

大きいヒケや深いヒケは、へこんだ部分をパテで埋めていく。パテを薄く塗って乾かしたら、平らになるまで紙やすりをかける。

1 へこんだ部分をパテで埋める

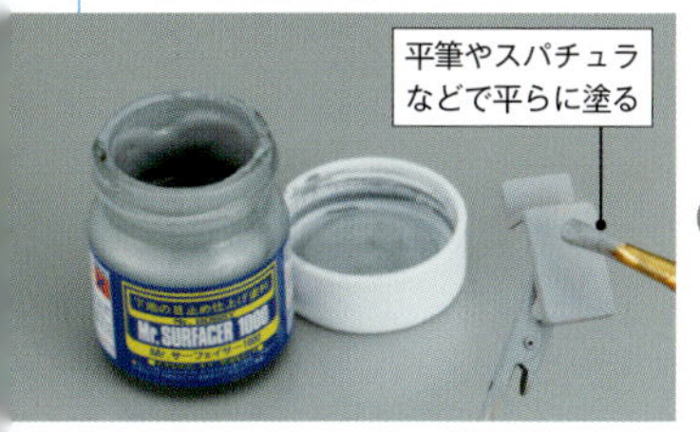

平筆やスパチュラなどで平らに塗る

大きなヒケや深いヒケをペーパーでけずると、かえってパーツがゆがんでしまうので、溶きパテをつけて処理する。

2 パテを平らにならす

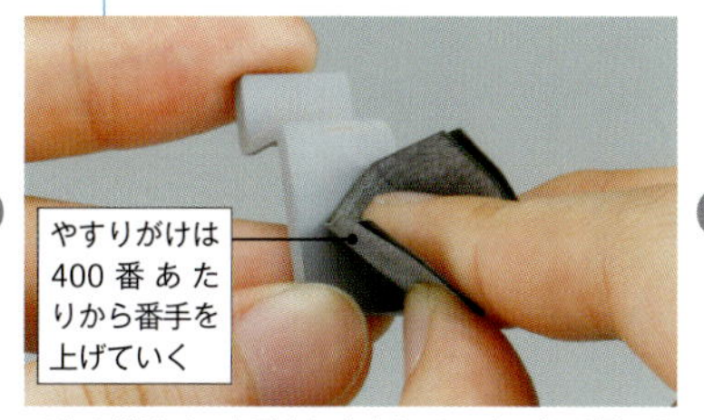

できるだけパテを平らにならしていく。あて板つきの紙やすりなら、フラットにならしやすい。パテは乾燥するとまたヒケができるので、繰り返し塗る。

3 紙やすりで仕上げてサーフェイサーを吹く

ヒケがきれいに埋まったら、紙やすりでやすりがけし、番手を上げてみがき上げる。このあと、サーフェイサーを吹く。

光沢塗装を行う①

缶スプレーによる光沢塗装

難易度：かんたん／**ふつう**／むずかしい

におい：しない／よわめ／**つよめ**

- ▶光沢塗装とは、**つやのある光沢系の塗料を使って輝かせるもの**。ここでは缶スプレーを使って、手軽に美しい光沢塗装をする方法を紹介する。
- ▶エアブラシがなくても、**缶スプレーでつややかに美しく仕上げることができる**。

つややかに輝くガンプラを見て、「光沢塗装はしてみたいけれど、エアブラシを買うのは大変だし、難しそう」と思った人も多いのではないでしょうか。しかし、**光沢系の缶スプレーを使えば、手軽に光沢塗装を行うことができます**。

ここでは、「HGUC サザビー」をシャア専用ザクのような光沢カラーリングにしてみます。サザビーはあざやかなレッドのボディ色が特徴ですが、シャア専用のザクやゲルググは、もっとピンク系のカラーリングです。ガンダムカラースプレー(GSIクレオス)のMSシャアレッド(SG11)とMSシャアピンク(SG10)を使って、シャア専用カラーのサザビーを仕上げてみました。ガンダムカラースプレーは半光沢なので、デカールを貼ったあと、さらに光沢のコート剤を吹いて、よりつややかに仕上げていきます。

After

使用する道具

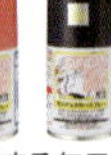

塗装に使用する缶スプレー(この作例ではSG11、SG10、SG09)

コート剤(光沢)

- ・サーフェイサー(グレー)
- ・塗装用クリップ
- ・乾燥台
- ・細部の塗り分けなどに使用する塗料
- ・平筆(必要に応じて)
- ・面相筆(必要に応じて)

Before

▲HGUC サザビー

カラーレシピ

◆胴体
●ガンダムカラースプレー　シャアレッド(SG11)

◆脚、腕、頭部
●ガンダムカラースプレー　シャアピンク(SG10)

◆胸、ひざ、足
●ガンダムカラースプレー　MSグレージオン系(SG09)

◆バーニア周辺
●水性ホビーカラー　イエロー(H-4)

缶スプレーによる光沢塗装の手順

缶スプレーを使うことで、だれでも手軽に光沢塗装を行うことができる。より輝かせたい場合は、「光沢」の塗料を使い、「光沢」のコート剤を吹いて仕上げよう。

塗装プランを決める → 仮組み・分解をする → 表面処理(サーフェイサー) → 乾燥 → 光沢系の缶スプレーで塗装 1回目 → 乾燥 → 光沢系の缶スプレーで塗装 2回目 → 乾燥 → 光沢系の缶スプレーで塗装 3回目(必要に応じて) → 乾燥 → スミ入れをする・デカールを貼る → 光沢のコート剤を吹く → 乾燥 → 完成

缶スプレーで光沢塗装を行う方法 

缶スプレーはエア圧が強く、厚塗りになりやすいので注意しよう。2～3回に分けて薄く重ね塗りして、ていねいに仕上げていこう。

1 塗り方を決める

どの部位をどのカラーに塗るのかを決める。ガンダムカラースプレーのシャアレッド(SG11)、シャアピンク(SG10)、MSグレージオン系(SG09)を使用。

2 必要に応じて サーフェイサーを吹く

成型色が濃かったり、成型色が異なる部位を同じ色で塗ったりする場合には、下地としてサーフェイサーを吹いておくと、色味が整いやすくなる。

3 缶スプレーで 1回目と塗装を行う

1回目の吹きつけは、軽めにしておく。一度に全面を塗ろうとすると、厚塗りのところができてしまう。1回目は塗れていないところがあっても問題ない。

4 2回目は塗り残しになっているところを中心に吹く

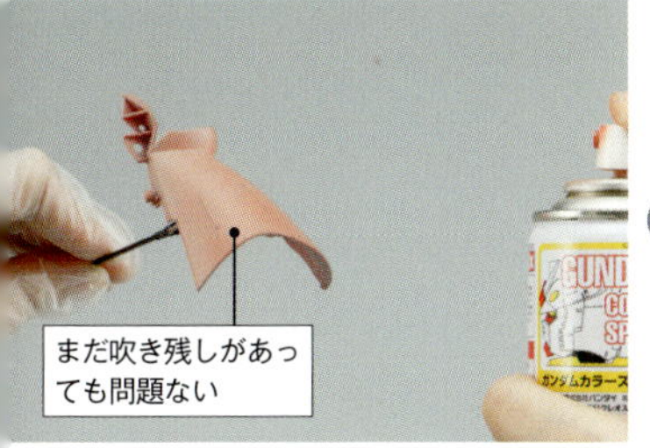

完全に乾燥したのを確認してから、2回目の塗装。1回目で塗り残したところに吹いていく。ここでも完全に塗ろうとせず、薄く吹くことをこころがける。

5 3回目で完全に塗り終える

薄いところ、下地が見えているところに吹いて完成。3回吹けば、だいたいきれいに塗れている。小さいパーツは2回でもOK。

プラスα ホコリがつかないように乾燥させる

乾燥中にホコリがついてしまうと、せっかくの輝きが台無しになるので、乾燥ブースとして食器乾燥機に入れるなど、ホコリがつかない環境で乾かすとベター。重ね塗りするときは完全に乾かす必要はないが、最後にコンパウンドなどの処理をする場合は完全に乾燥させる必要がある。

6 細部を塗り分けて スミ入れする

ここではマスキングしてイエローを塗る

細部の塗り分けやスミ入れをする。缶スプレーはラッカー塗料(→P.71)なので、塗装を侵さないように、アクリル塗料かエナメル塗料を使う。

7 デカールを貼る

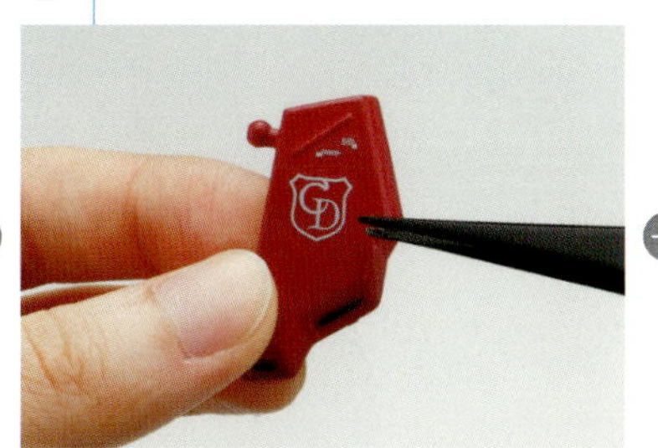

塗料が完全に乾いたら、デカールを貼る。機体番号や注意書きなどを表すデカールを貼ることで、見栄えがさらによくなる。

8 仕上げに光沢の コート剤を吹く

仕上げに光沢のコート剤を吹く。つやが足りないと思ったら吹き重ねると光沢が増してくる。コート剤は完全に乾いてから吹き重ねる。

POINT

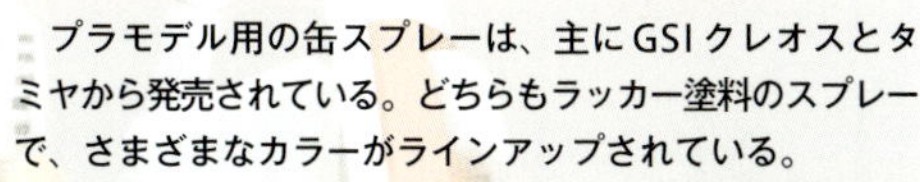

光沢系の缶スプレーの選び方

プラモデル用の缶スプレーは、主にGSIクレオスとタミヤから発売されている。どちらもラッカー塗料のスプレーで、さまざまなカラーがラインアップされている。

クレオスは「Mr.カラースプレー」という商品名で、約70色がラインアップされている。ラベルに「光沢」「半光沢」「つや消し」「メタリック」などの類別が明記されているのでわかりやすい。「ガンダムカラースプレー」というガンプラ用の特色も用意されている。

タミヤは「タミヤスプレー」として、100色以上がラインアップされている。公式Webサイトで★がついているものが、つや消しとなっている(製品上部のラベルに書かれている)。なお、ラジコンのボディなどで使う「ポリカーボネートスプレー」はプラモデルには使えない。

Mr.カラースプレー
GSIクレオス
約70色がラインアップ。超微粒顔料を使用し、強く質の高い塗膜をつくることができる。

ガンダムカラースプレー
GSIクレオス
原作の設定に基づいたカラーラインアップがそろっているので、ガンプラづくりに最適。

タミヤスプレー
タミヤ
100色近くがラインアップ。独特のノズル形状によって、塗装によるムラやタレが起こりにくい。

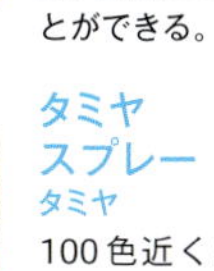

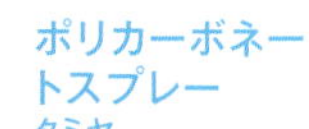

ポリカーボネートスプレー
タミヤ
RCカーのボディなどに使うもので、ガンプラには使用しない。

光沢塗装を行う②
エアブラシによる光沢塗装

難易度：かんたん／**ふつう**／むずかしい

におい：しない／よわめ／つよめ

- **本格的に光沢塗装を楽しみたい人は、エアブラシ**を使用するとよい。
- エアブラシには**「塗料を混ぜて使える」「細吹きができる」「塗料がムダにならない」**など、缶スプレーにはないメリットがたくさんある。仕上げのコート剤も、クリア塗料をエアブラシで吹けば美しさが増す。

缶スプレーは手軽に光沢塗装を楽しめるのがメリットですが、ラインアップにない色で塗ることはできません。エアブラシを使えば、**缶スプレー以上に豊富なカララインアップがあり、調色(→P.109)することもできるビン入り塗料**を使って、さらに幅広い表現を行うことができます。

ここでは、『機動戦士ガンダムZZ』に登場したアクシズのニュータイプ専用モビルスーツ「キュベレイMk.Ⅱ」を、光沢塗料で全塗装してつくってみました。ジオン系モビルスーツらしい曲線美を活かすために、**最後はコンパウンドでみがき上げて美しく仕上げています。**

光沢塗装のコツは、できるだけ均一に塗装すること。一度に厚く吹かないように注意して、薄く何度も重ね吹きをしていきましょう。今回はすべて水性塗料を使用しました。ラッカー系に比べて塗膜が弱めですが、しっかりと乾燥させればきれいに仕上げることができます。

HGUC 1/144 キュベレイ▲

使用する道具

エアブラシセット

- 使用する塗料
- 対応する溶剤
- コンパウンド(細目)
- コンパウンド用クロス
- ビン入りサーフェイサー(グレー)
- 塗装用クリップ
- 塗料皿
- 調色用スプーン
- スポイト
- 乾燥台

※エアブラシの色替え・洗浄、スミ入れ、デカール貼りのための道具は、必要に応じて用意。

カラーレシピ

◆メインカラー
水性ガンダムカラー ●ティ…ンズブルー2(HUG09) ＋水性ホビーカラー ●ミッ…イトブルー(H55)

◆胸・上腕ほか
水性ホビーカラー ●サー…ピンク(H29)＋●パープル(H…＋●ピンク(H19) ＋○ホワ…(H1)

◆動力パイプ、手のひらほ…
水性ホビーカラー ●ニュー…ルグレー(H53)

◆カメラアイ
水性ホビーカラー ●ピ…(H19)

◆カメラアイの周囲
水性ホビーカラー ●ブラ…(H2)

エアブラシによる光沢塗装の手順

エアブラシの大きなメリットは調色できるところ。コストパフォーマンスも上がるので、持っている人はエアブラシを駆使して完成度の高い光沢塗装を目指そう。

塗装プランを決める → 仮組み・分解をする → 表面処理(ビン入りサーフェイサー) → 乾燥 → 光沢系塗料をエアブラシで塗装 1回目 → 乾燥 → 光沢系塗料をエアブラシで塗装 2回目 → 乾燥 → 光沢系塗料をエアブラシで塗装 3回目 → 乾燥 → スミ入れをする・デカールを貼(は)る → エアブラシでクリア塗料を吹く → 乾燥 → コンパウンドでみがく → 完成

色を混ぜてつくる

キュベレイMk.Ⅱのカラーリングに近づけるように、色を混ぜていく。説明書や設定資料などを参考にしよう。

エアブラシ塗装のメリットの1つは、色を混ぜられること。説明書にある設定カラーのレシピどおりに配合したり、好みの色味に調節したりして、自由に色をつくってみましょう。ただし、光沢系の塗料につや消し系の塗料を混ぜると、つやが落ちてしまうので要注意。また、一度つくった色とまったく同じ色をつくるのはほぼ不可能なので、基本的には多めにつくっておき、塗装の途中でつくった色がなくならないようにしましょう。

水性のガンダムカラーから、ティターンズブルー2をメインに使用した。

光沢系の塗料の判別方法

思いきり輝かせたい場合は、最初から光沢系の塗料を使ったほうがよい。Mr.カラーや水性ホビーカラー、アクリジョンなど、GSIクレオスの塗料はラベルに「光沢」「半光沢」「つや消し」と書かれている。タミヤカラーならば、塗料番号に「X」とついていれば光沢または半光沢、「XF」とついていれば「つや消し」となる。

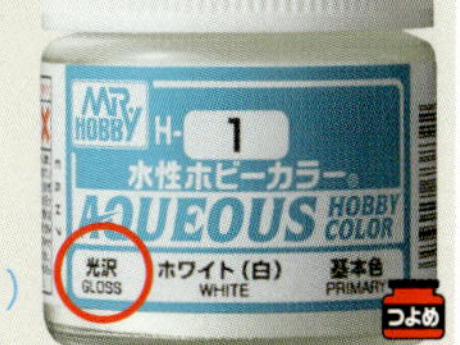

水性ホビーカラー ホワイト（H1） GSIクレオス

エアブラシで光沢塗装を行う方法

エアブラシで光沢塗装をする場合は、一度に厚吹きをしないように注意。最後に光沢系のクリア塗料を吹けば、光沢のコート剤を吹いたときと同じ効果が得られる。

1 サーフェイサーを吹いて傷をチェック

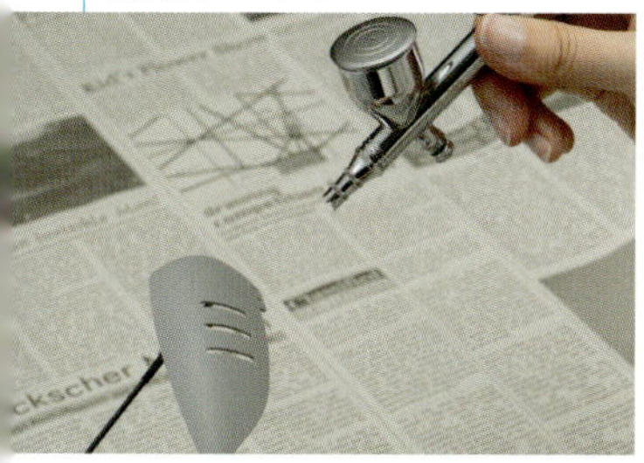

パーツごとにバラバラにして、塗装用クリップに取りつける。グレーの水性サーフェイサーを吹いて傷をチェック。目立った傷はていねいに消しておくこと。

2 塗料を調色し、希釈する

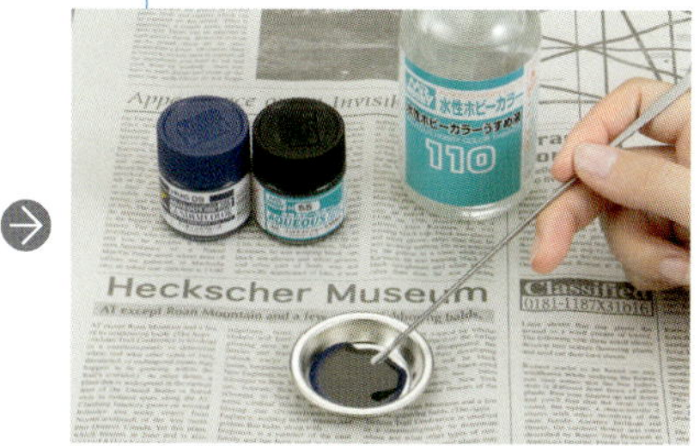

使用する塗料を調色（→P.109）、希釈（→P.108）し、エアブラシにセットする。同じ色を多めにつくっておき、空の塗料ビンなどに保管しておこう。

3 エアブラシで1回目の塗装

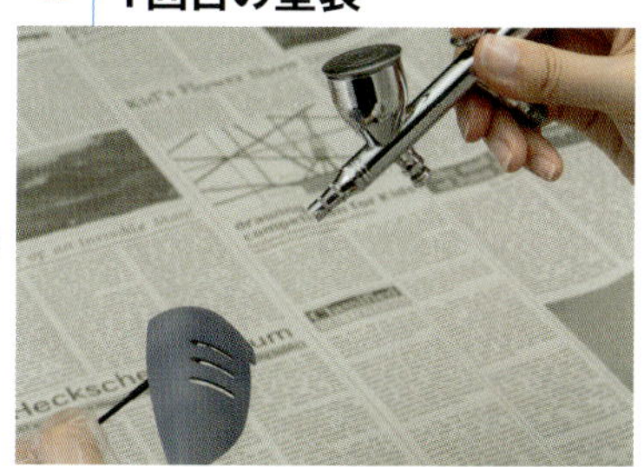

1回目の吹きつけはパーツのフチからぐるっと中心に向けて吹いていく。厚吹きしないように注意しよう。塗り残しは、この段階では気にしない。

4 乾燥したら2回目の塗装を行う

乾燥したら、2回目の吹きつけをする。色の薄いところを埋めるように吹く。水性塗料は全体にぬらすように吹くのがコツ。表面がなめらかになる。

5 3回目の塗装でフィニッシュ

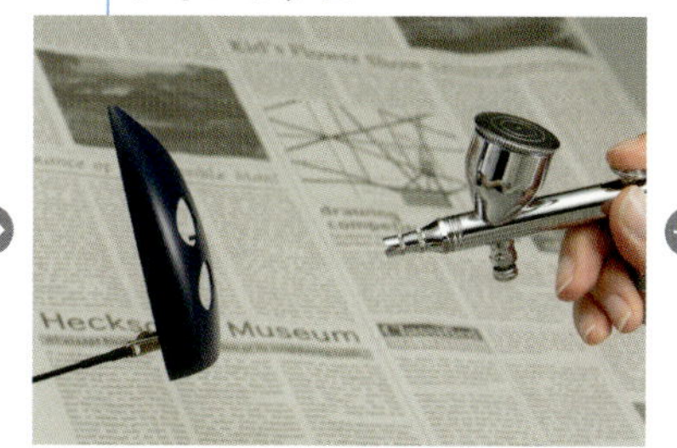

塗り残しをチェックして、塗り足りないところがあれば、乾燥後に追加で吹く。細部の塗り分けは、筆塗りで行ってもよい。

6 仕上げを行う（デカールとスミ入れなど）

塗装が完了し、塗料が完全に乾いたらデカールを貼る。スミ入れする場合は、塗装を侵さないように油彩系塗料（→P.170）を使用するのがよい。

7 光沢系のクリア塗料を吹く

塗装やデカール貼り、スミ入れが終わったら、エアブラシを使って光沢系のクリア塗料（→P.135）を吹きつける。光沢のコート剤を吹いてもOK。

8 コンパウンドでみがき上げる

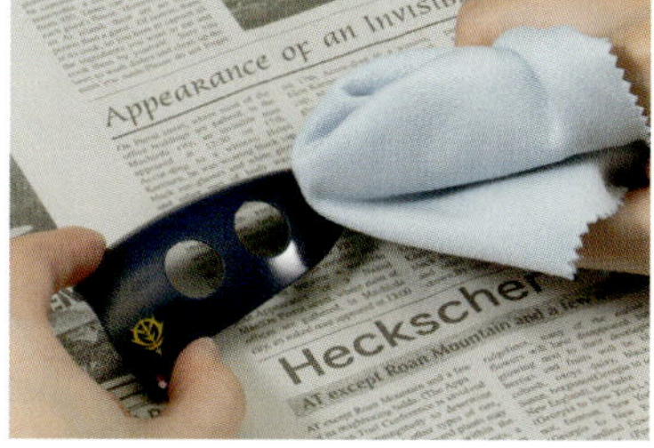

クリア塗料が完全に乾燥したら、パーツの表面をコンパウンドでみがいていく。表面のわずかなデコボコがならされて、さらに光沢が増す。

プラスα 「研ぎ出し」でさらに輝かせることもできる

2000番以上の耐水性のやすりに水をつけながら表面を磨いていくことを「研ぎ出し」と呼ぶ。厚く塗り重ねたクリア層の表面のデコボコが完全に平らになるまで、ひたすらみがいていくことでつやが増していく。光沢系のコート剤やクリア塗料を6〜7回ほど吹き重ねて、厚めのクリア層をつくっておく。

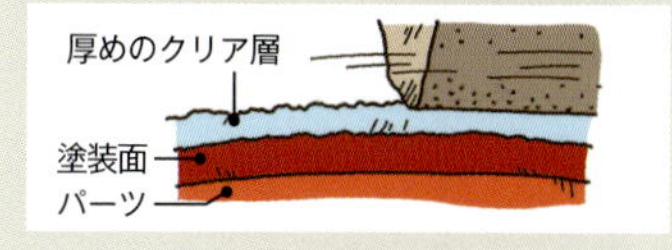

メタリック塗装を行う①
缶スプレーによるメタリック塗装

難易度
かんたん
ふつう
むずかしい

におい
しない
よわめ
つよめ

- ▶金属のかたまりであるモビルスーツだからこそ、**光り輝くメタリック塗装がよく似合う。**
- ▶エアブラシがないと高級そうなメタリック塗装は無理かというと、そんなことはない。**缶スプレーでも重厚感のあるメタリック塗装をつくることができる。**

通常、遠くにあるものは大気の影響で色が淡く見えます。モビルスーツは巨大なものなので、遠くにあるもののように淡い色で塗装するとリアル感が増すのですが、一方で**金属のかたまりのように見えるメタリック塗装の重厚感もよく似合います。**缶スプレーにはメタリック色のものもありますので、エアブラシがなくても格好のよいメタリック塗装に仕上げることができます。

ここでは『機動戦士ガンダム THE ORIGIN』に登場した「HG 1/144 シャア専用ザク」をメタリックカラーバージョンに仕上げました。使用した赤系の缶スプレーは1色だけですが、シャアのパーソナルカラーのように2種類の赤で差をつけるために、**下地のサーフェイサーを白と黒にして、ボディと手足で色に差が出るようにしています。**仕上げには光沢のコート剤を2回吹いて、金属らしいギラギラとしたつやを出しました。

After

使用する道具

塗装に使用する缶スプレー（この作例ではS75、S78、S28）

コート剤（光沢）

- ・サーフェイサー（黒・白）
- ・塗装用クリップ
- ・乾燥台
- ・細部の塗り分けなど使用する塗料（エナメル系）
- ・平筆（必要に応じて）
- ・面相筆（必要に応じて）

※筆の洗浄、スミ入れ、デカール貼りのための道具は、必要に応じて用意。

Before

HG シャア専用ザクII▲

カラーレシピ

◆脚、腕、胴、頭部
●Mr.カラースプレー メタリックレッド（S75）

◆ヒザ、ヒジ、足先
●Mr.カラースプレー メタルブラック（S78）

◆ザク・バズーカ
●Mr.カラースプレー 黒鉄色（S28）

缶スプレーによるメタリック塗装の手順

メタリック塗装の場合は、下地に黒で塗装しておくと色が映える。黒のサーフェイサーで代用してもよい。コンパウンドによる仕上げはお好みで。

1. 塗装プランを決める
2. 仮組み・分解をする
3. 表面処理（白と黒のサーフェイサー）
4. 乾燥
5. メタリック系の缶スプレーで塗装 1回目
6. 乾燥
7. メタリック系の缶スプレーで塗装 2回目
8. 乾燥
9. メタリック系の缶スプレーで塗装 3回目（必要に応じて）
10. 乾燥
11. スミ入れをする・デカールを貼る
12. コート剤を吹く
13. 乾燥
14. 完成

サーフェイサーの使い分けで差を出す

同じ色の塗料でも下地次第で色味をコントロールできる。

下地とする塗料やサーフェイサーの色によって、上から塗装する塗料の色味が変わってきます。今回の作例では、胴体部分だけ黒のサーフェイサーを使うことで、同色の缶スプレーを使っても色味が変化するようにしました。一般的にメタリック塗装は、下地を黒にしたほうが、色味が引き締まるといわれています。プランによっては、全体に黒のサーフェイサーを使ってみてもよいでしょう。

サーフェイサーの色による仕上がりの差

白・グレー・黒のサーフェイサーを吹いたパーツに、上からメタリックレッドを吹いたもの。同色の缶スプレーを吹いても、これだけの色のちがいが出る。

メタリック系の缶スプレーの判別方法

Mr.カラースプレーの場合、メタリック系のものはラベルに「メタリック」と明記されているのでわかりやすい。タミヤカラースプレーの場合は、「メタリック○○」や「メタル○○」、または「シルバー」「ゴールド」など、商品名からメタリック系であることを判断する。

Mr.カラースプレー メタリックレッド（S75）
GSIクレオス

缶スプレーでメタリック塗装を行う方法 つよめ

メインのレッドの発色をよくするために、下地に白のサーフェイサーを選択。

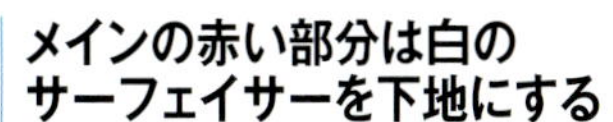

1 メインの赤い部分は白のサーフェイサーを下地にする

メインとなる手足をMr.カラースプレーのメタリックレッド（S75）であざやかな色にするために、下地のサーフェイサーは白を選択。

2 缶スプレーで1回目の吹きつけを行う

缶スプレーは薄く塗り重ねるのが基本。まずは輪郭をなぞるように、端のほうからぐるっと薄く吹く。1回目は塗り残しがあっても気にしない。

3 塗り残した部分を中心に吹きつける

乾燥したら、塗り残しているところを中心に、2回目の缶スプレーを吹く。薄く吹いて、うっすら塗り残しがあるくらいがちょうどよい。

4 3回目で全体を均一に吹きつける

2回目まででほとんどは塗れているので、3回目はムラになっていたり、塗り残したりしているところに缶スプレーを吹く。

5 光沢のコート剤を吹いて仕上げる

ビン入り塗料を使って細部の塗り分けやスミ入れをして組み立てる。仕上げに光沢のコート剤を吹きつける。

プラスα 胴体部分だけサーフェイサーを黒にした

シャアのパーソナルカラーは手足と胴体で別の赤（または赤とピンク）が使われる。ここでは、その差を出すために胴体だけ黒のサーフェイサーを使っている。

黒いサーフェイサーを吹いたザクのサイドアーマー

プラスα メッキをはがす方法

最初からメッキ仕様になっているキットがあるが、そのようなキットを別のカラーに塗り替えたい場合は、いったんそのメッキをはがす必要がある。メッキは多重構造になっているので、順番に処理をする。

1 メッキをはがしたいパーツを用意する

メッキ仕様のパーツは、プラスチックにアルミを付着させ、その上からクリアカラーを塗っている。

2 クリアカラーを落とす

クリアカラーは、袋などにラッカー系溶剤とパーツを入れ、シャカシャカ振るとすぐに表面の塗料が落ちる。

3 メッキをはがす

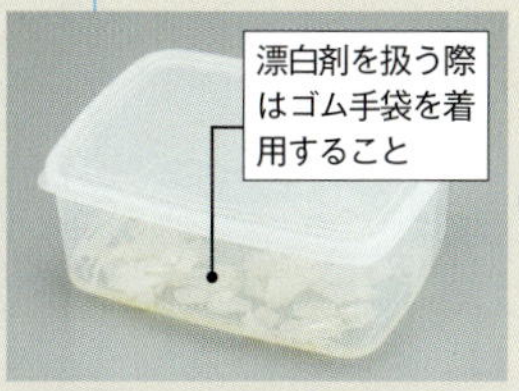

漂白剤を扱う際はゴム手袋を着用すること

密閉容器に食器用の漂白剤を入れ、ひと晩ほどつけておく。すると、メッキがきれいにはがれ落ちる。

4 メッキがはがれた

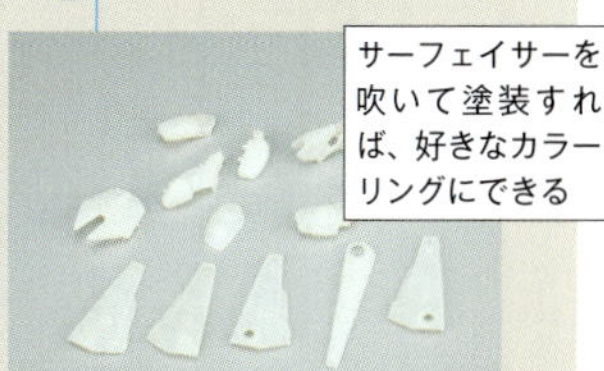

サーフェイサーを吹いて塗装すれば、好きなカラーリングにできる

メッキがはがれた状態。まだメッキを定着させるための下地剤が残っているが、塗装には差し支えない。

テクニック

メタリック塗装を行う②
エアブラシによるメタリック塗装

難易度：かんたん／**ふつう**／むずかしい
におい：しない／**よわめ**／**つよめ**

▶ メタリック塗装は、**下地に黒系の塗装をしておくと色が引き締まる。**
▶ **メタリック系の塗料をそのままエアブラシで吹く方法**と、**下地にシルバーを吹いておき、その上からクリアカラーを吹きつける方法**がある。後者はキャンディ塗装と呼ばれ、質感にちがいがある。

塗装する色数が増えてくると、エアブラシのほうがコストパフォーマンスが高くなります。少量ずつ小分けにして使えるので、塗料をムダにしません。メタリック系のビン入り塗料は比較的種類が豊富なので、自分の好みにあったものを選びましょう。色が濁りやすいので、メタリック塗料は混ぜ合わせては使いません。

メタリック塗装では、**下地に黒を吹いておくと、グッと引き締まった色に仕上がります。**仕上げは、光沢のクリア塗料で輝きを強調してもいいですし、つや消しを選んで渋い仕上がりをねらうのもいいでしょう。

ここでは、「HGFC 1/144 マスターガンダム＆風雲再起」のマスターガンダムを使い、『ガンダムビルドファイターズ』最終回[僕たちのガンプラ]に登場した珍庵師匠のマスターガンダムを再現しました。元のキットにくらべて肩などがゴールドに塗られ、ゴージャスに仕上がっています。

After

使用する道具

エアブラシセット

・使用する塗料
・対応する溶剤
・コンパウンド(細目)
・コンパウンド用クロス
・サーフェイサー(黒)
・塗装用クリップ
・塗料皿
・調色用スプーン
・スポイト　・乾燥台

※エアブラシの色替え・洗浄、スミ入れ、デカール貼りのための道具は、必要に応じて用意。

Before

▲HGFC マスターガンダム＆風雲再起
※マスターガンダムを使用。

カラーレシピ

◆肩、ヒザ、足首
● Mr.カラー　ゴールド(C9)
● [Mr.カラー クリアーイエロー(C48)を重ね吹き]

◆腕、脚、頭部
● Mr.カラー　シルバー(C8)
● [Mr.カラー メタリックブルー(C76)を重ね吹き]
● [Mr.カラー ブラック(C2)で下地塗装]

◆胴体
● Mr.カラー　クリアーブルー(C50)
● [Mr.カラー ブラック(C2)で下地塗装]

◆ヒジ、スリッパ、ウィング
● Mr.カラー シルバー(C8)
● [Mr.カラー クリアーレッド(C47)を重ね吹き]
● [Mr.カラー ブラック(C2)で下地塗装]

エアブラシによるメタリック塗装の手順

下地に黒を吹いて、全体が引き締まったメタリック色にする。

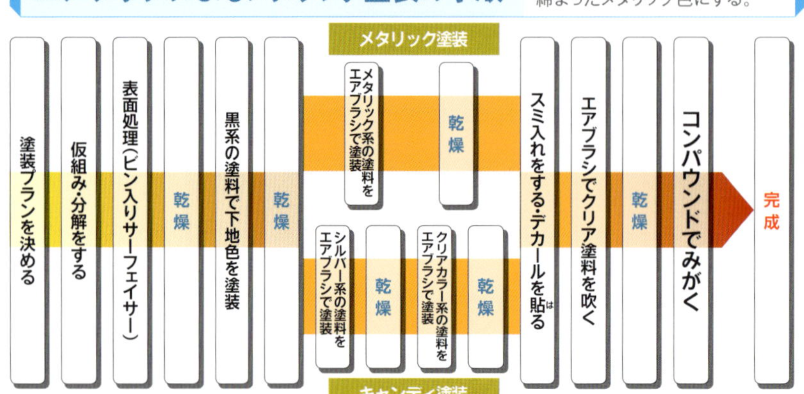
塗装プランを決める
仮組み・分解をする
表面処理(ビン入りサーフェイサー)
乾燥
黒系の塗料で下地色を塗装
乾燥
メタリック塗装
メタリック系の塗料をエアブラシで塗装
乾燥
キャンディ塗装
シルバー系の塗料をエアブラシで塗装
乾燥
クリアカラー系の塗料をエアブラシで塗装
乾燥
スミ入れをする・デカールを貼る
エアブラシでクリア塗料を吹く
乾燥
コンパウンドでみがく
完成

ビン入りのメタリック塗料の判別方法

GSIクレオスのメタリック塗料には、ラベルに「メタリック」と明記してある。タミヤ製品の場合は「〜メタリック」や「シルバー」「ゴールド」などの商品名からメタリック系であると判断する。また、写真のMr.メタリックカラーGXシリーズのように、さらに細かい粒子でより高い質感のメタリック塗装が可能になるものも発売されている。

GX209
Mr.Metallic COLOR GX
つよめ

Mr.メタリックカラーGX GXレッドゴールド(GX209)／GSIクレオス

エアブラシでメタリック塗装を行う方法 

下地色として全体に黒を吹いておく。メタリック色は厚吹きにならないように、薄く何度も重ねて吹いていく。光沢のクリア塗料を吹いて仕上げる。

1 グレーのサーフェイサーを吹く

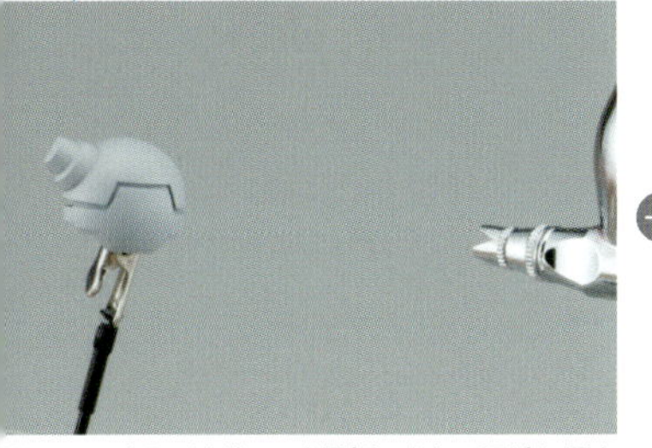

サーフェイサーはグレーを選択。あとで下地に黒を塗るので、サーフェイサーの色は傷やヒケがわかりやすいグレーを選択。

2 下地を黒で塗装する

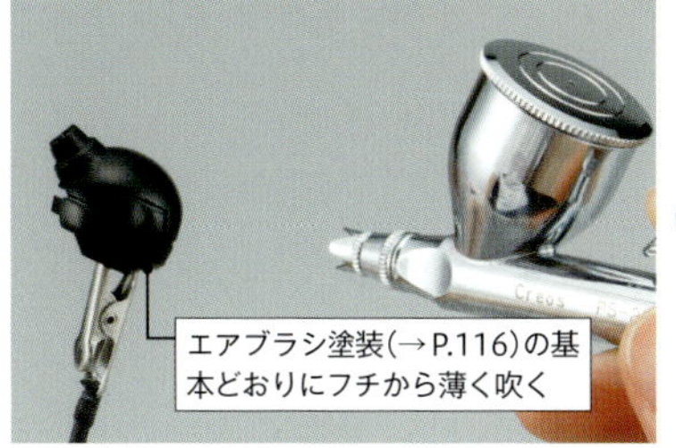

エアブラシ塗装(→P.116)の基本どおりにフチから薄く吹く

メタリックカラーを引き締めるために黒を塗る。黒を希釈(→P.108)し、エアブラシにセットして吹いていく。下地塗りなので、多少ムラがあってもOK。

3 1回目のメタリック塗料を吹いていく

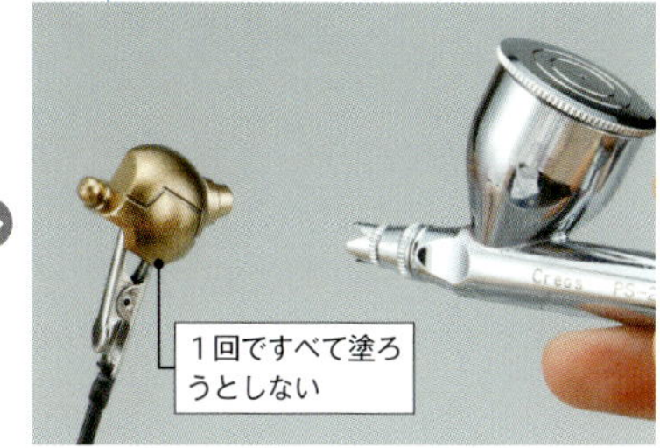

希釈(→P.108)したゴールドをエアブラシにセットし、吹いていく。まず、フチをぐるりと吹き、周辺から円を描くように中央も吹いていく。

4 2回目は塗り残し箇所を中心に吹く

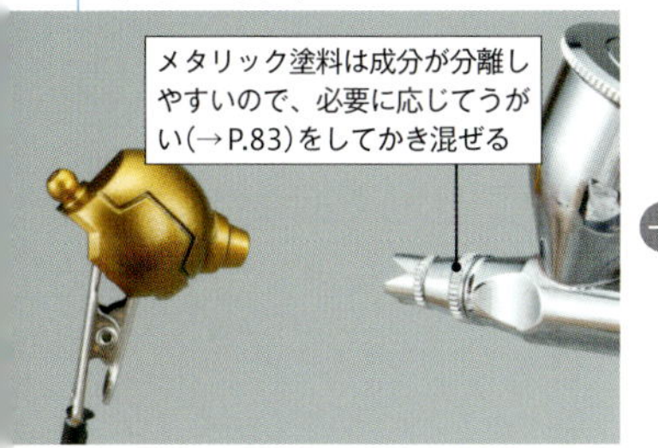

メタリック塗料は成分が分離しやすいので、必要に応じてうがい(→P.83)をしてかき混ぜる

2回目のゴールド塗装。塗り残しがあるところを中心に、埋めるように吹いていく。全体に薄く吹き、厚塗りにならないように。しっかり乾燥させる。

5 メタリック塗装3回目+仕上げにクリア塗料を吹く

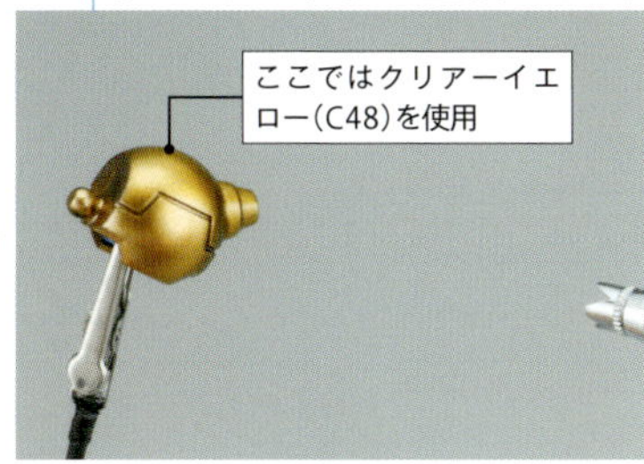

塗り残しがないように確認しながら、3回目を吹く。塗り残しなど、必要があるところだけにする。仕上げとして、光沢のクリア塗料を吹く。

6 コンパウンドでみがく

クリア塗料が完全に乾いてから、コンパウンドでみがいてつやを出していく。より光沢を出したい場合は、クリア塗料を厚めに吹いておく。

エアブラシでキャンディ塗装を行う方法 

シルバーに塗り、上からクリアカラーを吹きつけるのがキャンディ塗装。透明で高級感のある仕上がりになる。

メタリック塗装には、キャンディ塗装という方法もあります。下地に黒を吹くところまでは同じですが、そこからシルバーを吹き、さらに上からクリアカラー(色のついた半透明の塗料)を吹きます。表面にキャンディのような透明の塗膜ができ、高級感のある仕上がりになります。塗り重ねる回数が多いので、厚塗りを避けるために黒いサーフェイサーを吹いて、下地塗装を兼ねてしまってもよいでしょう。

キャンディ塗装の塗料の選び方

下地のシルバーは明るいもののほうが上から塗るクリアカラーの色が映える。Mr.カラーであれば「スーパーシルバー(C159)」、タミヤカラーなら「チタンシルバー(X-32)」がよいだろう。上から塗るクリアカラーは下地を侵さないように、シルバーと同じ種類の塗料にしよう。

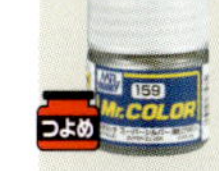

Mr.カラー スーパーシルバー(C159)
GSIクレオス

タミヤカラー アクリル塗料 チタンシルバー(X-32)
タミヤ

1 サーフェイサーで下地処理をする

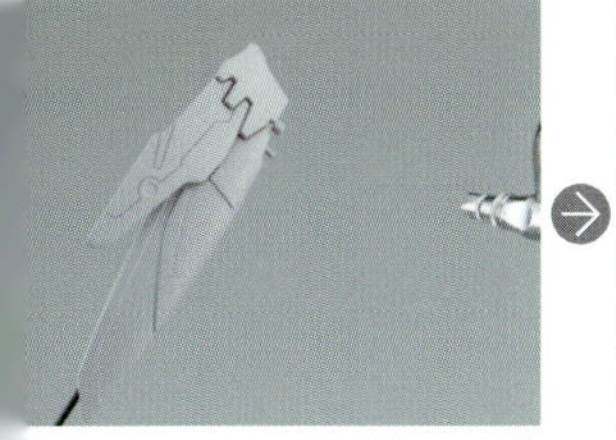

グレーのサーフェイサーを吹いて下地をつくり、傷がないかをよく確認する。

2 黒で下地色を塗装する

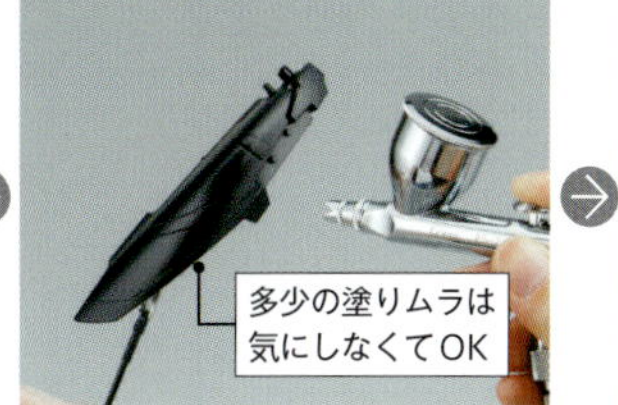

多少の塗りムラは気にしなくてOK

サーフェイサーの上から黒を吹いて、下地色をつくる。厚塗りして塗料がダレるとやり直し。薄く塗っていくこと。

3 シルバーを吹きつける

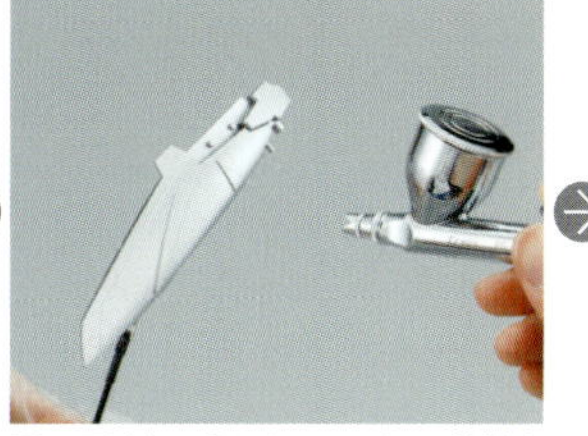

黒の下地色の上からシルバーで塗装する。このシルバーは最終的に透けて見えるので、ていねいに塗ること。

4 クリアカラーを吹きつける

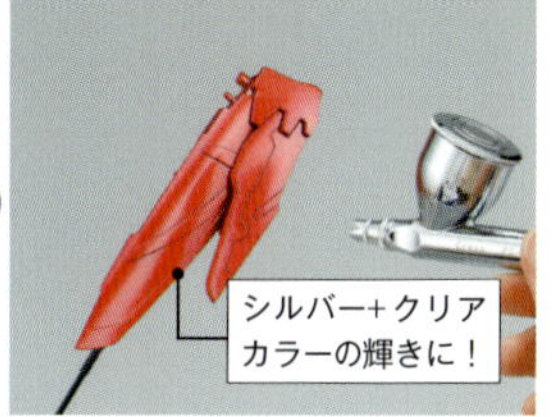

クリアカラーをシルバーの上から吹き重ねる。仕上げは光沢のクリア塗料を吹いて、コンパウンドでみがく。

テクニック

パール塗装を行う①
缶スプレーによるパール塗装

難易度：かんたん／**ふつう**／むずかしい
におい：しない／よわめ／**つよめ**

▶ パール塗装は、**パール粉の混ざった塗料を吹きつけることで、キットをキラキラと輝かせる塗装**のこと。パール粉の入った缶スプレーを使えば、簡単かつきれいなパール塗装を行うことができる。

▶ ポイントは**下地塗装**と**薄塗り**。パール塗料はもともと色が出にくいので、厚塗りにならないように注意。

パール塗装はキラキラと輝くパール粉が混ざった塗料で塗装することで、高級な質感に仕上げる方法です。見る角度によって輝き方が変わるため、もはやプラスチック製とは思えない作品になります。

パール粉を塗料に混ぜてエアブラシで吹きつける方法が一般的ですが、パール粉がクリア塗料にすでに混ぜられた缶スプレーも市販されています。ここでは、その**パール系の缶スプレーを使って、だれでも簡単にパール塗装ができる**方法を解説します。

題材は『ガンダムビルドファイターズトライ』に登場した「HGBF 1/144ベアッガイF（ファミリー）」のママッガイをピンクパール仕様にしています。下地にピンク（光沢）の缶スプレーを吹き、上からピンクパールの缶スプレーを吹いています。さらに光沢のコート剤を吹いて仕上げました。

After

使用する道具

Mr.COLOR SPRAY
TAMIYA COLOR
塗装に使用する缶スプレー（S63、TS-59）

TOPCOAT
コート剤（光沢）

・コンパウンド（細目）
・コンパウンド用クロス
・コート剤
・塗装用クリップ
・乾燥台

※スミ入れ、デカール貼りのための道具は、必要に応じて用意。

Before

▲HGBF ベアッガイF（ファミリー）
※ママッガイを使用

カラーレシピ

◆脚、腕、胴体、頭部
- タミヤカラースプレー パールライトレッド（TS-59）
- [Mr.カラースプレー ピンク（S63）で下地塗装]

◆口まわり、腹、足先
- タミヤカラースプレー パールライトレッド（TS-59）

缶スプレーによるパール塗装の手順

パール系の缶スプレーは、クリアカラーにパール粉が混ぜられたものなので、下地塗装が必要不可欠になる。パール系の缶スプレーを薄く何度も塗って、ていねいに仕上げる。

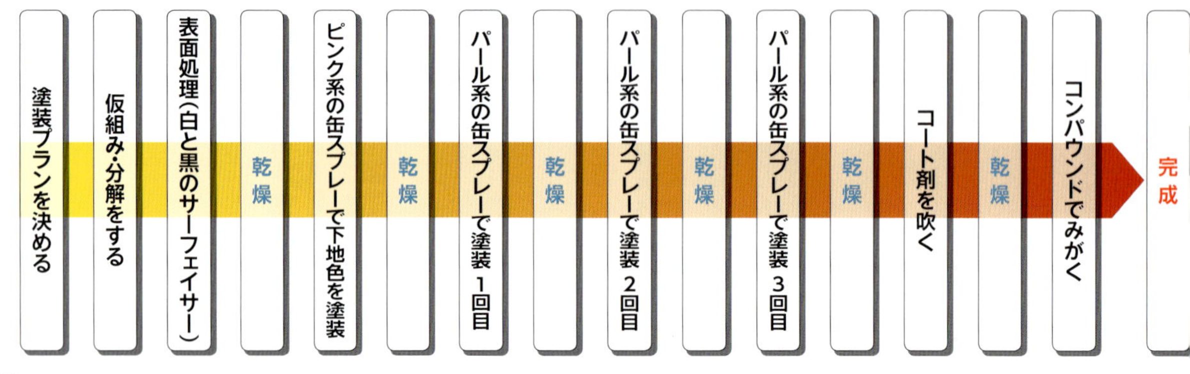
塗装プランを決める
仮組み・分解をする
表面処理（白と黒のサーフェイサー）
乾燥
ピンク系の缶スプレーで下地色を塗装
乾燥
パール系の缶スプレーで塗装 1回目
乾燥
パール系の缶スプレーで塗装 2回目
乾燥
パール系の缶スプレーで塗装 3回目
乾燥
コート剤を吹く
乾燥
コンパウンドでみがく
完成

厚塗りは大失敗のもと

パール塗料ははっきりとした色がつかないので、焦って厚塗りしてしまいがち。薄く何度も塗り重ねていこう。

パール系の缶スプレーは、メタリック系などほかの缶スプレーとくらべて、すぐに塗装色が見えません。そのため、「なかなか思ったような色が出ないな」と吹き続けて、つい厚塗りしてしまうことがあります。薄く吹いて、乾いたらまた吹いてを繰り返して、根気よく塗り重ねていくようにしましょう。

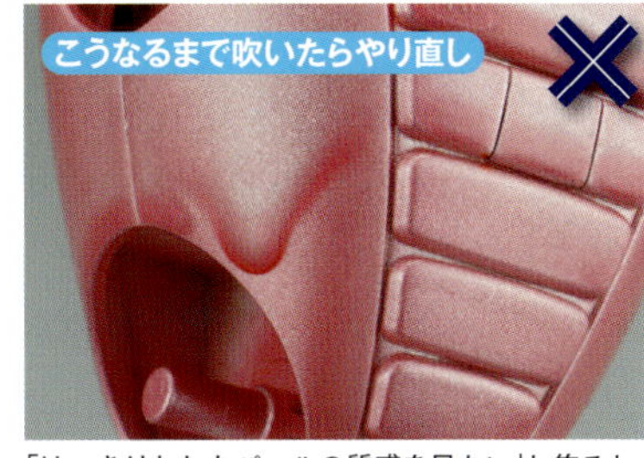
こうなるまで吹いたらやり直し

「はっきりとしたパールの質感を見たい」と焦ると、厚く塗りすぎてダマができてしまう。こうなってしまった場合は、乾いてから紙やすりではがしてやり直すしかない。

パール系の缶スプレーの判別方法

Mr.カラースプレーは「パールコート用」と明記されているのでわかりやすい。タミヤカラースプレーの場合は、商品名に「パール」や「マイカ」が含まれるのでそこから判断できる。

TAMIYA COLOR
MINI

タミヤカラースプレー パールライトレッド(TS-59)
タミヤ

つよめ

缶スプレーでパール塗装を行う方法 つよめ

まずは下地色に光沢のピンクを塗装する。その上からピンクパールの缶スプレーを薄く塗り重ねていく。仕上げは光沢のコート剤を吹き、コンパウンドでみがいた。

1 成型色が白系なのでそのまま吹く

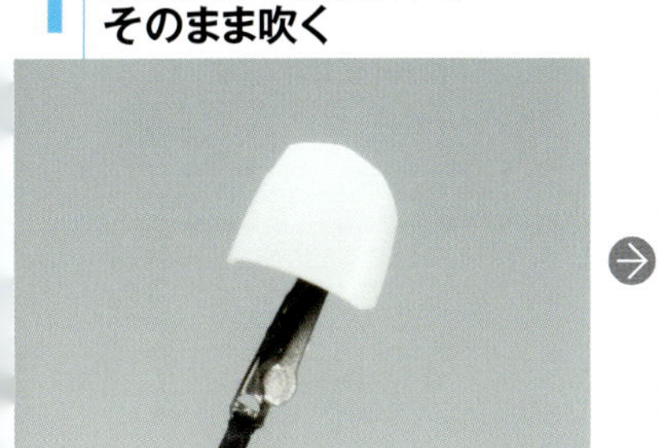

今回のキットは成型色が白系なので、そのまま下地のピンクを吹くことにした。濃い色の場合は、白のサーフェイサーを使用する。

2 下地色のピンクを塗装する

ピンクパールの下で透けて見えるのでていねいに塗る
Mr.COLOR SPRAY
Mr.カラースプレー

パール系の缶スプレーは隠ぺい力が低いので、下地塗りが必要。ここではMr.カラースプレーのピンク(S63)を塗る。2～3回、薄く重ね塗りする。

3 缶スプレーで1回目のパール塗料を薄く吹きつける

下地色の塗料が乾燥したら、タミヤカラースプレーのパールライトレッド(TS-59)を吹く。すぐにはっきりとした色はつかないが、薄塗りを心がける。

4 2～3回目のパール塗装を行う

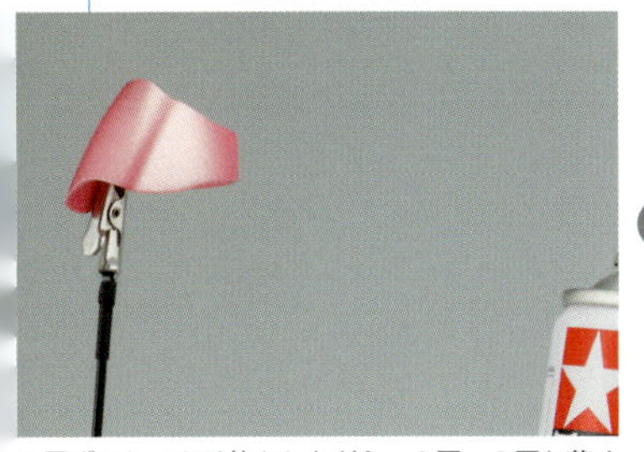

1回ずつしっかり乾かしながら、2回、3回と薄く吹いていく。ときおり光を当てて、パール感が出来上がってくるのを確かめよう。厚塗りは厳禁。

5 光沢のコート剤を吹く

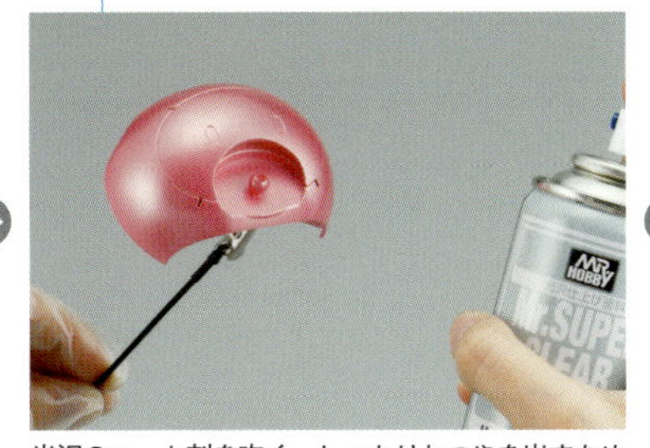

光沢のコート剤を吹く。しっかりとつやを出すために、2～3回程度塗り重ねる。1回ずつきちんと乾かしてから塗り重ねる。

6 コンパウンドでみがく

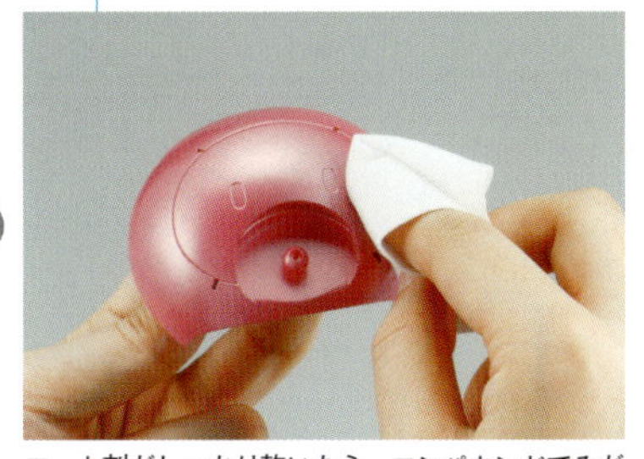

コート剤がしっかり乾いたら、コンパウンドでみがいていく。ここでは、そこまでピカピカにしたくないので、ほどほどにみがいた。

POINT

パール系塗料のしくみ

パール系塗料は雲母の粉が混ぜてあることで、粉に光が反射してキラキラして見える。パールと名はついていても、実際に真珠の粉が混ぜてあるわけではない。実際は雲母という鉱物を粉末にしたもので、これをマイカという。本来はマイカ塗料とでもいうべきなのだろうが、光り方が真珠にそっくりなので、パール塗料と呼ばれている。雲母を粉にして顔料に混ぜるのは、「キラ」といって江戸時代の浮世絵にも使われた技術。実はとても古くから伝わる表現方法なのだ。

パール系塗料がキラキラと光るしくみ

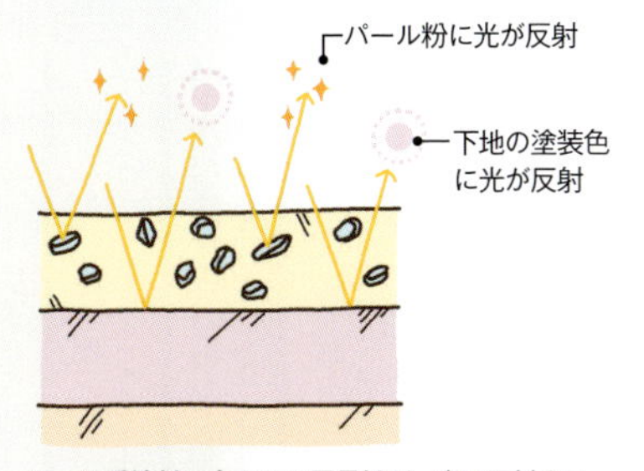
パール粉に光が反射
下地の塗装色に光が反射

パール系塗料に含まれる雲母粉が、光に反射する。透けているので、下地の塗装も見える。下地色を活かしながら美しい輝きを持たせることができる。

用語解説 隠ぺい力(いんぺいりょく)

「隠ぺい力」とは、その塗料が下地に影響されやすいかどうかを示す言葉。隠ぺい力が低い塗料ほど、下地色の影響を受けやすい。白や黄色は隠ぺい力が低く、黒や緑は隠ぺい力が高い。パール系塗料やクリアカラーはかなり隠ぺい力が低い。

パール塗装を行う②
エアブラシによるパール塗装

難易度: かんたん / **ふつう** / むずかしい

におい: しない / **よわめ** / **つよめ**

▶ パール塗料は種類が少ないが、**エアブラシであればオリジナルのパールカラーをつくって塗装できる。**

▶ **隠ぺい力の低いパール塗料には、下地塗装が不可欠。**サーフェイサーには白を使って、輝くパール塗装をしよう。仕上げにクリア塗料を吹いて、コンパウンドでみがけばさらにパールが輝く。

本格的にパール塗装をしたいのであれば、エアブラシの出番でしょう。**パール塗料同士を混ぜたり、普通の塗料にパール粉を混ぜたりして、オリジナルのパール塗料をつくることができます**ので、完成イメージに合わせて、さまざまな仕上げ方ができます。パール塗料は、さまざまな方法でつくることができます。たとえば、**「パール系塗料同士を混ぜる」「パール系塗料にクリアカラーを混ぜる」「クリアカラーにパール粉を混ぜる」**などの方法です。塗料の色味やパール粉の割合を調整することで、さまざまな質感のパール塗装を行うことができます。エアブラシなら細かいところの塗装もできるので、よりきめ細かな塗装も可能です。

ここでは、「MG ウイングガンダムゼロ(EW版)」のウイングとボディの白部分にパール塗装を施しました。ほかのカラー部分はメタリック塗装にして、メリハリを出しています。

After

Before

使用する道具

エアブラシセット

- ・塗装に使用する塗料
- ・対応する溶剤
- ・コンパウンド(細目)
- ・コンパウンド用クロス
- ・紙やすり
- ・ビン入りサーフェイサー(白)
- ・塗装用クリップ
- ・塗料皿
- ・調色用スプーン
- ・スポイト　・乾燥台

※エアブラシの色替え・洗浄、スミ入れ、デカール貼りのための道具は、必要に応じて用意。

MG ウイングガンダムゼロ(EW版)▲

カラーレシピ

◆ウイング、脚、腕、頭部

●Mr.クリスタルカラー ムーンストーンパール(XC08)

[○Mr.カラーGX クールホワイト(GX1)+●Mr.カラー クリアブルー(C50)少々で下地塗装]

◆胸、肩、腕、腰部

●Mr.メタリックカラー GXメタルブルー(GX204)

◆腹、足先

●Mr.メタリックカラー GXメタルレッド(GX202)

◆ブレードアンテナ、肩先

●Mr.メタリックカラー GXレッドゴールド(GX209)

エアブラシによるパール塗装の手順

パール塗装は、下地色とパール系塗料の組み合わせで仕上がりが決まる。最終的にどう仕上げたいかを決め、そこから逆算して、パール系塗料の色、下地色、サーフェイサーの色を決めていこう。

塗装プランを決める → 仮組み・分解をする → 表面処理(ビン入りサーフェイサー) → 乾燥 → 白系の塗料で下地色を塗装 → 乾燥 → パール系塗料をエアブラシで塗装 1回目 → 乾燥 → パール系塗料をエアブラシで塗装 2回目 → 乾燥 → パール系塗料をエアブラシで塗装 3回目 → 乾燥 → スミ入れをする・デカールを貼(は)る → エアブラシでクリア塗料を吹く(2回) → 乾燥 → コンパウンドでみがく → 完成

パール系塗料をつくる方法 コノよ

パール系塗料は市販のものをそのまま使うほか、次の3つの方法によって、自分でつくることもできる。

パール系塗料同士を混ぜる方法

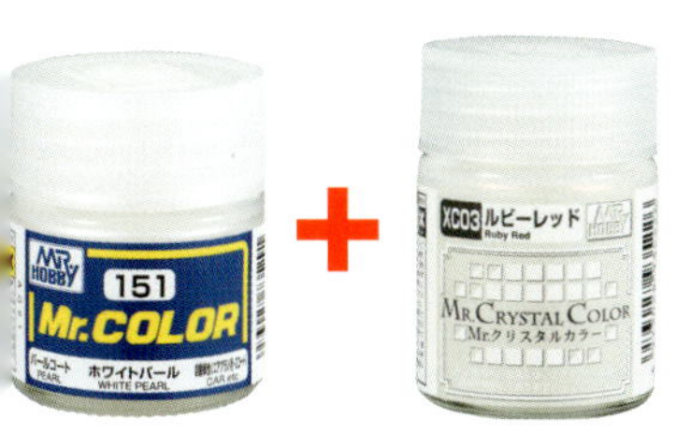

異なる色のパール系塗料を混ぜ合わせて、調色する方法。簡単にオリジナルカラーのパール系塗料をつくることができる。パール粉の割合が減らない。

パール系塗料にクリアカラーの塗料を混ぜる方法

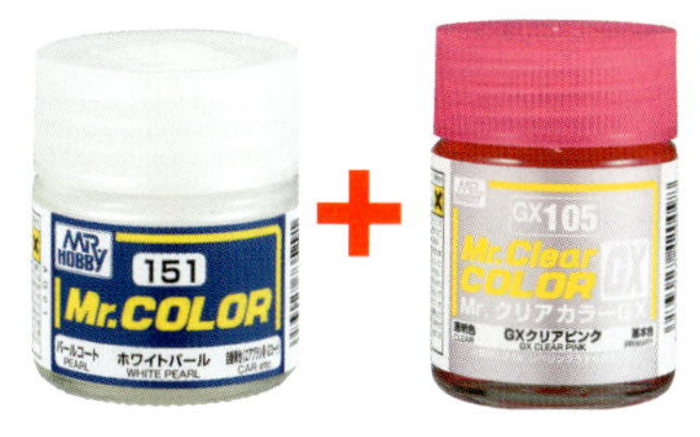

パール系塗料にクリアカラーの塗料を混ぜる方法。パール粉の割合は減るので、あまり多くクリアカラーは入れない。クリアカラー以外の塗料は混ぜない。

クリアカラーの塗料にパール粉を混ぜる方法

パール粉そのものも売られている。クリアカラーの塗料にパール粉を混ぜてオリジナルのパール塗料をつくる。クリアカラー以外の塗料は使えない。

パール塗料の選び方

パール塗料には、大きく2種類がある。

1つめは、最初からパール粉が配合されているもの。買ってすぐ使えるメリットがある。色数に限りがあるので、思うような仕上がりにならない可能性がある。ラベルか商品名に、「パール」とあるものが該当する。

2つめは、パール粉として売られているもの（右の写真）。クリアカラーと混ぜないと使えないが、自分好みの配合にできる。色のついたパール粉もあり、パール粉同士を混ぜて使ってもOKだ。

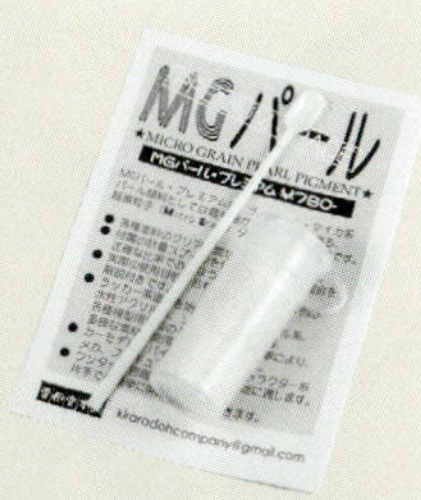

MGパール（MGパール・プレミアム）
雲母堂本舗
パール粉はカラーつきのものもある。

プラスα パール塗料を使う際には

パール塗料は隠ぺい力が低いので、下地の色の影響を強く受けてしまう。そのため、パールで塗装したい場合は、下地に塗料をしっかり塗らなければならない。また、2コートが基本なので、上からクリア塗料を2回以上吹こう。

つよめ

Mr.クリスタルカラー ルビーレッド（XC03）／GSIクレオス

NG パール系は筆塗りでは無理

パール系塗料はエアブラシで吹くのが基本。筆塗りではどうしてもムラになってしまって、きれいに塗ることはできない。

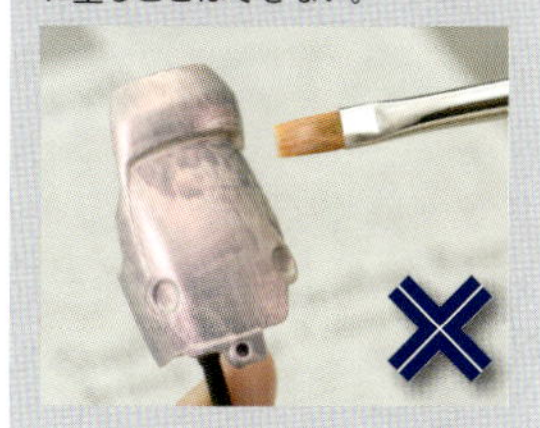

エアブラシでパール塗装を行う方法 コノよ

白のサーフェイサーを吹き、下地を白で塗装してから、パール塗装をする。仕上げには、クリア塗料を2回以上吹く。さらにコンパウンドでみがき上げていく。

1 白のサーフェイサーを吹く

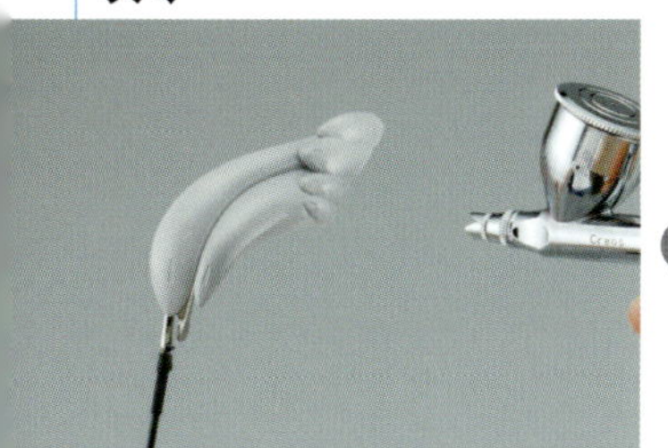

白のサーフェイサーからスタートする。傷やヒケなどがあると、パール粉がきれいに光に反射しないので、このタイミングでよく確かめて表面処理しよう。

2 下地は白系の塗料で塗装する

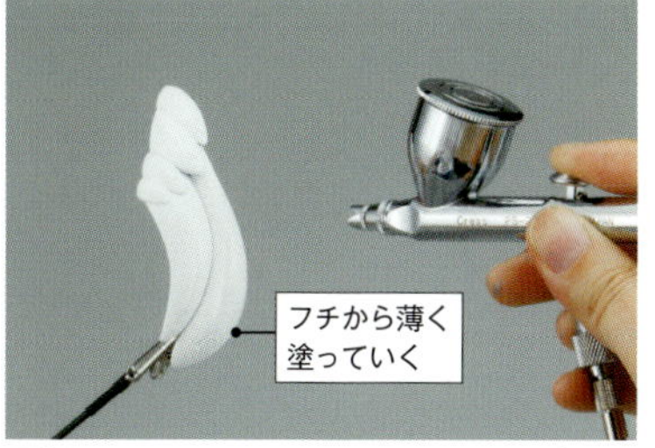

下地として、Mr.カラーGXのクールホワイト（GX1）にMr.カラー クリアブルー（C50）を少しだけ混ぜたものをエアブラシで塗る。

3 1回目のパール系塗料を吹く

パール塗料は成分が分離しやすいので、必要に応じてうがい（→P.83）してかき混ぜる

下地の塗料が乾いたら、パール系塗料を吹いていく。Mr.クリスタルカラーのムーンストーンパール（XC08）を使用。

4 パール塗装を完了させる

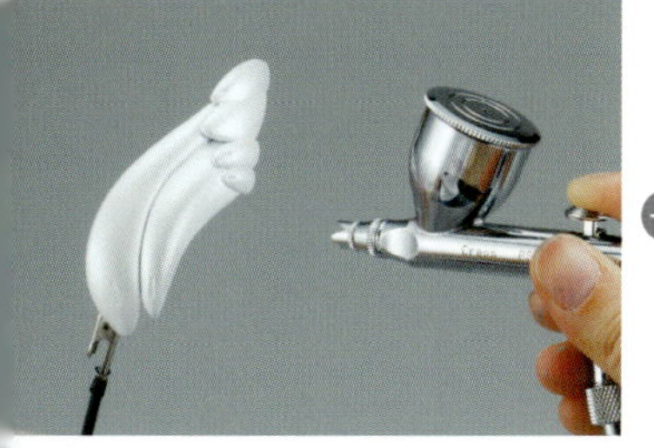

塗り残しやムラがないように、2～3回に分けて全体に吹きつけていく。すぐにはっきりしたパールの輝きは見えないが、焦って厚塗りにならないように。

5 仕上げにクリア塗料を2回重ねて吹く

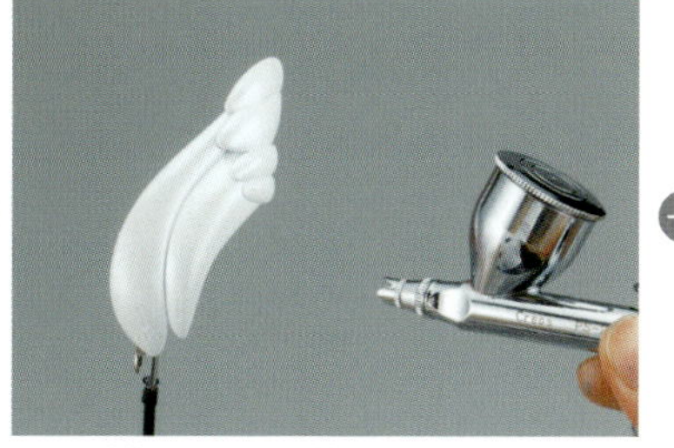

パール塗装は2コートが基本。つまり、2回クリア塗料を吹き重ねて仕上げる。クリア層ができることで、パールが輝きを増す。

6 コンパウンドでみがく

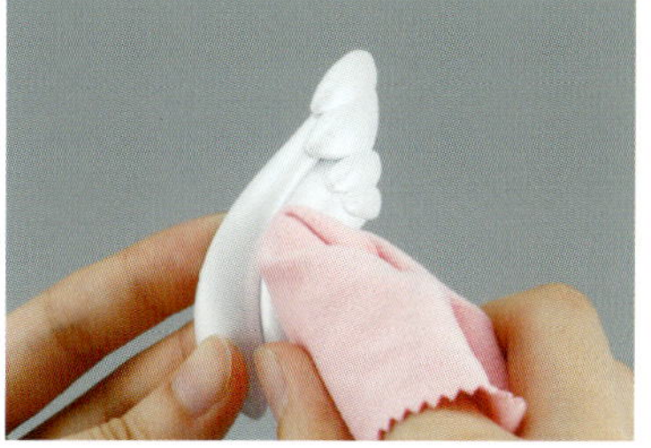

しっかり乾燥させて、吹き重ねたクリアが完全に乾いてから、まず2000番の紙やすりから表面をやすりがけしていく。さらにコンパウンドでみがく。

鏡面仕上げを行う

難易度：かんたん／ふつう／**むずかしい**
におい：しない／**よわめ**／**つよめ**

▶ 鏡面仕上げとは、**コート剤やクリア塗料を垂れるほど厚く吹き重ねて、紙やすりやコンパウンドでみがき上げていくこと**で、キットを鏡のように光らせる仕上げ方法のこと。

▶ 鏡面仕上げに決まったゴールはない。**自分が納得できるまで、繰り返し行って仕上げていこう。**

光沢塗装、メタリック塗装、パール塗装は、いずれも最後にコート剤をひと吹きして完成となりますが、そこからさらにみがきをかけることで、**鏡面仕上げ**をすることができます。基本的な方法は、**クリア塗料（もしくは光沢のコート剤）を垂れる直前くらいまで厚塗りし、完全に乾燥させてからクリア層を水研ぎしていきます**。この工程を数回繰り返すことで、鏡のように物が映り込むほどきれいな仕上がりになるのです。鏡面仕上げに、「何回やればOK」という決まりはありません。納得のいく仕上がりになるまで、ひたすらみがき上げていきます。時間もかかりますし、手間もかかりますが、根気よく作業を続ければ、最高に光り輝く機体が出来上がるでしょう。

ここでは『ガンダムビルドファイターズトライ』に登場した「HGBF R・ギャギャ」を使い、西洋の甲冑（かっちゅう）のようにみがき上げました。

使用する道具

エアブラシセット

- 塗装に使用する塗料
- 対応する溶剤
- サーフェイサー（グレー）
- 紙やすり（1500～2000番）
- コンパウンド（細目）
- コンパウンド用クロス
- 塗装ブース
- 塗装用クリップ
- 塗料皿
- 調色用スプーン
- スポイト　・乾燥台

※エアブラシの色替え・洗浄、スミ入れ、デカール貼りのための道具は、必要に応じて用意。

HGBF R・ギャギャ▲

カラーレシピ

◆メインカラー・シルバー部
- Mr.カラースーパーメタリック スーパーファインシルバー（SM01）
- ［Mr.カラー ブラック（C2）で下地塗装］

◆シールド、胸などゴールド部
- Mr.カラースーパーメタリック スーパーゴールド（SM02）
- ［Mr.カラー ブラック（C2）で下地塗装］

◆ヒザ、つま先などグレー部
- Mr.カラースーパーメタリック スーパーアイアン（SM03）
- ［Mr.カラー ブラック（C2）で下地塗装］

鏡面仕上げの手順

鏡面仕上げで忘れていけないのは乾燥。クリア塗料が完全に乾く前に紙やすりをかけてしまうと、クリア層が荒れてしまって台無しになる。焦らず、長期計画でじっくり挑もう。

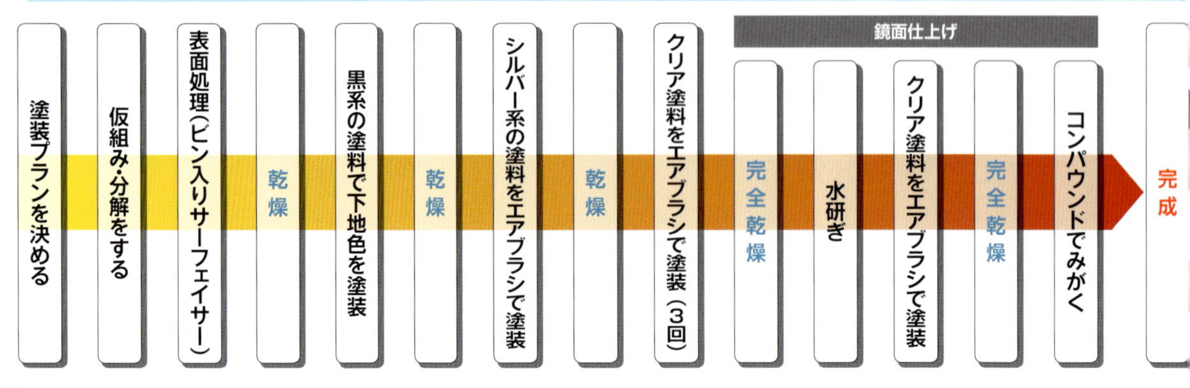

塗装プランを決める
仮組み・分解をする
表面処理（ピン入りサーフェイサー）
乾燥
黒系の塗料で下地色を塗装
乾燥
シルバー系の塗料をエアブラシで塗装
乾燥
クリア塗料をエアブラシで塗装（3回）
鏡面仕上げ
完全乾燥
水研ぎ
クリア塗料をエアブラシで塗装
完全乾燥
コンパウンドでみがく
完成

鏡面仕上げの方法 

通常の塗装を終えたら、クリア塗料をあえて厚塗りする。クリア塗料が完全に乾燥したら、1500番以上の紙やすりとコンパウンドでみがく。この作業を何度も繰り返すことで、鏡のように光る仕上がりになる。

1 グレーのサーフェイサーを吹く

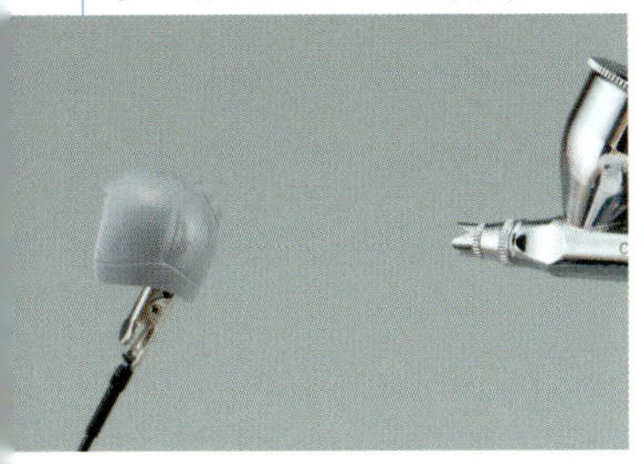

表面処理(→P.126～127)をきちんと行い、グレーのサーフェイサーを吹きつける。傷やヒケはこの段階できれいにしておく。

2 光沢のある黒で塗装する

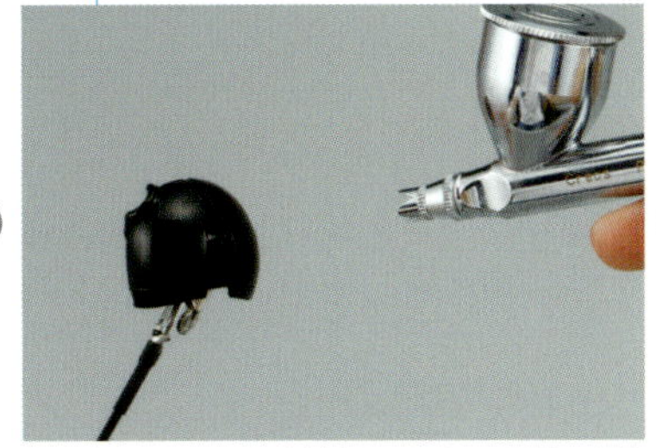

次に塗るシルバーを引き締めるために、下地に黒を吹いておく。光沢のある黒で塗装すること。Mr.カラー ブラック(C2)を使用。

3 黒の上からシルバーを吹く

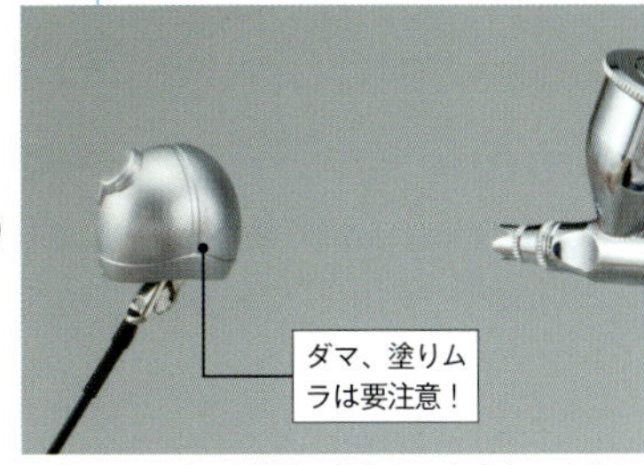

ダマ、塗りムラは要注意！

さらにシルバーを塗装。厚吹きにならないように、3回くらいに分けて吹く。Mr.カラースーパーメタリック スーパーファインシルバー(SM201)を使用。

4 鏡面仕上げのスタートとしてクリア層をつくる

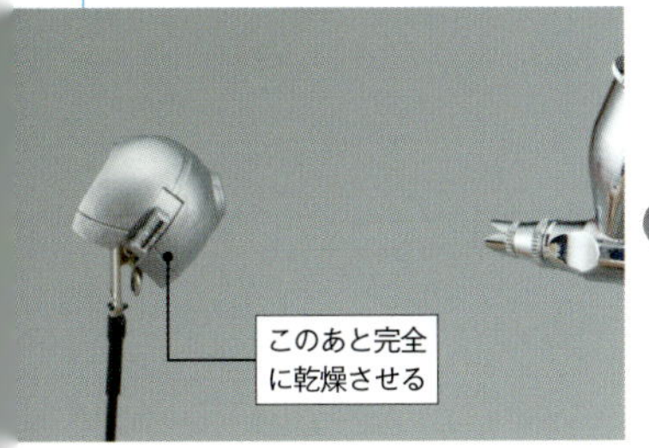

Mr.カラーGX スーパークリアーⅢ(GX100)を吹く。乾燥をさせながら3回重ね吹きして、厚めのクリア層をつくる。

5 水研ぎをする

水をつけながら紙やすりで研ぐ

しっかり乾燥させてから、ここまでの塗装でつくった塗膜をなめらかにするために、水をつけた紙やすり(1500～2000番)で水研ぎをする。

6 再びクリア塗料を吹きさらにクリア層を重ねる

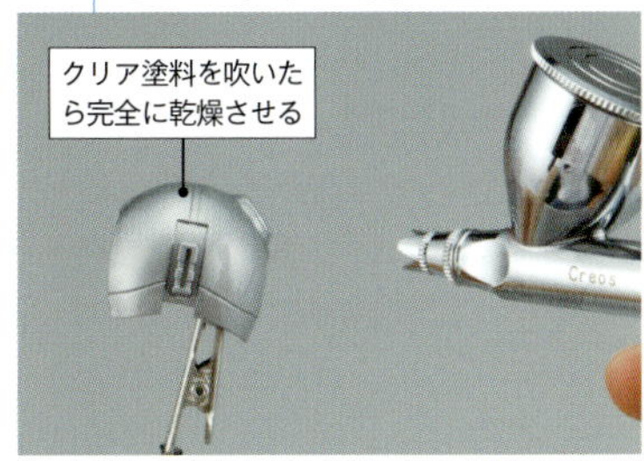

水研ぎのあと、さらにクリアを吹いてクリア層を厚くしていく。水研ぎしているので光沢が増してくる。このあと、しっかり乾燥させる。

7 研ぎ出しの準備をしておく

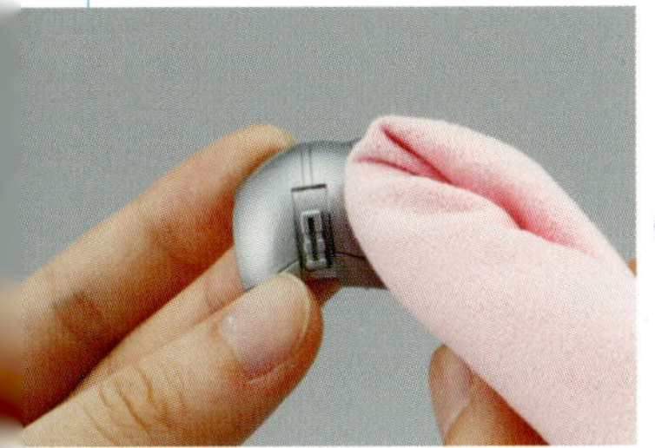

仕上げの研ぎ出しを行う。2000～3000番の紙やすりとコンパウンド各種を使用。クリア塗料を吹いたときにできたザラザラ面や細かい傷を消すためのもの。

8 総仕上げのコンパウンドみがき

1500～2000番の紙やすりで水研ぎをし、徐々に番手を上げていく。あとはコンパウンドに切り替えて、だんだん番手を上げてみがき上げる。

9 コンパウンドを洗い流して完成!

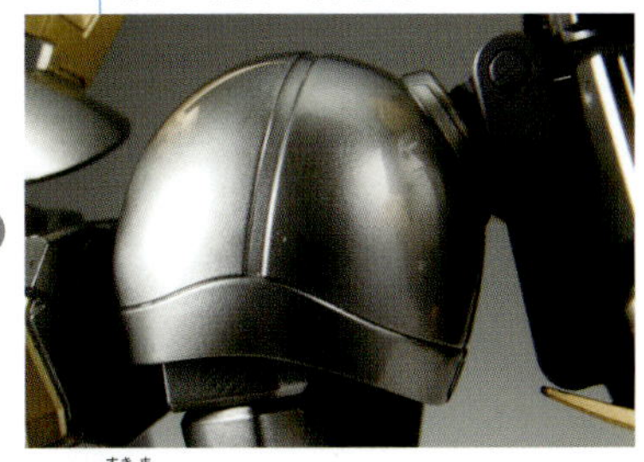

最後に隙間(すきま)に入り込んだコンパウンドまで水で洗い流して完成。自分の姿が映り込むほどの鏡面仕上げが出来上がった。

POINT

鏡面仕上げのしくみ

鏡面仕上げとは、表面をひたすら研いで、凹凸(おうとつ)を極限までなくしていく作業のこと。鏡のように顔が映るほどの光沢になるので、鏡面仕上げと呼ばれている。本書では、シルバー系で塗装したキットで行ったが、それ以外のメタリックカラーでも、光沢塗装(→P.128～131)でも、パール塗装(→P.136～139)でも鏡面仕上げを行うことができる。

塗装面は缶スプレーやエアブラシで吹きつけている以上、塗料の粒子によってどうしてもデコボコが残る。それを紙やすりやコンパウンドを使って、そのデコボコをけずってなめらかにすることを「研ぎ出し」といい、研ぎ出しを極限までやり続けると、鏡面仕上げになる。

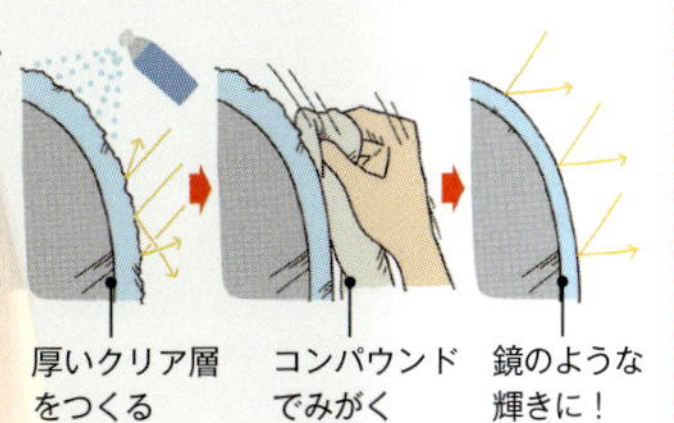

プラスα 水性のコート剤は鏡面仕上げには向かない

鏡面仕上げに必要なのは、繰り返しの研ぎ出しに耐えうる塗膜の強さ。水性のコート剤は溶剤系のコート剤にくらべ、少し強度が弱いので鏡面仕上げには不向き。どうしても水性でなければならない場合は、乾燥時間を十分に取ってから研ぎ出しをしよう。

○ Mr.スーパークリアー(溶剤系スプレー)光沢 GSIクレオス（つよめ）

× トップコート(水性スプレー)光沢 GSIクレオス（よわめ）

迷彩塗装の基礎知識

▶ 迷彩塗装はミリタリーモデルでは定番の塗装方法。**モビルスーツも兵器なので、迷彩塗装がよく似合う。**
▶ 迷彩塗装において大事なのは、どう使われるのかを想定すること。**砂漠(さばく)なのか、森林なのか、都市なのか。**それによって、迷彩に使われるパターン（デザイン）もカラーリングも変わってくる。

ミリタリーモデルでは定番の迷彩塗装ですが、ガンプラでも多くの人が取り入れています。現実の兵器の多くは、敵から見えにくくするために背景にとけ込むようなパターン（デザイン）とカラーリングが施されています。

時代に応じて、さまざまな戦場に合わせた迷彩塗装が発案されてきました。**迷彩塗装のパターンと色は、戦場によって変わります**。また、**戦車なのか航空機なのか、戦闘服なのかでも変わります**。

モビルスーツに迷彩が施されるとしたら、どのようなパターンになるでしょうか。比較的簡単なテクニックでできる、モビルスーツ向けの迷彩塗装を3つ紹介します。

山岳地帯用の迷彩戦闘服

米軍のカムフラージュ戦闘服。周囲の地形に見事にとけ込んでいる。迷彩は場所、サイズ、使われ方によって、さまざまなものが考案されている。

戦闘機向けの迷彩塗装

写真:Gotz358/PIXTA（ピクスタ）

航空自衛隊の戦闘機。航空機の場合、上面は地上カラーの迷彩、下面は空カラーの迷彩になっているものが多い。モビルスーツに応用できるだろうか。

砂漠用チョコチップ迷彩

≫詳しくはP.144

筆塗りだけで、本格的な迷彩塗装を行った。「チョコチップ迷彩」は、砂漠(さばく)周辺地域での戦闘を想定した戦闘服向けの迷彩パターンだ。

森林用クラウド迷彩

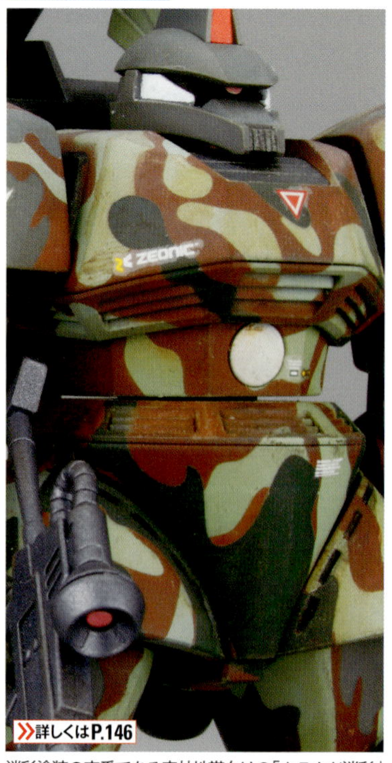

≫詳しくはP.146

迷彩塗装の定番である森林地帯向けの「クラウド迷彩」を再現。迷彩塗装用のマスキングシートを使うことで、複雑な迷彩パターンが簡単につくれる。

水中用ぼかし迷彩

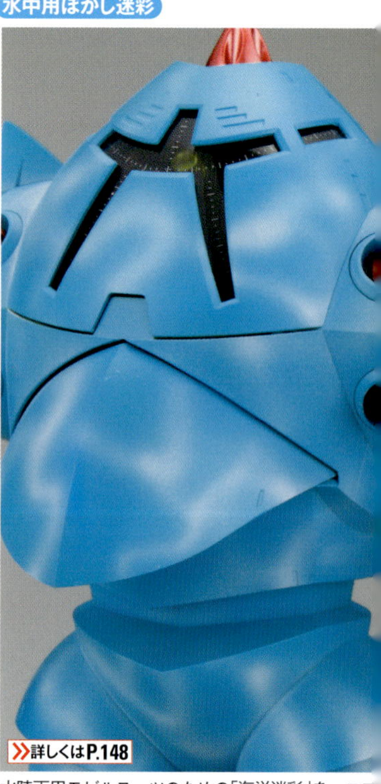

≫詳しくはP.148

水陸両用モビルスーツのための「海洋迷彩」を、エアブラシの細吹きで表現。

迷彩のパターンの考え方

迷彩のパターンは、どこでどのように使われるかで変わってくる。モビルスーツの場合はどのような迷彩パターンになるのか、考えてみよう。

モビルスーツの迷彩は何を参考にするか

迷彩塗装はさまざまな考え方でつくられ、長い年月の間に進化してきたものです。近年ではデジタル技術を駆使して、一層敵から見えにくくする仕掛けもなされています。モビルスーツにどんな迷彩パターンを採用するのかは、いろいろな考え方があると思いますが、ここでは**「何にたとえるか」を考えてみます。**

アメリカ軍のウッドランド迷彩

クラウド迷彩でダークイエロー、ダークブラウン、グリーン、ブラックの4色を使用。

自衛隊の迷彩パターン

グリーンとサンドをベースに、ブラウンとブラックを加えた4色を使用している。

デジタル迷彩MARPAT(マーパット)

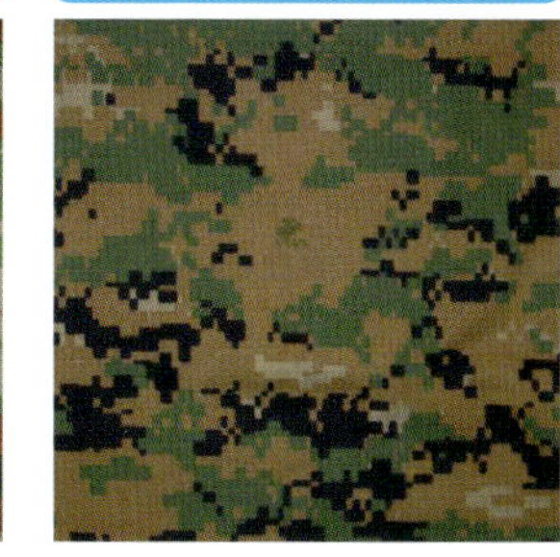

米海兵隊の戦闘服に採用。四角いドットパターンになっている。

戦闘服を参考にする

モビルスーツは人型の機動兵器なので、**戦闘服に使用される迷彩**パターンはよく似合います。カムフラージュ柄として、一般の衣服のデザインにも採用されているので、参考資料には困りません。各国で採用されているパターンから、つくるキットに似合いそうなものを探してみましょう。

砂漠用の迷彩

いわゆるチョコチップ迷彩の一種。4色のベース色に対し、小石が描かれている。

マルチカム迷彩

米軍用に開発されたが採用はされず、民間軍事会社やジョージア陸軍などで採用された。

イギリスのDPM-95迷彩

流れるようなパターンが特徴。4色が使われている。

航空機を参考にする

航空機に施される迷彩は、大柄なものが多くなっています。航空機は高速で移動するため、基本的に**遠距離の敵に対して迷彩を行っている**からです。遠くで、指先ぐらいの大きさにしか見えないので、柄は大きいほうがいいのです。モビルスーツも、高速移動する機体がたくさんあります。現実にあったとしたら、航空機に似た迷彩塗装がされるかもしれません。

ベトナム迷彩の米空軍F-4ファントム

ジャングルの上空で戦うための迷彩色。モビルスーツはサイズ的には航空機に近いので、塗り分けの大きさの参考になる。

洋上迷彩の航空自衛隊F-2戦闘機

日本は周囲を海で囲まれているため、自衛隊の戦闘機は海洋迷彩を採用している。水陸両用モビルスーツなどの配色の参考になりそうだ。

戦闘車輌を参考にする

モビルスーツはとても大型で、強い火力を持ったものです。それであれば、参考にすべきは**戦車の迷彩**かもしれません。森林に紛れ込んで戦うのであれば、ウッドランド迷彩が採用される可能性が高いでしょう。

都市迷彩を施した戦闘車輌

市街戦を想定して、グレー基調の直線的なパターンの迷彩。方向性としては直線を基調にしたデジタル迷彩に近い。戦闘車輌(しゃりょう)はモビルスーツに比べて小型だが、細かいパターンにしなければモビルスーツにも使えるだろう。

NATO迷彩のM1エイブラムス

ブラウン、グリーン、ブラックの3色で塗り分けられた森林用の迷彩。「スケール感は無視して、それらしくなっていればOK」という考えで迷彩塗装をするというのもアリだ。

迷彩塗装を行う①
砂漠×チョコチップ迷彩（筆塗り）

難易度：かんたん／**ふつう**／むずかしい

におい：しない／**よわめ**／**つよめ**

▶迷彩塗装はエアブラシが必須で難しい、ということはない。**筆塗りでもかっこいい迷彩塗装をつくれる。**

▶**砂漠系の2色迷彩に小石をかたどった模様を描き込む、いわゆるチョコチップ迷彩**を再現した。また、デカールを貼ると、迷彩塗装はぐっと引き立つのでぜひ貼ろう。

迷彩塗装では、基本的にキット全体を塗ることになりますが、筆塗りだけで行うことができます。ここでは「HG 1/144 グリモア」に砂漠などでよく使われるチョコチップ迷彩を施しました。**砂漠に転がる小石をイメージし、チョコチップのような点々を加えた迷彩パターン**です。

基本色は2色で塗り分け、チョコチップも2色を使って陰影をつけています。基本色の1色目は、キット全体に同じ色を塗ることになるので、缶スプレーやエアブラシを使ってもよいでしょう。薄いほうの色を先に塗るのがセオリーです。基本色の2色目を塗る際は、全体のバランスを見ながら、塗り分け線を下書きします。そして、色の境界線を筆で塗ってから残りを埋めるように塗っていきましょう。チョコチップは筆先でチョンチョンとつつくようにしてつけていきます。ドライブラシに似た感じで、筆先でつついてぼかしていくテクニックもあります。

Before

▲HG グリモア

使用する道具

平筆
面相筆

- 塗装に使用する塗料（アクリル系）
- 対応する溶剤
- サーフェイサー（グレー）
- 塗料皿
- 鉛筆かシャープペンシル
- コート剤（つや消し／水性系）

※ウォッシング、スミ入れ、デカール貼り、筆を洗浄するための道具は、必要に応じて用意。

カラーレシピ

◆迷彩色①
●タミヤアクリル塗料 ダークイエロー（XF-60）

◆迷彩色②
●タミヤアクリル塗料 NATOブラウン（XF-68）

◆チョコチップ白
○タミヤアクリル塗料 フラットホワイト（XF-2）

◆チョコチップ黒
●タミヤアクリル塗料 フラットブラック（XF-1）

筆塗りによる迷彩塗装の手順

筆塗りによる迷彩塗装は、塗装面積の大きさがポイント。1色目はキット全体を塗らずに、最初から塗り分けてもいいが、色の差が表れてしまう可能性もある。

塗装プランを決める → 仮組み・分解をする → 表面処理（サーフェイサー） → 乾燥 → 1色目を塗装 → 乾燥 → シャープペンシルで境界線を描く → 2色目の塗料で境界線を筆塗り → 2色目の塗料で境界線の内側を筆塗り → 乾燥 → 白系の塗料でチョコチップを筆塗り → 黒系の塗料でチョコチップを筆塗り → 乾燥 → スミ入れをする・デカールを貼る → つや消しのコート剤を吹く → 乾燥 → 完成

チョコチップ迷彩の塗装方法 コツよ

砂漠用のチョコチップ迷彩は、ベースとしてサンドカラーを数色使い、小石を模したチョコチップをランダムに入れていく。チョコチップは筆塗りが活きる迷彩パターンだ。

1 下地として サーフェイサーを吹く

グレーのサーフェイサーを吹いて下地をつくる。こうすることで、成型色の差で塗装にバラツキが出るのを避けることができる。

2 基本色の1色目を 全体に塗る

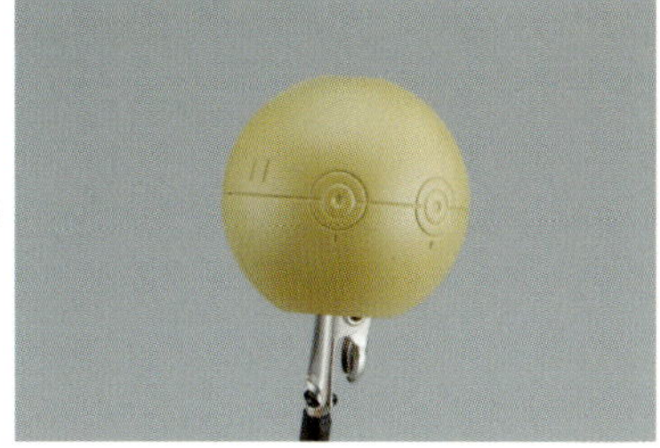

1色目を全体に塗る。缶スプレーやエアブラシを使ってもOK。関節部などにも迷彩塗装を施すかどうかは好みで決めよう。

3 塗り分けの境界線を書く

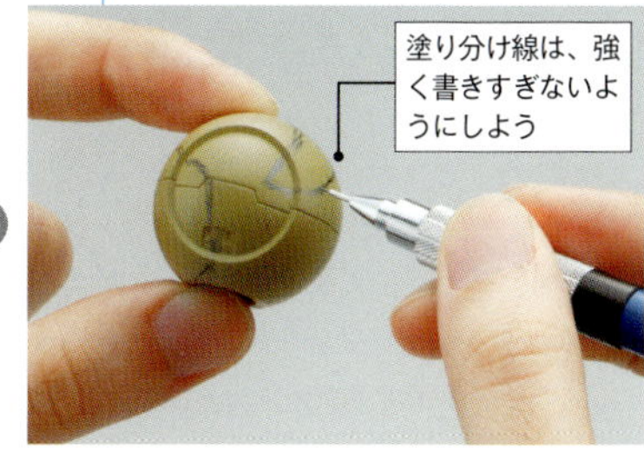

塗り分け線は、強く書きすぎないようにしよう

1色目が乾いたら、シャープペンで塗り分け線を書く。あまり細かなパターンにすると、スケール感が損なわれる。

4 境界線に合わせて 基本色の2色目を塗る

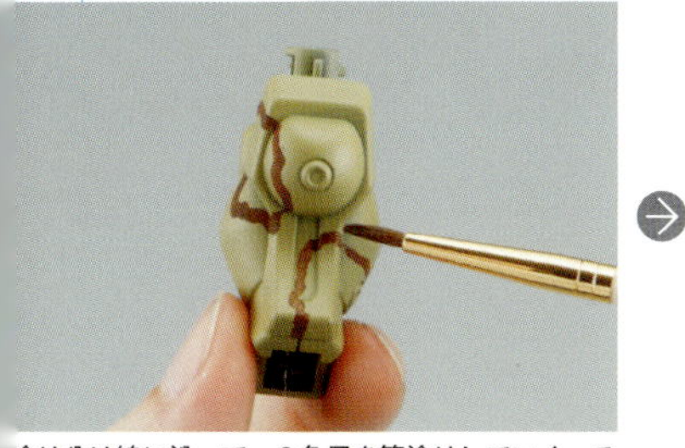

塗り分け線に沿って、2色目を筆塗りしていく。そもそもフリーハンドで決めたラインなので、はみ出しても気にしなくてOK。

5 基本色の2色目を 内側のほうまで塗る

2色目の内側も塗っていく。同一方向に塗るなどして、塗りムラが出ないように。多少ムラになってもチョコチップやウェザリング（→P.150）で隠せる。

6 1色目のチョコチップを描く

小石を模したチョコチップ塗装を加える。毛先が小さめの筆を使い、白の塗料でチップを描く。ランダムに増やしていく。増やしすぎに注意。

7 2色目のチョコチップを描く

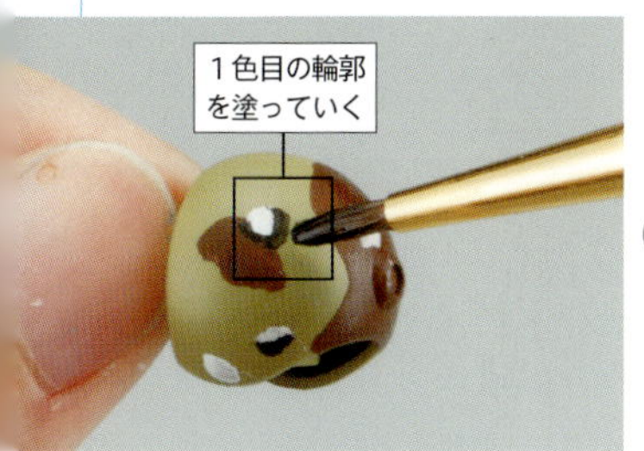

1色目の白いチップの輪郭に三日月を描くように、陰影となる黒を塗っていく。多少ずれても気にしなくていい。チョコチップが立体的になる。

8 デカールを貼る

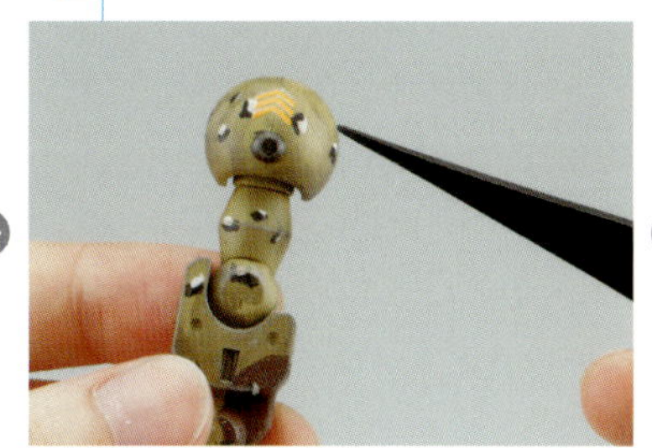

迷彩塗装はデカールを貼ることで、リアリティが増す。キットに付属のデカールがない場合は、別売りのデカールなどを利用しよう。

9 仕上げはウォッシングと つや消しのコート剤（水性）

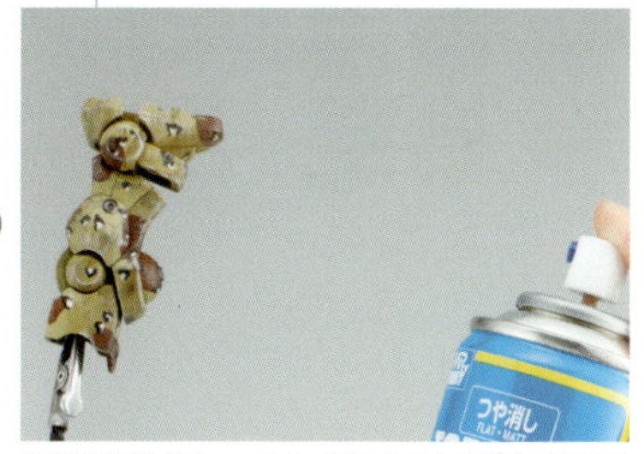

油彩系塗料でウォッシング（スミ入れも兼ねる）する（→P.181）など、全体にウェザリングを施す。最後につや消しのコート剤を吹きつけて完成。

筆塗りでぼかす方法 

筆塗りでぼかしの迷彩塗装を行うこともできる。2色目でぼかしを入れていくことで、薄くにじんだ迷彩となる。この場合、チョコチップは加えないほうが似合う。

1 1色目と2色目を塗る

まずは上の手順どおりに1色目を塗って乾燥させ、2色目まで塗るところまでは同じ。ぼかしを入れる場合は、少し大柄なパターンにしておく。

2 2色目を筆先で つついて塗る

ドライブラシで使うような荒れた筆の筆先に2色目の塗料をつけて、つつくように塗装の境界線を塗っていく。

3 筆ぼかし塗装の完成

だんだん2色の境目があいまいになって、ボカしたようになってきたら出来上がり。仕上げにデカールを貼り、スミ入れをし、つや消しのコート剤を吹く。

迷彩塗装を行う②
森林×クラウド迷彩（缶スプレー）

難易度：かんたん／**ふつう**／むずかしい
におい：しない／よわめ／**つよめ**

▶缶スプレーだけでかっこいい迷彩塗装をつくるポイントは、**迷彩用マスキングシートの活用**。

▶**雲のような模様を描くクラウド迷彩は、2～3色使うことで本格的に仕上げることができる**。明るい色から暗い色へと塗っていくのがセオリーだ。仕上げにデカールを貼ると、さらに完成度がアップする。

迷彩は基本的に複数の色が入り乱れたパターンになっているので、ガンプラに施す際、どのように塗り分けたらうまくいくのか、悩む人が多いかもしれません。そのようなときにオススメなのが、**迷彩用マスキングシート**の活用です。大判のマスキングシートにあらかじめ迷彩柄の切り込みが入っているもので、**1色ずつ塗りながら、シートを重ね貼りしていくことで、簡単に塗り分けることができます**。3色目まで塗り、すべてのマスキングシートをはがすと見事な迷彩塗装が出来上がります。

ここでは「HGUC 1/144 量産型ゲルググ／ゲルググキャノン」に森林用のクラウド迷彩を施しました。色を重ね塗りする際は、明るい色から順に塗りましょう。あまり厚塗りにすると色の境目に段差ができてしまうので、薄塗りを心がけてください。

カラーレシピ

◆迷彩色①
●ガンダムカラースプレー MSグリーン（UG06）

◆迷彩色②
●タミヤカラースプレー NATOブラウン（TS-62）

◆ビーム・ライフル、ビーム砲
●Mr.カラースプレー 黒鉄色（S28）

使用する道具

使用する缶スプレー（この作例ではUG06、TS-62、S28）
・迷彩用マスキングシート
・対応する溶剤
・サーフェイサー（グレー）
・塗装用クリップ
・ピンセット
・コート剤（つや消し／水性系）

※ウォッシング、スミ入れ、デカール貼りのための道具は、必要に応じて用意。

Before

▲HGUC 量産型ゲルググ／ゲルググキャノン
※ゲルググキャノンを選択。

After

缶スプレーによる迷彩塗装の手順

複雑なクラウド迷彩も、缶スプレーとクラウド型のマスキングシートを使えば簡単につくることができる。

塗装プランを決める → 仮組み・分解をする → マスキングシートを貼る（1回目） → 1色目を缶スプレーで塗装 → 乾燥 → マスキングシートを貼る（2回目） → 2色目を缶スプレーで塗装 → 乾燥 → マスキングシートをはがす → スミ入れをする・デカールを貼る → つや消しのコート剤を吹く → 乾燥 → 完成

クラウド迷彩の塗装方法 

迷彩用マスキングシートを使えば、缶スプレーでも簡単に迷彩パターンの塗り分けをすることができる。時間をあけると、マスキングシートをはがしにくくなるので集中的に完成させよう。

1 成型色も活かして色数を増やす

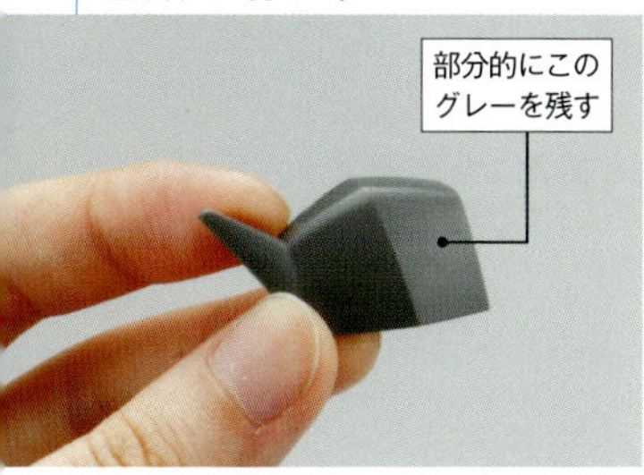
部分的にこのグレーを残す

今回は成型色2色を活かして全体を4色迷彩にすることにした。成型色を活かさない場合は、最初に全体にサーフェイサーを吹いてから、1色目を塗る。

2 1回目の迷彩用マスキングシートを貼る

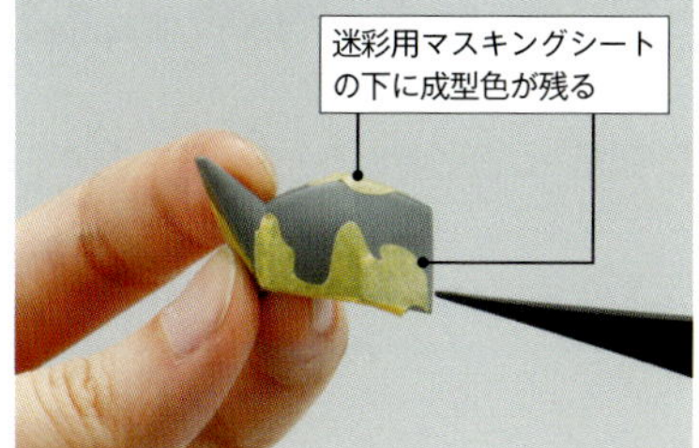
迷彩用マスキングシートの下に成型色が残る

まず、クラウドパターンの迷彩用マスキングシートを貼っていく。海にならぶ島のように、離して並べるのがコツ。1回目は小さめのシートを使う。

3 缶スプレーで1色目を塗る

ガンダムカラースプレー MS
グリーン（UG06）を使用

シートを貼った上から、1色目の缶スプレーを吹きつける。2色目もあるので、あまり厚塗りにしないように注意。

4 2回目の迷彩用マスキングシートを貼る

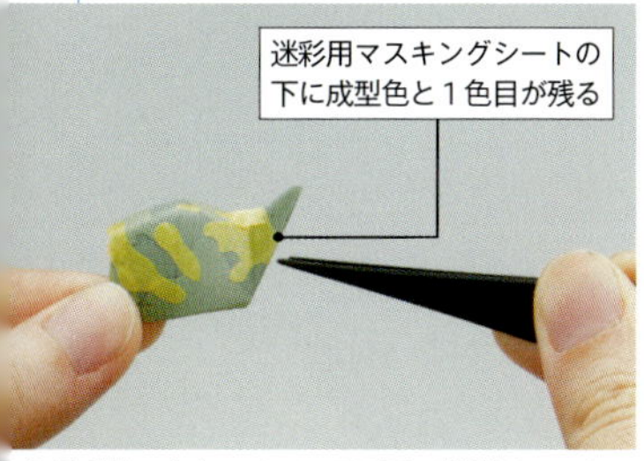
迷彩用マスキングシートの下に成型色と1色目が残る

1色目が乾いたところで、2回目の迷彩用マスキングシートを貼っていく。大きめのマスキングシートを使って、1回目のシートをまたぐように上から貼る。

5 缶スプレーで2色目を塗る

タミヤカラースプレー NATO
ブラウン（TS-62）を使用

何日も時間をあけるとマスキングシートをはがしにくくなってしまうので、すぐに3色目を缶スプレーで吹きつける。ここでも薄く、数回に分けて吹こう。

6 貼ったシートをすべてはがす

完全に乾いたところで、シートをはがしていく。塗装面を傷つけないように注意する。仕上げにデカールを貼り、つや消しのコート剤を吹く。

プラスα マスキングシートの重ね方に注意

　クラウド迷彩は色の重ね合わせでつくられる模様がポイントになる。あざやかな色が多すぎるとゴチャゴチャした印象になりがちだが、1色目をグレー系などの無彩色にしておくとうまくいく。
　迷彩用マスキングシートは、最初に貼るものは小さめのものを選び、島が連なるように交互に並ぶように配置する。次に貼るものは大きめのものを、先に貼ったものをまたぐように貼っていくと、上手な色の重ね合わせになる。
　さらに上から塗る余地を残すことを忘れないように。マスキングシート同士に隙間（すきま）がなくなっていると、次の色を塗ることができない。

1回目に貼ったシート

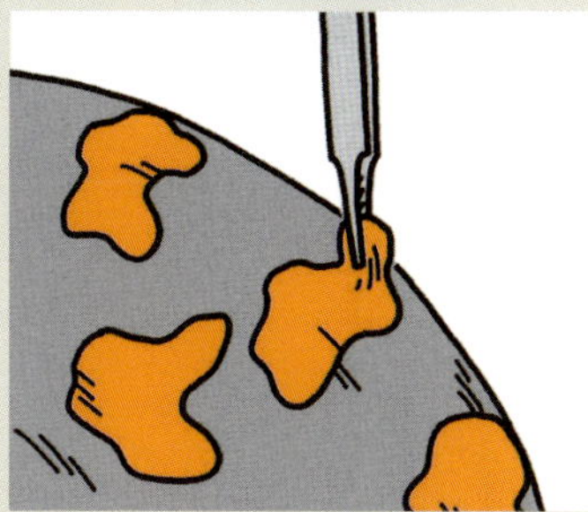

最初は、海に浮かぶ島のように組み合わせて貼っていく。シートを貼ったところは、下に塗った色が残る。

2回目に貼ったシート

次は、1回目のマスキングシートをまたぐように、上から貼っていく。完全に重ねると隠れてしまうので、ずらしながら貼っていこう。

POINT 迷彩用マスキングテープを使ってみよう

　マスキングシートを自分でクラウドパターンに切るのは難しいし、時間もかかる。そんなときはハイキューパーツから発売されているクラウド迷彩用マスキングテープ（シート）が非常に便利だ。大判のマスキングシートに、最初からクラウドパターンのカットラインが入っている。シートから1つずつはがして、キットにペタペタと貼っていくだけで、クラウド迷彩のマスキングができる。
　S（主に1/144向け）、M（主に1/100向け）の2サイズが用意されているので、キットに合わせて選ぼう。2色～3色迷彩であれば1枚、4色目まで重ねるのであれば2枚は用意しておきたい。足りなくなったら、余白を切って使ってもOK。

クラウド迷彩用マスキングテープS
ハイキューパーツ
説明書とマスキングシートが1枚入っている。

マスキングシートにはあらかじめ、大小さまざまなクラウド型のカットラインが入っている。

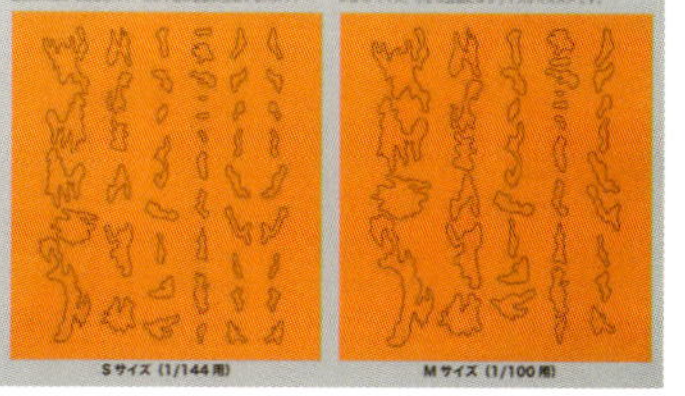

迷彩塗装を行う③

水中×ぼかし迷彩（エアブラシ）

難易度	
かんたん	
ふつう	●
むずかしい	

におい	
しない	
よわめ	●
つよめ	●

▶ **境界線を中心に、色をぼかしてつくる迷彩**をぼかし迷彩という。エア圧や吹きつける量を調節できるエアブラシなら、ぼかす迷彩も決して難しくはない。

▶ まずは1色目を普通に塗り、**2色目は海面で光がぼけたような模様を入れていく**。

「HGUC MSM-10 ゾック」に水中用のぼかし迷彩を施しました。水中に入り込む光の具合に合わせて、機体にエアブラシでぼかし塗装を入れています。**全体に地色を吹き、次に白系の塗料を細吹きします**。下書きをしてもいいのですが、薄い模様なのでそのままフリーハンドで吹いたほうがよいでしょう。失敗したら、1色目をもう1回塗ってしまえばやり直せます。

Before

◀HGUC ゾック

After

使用する道具

- エアブラシセット
- ・使用する塗料
- ・対応する溶剤
- ・サーフェイサー（グレー）
- ・塗装用クリップ
- ・塗料皿
- ・調色用スプーン
- ・スポイト
- ・乾燥台

※エアブラシの色替え・洗浄、ウォッシング、スミ入れ、デカール貼りのための道具は、必要に応じて用意。

エアブラシによる迷彩塗装の手順

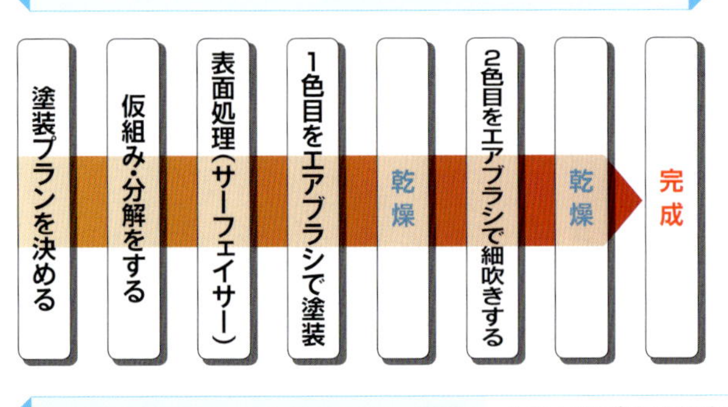

カラーレシピ

◆本体色

○Mr.カラー　ホワイト（C1）　50%

＋

●Mr.カラー　クリアーブルー（C50）　25%

＋

●Mr.カラー　クリアーグリーン（C138）　25%

◆迷彩色

○Mr.カラー　ホワイト（C1）＋本体色　少々

※上記は迷彩部のみで、指先やニードルのレシピは省略しています。

水中迷彩の塗装方法

ポイントは2色目の細吹き。まず、紙の上などで練習してから塗装しよう。

1 1色目を塗る

組み立てたキットを部位ごとにバラして、グレーのサーフェイサーを吹き、乾燥後、全体に1色目を塗る。

2 塗装のイメージを固める

この線に沿うイメージで吹いていく

2色目の白系の塗料でどのようにぼかすか、あらかじめラインをイメージしておく。

3 2色目を細吹きした

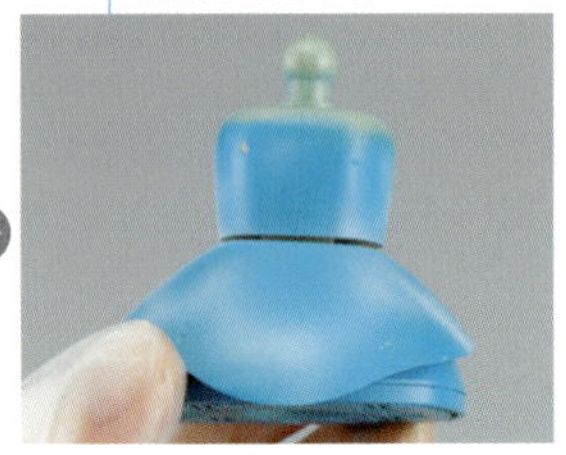

エアブラシは細吹きにして、2～3度なぞっていく。回数を多くなぞると、くっきりしてくるので好みで調整。

ぼかしに失敗したら

ぼかすときにはっきり色がついてしまったら、1色目を部分的に吹いてやり直そう。

多少の失敗ならやり直せる

S

MISSION_3

ウェザリングを行う

ウェザリングとは、キットを汚したり、ダメージ表現を施したりすること。
リアリティを追求し、「実際にモビルスーツが戦ったらどうなるか」という
世界観を表現するためのテクニックだ。ウェザリングを極めるための第一歩は、
自分が表現したいストーリーをしっかりとイメージすること。
さまざまなツールを活用して、戦場の臨場感が伝わるガンプラを完成させよう。

ウェザリングの基本を知る

▶ キットを汚したり、ダメージをつけたりすることで**リアリティを追求するテクニックをウェザリング**という。

▶ ウェザリングで重要なのは、**想像力とプランニング**。そのモビルスーツが歩んだストーリーをつくり、機体がどんな状態になるかを考え、どう汚して、どう壊すかを決めよう。

●ウェザリングをしよう

現実の世界では、乗り物や道具は使われたり古くなったりすると、汚れたり傷んだりします。それが兵器であれば、一般の乗り物よりも派手に汚れるでしょう。戦場によっては泥(どろ)で汚れたり、砂漠(さばく)の砂にまみれたりします。また、敵の攻撃を受けて被弾したり、破壊されたりする場面もあります。そのような**使用感や戦場での汚れ、ダメージなどを表現することをウェザリングといいます**。日本語にすると、「風化」という意味です。

●物語がキットをリアルにする

きちんとつくったキットを、わざわざ汚したり傷つけたりすることになりますが、上手にやることでプラモデルとは思えないリアリティが出てきます。

モビルスーツたちに実際に戦ったような痕跡(こんせき)をつけてあげることで魂を吹き込み、その機体が歩んだ物語をつけ加えていきましょう。

シールドにデブリ衝突によるへこみ(→P.206)をつけ、全体にスス汚れ(→P.180)を入れた。

全体に水あか(→P.200)をつけ、装甲の角やフチ、へこんだところなどを中心にサビ(→P.201)をつけた。

モビルスーツのストーリーを考える

どの戦場にいるのか、だれが乗っているのか、だれと戦っているのか、その結果、どうして機体がそうなったのかなど、物語を考えてみよう。

●汚れや傷みには理由がある

ものが汚れたり、傷んだりするのには理由があります。ただ放置しておいても経年劣化したり風化したりしますが、これも保管されていた状態や環境の影響など、何かしら汚れる理由があります。ウェザリングでリアリティを生み出すポイントは、そういった**「どうして機体がそうなったのか」という理由を考えること**です。

そこで、まずはガンダムシリーズの映像を見たり、設定を読んだりして、つくるモビルスーツが、どんな戦い方をしたのかを確認してみましょう。

●モビルスーツにはドラマがある

戦場は宇宙だったのか、地上や水中だったのか、どんな武器で攻撃されたのか。ロールアウトしたばかりだったのか、長い戦歴を重ねているのか。ウェザリングに盛り込むアイデアはいくらでもあります。

たとえば、『機動戦士ガンダム』において、宇宙要塞ア・バオア・クーで戦ったジオン兵は量産型ザクだけでなく、ゲルググなどにも乗っています。設定では、古参兵は使い慣れたザクを使い、新兵は投入されたばかりのゲルググに乗ったことになっています。長年戦ってきたザクには、きっと全身に戦闘の跡が刻まれているでしょう。一方、ほとんど初陣のゲルググのほうは、まだ新品の感じが残っているのではないでしょうか。そういった**「物語」をガンプラに与えることで、架空のはずのモビルスーツにぐっとリアリティをそえることができる**のです。

泥にまみれるガンダム

ジャブローの洞窟で、シャアが乗るズゴックを逃してしまったアムロ。ガンダムの足元は、きっと泥まみれだ。

北極でハイゴッグが急襲

水中から現れたジオンの水陸両用モビルスーツ・ハイゴッグが、北極基地の寒冷地仕様のジムに襲いかかる。

量産型ザクはどこでも戦う

ジオンの主力モビルスーツ・量産型ザクは宇宙、地上、砂漠など、どんな戦場でも使われる。

百式だって撃たれる

エースパイロット機だって被弾することはある。クワトロ大尉の百式も、劇中の最後はボロボロだった。

実際の劣化や汚れを見てみる

ウェザリングで大切なのは「リアリティ」。そこで、実際の自動車や建物などを見て、劣化や汚れのイメージをつかもう。

ウェザリングに大切なのは、リアリティです。**身の回りにある自動車や建物などの様子をよく見てみましょう**。

たとえば、古い自動車では塗装が日に焼けて白っぽくなることがあります。ボディにサビが浮いていることもあるでしょう。また、工事現場にはブルドーザーなどの重機があります。これらは自動車よりも傷つき、汚れ、サビています。**このような実際の汚れや傷みを見て、イメージをつかんでみましょう**。

戦場を駆けめぐる戦車の汚れ方は、モビルスーツにも応用できるだろう。

身近で見られるウェザリングの参考になりそうなもの

- 洗車していない自動車
- 工事車両や重機など
- 係留してある船舶
- こすられた痕(あと)のある自動車
- 雪の日の自動車

など

スケール感を大事にする

ウェザリングのポイントはリアルを再現すること。スケール感を無視するとちぐはぐになってしまう。

ガンプラにウェザリングを行うときはスケール感に気をつけたいものです。**RX-78-2ガンダムは頭頂高18mという設定になっていて、人間にくらべてはるかに巨大です**。ガンプラは1/144スケールや1/100スケールが中心ですが、たとえば過剰に足元の泥汚れを表現するウェザリングを施すと、実際にはあり得ない量の泥が付着したことになります。ですから、**常に「このモビルスーツは、実際にはどのぐらいの大きさなのか」を考えながらウェザリングプランを考えましょう**。

ダイバーシティ東京プラザに設置されていた1/1スケールの実物大ガンダム立像(2017年3月で展示終了)。人間との大きさのちがいがよくわかる

ウェザリングは組み合わせで決まる

ストーリーや状況を決めたら、具体的にどうウェザリングをするかを決めていく。

ウェザリングは1種類の汚れや傷みが、1ヵ所だけあるというものではありません。**いくつもの種類の汚れや傷みが複合的につきます**。その様子を表現するために、モビルスーツがたどってきたストーリーを考え、それに応じた汚しやダメージをつけていくのがウェザリングなのです。そこで、具体的にウェザリングを行うときには、**「経年変化・使用感」×「戦場」×「ダメージ表現」という組み合わせで考えてみましょう**。

経年変化・使用感

使用することでつく自然な汚れや傷みを表現する。どれくらいの戦歴を重ねているのかで、汚し具合を変えよう。

- 装甲の汚れ
- 塗装のはげ
- サビ
- バーニア汚れ
- オイル汚れ
- 退色表現

≫詳しくはP.178~192

×

戦場による汚れ

戦場の環境によってつく汚れや傷みを表現する。どこで戦っているのかが一目でわかるようにしよう。

- 砂や泥の汚れ(砂漠や沼地など)
- 水あか(沼地・水辺など)
- サビ(水辺など)
- 雪・凍結(寒冷地など)
- 建物による通行傷(市街地など)
- デブリ衝突による傷・へこみ(宇宙)

≫詳しくはP.193~203

×

ダメージをつける

敵の攻撃によって機体が受けたダメージを表現する。どのような武器で、どのように攻撃されたのかを考えるのがポイント。

- 実弾兵器による弾痕
- ビーム兵器による弾痕・破損
- 接近戦用武器によるダメージ(ヒート・ホーク、ビーム・サーベル、クローなど)

≫詳しくはP.204~217

胸部にズゴックのクローで攻撃されたような傷をつけた

組み合わせ例

- ◆経年:何ヵ月間か戦い続けて
- ◆戦場:ベルファストのような海沿いの基地で
- ◆ダメージ:ズゴックにクローで攻撃された

ウェザリングプランを決める

▶ウェザリングプランを考える上で大切なのは、**その機体に何が起こって、どうなったのかというストーリーを決めること。**
▶原作や設定に合わせるにしても、オリジナルのストーリーをつくるにしても、**理由のよくわからない汚れやダメージは、作品のリアリティや説得力を失わせてしまう。**

ウェザリングプランの考え方

ウェザリングは作業が楽しいので、ノリノリでやっているうちに、ついやりすぎてしまう。完成度の高い作品を目指すなら、あらかじめどのような作品を目指すのか考えてから始めよう。

ウェザリングプランを決める際には、**「❶どこで何が」「❷何のために何をして」「❸何が起こった」「❹そしてどうなった」**などの視点で考えてみるとよいでしょう。モビルスーツに与えるストーリーは、アニメや設定に忠実でもいいですし、オリジナルでもかまいません。それはつくる人の自由です。ただ、**筋の通った理由づけがないと、リアリティが重要なウェザリングでは、見栄えのよさが半減してしまいますので気をつけましょう。**

たとえば、この「ドム・トローペン サンドブラウン」が砂漠(さばく)で戦った場合で考えてみます。

1 どこで何が
「ドム・トローペン サンドブラウン」は砂漠用にカスタマイズされたモビルスーツなので、舞台は砂漠がよいでしょう。

2 何のために何をして
格納庫にいてもあまり汚れないので、出撃させましょう。連邦軍と戦闘をするためです。そして交戦します。

3 何が起こった
連邦軍のモビルスーツの反撃を受けてしまいます。何ヵ所かは被弾するでしょう。

4 そしてどうなった
パイロットはノイエン・ビッター隊の一員で、一年戦争を戦い抜いたベテランパイロットです。どうにか基地までもどることができました。

▲HGUC ドム・トローペン サンドブラウン

どこで何が
砂漠で「ドム・トローペン サンドブラウン」が……

何のために何をして
戦闘を行うために出撃したら……

何が起こった
連邦軍の反撃を受けたが……

そしてどうなった
どうにか生き延びた！

このようなストーリーを考えることで、実際にウェザリングを行うときに作品にストーリー性を与えることができる!

ポイント① スケール感を確認する

MGとHGUCなど、各シリーズによってスケールがちがう。スケール感に合わせて、汚し方や量を決めることが大切。

ウェザリングにおいて、スケール感はもっとも大切なポイントの1つです。HGUCであれば1/144サイズ、MGは1/100サイズが基本で、**人間の背丈はだいたいモビルスーツのくるぶしにあたるところくらい**までです。自分の目の前に、そのサイズの金属のかたまりがあった場合、どんな汚れ方、傷つき方をするでしょうか。実際にウェザリングをするときも、常にそのスケール感を忘れないようにしましょう。

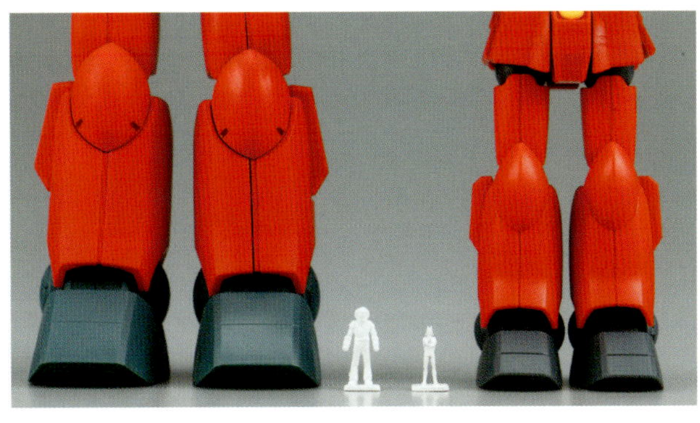

左が1/100サイズの「MG RX-77-2 ガンキャノン」の足、右が1/144サイズの「HGUC ガンキャノン」の足。それぞれ同スケールのフィギュアを置いた。自分に対して、このくらいの大きさの金属がどう汚れるのか、具体的にイメージしてみよう。

ポイント② 偶然を演出する

実際の汚れやダメージは、基本的に意図しないで起こるもの。そこで、ウェザリングをするときは、ランダム性と偶然性を意識することが大事になる。

ウェザリングは**実際に使用されたときに「偶然」ついてしまう汚れやダメージを再現するもの**です。特別な理由がないかぎり、一定の間隔で模様のように汚れるのはおかしいですし、全身が同じように汚れることもありません。砂漠などでは全身に砂ぼこりをかぶることもありそうですが、それでもオモテ側とウラ側で差が出るでしょう。

常に**「ランダム性」と「偶然性」を意識**しておきましょう。

「MG RX-178 ガンダムMk-Ⅱ Ver.2.0(エゥーゴ仕様)」の肩に、スペースデブリが衝突してついた無数の傷を表現。傷のサイズや位置をランダムにしている。

「MG RX-77-2 ガンキャノン」の足にはね上がった泥(どろ)を表現。自然な感じで飛び散った泥が、ジャングルを行軍する光景を想像させる。

ポイント③ 塗料の種類に注意する

塗料によっては、ほかの塗装を侵してしまうものもある。塗装したキットに、塗料でウェザリングする際は塗料の特性に注意しよう。

塗料を使ってウェザリングをする場合、**オススメなのはエナメル塗料**です。**乾きにくく、塗料の伸びがよいので、汚れ具合を調整しやすいからです**。また、塗装したキットを汚すときも、塗装した塗料の種類に関係なく使えます。塗装せずにウェザリングする場合は、どの塗料でもかまいませんが、ラッカー塗料は乾きが速いので向いていません。アクリル塗料も乾きやすいですが、ラッカー塗料よりは使いやすいでしょう。

エナメル塗料はウェザリング向けだが、大量に塗布するとパーツが割れる原因となることがある。ウォッシング(→P.181)に使用するのは避けよう。

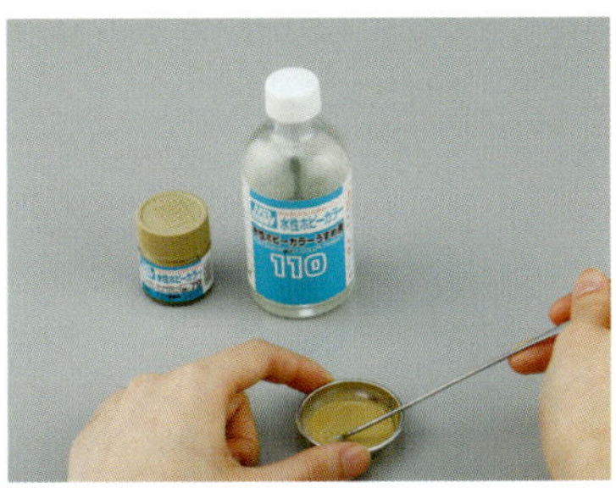

アクリル塗料も下塗装を侵しにくいので、ウェザリングに使いやすい塗料だ。P.73の塗料の関係図を参考に、適切に塗料を選ぼう。

ウェザリングの流れ

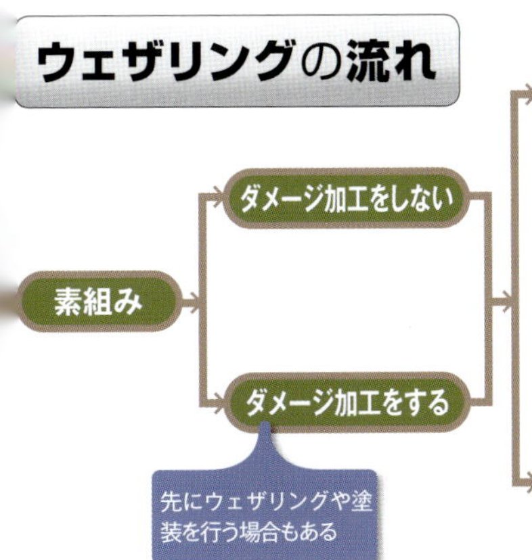
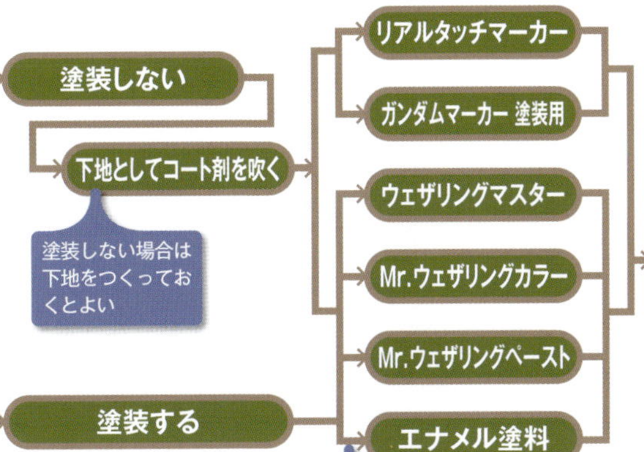

ウェザリング作品①
砂漠で戦ってきたモビルスーツ

▶ ウェザリングでもっともポピュラーといっても過言ではないのが、**砂漠での戦い**のシチュエーション。
▶ **人間にとってとても過酷な砂だらけの世界で、モビルスーツはどのように戦い、どのように汚れていくのか。**実際の兵器を参考に、表現してみよう。

ガンダムには、砂漠のシーンがいくつもあります。ここでは、『機動戦士ガンダム0083 STARDUST MEMORY』に登場したドムの発展型「HGUC ドム・トローペン サンドブラウン」を素材につくってみました。

ウェザリングプランを決めるにあたって、**「ジオン軍残党は長年、砂漠の秘密基地に潜伏してデラーズ・フリートの作戦に協力し、連邦軍の追討部隊に襲いかかる」**というストーリーを考えました。具体的には**砂汚れに加えて、長年使用していることによる劣化や、戦闘時の被弾痕などもつけています。**モノアイにディテールアップパーツ(→P.240)を採用したり、ラケーテンバズーカを別売りのものにしたりするなど、細部にもこだわりました。

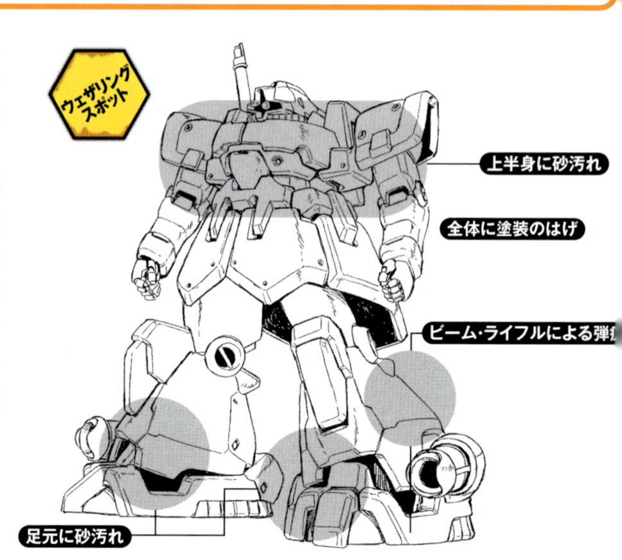

砂漠を主戦場とする機体という設定。上半身には砂ぼこりをかぶせ、足元には濃い砂汚れをつけてみる。いたるところに塗装のはげをつけ、ビーム砲による弾痕も加えて、歴戦の兵士に仕立てたい。

作中に登場する砂漠シーン

ガンダムシリーズでは、砂漠の戦闘は定番となっている。『機動戦士ガンダム』で、ランバ・ラルがホワイトベースを襲ったのも砂漠だった。

ガンダムシリーズには、砂漠での戦闘がいくつも登場します。有名なのは、『機動戦士ガンダム』で**ランバ・ラルがホワイトベースに襲いかかる**エピソードでしょう。慣れない砂地に足をとられながら苦戦するガンダムが印象的でした。また、『機動戦士ガンダム 第08MS小隊』では、砂漠で敵モビルアーマーを待ち伏せするというエピソードで、**地上兵器としてのモビルスーツと砂汚れの様子がよく表現されています。**

ホワイトベースに襲いかかるランバ・ラルのグフ。劇中の戦闘シーンを見て、どのように汚れるかをイメージしてみよう。

何年も砂漠に隠れていたジオン残党が群れをなし、砂をまき上げて襲いかかる。きっと機体の広い範囲に、砂を浴びているはずだ。

実物の砂漠の汚れをチェック

実際の世界でも、砂漠が戦場になることは多い。映画の舞台になることも多いので、ウェザリングの参考資料にしてみよう。

ミリタリー系のプラモデルでも、砂漠で活躍する戦車などは人気で、北アフリカ戦線のドイツ軍戦車、イラク戦争の米軍戦車などがよく再現されています。湾岸戦争やイラク戦争は、戦場写真が紹介されることも多く、**本物の砂漠でどのように汚れるのかを見ることができます。**また、砂漠を舞台にした戦争映画もありますから、どんなふうに使われるのか参考にしてみるとよいでしょう。

写真:joyt/PIXTA(ピクスタ)

報道写真などを参考に、砂漠で戦う兵器を見てみると、実際にどのように汚れるのかがわかる。

砂漠のウェザリングの参考になりそうなもの

- **ニュース映像**
- **戦車の映像**
- **戦争映画**
- **ミリタリーモデルの付属資料**

など

砂漠で戦ってきた例

ドム・トローペン サンドブラウンを砂漠の歴戦の兵士にした。砂による汚れのほか、全体的に使用感を表現した汚れを施している。左脚の外側に被弾した弾痕もある。

▶HGUC ドム・トローペン サンドブラウン

背部のバーニアには、熱焼けとスス汚れをつけて使用感を出した(→P.190)。

ラケーテンバズーカは「ビルダーズパーツ 1/144 システムウェポン 006」を使用

上半身にはうっすらと砂がかぶった表現を施す(→P.196)。モノアイにディテールアップパーツ(→P.240)を使用。

シールドも「システムウェポン006」を使用

脚部にビーム・ライフルによる弾痕をつけた。少し溶けたようになっている(→ P.210)。全体的に塗装のはげもつけた。

砂漠で使われているので、足元は全体的に砂汚れをつけた(→P.194)。

砂漠のウェザリングで使えるテクニック

砂汚れをつけるときは、ウェザリングパステルのような粉状のツールやエアブラシなどが活躍する。

ウェザリングパステルによる砂汚れ

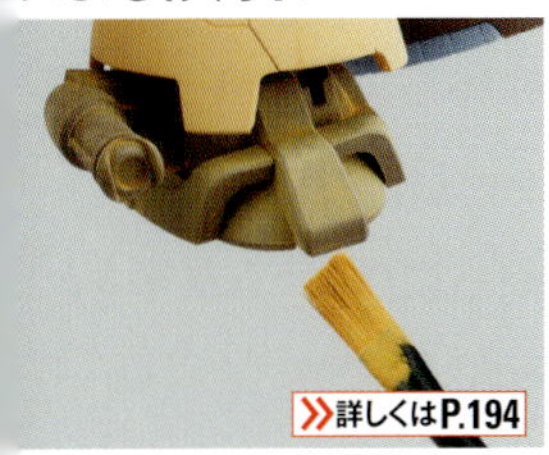

≫詳しくはP.194

アクリル系溶剤で溶いたウェザリングパステルを平筆につけて、塗りつけていく。

エアブラシによる砂汚れ

≫詳しくはP.196

エアブラシで塗料を薄く吹いて、全体的に砂ぼこりをかぶせる。

線香によるビーム砲の弾痕

≫詳しくはP.210

線香の熱でパーツを溶かして、ビーム・ライフルによって負った弾痕を再現。

エアブラシによるバーニア汚れ

≫詳しくはP.190

エアブラシで塗料を薄く吹いて、バーニアに付着するスス汚れを再現。

ウェザリング作品②
泥・沼地で戦ってきたモビルスーツ

▶ジャングルなどには泥・沼地が多く、機体が汚れやすいため、ウェザリングのやりがいがある戦場だ。

▶『機動戦士MS08小隊』のアジアや『機動戦士ガンダム』のジャブローの戦いなど、モビルスーツが泥まみれになるシチュエーションは多い。足元など、泥がつきやすい部位を考えてウェザリングを施そう。

ジャングルなどにある泥・沼地での戦いは、はっきりとした汚れがつきやすいのでウェザリングのやりがいがあります。

ジャングル以外でも、河川や海岸で戦っていれば、泥汚れがつくでしょう。雨が降ったために泥にまみれたという場面も想定できます。砂汚れにくらべると、湿度を含んだ泥や土がついたような汚し方が特徴になります。

ここでは「MG RX-78-02 ガンダム(GUNDAM THE ORIGIN版)」を用いてジャングルでの戦いを想定し、**泥・沼地という戦場特有の泥汚れとともに、経年劣化による汚れもつけて、長い戦歴を表現してみました。**

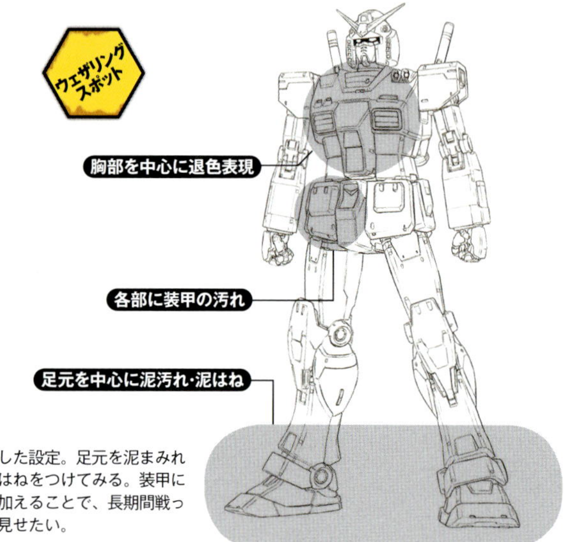

ジャングルの沼地を歩行した設定。足元を泥まみれにし、ところどころに泥はねをつけてみる。装甲には経年汚れや退色表現を加えることで、長期間戦ってきた機体であるように見せたい。

作中に登場する沼地シーン

泥をかぶることもかえりみず、一心不乱に戦う姿は見るものを熱くする。『機動戦士ガンダム第08MS小隊』を中心に、宇宙世紀シリーズではジャングルで戦うシーンが多い。

歴代ガンダム作品で泥汚れがつきそうなシーンが多いのは、『機動戦士ガンダム第08MS小隊』です。同作品の前半では雨の多いアジア地域が舞台なので、ジャングルで戦うシーンが多々あります。『機動戦士ガンダム』などで連邦軍の拠点であるジャブローもジャングルの奥地にある基地なので、そこでの戦闘でも泥汚れがつくでしょう。**実際にジャングルで戦っていたモビルスーツは、泥汚れがよく似合います。**

『機動戦士第08MS小隊』より、ジャングルの河を渡る陸戦型ガンダム。このあと、土の上を歩けば、足元に泥がつくだろう。

同じく“08小隊”より、ジャングルで戦う陸戦型ガンダム。片ヒザをつけば、ヒザにも泥がつく。汚れ方で、戦い方まで伝えられる！

実物の泥の汚れをチェック

自動車のタイヤや工事現場の重機など、泥がついているものは身の回りに多い。また、ラリーカーなどの映像でも参考になる。

泥汚れは、身近な汚れの1つです。**自動車のタイヤや工事現場のブルドーザーのキャタピラなどで、泥の汚れを見ることができます。**都市部だと泥道はあまりないので、派手な泥汚れを見たい場合はラリーカーの映像などを参考にしましょう。また、ベトナム戦争を題材にした戦争映画などでは泥まみれのシーンが多く出てきますので参考になります。ただし登場するのは人間の兵士なので、スケール感には注意を。

荒れたオフロード(未舗装路)を走り抜けるラリーカーは、泥汚れのオンパレード。タイヤや装甲など、上から下まで観察すると汚し方のイメージがわく。

沼地のウェザリングの参考になりそうなもの

- 泥汚れのある重機のキャタピラ
- ラリーカーの映像
- 戦争映画(主にベトナム戦争など)
- インターネット画像

など

泥・沼地で戦ってきた例

ジャングルでの激戦をくぐり抜けたガンダムの泥汚れを再現した。スケール感を意識しながら、足元には大胆に泥汚れを施している。ひざから上には、経年劣化や汚れを表現した。

日に焼けて塗装が白っぽくなってきた装甲をドライブラシで表現した（→P.192）。

装甲をウォッシングで汚して、使用感を表現した（→P.181）。

脚部の裏側には、ジャングルを歩行したことでついた泥はねをリアルに表現（→P.198）。

ジャングルの沼にはまって2～3mの泥汚れが付着した様子を表現した（→P.197）。

▲MG RX-78-02 ガンダム（GUNDAM THE ORIGIN版）

泥・沼地のウェザリングで使えるテクニック

泥汚れはウェザリングパステルとMr.ウェザリングペーストが便利。装甲にへばりつくガンコな汚れを再現しよう。

ウェザリングスティック&ペーストによる泥汚れ

詳しくはP.197

ウェザリングスティックとMr.ウェザリングペーストを塗りつけて、粘りつく泥を表現。

Mr.ウェザリングペーストによる泥はね

詳しくはP.198

泥はねは、水で溶いたMr.ウェザリングペーストをつまようじではね飛ばしてつけた。

Mr.ウェザリングカラーによるウォッシング

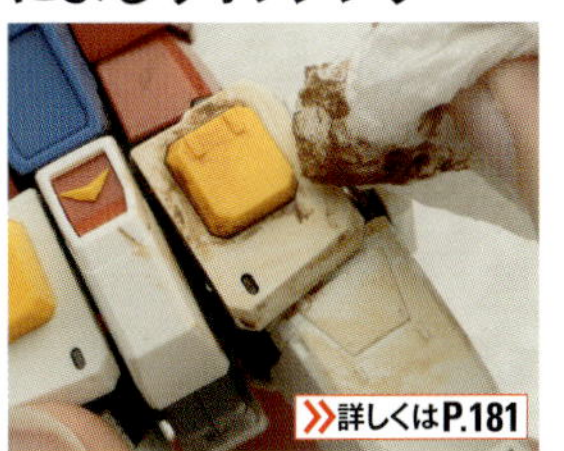

詳しくはP.181

油彩系塗料のMr.ウェザリングカラーを使ったウォッシングで、装甲の汚れを表現。

ドライブラシによる装甲の退色表現

詳しくはP.192

ドライブラシ（塗料を落として半乾きにした筆）でドライブラシ用塗料をこすりつけ、塗装の退色を表した。

ウェザリング作品③
水辺で戦ってきたモビルスーツ

▶ 水陸両用モビルスーツも頻繁（ひんぱん）に登場するので、**水辺ならではの表現をマスターしておこう。**

▶ 海や水辺は**サビと水あかなど、モビルスーツが傷みやすいエリア**。実際の船や海辺にある金属のサビ具合などを観察して、リアルな汚れを表現していこう。

モビルスーツにはさまざまなバリエーションがありますが、ズゴックやアッガイなど、水陸両用モビルスーツも頻繁に登場します。**水中や海中という環境は、機械にとっては過酷（かこく）でしょうから、地上用のモビルスーツよりも劣化が激しくなっているかもしれません。**

ここでは『機動戦士ガンダム0080 ポケットの中の戦争』に登場した「HGUC ハイゴック」を使って、**サビや水あかのウェザリングを中心に、海中で長く使われた様子を表現**してみました。設定上は短期間しか前線に投入されませんでしたが、水陸両用という特殊性を考えれば、少し派手にウェザリングをしてもよいでしょう。

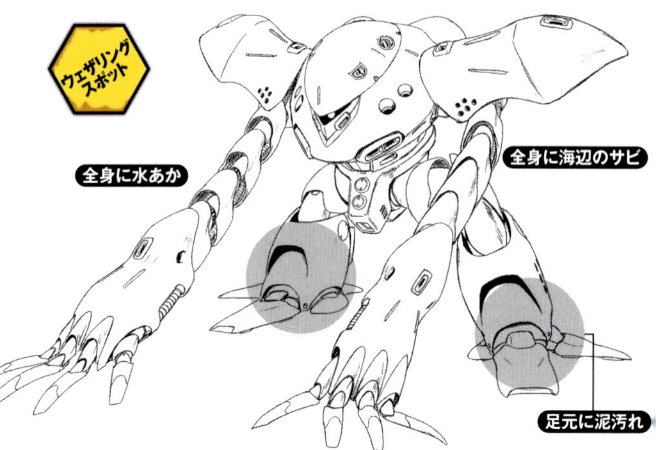

水陸両用の機体なので、全身に水あかやサビ、泥汚（どろよご）れなど、水に関係するウェザリングを施してみる。水あかは全身に、サビは装甲の角やフチなどに、泥汚れは足元につけると、リアリティが出るだろう。

作中に登場する水辺シーン

水陸両用モビルスーツは各シリーズで登場しているが、一番数が多く、人気の高い機体が多いのは『機動戦士ガンダム』に登場する機体だ。

水陸両用モビルスーツの多くは、『機動戦士ガンダム』に登場します。ほかの作品にも登場しますが、いずれもわずかなシーンで終わっています。アニメを参考にするのであれば、**『機動戦士ガンダム』の中盤、ベルファストの戦いからジャブロー攻防戦がよいでしょう。**『機動戦士ガンダム0080 ポケットの中の戦争』の冒頭、**北極基地襲撃シーンも印象的です。**作品例のハイゴックも、そのシーンに登場しました。

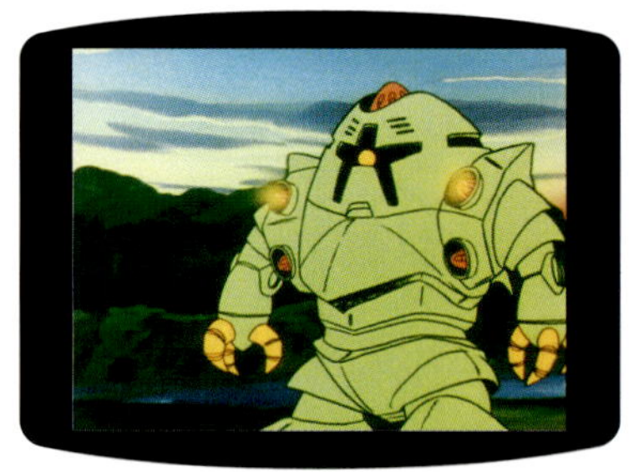

出番は少なくとも印象深いゾック。『機動戦士ガンダム』のジオン軍は数多くの優秀な水陸両用モビルスーツを実戦投入している。

ズゴックは水陸両用モビルスーツの代表格。このシャア専用機は、シャアのパーソナルカラーで赤く塗られている。

実物の水辺の汚れをチェック

水中の兵器を目の当たりにできる機会はほとんどない。あっても港で軍艦を見るぐらいだ。インターネットや映画などで資料を探そう。

船や海近くにある金属の設置物などにはサビや水あかがついているので、"水辺ウェザリング"の参考になるでしょう。身近でそのようなものを見ることができない人は、**インターネットの画像検索などを使って、実際に水中や海中で使用したものの汚れを探してみましょう。**また、海中の兵器といえば潜水艦です。**実在兵器の写真や映像、潜水艦が登場する映画**なども参考にできます。

写真:Iurii Suslov/PIXTA（ピクスタ）

塩分を含む海水につかっているものは、とくに傷みやすい。潜水艦など海中にあるものがどうなるか、よく観察してみよう。

水辺のウェザリングの参考になりそうなもの

- **係留されている船舶**
- **海沿いの構築物**
- **インターネット画像**

など

水辺で戦ってきた例

全身に浮き出るサビが、長きにわたる水中での戦いを物語っている。全体にうっすらと水あかもついており、まさに今、海底から現れたハイゴックのようだ。

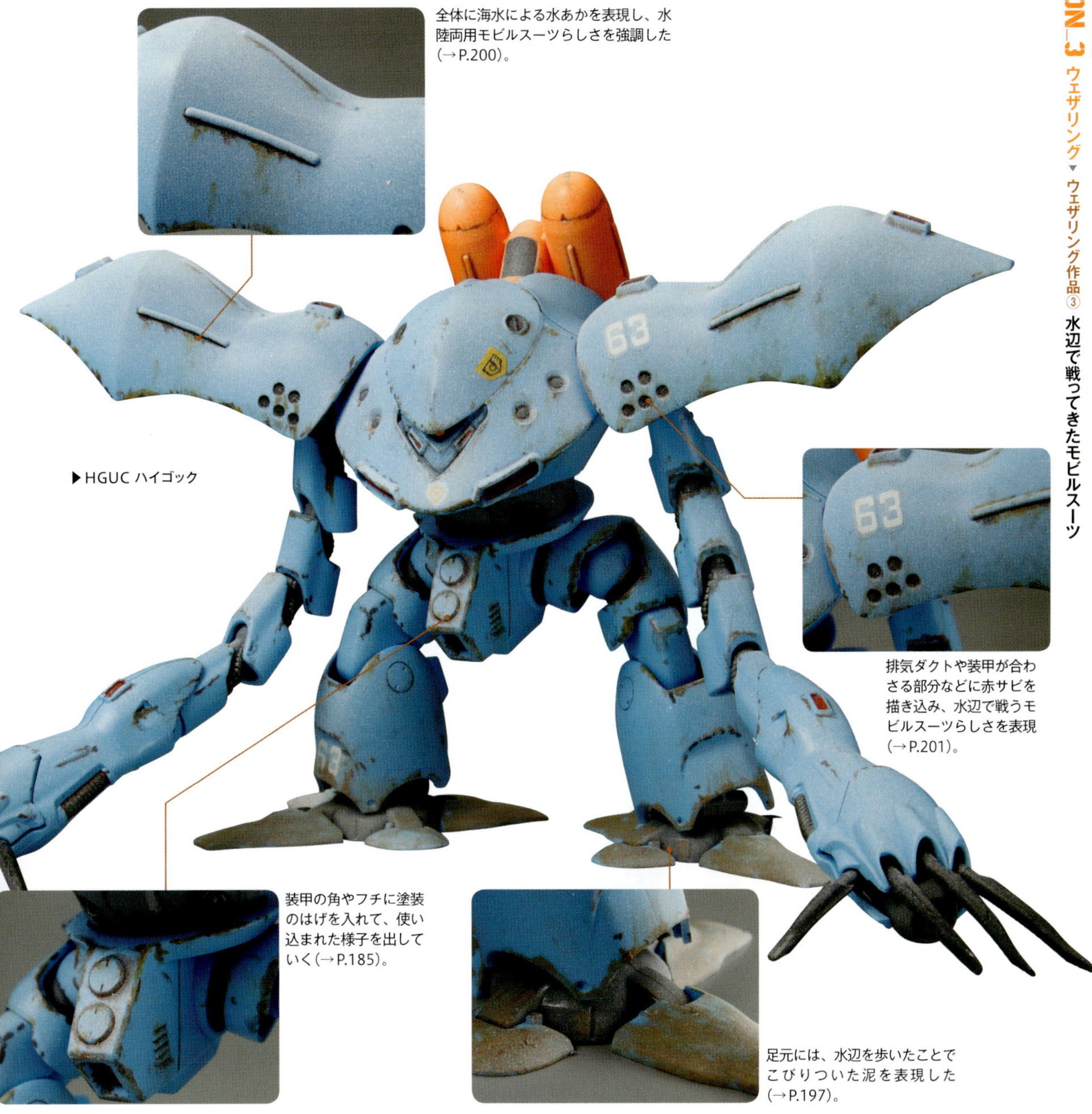

全体に海水による水あかを表現し、水陸両用モビルスーツらしさを強調した（→P.200）。

▶HGUC ハイゴック

排気ダクトや装甲が合わさる部分などに赤サビを描き込み、水辺で戦うモビルスーツらしさを表現（→P.201）。

装甲の角やフチに塗装のはげを入れて、使い込まれた様子を出していく（→P.185）。

足元には、水辺を歩いたことでこびりついた泥を表現した（→P.197）。

水辺のウェザリングで使えるテクニック

サビと水あかの表現が中心。やりすぎない程度に、大胆に全体を汚していこう。あとは装甲のはげやバーニア汚れなど、使用感をかもし出すウェザリングも使える。

エナメル塗料によるサビ表現

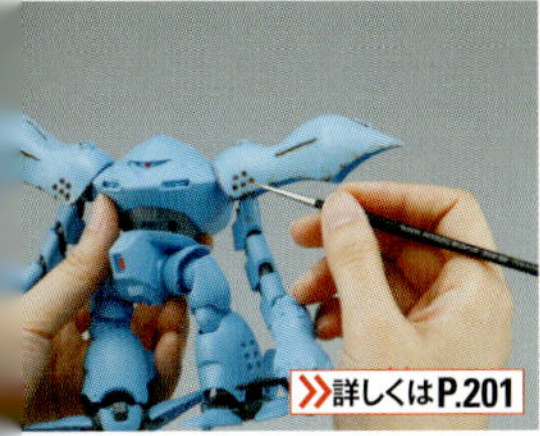

詳しくはP.201

面相筆を使ってエナメル塗料を塗り、流れ出るサビを表現する。

ウォッシングによる水あか

詳しくはP.200

油彩系塗料のMr.ウェザリングカラーを使ったウォッシングで、海水による水あかを表現。

エナメル塗料による装甲のはげ（チッピング）

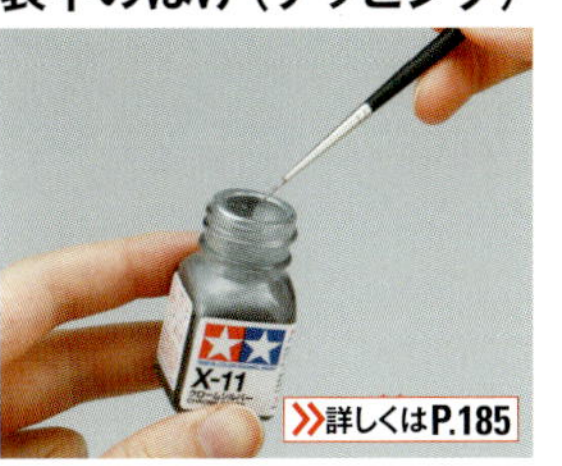

詳しくはP.185

装甲をはげさせる表現には、エナメル塗料を使った。

ウェザリングパステルによるバーニア汚れ

詳しくはP.189

ウェザリングマスターで、バーニアからのスス汚れを表現した。

ウェザリング作品④
市街地で戦ってきたモビルスーツ

▶ **攻略目標になりやすい都市**は、ガンダムの世界でもポピュラーな戦場の1つ。

▶ 大きなビルなどの陰に隠れながら戦闘を行うはずなので、ビルとモビルスーツのサイズ感を考えながら、**ビルにこすれた装甲の傷などを表現してみよう。**

モビルスーツは市街地でもよく戦闘を行っています。大きなビルなどを遮へい物にしつつ、建物や道路などを破壊しながら、自らもダメージを負うなどして、迫力の戦闘シーンを展開しています。

そこで、ここではジオン軍の名機「MG MS-06J ザクⅡ Ver.2.0」で、市街戦のウェザリングを行いました。**グリーン系のカラーリングはミリタリーらしさがあり、市街地で戦う姿がよく似合います。**各地の戦線に大量投入されたので、ストーリーを考えるのにも制約があまりありません。自由な発想で汚せるでしょう。たとえば、一年戦争初期から戦い続けていた機体とするなら、汚れや劣化も相当なものであるはずです。**ポイントは、建物で装甲をこすったときにできる通行傷(→P.204)。建物の高さとモビルスーツの大きさを考えて、ふとしたときにこすりそうな腰アーマー部分につけています。**

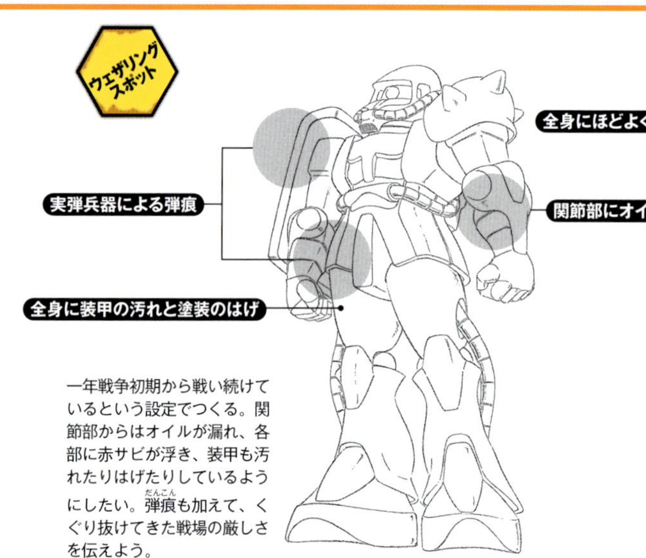

一年戦争初期から戦い続けているという設定でつくる。関節部からはオイルが漏れ、各部に赤サビが浮き、装甲も汚れたりはげたりしているようにしたい。弾痕も加えて、くぐり抜けてきた戦場の厳しさを伝えよう。

作中に登場する市街地シーン

戦略目標になりやすい市街地では、戦闘が繰り広げられることも多い。市街地でモビルスーツが動くと、どんなふうに傷がつくのか想像してみよう。

地球上の都市部だけでなく、スペースコロニーにも大都会があります。**戦略上、都市部は攻略目標になりやすいため、さまざまな都市で攻防戦が繰り広げられています。**たとえば、『機動戦士ガンダム第08MS小隊』でのグフカスタムの登場シーンなどが印象的です。**都市での戦闘では、ビルの陰に隠れたり、道路を走ったりしますから、移動するうちにあちこちの塗装がけずられる**と考えられます。

『機動戦士ガンダム 閃光のハサウェイ』では、リアルな市街地戦闘が描かれた。足元を逃げまどう人びとにも注目して、スケール感をつかもう。

『機動戦士ガンダム第08MS小隊』の市街戦。エースパイロットの乗るグフカスタムがビルの上から襲いかかってくる。

実物の市街地での汚れをチェック

身近なところでは、あまり壊れたものは見かけないが、工事現場などなら参考になるものはありそうだ。

参考になりそうなのは、ビルの解体現場などの工事現場や廃墟など。**ブルドーザーのキャタピラやブレードのけずれ方、傷み方はモビルスーツの傷つき方に通じるものもあるでしょう。**ほかにも傷んだガードレールの塗装のはがれ方なども、参考にしてもよいかもしれません。古いものなら、**けずれたところからサビ**が出てきたりします。そのようなものを見つけたら、写真に撮るなどして資料にするとよいでしょう。

インターネットで検索すれば、廃墟となったビルなどが見つかる。このような場所を歩くモビルスーツがどう汚れるか、イメージしてみよう。

市街戦のウェザリングの参考になりそうなもの

- **取り壊し中の建造物**
- **がれきなど**
- **戦争映画**

など

市街戦を戦ってきた例

市街戦を生き残ったザクには、全身にスリ傷や弾痕が残っている。長きにわたる戦闘で、赤サビやオイル汚れもあちこちについて、歴戦の戦士としてのたたずまいがかもし出されている。

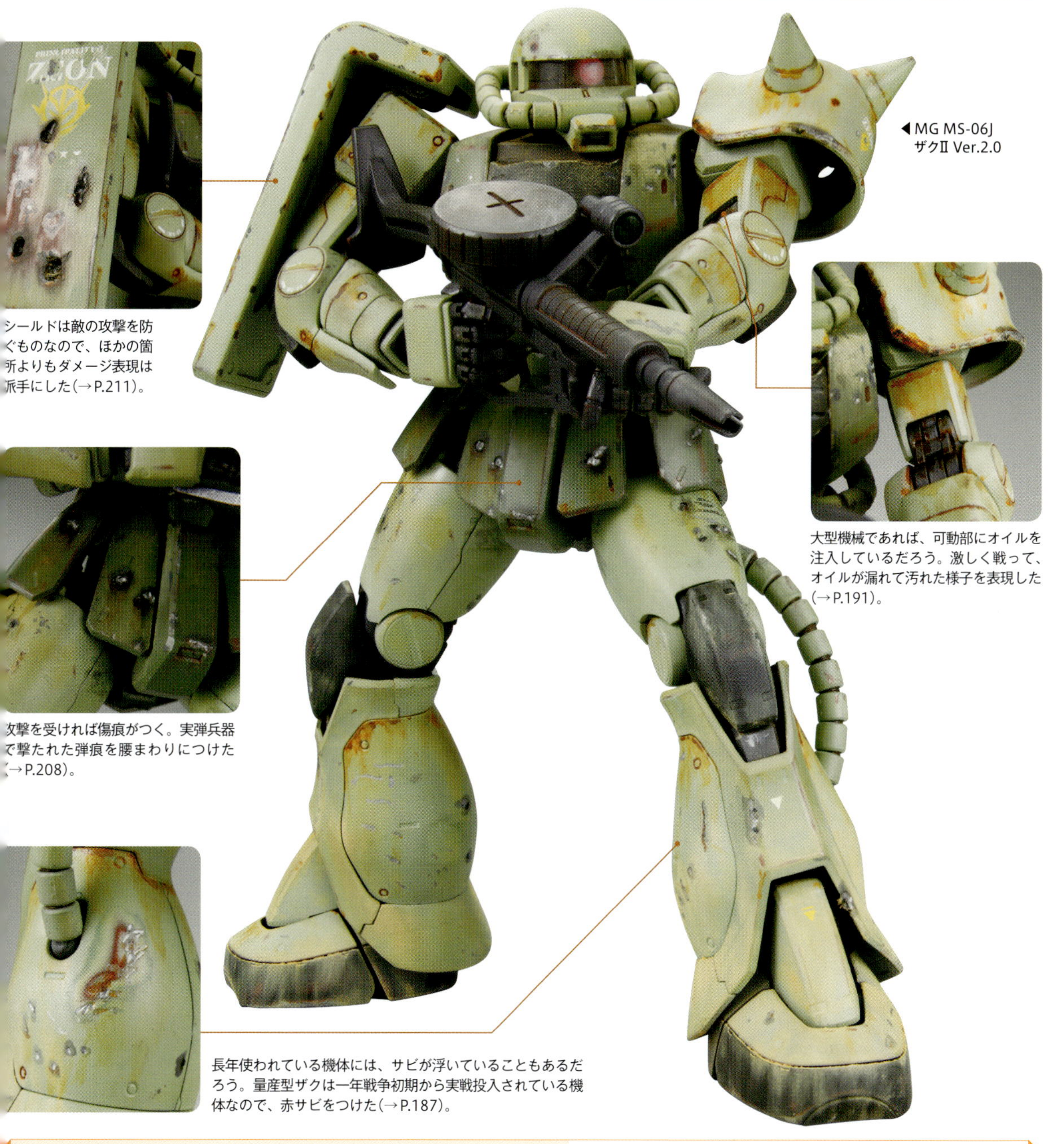

◀MG MS-06J
ザクII Ver.2.0

シールドは敵の攻撃を防ぐものなので、ほかの箇所よりもダメージ表現は派手にした(→P.211)。

大型機械であれば、可動部にオイルを注入しているだろう。激しく戦って、オイルが漏れて汚れた様子を表現した(→P.191)。

攻撃を受ければ傷痕がつく。実弾兵器で撃たれた弾痕を腰まわりにつけた(→P.208)。

長年使われている機体には、サビが浮いていることもあるだろう。量産型ザクは一年戦争初期から実戦投入されている機体なので、赤サビをつけた(→P.187)。

市街戦のウェザリングで使えるテクニック

市街戦のウェザリングは、装甲がこすれた傷と経年劣化などが中心になる、赤サビやオイル汚れが効果的だ。

三層塗装による市街地の通行傷

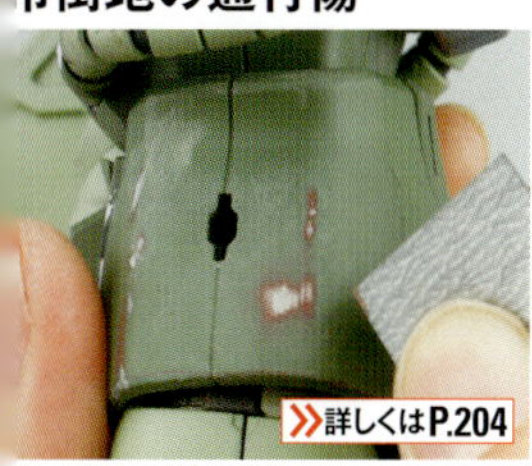
»詳しくはP.204

三層に塗装して、やすりでこすることで、塗装がはげた様子を再現。

エナメル塗料による赤サビ

»詳しくはP.187

エナメル塗料を使って、流れ出る赤サビを表現。

リューターによる実弾の弾痕

»詳しくはP.208

リューターでパーツの表面をけずり、実弾兵器によるダメージを表現。

エナメル塗料によるオイル汚れ

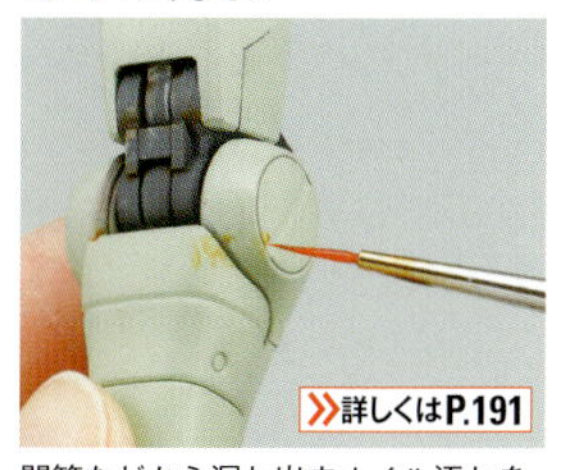
»詳しくはP.191

関節などから漏れ出すオイル汚れを、エナメル塗料で描く。

ウェザリング作品⑤ 寒冷地で戦ってきたモビルスーツ

▶ガンダムシリーズで**雪のシーンはそれほど多くない**が、いくつかの印象的なシーンがある。

▶寒冷地での戦闘シーンの再現には、ほかでは使われない特別なテクニックがいくつもある。**寒冷地ならではの雪や凍結をどのように表現するか**が大事になる。

作中において寒冷地での戦闘シーンはそれほど多くありませんが、印象深いシーンがいくつかあります。また、**各地で戦闘が行われていたと考えれば、雪深い寒冷地で戦っていたモビルスーツもいたはずです。**

そこで、ここでは『機動戦士ガンダム0080 ポケットの中の戦争』に登場した、「HGUC ジム寒冷地仕様」を使って寒冷地ウェザリングを行いました。 同機が登場する北極基地での攻防戦は、ほんのわずかなシーンでしかありませんが、存在感は十分でしょう。ここでは**雪の中で待機し、出撃を待っているというストーリーで、雪や凍結のウェザリングを全身に施しました。**

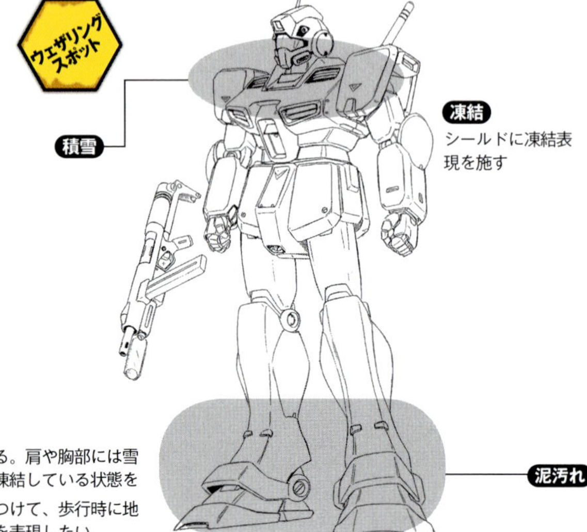

雪原で待機中という設定でつくる。肩や胸部には雪が降り積もり、シールドなどが凍結している状態を再現してみる。足元は泥汚れ(どろよごれ)をつけて、歩行時に地面の泥をかき出して汚れた様子を表現したい。

作中に登場する寒冷地シーン

『機動戦士ガンダム0080 ポケットの中の戦争』の冒頭シーンは、寒冷地における印象的な戦闘シーンの1つ。劇中で描かれた回数は多くないが、記憶に残りやすいのが寒冷地のシチュエーションだ。

ガンダム作品中のシチュエーションとしては、あまり多くない寒冷地での戦いですが、**ジム寒冷地仕様が登場する『機動戦士ガンダム0080 ポケットの中の戦争』の冒頭シーンや『機動戦士ガンダム 第08MS小隊』で遭難したシローとアイナがビーム・サーベルでお湯を沸(わ)かす名場面など、印象的なシーンがあります。**また、『機動戦士ガンダム 鉄血のオルフェンズ』では、鉄道で北米を横断中に雪原での激闘が行われた。

"0080"のオープニングを飾る北極基地攻防戦。海中から現れたズゴックEとハイゴックを迎え撃つジム寒冷地仕様。

"鉄血のオルフェンズ"より、油断する敵に、雪をまき散らしながら襲いかかるガンダム・バルバトス雪の演出が重なって、迫力満点のシーンだ。

実物の凍結状態をチェック

豪雪地帯に住む人なら、寒冷地を想像するのは簡単だろう。日常的に雪に接していない人は、画像検索などで探してイメージをつかんでみよう。

ミリタリーモデルの世界では、ヨーロッパ戦線でのドイツの戦車などで、寒冷地のウェザリングがよく行われています。そのような作品を参考にするほか、画像検索すれば雪中で戦車がどうなるか、実物の写真がたくさん見つかるでしょう。また、兵器にかぎらず、**雪国の自動車などを見れば、車体に雪がどう積もり、凍結するのか、熱を持つ部分はどんなふうになるのかを確認できます。**

写真:Iurii Suslov/PIXTA(ピクスタ)

雪中の戦車。機体の上にどのような感じで雪が残るのか参考にしてみよう。ただし、モビルスーツとはサイズ感がちがうので要注意。

寒冷地のウェザリングの参考になりそうなもの

- **降雪時の自動車**
- **雪山にある建物や機械**
- **雪山や雪原の出てくる映画**

など

寒冷地で戦っている例

量産型モビルスーツであるジムには、さまざまなバリエーションの設定がある。その中でもめずらしいのは寒冷地仕様で、それらしく白系の機体となっている。雪原で待機中という設定で製作した。

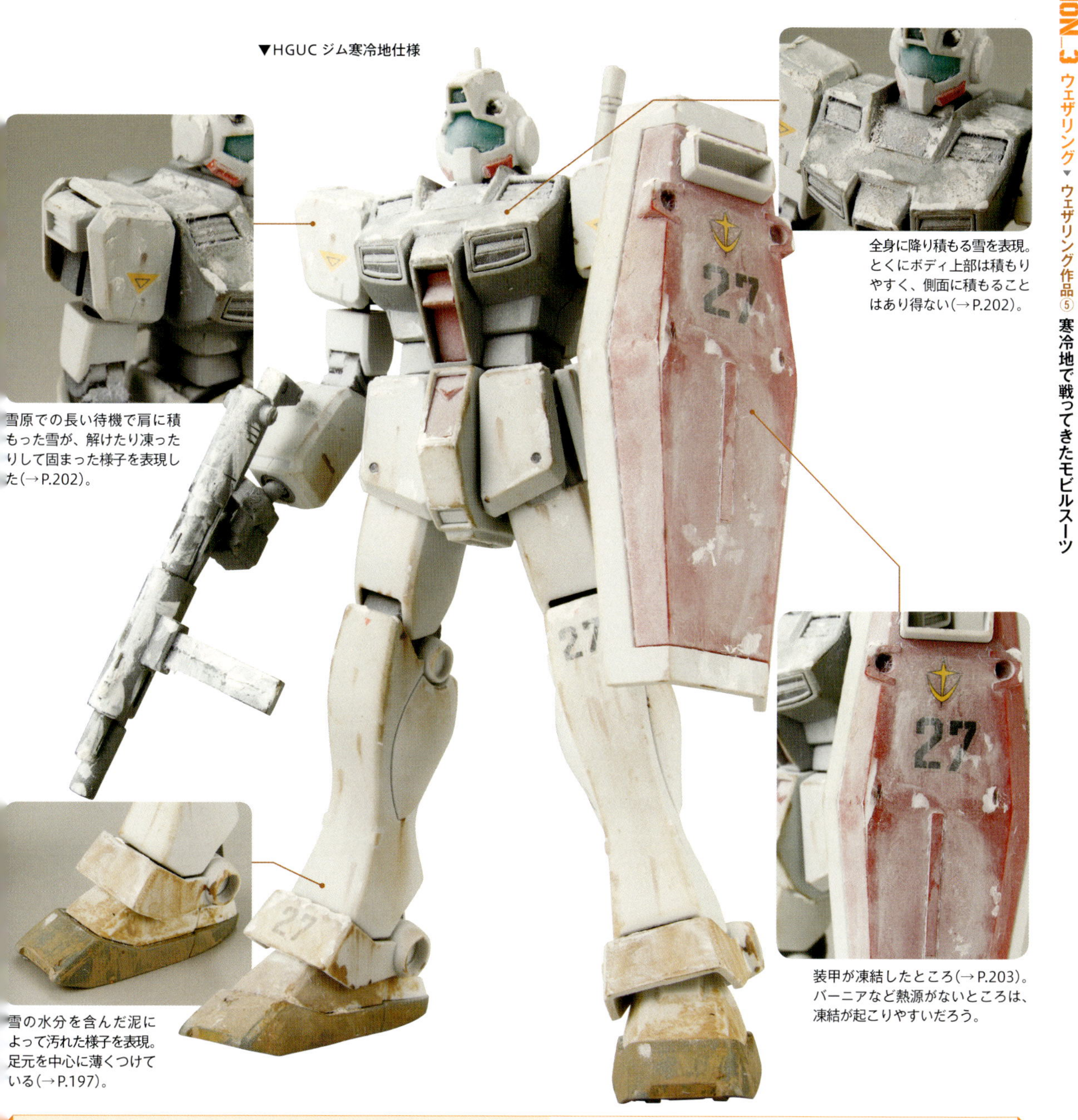

▼HGUC ジム寒冷地仕様

雪原での長い待機で肩に積もった雪が、解けたり凍ったりして固まった様子を表現した（→ P.202）。

全身に降り積もる雪を表現。とくにボディ上部は積もりやすく、側面に積もることはあり得ない（→ P.202）。

雪の水分を含んだ泥によって汚れた様子を表現。足元を中心に薄くつけている（→ P.197）。

装甲が凍結したところ（→ P.203）。バーニアなど熱源がないところは、凍結が起こりやすいだろう。

寒冷地のウェザリングで使えるテクニック

雪や凍結の表現は石膏の使用など、独特なテクニックが多い。クールな寒冷地表現を目指そう。

ウェザリングスティックによる雪

≫詳しくはP.202

ウェザリングスティックのスノーや石膏などを使って、積雪の様子を再現。

アクリル塗料による凍結

≫詳しくはP.203

アクリル塗料を塗った上からアルコール燃料を垂らすことで、凍結した様子を表現。

ウェザリングマスターによる雪表現

≫詳しくはP.169

ウェザリングマスターBセットのスノーをつけるだけで、軽く降り積もった雪を表現できる。

リアルタッチマーカーによる赤サビ

≫詳しくはP.186

細かい赤サビなどは、リアルタッチマーカーなどで表現できる。

ウェザリング作品⑥
宇宙で戦ってきたモビルスーツ

▶『機動戦士ガンダム』の物語が宇宙移民時代の始まりに端を発するように、**宇宙はガンダム作品における主戦場といえる。**
▶宇宙で戦う機体には、泥(どろ)や砂、水などの汚れはつかないが、**スペースデブリ(宇宙ゴミ)の衝突によって装甲などがへこむことが考えられる。**

宇宙はガンダム作品でもっとも主要な戦場といえるでしょう。**無重力空間で縦横無尽に戦う姿は、モビルスーツ最大の見せ場となっています。**ここでは、『機動戦士Ζガンダム』においてエゥーゴの主力機として活躍した「MG RX-178 ガンダムMk-Ⅱ Ver.2.0(エゥーゴ仕様)」に、宇宙イメージのウェザリングを行いました。同作の冒頭で登場してから、続編の『機動戦士ガンダムZZ』の終了まで、さまざまなパイロットが乗ってずっと戦い続けた名機です。具体的には、宇宙の戦いでつきそうな**デブリ痕(こん)を中心に、長年の戦いでつきそうな装甲汚れなどを施し、歴戦の勇者という風情に仕上げています。汚れだけでなく、戦場で負ったダメージの加工も施してみました。**

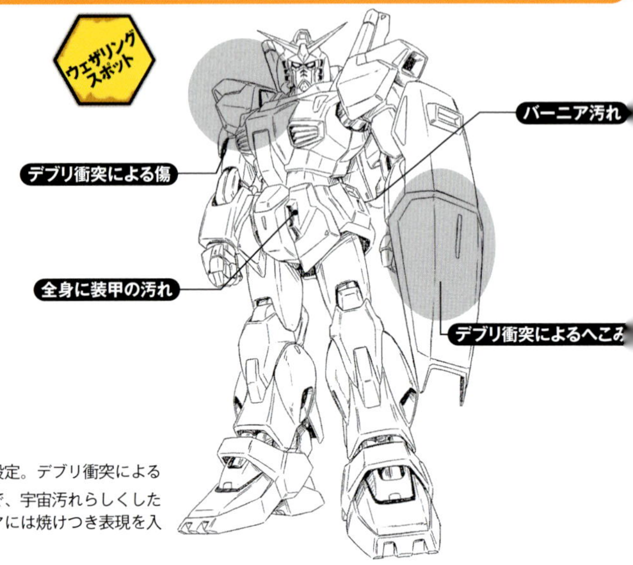

宇宙を主戦場に戦い続けたという設定。デブリ衝突による大小さまざまな傷痕(きずあと)をつけることで、宇宙汚れらしくしたい。メインの推進力となるバーニアには焼けつき表現を入れ、全身にスス汚れをつけてみる。

作中に登場する宇宙シーン

ガンダムシリーズでもっとも多いのが宇宙での戦闘シーンだが、実際に宇宙で戦った兵器はない。作中のシチュエーションを参考に、どういうことが起こるかをイメージしよう。

ガンダム作品では、半分以上は宇宙で戦っているといっても過言ではないでしょう。ただし、実際に宇宙で戦闘した人はいないので、完全に想像の世界となります。**デブリ(宇宙ゴミ)が飛んでいること、無重力空間であること、砂や草木は存在しないこと**など、想像がつく範囲の情報でもよいので、しっかりプランを考えてみてください。そうすれば、想像の中でもリアリティのあるウェザリング表現ができるでしょう。

シャアV.S.アムロ。エースパイロット同士の戦いは、壮絶を極める。宇宙では上下という概念がないので、ダメージを受ける方向も不規則になりそうだ。

戦闘後の宇宙空間には、大量の破片が飛び散っていると考えられる。これらはすべてデブリとなって、モビルスーツたちの障害となるだろう。

実物の宇宙船をチェック

宇宙と地球を行き来したものとして、NASAのスペースシャトルの汚れ具合は参考になるだろう。NASAのホームページなどで見ることができる。

実在するものの中では、スペースシャトルや宇宙ステーションなどの映像や画像でしょうか。ただし、実際に宇宙に行って帰ってきたものは多くありません。スペースシャトルの画像は、NASAのホームページなどでたくさん見ることができます。**大気圏突入でどのくらい装甲が損傷するのか、本物のデブリ痕はどんなものなのか、**実際の写真で見ることができるでしょう。

国際宇宙ステーションにドッキングしているスペースシャトル。大気圏を通過するときの高熱によって、機体の底部が白く焼けているのが見える。

宇宙のウェザリングの参考になりそうなもの

- スペースシャトル
- 国際宇宙ステーションの映像
- 航空機

など

宇宙で戦ってきた例

宇宙で戦った機体であれば、泥や砂はかぶらない。代わりに大量のデブリの衝突を受けている可能性がある。また、スス汚れなどはたくさんついているだろう。

頭部を前にして飛ぶことを想定し、肩などにデブリ衝突による傷をつけた（→P.205）。

長く戦闘していれば、装甲のあちこちがすすけて汚くなっていくはずなので、全身にスス汚れをつけた（→P.180）

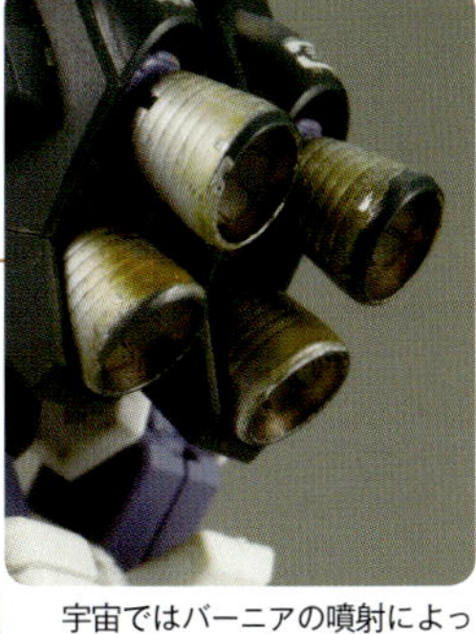

宇宙ではバーニアの噴射によって移動することが多くなるので、こびりついたようなスス汚れをつけた（→P.189）。

大きなデブリが接近したら、シールドを使って避けるはず。その設定で、シールドに大きなデブリ衝突によるへこみをつけた（→P.206）。

◀MG RX-178ガンダムMk-Ⅱ Ver.2.0（エゥーゴ仕様）

宇宙のウェザリングで使えるテクニック

装甲の汚れはウェザリングマスターBセットの「スス」で、デブリの衝突による傷やへこみはリューターとコテライザーでつける。

ウェザリングマスターによる装甲の汚れ

詳しくはP.180

ウェザリングマスターBセットのススをスポンジでつけ、装甲の汚れを表現。

リューターによるデブリ衝突の小傷

詳しくはP.205

リューターでパーツの表面をけずり、デブリ痕を再現した。

コテライザーによるデブリ衝突のへこみ

詳しくはP.206

大きなデブリ痕は、コテライザーのブローノズルを使ってパーツをへこませて表現。

ウェザリングマスターによるバーニア汚れ

詳しくはP.189

バーニアは熱による焼けつきと、スス汚れで使用感を表現した。

ウェザリング作品⑦
破壊されたモビルスーツ

▶ エースパイロットといえども、**敵の攻撃を受け、機体に損傷を負う**ことがある。

▶ ダメージ表現は**パーツを折ったり、穴を開けたりすることが多いので、やり直しがきかない**。事前にプランを考えて慎重に作業していこう。

モビルスーツは兵器ですから、敵の攻撃を受け、**ダメージを負う**こともあります。主人公とライバルが死闘を繰り広げるクライマックスでは、モビルスーツは無惨に破壊されてしまうこともしばしば。ボロボロになりながらも信念を貫いて戦い抜くさまに、ドラマとしての感動があります。さまざまなダメージ表現のテクニックがありますが、**ダメージにはその機体のストーリーが凝縮**されています。

ここでは「MG 百式 Ver.2.0」に、大きなダメージ表現を施しました。『機動戦士Ζガンダム』の序盤から、『機動戦士ガンダムZZ』の最後まで戦い抜いた機体ですから、**最後は相当に傷ついていたのではないかと考え、被弾はしたけれどどうにか帰還(きかん)を果たせたという設定でつくってみました。**

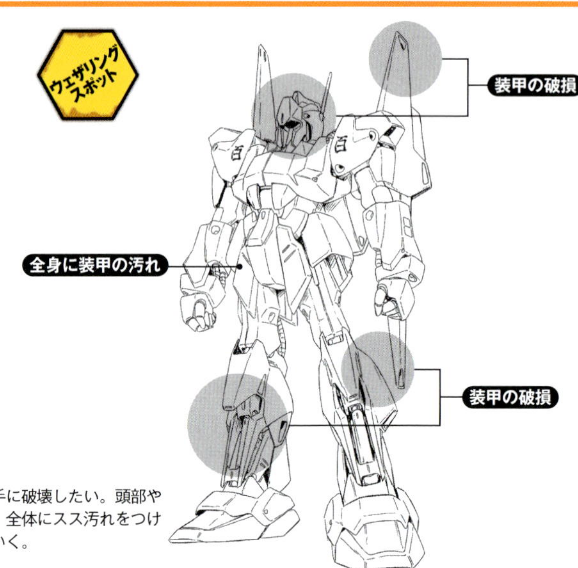

激しい戦闘をくぐり抜けた設定なので、派手に破壊したい。頭部やバインダー、脚部などのパーツを破損させ、全体にスス汚れをつけてみる。ダメージ表現はランダムにつけていく。

作中に登場する破壊シーン

ガンダムシリーズの中でも屈指のエースパイロットであるシャア・アズナブル(クワトロ・バジーナ)といえども、ライバルや強敵の攻撃を完全にかわすことはできない。破壊は避けられないのだ。

モビルスーツの破壊シーンは、たくさんあります。たとえば『機動戦士ガンダム』の名シーンである「ラスト・シューティング」。頭部と左腕が破壊されてもなお、アムロが宿敵シャアを追いつめ、撃破する姿は熱く訴えかけてくるものがあります。もちろん、作中のシーンにこだわる必要はなく、**どの部位にどのくらいの損傷を受けたのか、自由にストーリーを考えて**、ウェザリングプランを決めていきましょう。

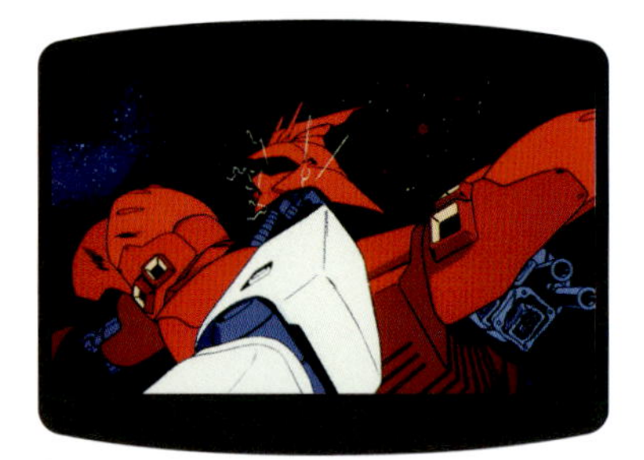

『機動戦士ガンダム 逆襲のシャア』のクライマックスでは、ついにアムロの手でシャアのサザビーが破壊される。エースパイロット同士の激戦だ。

『機動戦士Ζガンダム』の終盤で、ハマーンのキュベレイに追い詰められて破壊されるクワトロ・バジーナの百式。

実物の破損状況をチェック

実際に破壊されているものを日常の中で見ることはあまりないだろう。画像検索や映画などで、大きな乗り物が壊れているシーンを探してみよう。

日常生活で、大きなものが破壊された状態で放置されることはあまり多くありません。破壊されたものの実物を見かけることはありませんが、画像検索すればそれなりに見つけることができます。**金属の大きな人工物がどのような壊れ方をするのかなどを見て、ダメージ表現の参考にしましょう。**戦争映画で戦車などが戦うシーンなども参考になるでしょう。

へこみや傷のある自動車を見ることで、自然なダメージのつき具合をつかむことができる。

ダメージ表現の参考になりそうなもの

- **解体される自動車**
- **ニュース映像**
- **アクション・戦争映画**

など

大きく破損した機体の例

ネオ·ジオンとの最終決戦をどうにか生き延びたというストーリーで、各部を損傷させ、経年の汚れなども加えて仕上げた。脚部はMGシリーズの内部フレームを活かして、内部構造も見えるように破壊している。

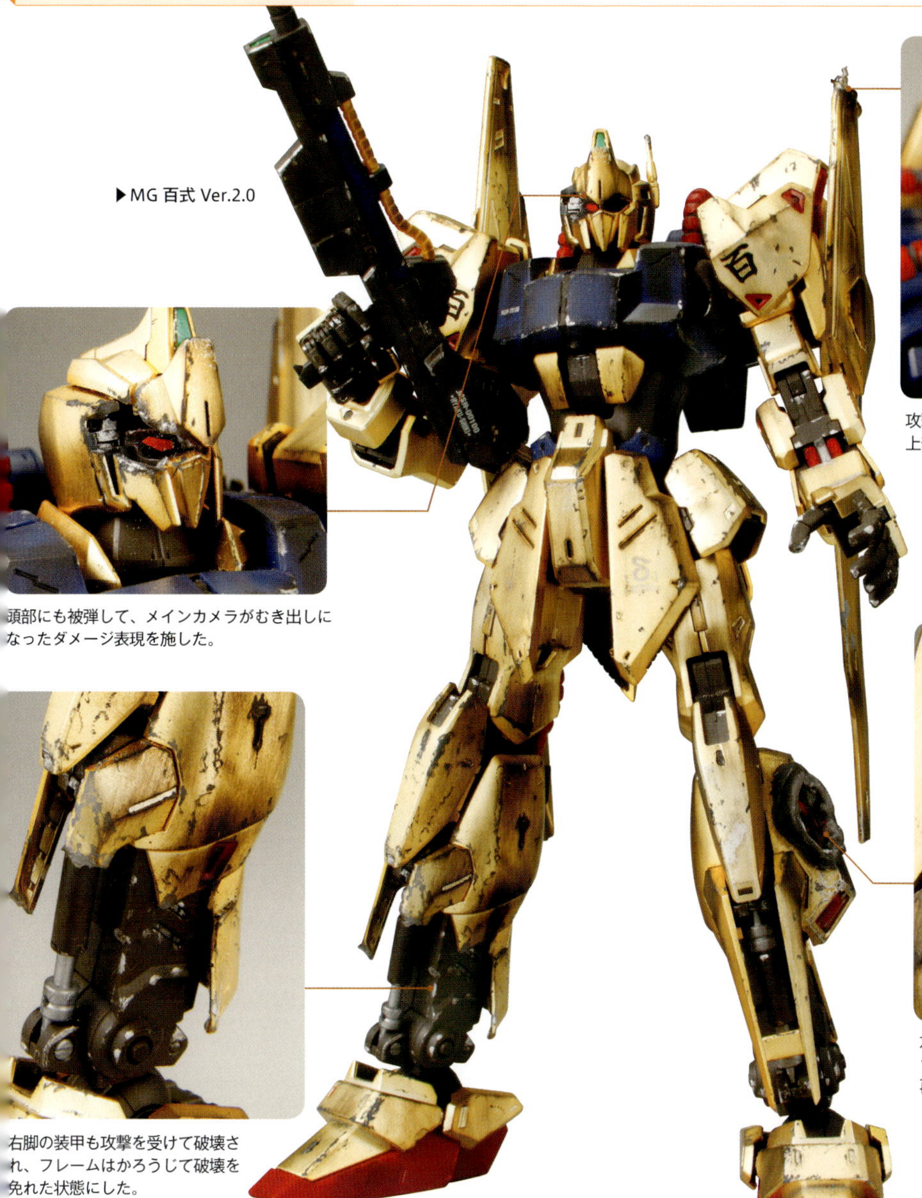

▶MG 百式 Ver.2.0

頭部にも被弾して、メインカメラがむき出しになったダメージ表現を施した。

右脚の装甲も攻撃を受けて破壊され、フレームはかろうじて破壊を免れた状態にした。

攻撃をかわしきれず、右側のバインダー上部をもぎ取られた様子を表現。

左脚部にビームが直撃して装甲が破壊され、内部フレームが露出した状態を再現(→P.212)。

ダメージ表現で使えるテクニック

ダメージ表現は実際にパーツを折ったり、穴を開けたりするのでやり直しがきかない。じっくりプランを練って、不要なパーツなどで練習してからトライしよう。

ホットナイフによる装甲の破損

詳しくはP.212

ホットナイフを使って、パーツの一部をくり抜く。熱が出る道具なので、取り扱いには要注意。

パテによるダメージ表現

詳しくはP.213

くり抜いたところの周囲にラッカーパテを盛り、装甲が高熱でゆがんだような形にする。

リューターによる細部のダメージ表現

詳しくはP.213

リューターなどでパーツをけずったり穴を開けたりして、こまかなダメージをつける。

ウェザリングマスターによる経年劣化表現

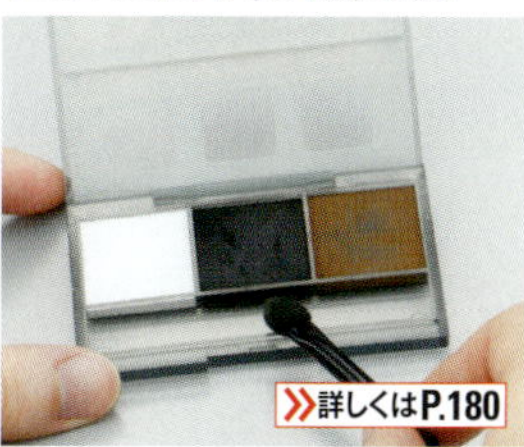

詳しくはP.180

ウェザリングマスターBセットのススを使って、全体的に汚れをつけて戦火をくぐり抜けた様子を表現。

リアルタッチマーカーの種類と使い方

▶ リアルタッチマーカーは、ガンダムマーカー（→P.68）のシリーズの1つとして発売されているアルコール塗料のペン。**「塗装用」ほど濃くないので、汚しなどの表現に最適。**

▶ **パーツに塗って、ティッシュや綿棒でふき落とすだけ**で、手軽にガンプラに汚しをつけることができる。

リアルタッチマーカーは、主に汚しに使えるアルコール塗料のペンです。素組みしただけのガンプラではさびしいものの、ビン入り塗料などを使って本格的に仕上げるのはハードルが高いという人は、リアルタッチマーカーでウェザリングをしてみましょう。**パーツ全体にサッと塗って、ティッシュでゴシゴシふくだけで装甲がほんのり汚れた状態を表現できます。**

オススメのリアルタッチマーカー

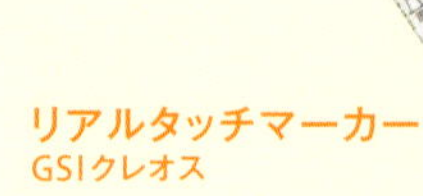

リアルタッチマーカー
GSIクレオス

連邦系・ジオン系それぞれの機体に適したカラーがラインアップされている。1本に細・太2タイプのペン先を装備。各色とも単品で購入できる。写真は「リアルタッチグレー1」。

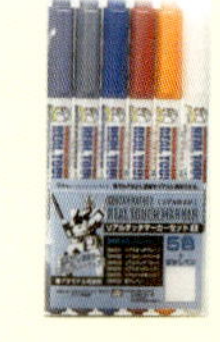

リアルタッチマーカーセット1
GSIクレオス

リアルタッチグレー1、リアルタッチグレー2、リアルタッチブルー1、リアルタッチレッド1、リアルタッチオレンジ1、ぼかしペンのセット。連邦系の機体に使いやすい。

リアルタッチマーカーセット2
GSIクレオス

リアルタッチグレー3、リアルタッチブラウン1、リアルタッチグリーン1、リアルタッチイエロー1、リアルタッチピンク1、ぼかしペンがセット。ジオン系の機体に使いやすい。

使い方① 全体に塗る

リアルタッチマーカーは塗ってふけばよい。ふき取り方次第で、陰影がつけられ、質感がよくなる。

1 リアルタッチマーカーで全体を塗る

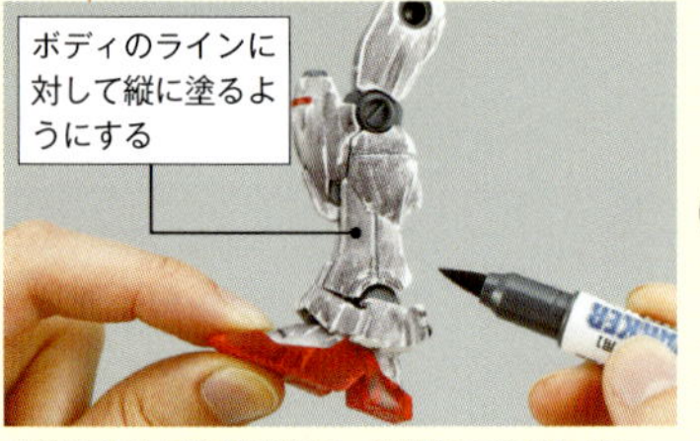

ボディのラインに対して縦に塗るようにする

太筆のほうで全体を塗る。下地につや消しのコート剤を吹いておくと、色が定着しやすくなる。コート剤を吹かなくてもOK。

2 ティッシュや綿棒で大胆にふき取る

ほとんど消えてしまうのではないかというぐらいにふき取ると、ちょうどよい感じに陰影をつけられる。へこんでいる部分にはマーカーが残る。

プラスα リアルタッチマーカーは太筆と細筆の二刀流

リアルタッチマーカーの筆先は、両端に太・細の2種類が用意されている。広い面積では太筆、細かなところは細筆と使い分けよう。

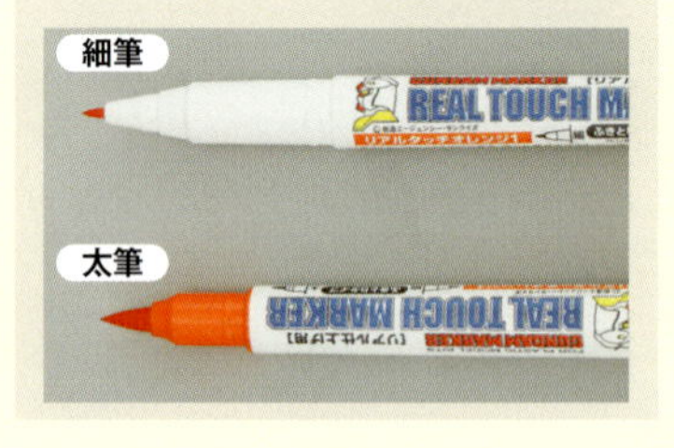

使い方② 細部に塗る

全体を処理したら、細かいところをていねいに仕上げる。きちんと仕上げることで全体に自然な汚れがつく。

1 細かいところや狭いところを細筆で塗る

太筆では届かないところがきれいなままだと不自然なので、細筆を使って塗っていく。また、影になるところも塗って、陰影を強調してもいい。

2 細かいところは綿棒などを使ってふき取る

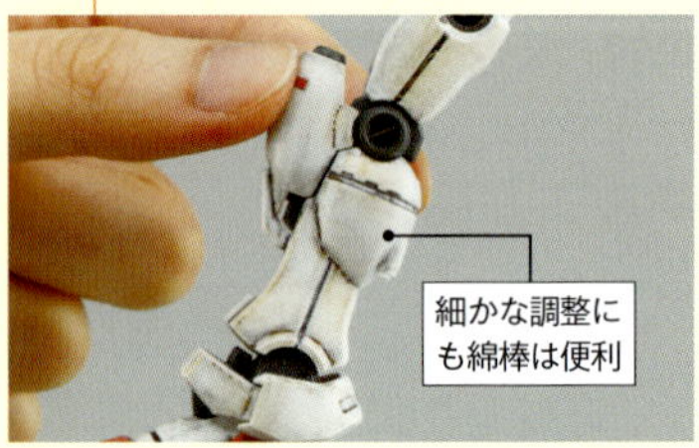

狭いところをふき取るときは綿棒を使う。全体が仕上がったらコート剤を吹いて塗料を定着させよう。そうすれば、完成後に触っても大丈夫だ。

プラスα マーカーの筆先が汚れたら?

何色も重ねて塗っていると、だんだん筆先にほかの色が混ざって汚れてくる。そういうときは、ティッシュにこすりつけるようにして汚れを取ろう。

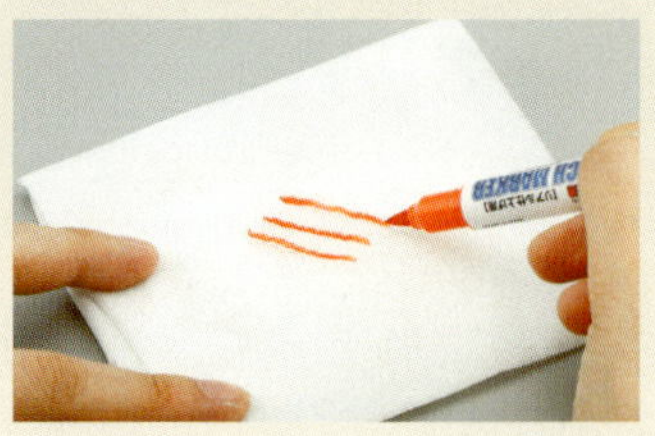

ウェザリングマスターの種類と使い方

▶ ウェザリングマスターは、**プラモデルにウェザリングを施すのに適した粉状の素材**。付属のスポンジやブラシに粉をつけて、キットに塗りつけるだけでさまざまな汚れを表現できる。

▶ **使い方は簡単だが、幅広い表現ができる**ので中上級者になってもずっと使えるウェザリングの定番ツール。

ウェザリングマスターは「スス」や「サビ」、「サンド」など、特定の汚れを表現する粉が入ったウェザリングツールです。さっと取り出し、付属のスポンジやブラシで塗りつけるだけで、さまざまな汚れを表現できます。3色セットになっているので、自分がつけたい汚れが入っているものを入手しましょう。**迷った場合は、「スス」のあるBセットがオススメです。ほかには砂漠(さばく)向けのAセット、サビ表現向きのCセット、バーニア周辺に合うDセットあたりを選ぶとよいでしょう。**

オススメのウェザリングマスター

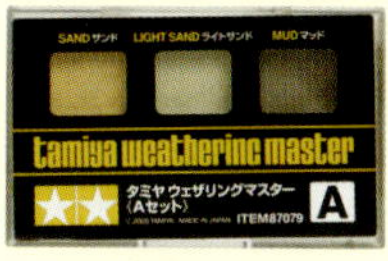

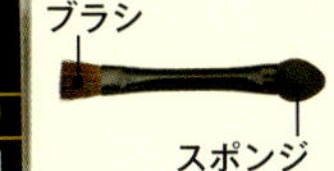

ウェザリングマスター 各セット／タミヤ
汚れを再現する粉状の素材が入っている。3色で1セットになっていて、塗りつけるためのスポンジとブラシが付属している。

ウェザリングマスターAセット
「サンド」「ライトサンド」「マッド」の3色で、砂や泥の表現に使える。

ウェザリングマスターDセット
「青焼け」「赤焼け」「オイル」の3色。バーニアまわりの焼けつきに使える。

ウェザリングマスターBセット
「スノー」「スス」「サビ」の3色。装甲の全体的な汚しに「スス」が合う。

ウェザリングマスターEセット
ドライブラシの質感を表現できる「イエロー」「グレイ」「グリーン」の3色。

ウェザリングマスターCセット
「アカサビ」「ガンメタル」「シルバー」の3色。金属まわりの表現に最適。

ウェザリングマスターFセット
「チタン」「ライトガンメタル」「カッパー」。金属素材のちがいを表現できる。

使い方① 使用感を出す

粉を塗るだけで、本格的なウェザリング表現ができる。

1 バーニアをシルバーで塗装したが使用感がない

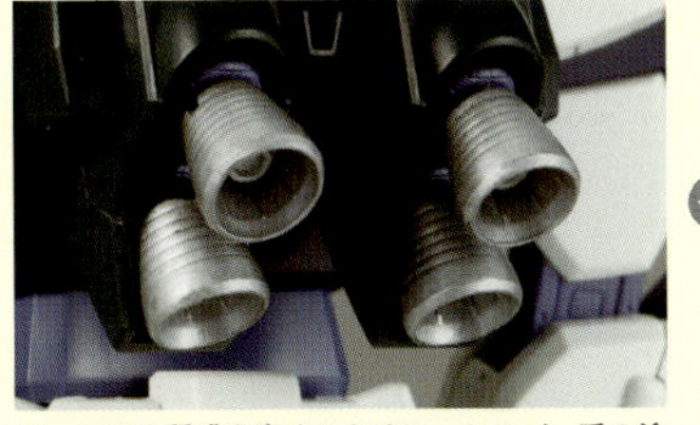

バーニアの質感を高めるために、シルバー系の塗料で塗った。ただ、きれいなままなので、使用されている感じはしない。

2 ススや青焼け、赤焼けをつけると使用感がアップ

Bセットの「スス」、Dセットの「青焼け」「赤焼け」を重ねて塗った。何度もバーニアを吹かせたようなリアルな仕上がりになった。

プラスα ウェザリングマスターは色が混ざってもOK

使い続けていると、だんだんほかの色が混ざってきてしまうが、気にしなくてよい。むしろ色に深みが出て、より効果的にウェザリングができるようになる。

使い方② 複数の色を重ねて塗る

1色だけでは単調な出来映え。何色も重ねることで、深みのある表現になる。

1 1色だけ塗って少し平坦な印象に

足元の砂汚れをつけようと、Aセットの「サンド」だけを塗った。ペタペタとこすりつけていくだけで、砂らしさが出る。

2 ほかの色も重ねて塗ると立体感が増してくる

同じくAセットの「ライトサンド」や「マッド」を重ねて塗った。陰影が出てきて、よりリアルな砂汚れになっていく。

プラスα 乾いて硬くなってきたら表面をけずる

粉の表面が乾いて硬くなってしまったら、デザインナイフなどでこすって表面をうっすらとはがそう。そうすると、下からやわらかい粉が出てくる。

Mr.ウェザリングカラーの種類と使い方

▶ **ガンプラ全体をうっすらと汚したい場合**には、Mr.ウェザリングカラーがオススメだ。
▶ **ウォッシング（→P.181）をするのにほどよい濃度に調節されている。**ビンから出して平筆でバシャバシャと塗り、ティッシュや綿棒でふき取ると、ちょうどいい汚れ具合にできる。

Mr.ウェザリングカラーは、油彩ベース（ラッカー系ではなく、油絵の具と同様の成分）でつくられたウェザリング向けの塗料です。**油彩系塗料は透明性が高く、下の成型色や塗装を生かして、色調を変えたり、薄汚れた様子に仕上げたりすることができます。**

平筆などでバシャバシャと塗りたくり、乾く前にティッシュや綿棒でふき取っていきます。うっすらと残った塗料が乾燥すると、ちょうどいい汚れ具合として残ってくれます。**専用うすめ液で濃度を調整することもできますが、基本的にはビンから出してそのまま使うことができます。**

オススメのMr.ウェザリングカラー

Mr.ウェザリングカラー／GSIクレオス

マルチブラック	スス汚れ、スミ入れ
グランドブラウン	土汚れ、暗いさび色
ステインブラウン	油汚れ、やや明るいさび色
サンディウオッシュ	砂っぽいうっすら汚れ
マルチホワイト	日焼けの汚れ、冬季迷彩
マルチグレー	たまったホコリなど
グレイッシュブラウン	湿った泥（どろ）
ラストオレンジ	浮き出した赤さび
ホワイトダスト	アフリカの白い砂汚れ
ライトグレイッシュ	東ヨーロッパの明るい土色
オーカーソイル	よくある黄土色
マットアンバー	少し暗めの土汚れ
シェイドブラウン	さらに暗めの土汚れ

使い方① 全体に塗ってふき取る

Mr.ウェザリングカラーはそのまま塗って、ふくだけでほどよい汚れ具合になる。

1 平筆でバシャバシャと塗る

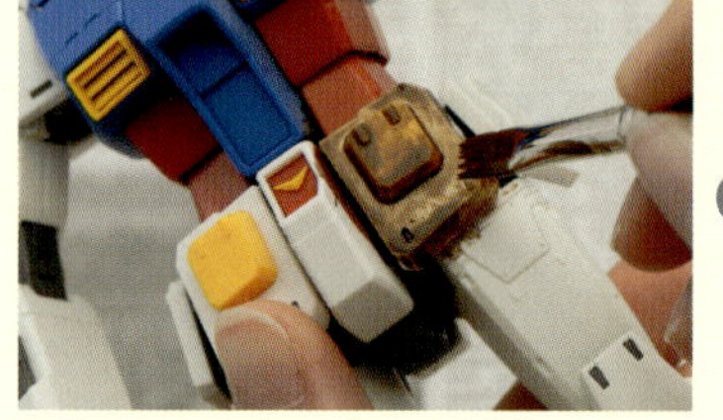

まずはMr.ウェザリングカラーを全体にバシャバシャと平筆で塗る。2色以上混ぜてもいい。溶剤は使わなくてもよい。

2 ティッシュや綿棒でふき取る

少し置いてから、ティッシュや綿棒でふき取る。ほとんどふき取ってしまってもいいぐらいで、乾いてくるとうっすらとした汚れが浮き上がる。

プラスα 専用うすめ液で調整できる

油彩系塗料の希釈には、専用うすめ液を使う。Mr.ウェザリングカラーが濃すぎるときに薄めたり、乾いてしまったところをふき取ったりするときにも使える。

Mr.ウェザリングカラー専用うすめ液
GSIクレオス

使い方② 流れを意識してふく

実際にどう汚れがつき、流れるか考えて、ふき取る方向を決めよう。

1 平筆でバシャバシャと塗る

平筆でバシャバシャと塗るときも、水の流れる方向を意識すると、自然な仕上がりにできる。上から下など、一定方向に塗っていこう。

2 綿棒などで方向を意識してふき取る

綿棒などでふき取った跡は、そのまま汚れの形としてうっすらと残る。水の流れや、汚れる方向を意識して綿棒などを動かそう。

プラスα 別売りの小さい筆も便利!

Mr.接着剤用筆セット〈10本入〉
GSIクレオス

別売りの筆を装着

Mr.ウェザリングカラーのキャップの裏側には細い突起があり、別売りの筆を差し込んで使うことができる。

Mr.ウェザリングペーストの種類と使い方

▶ **べっとりと泥がこびりついた感じにしたいとき**は、Mr.ウェザリングペーストがいい。

▶ Mr.ウェザリングペーストは4色あり、複数を混ぜて使うことで、さまざまな表情の土を表現できる。Mr.ウェザリングカラーと混ぜることもできる。

Mr.ウェザリングペーストは、油彩ベースのウェザリング向け塗料です。**Mr.ウェザリングカラーよりも濃く、粘り気の強い塗料になっています。**

主に泥や土の表現に向いていて、カラーラインアップも、世界各地の土壌を再現できるように４色が揃っています。

塗料の濃度の調整や筆の手入れには、Mr.ウェザリングカラー専用うすめ液が使えます。２色以上を混ぜて使ったり、Mr.ウェザリングカラーを入れて色の調節をしたりすることができます。**色を混ぜるときは均一に混ぜるのではなく、ムラが残るぐらいがいいでしょう。**

オススメのMr.ウェザリングペースト

Mr.ウェザリングペースト／GSIクレオス

■マッドブラウン
焦げ茶色のペースト。東欧などの土

■マッドホワイト
白っぽいヨーロッパ西部や北欧の土

■マッドイエロー
中国や中央アジアなどの土

■マッドレッド
赤茶けた色のペースト。ジャングルなど

使い方① 混ぜて盛る

そのまま塗ってもいいが、２色以上を混ぜて使うと立体感が増す。

1 ２色を混ぜる

２色以上を混ぜて使うと、立体感が増す。ただし、均一に混ぜるのではなく、色がランダムに混ざり合っているぐらいにしておくとよい。

2 平筆で盛る

均一にならないよう、あえて塗りムラを残すとリアリティが増す。ただし、筆あとは残さないようにする。細かく筆を置くように塗っていくとよい。

プラスα ぬれた質感が出るウェットクリアー!

Mr.ウェザリングペースト ウェットクリアー／GSIクレオス

Mr.ウェザリングペーストは乾くと、つやが消えてガサガサになる。ぬれた質感を出したい場合は、ウェットクリアーを使おう。

使い方② 塗料を薄めて使う

原液のままでは濃すぎる場合は、うすめ液で調節できる。

1 塗料皿に移して専用うすめ液で溶く

Mr.ウェザリングペーストはマーガリンのように粘度の高いものなので、薄めたい場合はMr.ウェザリングカラー専用うすめ液で溶いて調整しよう。

2 平筆で塗る

泥汚れを薄く広くつけたい場合は、少し希釈して塗る。筆を動かすストロークも長めにすると、カタマリ感が薄れて沼地につかった質感にできる。

プラスα Mr.ウェザリングカラーで着色できる

Mr.ウェザリングペーストは、同じく油彩系のMr.ウェザリングカラーを混ぜて、色を調節することができる。

ウェザリングパステル、ウェザリングスティック

▶ ウェザリングパステルは粉状のウェザリングツールで、**パステルを筆につけてそのまま塗りつけるか、アクリル系の溶剤に溶かして使う**ことができる。

▶ ウェザリングスティックはペン型のウェザリングツールで、**クレヨンのようなかたまりをつけることで汚しを施すことができる。**

ウェザリングパステルやウェザリングスティックは使い勝手がよく、初心者から上級者まで、幅広く使われているウェザリング専用ツールです。

ウェザリングパステルはビンの中に粉（パステル）状のウェザリング素材が入っており、**粉のまま筆でこすりつけたり、アクリル系の溶剤で溶いて塗りつけたりと、いろいろな使用方法があります。**ペン型のウェザリングスティックは**クレヨンのような素材でできていて、ペンで塗る感覚で、泥（とろ）や雪などのかたまりをつけることができます。**

どちらも手軽に扱える上に、本格的なウェザリング表現を楽しめるオススメツールです。

オススメのウェザリングパステルとウェザリングスティック

ウェザリングパステル／GSIクレオス

セット1	「ダークブラウン」「ライトブラウン」「サンド」の3色。砂や泥の表現に最適。
セット2	「チャコールグレー」「ライトグレー」「オレンジ」の3色。ススやホコリの表現に最適

ウェザリングスティック／タミヤ

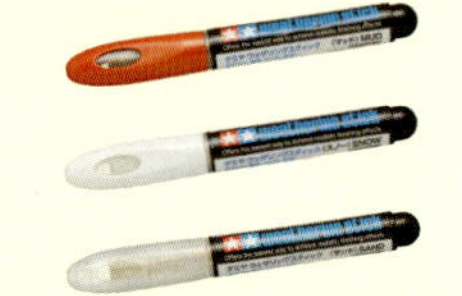

マッド	濃い茶色で、立体的な泥のかたまりをつけたいときに最適。
スノー	白色で、その名のとおり雪の表現に使える。
サンド	明るい黄土色で、砂の表現をつけたいときに便利。
ライトアース	乾いた土をイメージした薄い茶色で、乾燥地にいる機体に合う。

ウェザリングパステルを使う

ウェザリングパステルは粉をそのまま塗りつけるか、溶剤で溶いて使う。

1 ウェザリングパステルを溶剤に溶く

泥のような表現をする場合は適量を塗料皿に取り、溶剤で溶いてから塗るのがオススメ。2色以上のパステルを混ぜてもOK。

2 溶いたパステルを筆で塗りつける

塗りムラが味になるので、塗装よりも気楽に塗れる

溶剤で溶いたパステルは、キャタピラについた泥のような大量の汚しをかけるときに便利。平筆で一気に塗っていこう。

プラスα 市販のパステルを使うこともできる

画材屋などで売られているパステルをナイフなどでけずって粉にしても、ウェザリングパステルと同じように使うことができる。色が豊富なのが大きなメリット。

ウェザリングスティックを使う

ウェザリングスティックはそのまま塗りつけて、汚れを表現していく。

1 ウェザリングスティックをパーツに塗りつける

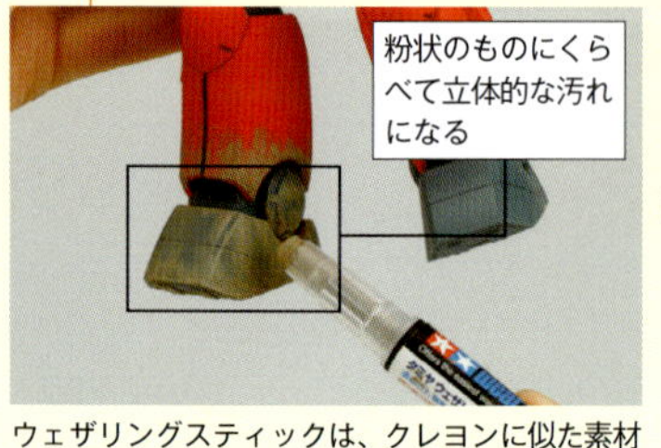

粉状のものにくらべて立体的な汚れになる

ウェザリングスティックは、クレヨンに似た素材でできている。こすりつけるようにして、パーツにかたまりをつけていく。

2 コート剤を吹きつけて定着させる

ウェザリングスティックを塗ったままでは、手で触るなどするとはがれてしまうので、コート剤を吹いて保護しよう。

プラスα ウェザリングスティックは水に溶ける

ウェザリングスティックの素材は水溶性なので、水に溶かすことができる。カッターで少量を切り取り、水を加えて溶かすことで、筆で塗ることができるようになる。

リューターの種類と使い方

▶ リューターとは、**電動式の切削（せっさく）ツール**のこと。プラモデル専用のものには、電池式（コードレス）のものもあり、初心者でも手軽に使うことができる。

▶ ビット（先端）は**ヤスリ系とカッター系の2種類があり、用途によって使い分ける。**

リューターは銃撃（じゅうげき）による傷など、ダメージ表現を施すときによく使われます。**電動式で先端についているビットが震えることで、パーツの表面をけずることができます。**ビットは付け替え式で、ヤスリ系とカッター系の2タイプがあり、それぞれでさまざまなサイズのものが販売されているので、1本持っていて損はありません。**ダメージ表現には、主にカッター系のビットを使用します。**

家庭用電源を使う工芸用の本格的なリューターもありますが、パワーが強すぎて摩擦熱でプラスチックを溶かしてしまうこともあるのでよく注意して使いましょう。プラモデルの加工に使うだけなら、**電池式のプラモデル専用リューターがオススメです。**パワーもちょうどよく、コードレスなので使い勝手も抜群です。

オススメのリューター

電動コードレスルーターPROⅡ 基本ヤスリ付／GSIクレオス

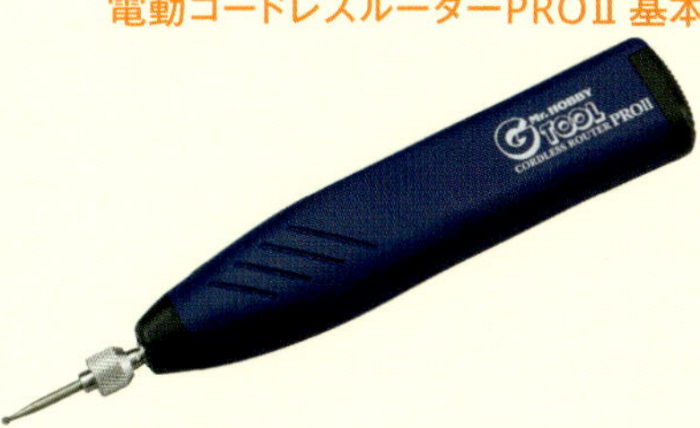

トルクアップされたモーターを搭載しており、スムーズな回転と力強いけずりを実現。3分割チャックの中心でビットを据えるため、軸ぶれも大幅に減少。

電動コードレスルーター 基本ヤスリ・ホルダー付／GSIクレオス

ガンプラの表面をみがいたり、けずったりすることができる。コードのない電池式なので、手軽に使える。

リューターの使い方

コードレスの電池式リューターは、手軽に作業ができて便利。プラスチックがけずれるものなので、取り扱いには注意しよう。

1 けずる部分にペンで印をつける

けずる部分を決め、ペンで印をつけておく。けずったら後もどりはできないので、慎重に位置を決めよう。

2 使いたいビットに交換する

完成をイメージして、ちょうどよいサイズや形状のビットを取りつけよう。

3 スイッチを入れパーツをけずる

少しずつ様子を見ながらけずっていこう

リューター本体をしっかり持ち、スイッチを入れる。できるだけ加工面に対してビットをまっすぐに向ける。

パーツに穴を開けることもできる

リューターで穴を開けることもできる。ちょっとしたかすり傷から、貫通傷まで、表現できる範囲は広い。

ビットの選び方

リューターのビットは、基本的に付け替え式。主にヤスリ系とカッター系の2タイプがあり、それぞれで表現方法が異なる。

仕上げにはヤスリ系のビットを使う

摩擦熱が大きく、プラスチックを溶かしてしまうこともあるのであまり強く押しつけないように注意

ヤスリ系のビットは文字どおり「やすり」に近く、パーツ表面をならしたり、バリをとったりしたいときに使える。さまざまなサイズや形状がある。

けずる加工にはカッター系のビットを使う

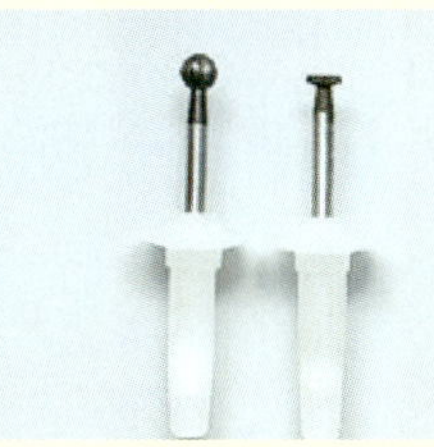

プラスチックをけずる加工には、細かい刃がたくさんついているカッター系のビットがオススメ。摩擦熱が高くなりにくい。

プラスα 曲面ですべらないように注意しよう

ビットは回転しているので、思っているよりもパーツ表面ですべりやすい。とくに曲面を加工するときは、思わぬ事故にならないように注意しよう。

曲面をけずっていると、すべってしまうことがある

ピンバイスの種類と使い方

▶ピンバイスとは**手回し式のドリルのこと**で、プラモデル製作における基本ツールの1つ。
▶**固定式とドリル刃交換式の2種類**がある。**固定式は取り扱いやすく、初心者にオススメ**。ドリル刃交換式は好きな径のドリルを選んで使えるほか、収納時にコンパクトになるなどのメリットがある。

ピンバイスとは手回し式のドリルのことで、プラモデル製作でよく使われる基本ツールの1つです。先端に細いドリルがついており、ガンプラでは**弾痕（だんこん）をつけるなど、ダメージ表現でよく使われます。**固定式のものとドリル交換式のものがあります。**固定式は取り扱いやすい、ドリル交換式はドリルの径を選べる、収納時にコンパクトになる**、とそれぞれにメリットがあります。

交換式を採用しているタミヤのピンバイスは、2種類の大きさのものがありますが、**ダメージ表現に使うことを考えると、大きなD型のほうがオススメです。**D型は付属のアタッチメントを交換することで、細いドリル刃から太いものまで幅広く対応できます。MGスケールのガンプラであれば、太い3mm径のドリルを使うこともあるでしょう。

オススメのピンバイス

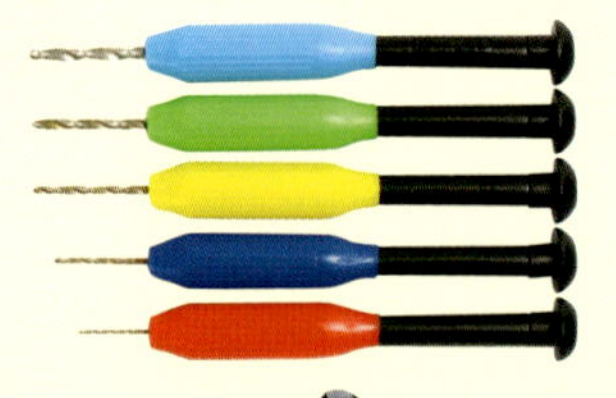

ピンバイス5本セット ドリル刃固定タイプ／GSIクレオス
ドリル刃固定式で、1mm、1.5mm、2mm、2.5mm、3mmの5本がセットになっている。付け替えの手間がいらないので、初心者も使いやすい。

精密ピンバイスD
タミヤ
01.～3.2mmのドリル刃まで幅広く使えるモデル。ダメージ表現などの加工に向く。

精密ピンバイスS
タミヤ
1mm以下の細いドリル刃専用のピンバイス。ディテールアップなどの精密な加工に使用する。

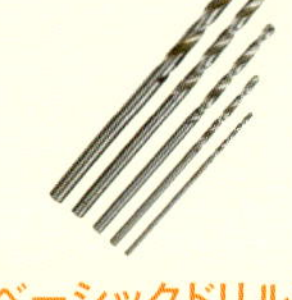

ベーシックドリル刃セット／タミヤ
タミヤのピンバイスはドリル刃が別売り。よく使う径がセットになったベーシックセットがオススメだ。

精密ピンバイスDの使い方

ドリル交換式のピンバイスは、使用するドリルの径を選べるので便利だが、ドリル刃の付け替えが少し複雑。まずはピンバイスの構造から理解しよう。

1 精密ピンバイスDの構造をチェック

D型は本体が3分割で、中に「チャック」というドリル刃を取りつける部品が収められている。

2 別売りのドリル刃セットを用意する

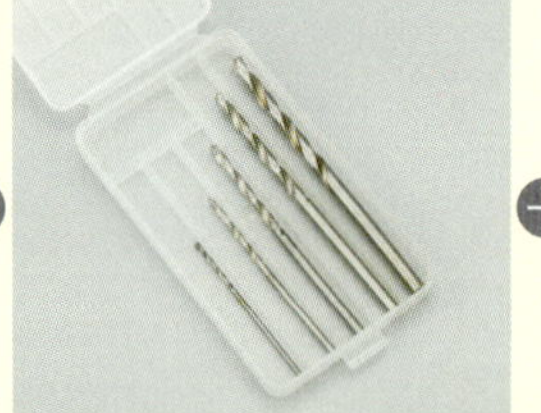

別売りのドリル刃セットを用意。ガンプラには1mm～3mmのベーシックセットがちょうどよい。

3 使わないチャックは内部に収納できる

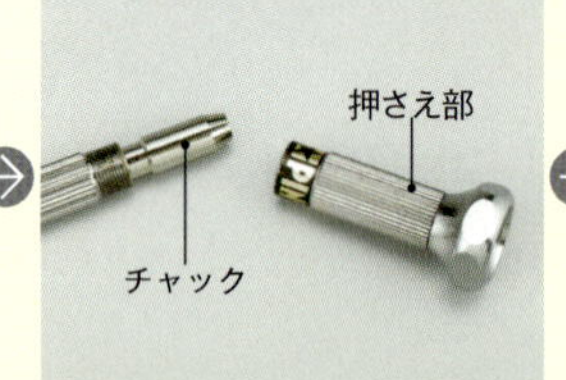

使用していないチャックは、押さえ部側に収納できるのでなくす心配がない。

4 ドリル径に合わせてチャックをセット

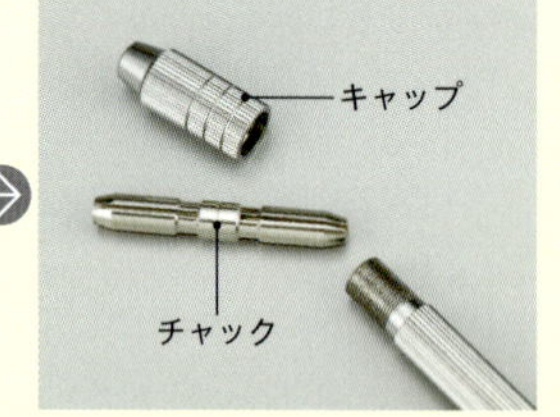

使用するドリル刃に合うチャックを、キャップ側にセットする。チャックの両端はちがう径になっている。

5 ゆるめた状態までキャップをねじ込む

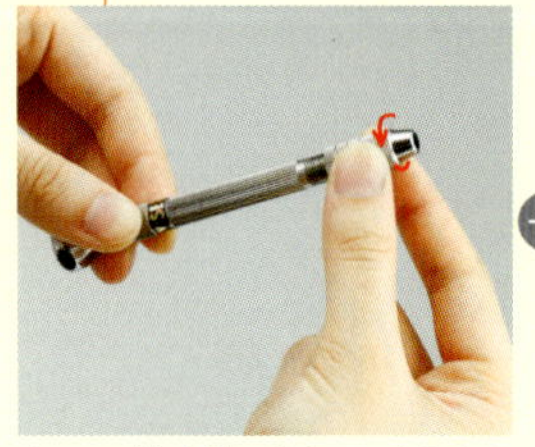

キャップを本体に入れて、少しゆるめた状態までねじ込んでおく。

6 チャックの先にドリル刃を入れる

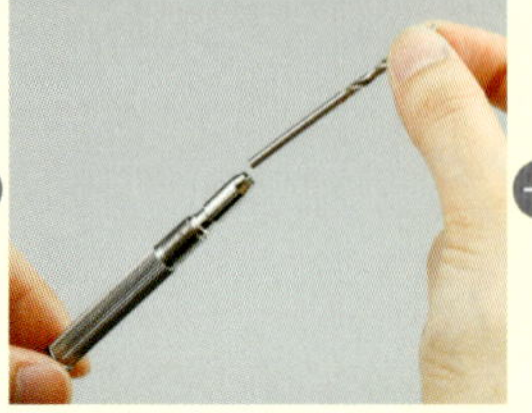

キャップをゆるめた状態で、ドリル刃を差し込む。写真はチャックを見せるために、キャップを外している。

7 キャップを締めつけてドリル刃を固定

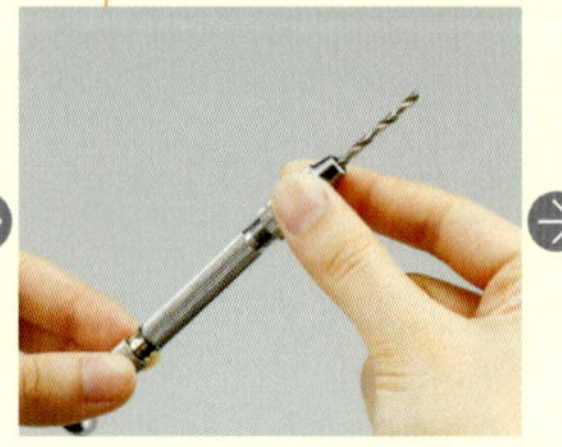

ドリル刃をセットしたら、キャップを最後までねじ込んでしっかり固定する。

8 まっすぐに当てて穴を開ける

細い刃はパーツの表面に垂直にドリルを当てて回していく。刃が折れるおそれがあるので、途中で曲げない。

ウェザリングに役立つそのほかのツール

▶ ウェザリングに使えるツールは数多くある。**アイデア次第で、どのようなものでも使える**からだ。ホームセンターや百円均一ショップなどもウェザリングツールの宝庫だ。

▶ **汚しにはエナメル塗料と筆、ダメージ表現にはホットナイフ**などがあると便利だ。

汚し表現に便利なもの

チッピング（→P.185）など、汚し表現に役立つアイテムとして、エナメル塗料や筆などを用意しておきたい。

エナメル塗料

ウェザリングには下地の塗装を侵しにくく、伸びがよく、乾きが遅いエナメル塗料が適している。よく使う下の色を用意しておくと便利。ただし、ウォッシングには不向き。

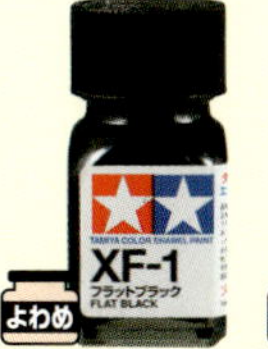

タミヤカラー
エナメル塗料
フラットブラック（XF-1）

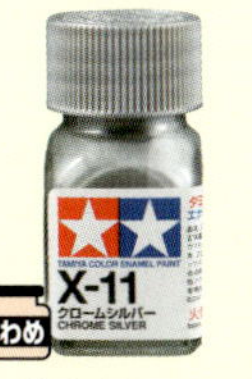

タミヤカラー
エナメル塗料
クロームシルバー（X-11）

タミヤカラー
エナメル塗料
ダークグレイ（XF-24）

平筆・面相筆

平筆はウォッシングやパステルを塗るときに使用する。面相筆は細部のウェザリングに不可欠だ。ほかにドライブラシ用の使い古した筆があるとよい。

ティッシュ・綿棒

ウェザリングでは、ティッシュと綿棒が大活躍する。綿棒は一般のものだとケバが出やすいので、模型用のものがあるとよい。

キムワイプ

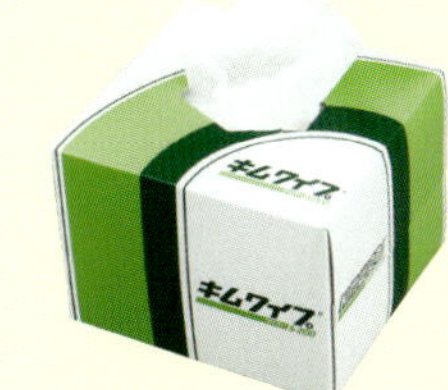

化学実験などのために開発された紙製のウエス。ケバや粉が出にくいので、プラモデルづくりにおいて、ティッシュの代わりにも活用されている。

ダメージ表現に便利なもの

ダメージ表現は直接パーツに傷をつけるので、熱で焼き切るホットナイフなどのツールがあると便利。

コテライザーオートミニ

ガス式のハンダゴテ。ライター用ガスを充填して使用するので、コードレスで使える。別売りの専用アタッチメントに交換して、ホットナイフや熱風を出すブローノズルにできる。

熱・火気注意！

<アタッチメント>

コテ先（φ1）※付属

ホットブローチップ（φ4.7）※付属

ホットカッター※別売り

ホットブローチップ（φ1.8）※別売り

ホットナイフ

電気式のホットナイフ。熱を持った刃で、簡単にプラスチックを焼き切ることができる。比較的安価なので、入手しやすい。

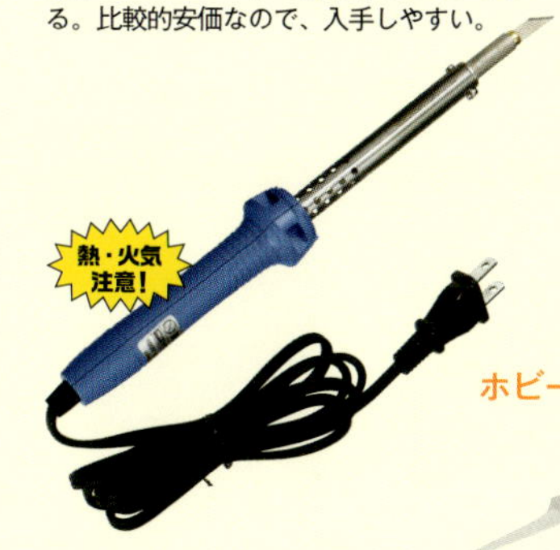

線香・ライター・灰皿

線香を使えば、簡単にダメージ加工ができる。どれも百円均一ショップで手に入る。線香を使うときは、必ず灰皿を用意しよう。

ホビー用のこぎり

パーツの切断は、ホビー用のこぎりを使うときれいに切れる。先端の細いタイプなら、パーツの細かい切り抜きも可能だ。

その他のツール

下は本書で紹介しているテクニックに必要なものの中で、とくにオススメ度の高いものだ。

木工用ボンド

木工用なので、プラスチックの接着には使えないが、ウェザリングではプラスチック以外の素材も使うので、あると役立つ。

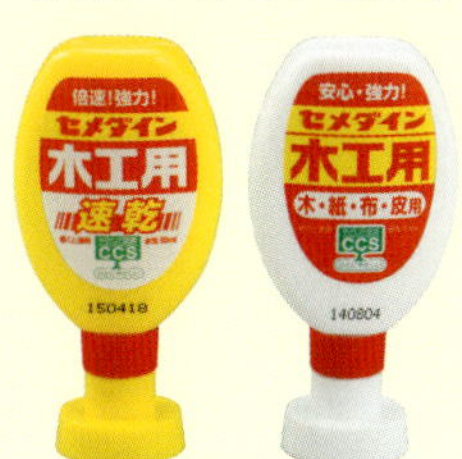

瞬間接着剤

ダメージ表現などで金属素材を用いるときは瞬間接着剤を使用する。スチロール系接着剤では、金属素材を接着できない。

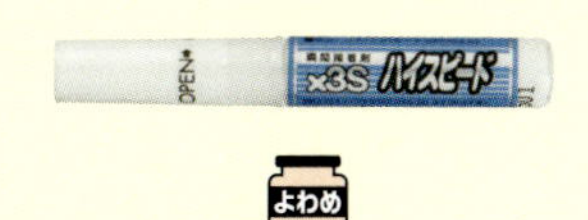

燃料用アルコール

凍結表現に使用される。アクリル塗料に数滴垂らすことで、凍ったような見た目になる。ネット通販などで入手できる。

ウェットティッシュ

つけすぎたウェザリングマスターなどをふき取るのに使用する。きれいにふき取れるので、最初からやり直しができる。

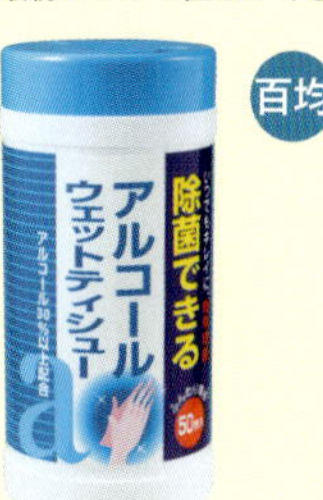

下地づくりと表面保護をする

難易度
かんたん
ふつう
むずかしい

におい
しない
よわめ
つよめ

▶ 塗装しないでウェザリングを行う場合は、**パーツの表面にしっかりと塗料やパステル類を定着させるために、つや消し（もしくは半光沢）のコート剤を吹いておく**必要がある。

▶ 全体的な塗装を行っている場合は、**塗装面が下地代わりになるので基本的にコート剤は必要ない。**

塗装せずにウェザリングをするときは、つや消し（もしくは半光沢）のコート剤を吹いておくのが基本です。**パーツ表面がザラザラすることで、塗料やパステル類が定着しやすくなります。**つや消しか半光沢の塗料で全面的に塗装している場合は、塗装面がザラザラしているので、とくにコート剤を吹く必要はありません。

コート剤には溶剤系と水性系（→P.86）がありますが、基本的にはどちらを使ってもかまいません。ただし、先にアクリル塗料で塗装した場合以外は、**より塗膜の強い溶剤系を使うほうがよいでしょう。**

表面保護のために、**仕上げのコート剤を吹くとよいでしょう。**

ウェザリングの基本的な流れ（塗装なし）

素組み
↓
ダメージ表現
↓
下地のコート剤
↓
使用感・戦場による汚れ
↓
仕上げのコート剤

塗料などを定着させるための下地として、汚し表現を行う前にコート剤を吹く。ひととおり汚し終えたら、再びコート剤を吹いて表面を保護する。

使用する道具

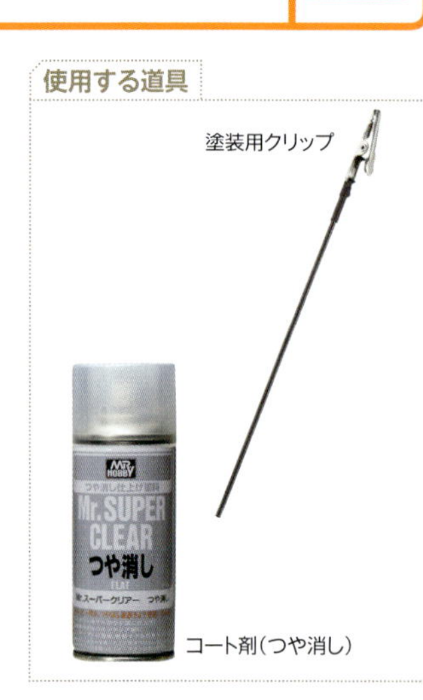

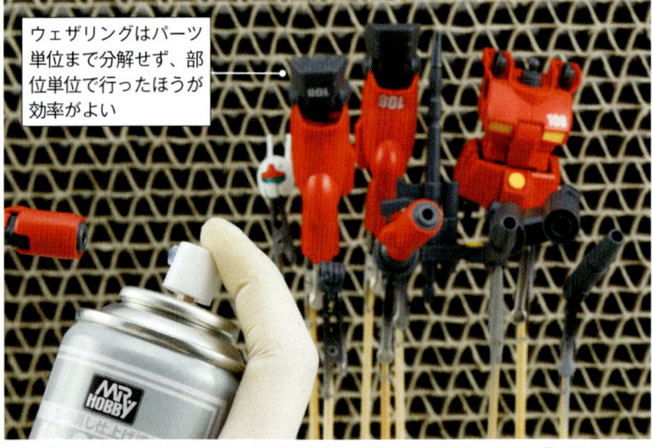

ウェザリングはパーツ単位まで分解せず、部位単位で行ったほうが効率がよい

ウェザリングの下地としては、より塗膜の強い「溶剤系」がオススメ。「水性」も使えるが、「溶剤系」にくらべて塗料などの定着は弱くなる。

コート剤を吹いていれば、コーティングされたパーツの表面がザラザラになって塗料やパステルなどがつきやすくなる。

コート剤で下地をつくる方法 コツ

コート剤を吹くときは、関節部や奥まった部分、パーツが重なる部分にもしっかりと付着するように、部位単位に分解して行おう。換気などに要注意。

1 作業しやすい大きさにキットを分解する

ウェザリングを行いやすいように、キットを分解していく。パーツ単位までバラしてしまうとやりにくい。

2 部位ごとに塗装用クリップをつける

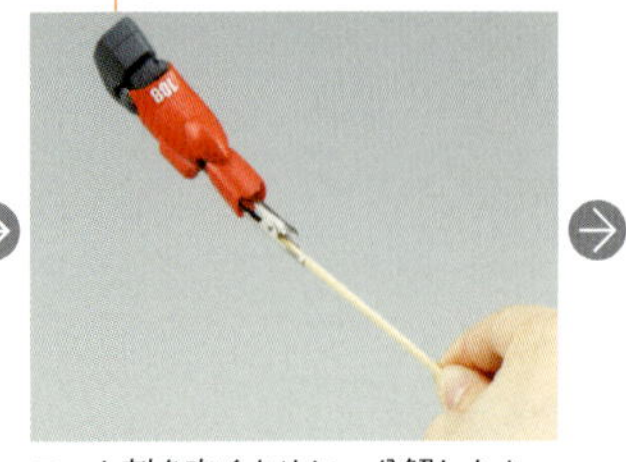

コート剤を吹くために、分解したキットを塗装用クリップにつける。

3 コート剤（つや消し）を吹きつける

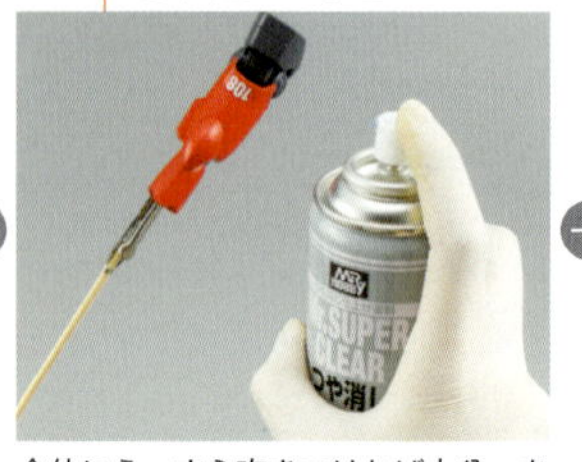

全体にうっすら吹きつければ十分。あまり厚塗りにならないように気をつけよう。

4 よく乾燥させる

ウェザリングでは筆をこすりつけたりティッシュでふいたりするので、コート剤は十分に乾燥させておく。

「つや消し」を使う理由

「つや消し」のコート剤を吹くと、表面が適度にザラザラとした状態になる。そのザラザラ面に塗料やウェザリングマスターの粉などが食い込むので、落ちにくくなる。

下地づくりでコート剤を吹く場合は、「つや消し」を選びましょう。**「つや消し」は、表面をざらついた状態にできるので、ウェザリングマスターやウェザリングパステルのような粉状のものや塗料などが定着しやすくなります。**塗ったばかりのときはあまりちがいが見られないかもしれませんが、コート剤を吹いていないものは、作業しているうちに塗料や粉が手についたり、こすれたりしてどんどんはがれてしまいます。「光沢」を吹いた場合も同じです。「つや消し」や「半光沢」を吹いてパーツの表面がザラザラした状態になることで、ウェザリング用の下地になるのです。

下地のコート剤のメカニズム

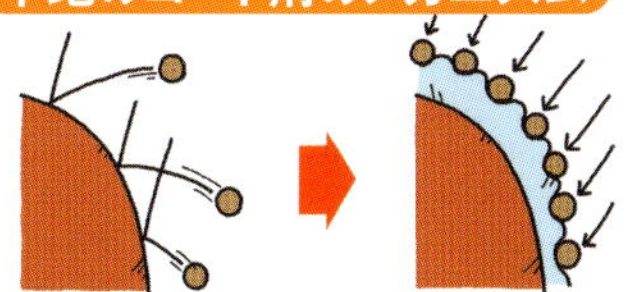

「つや消し」のコート剤を吹くことで、パーツの表現がザラザラした状態になる。そのデコボコ面に塗料や粉が入り込んで、定着しやすくなる。

素組みのキットにウェザリングマスターを塗った

素組みのキットの胸部に、ウェザリングマスターのシルバーを塗ったところ。金属らしく見える。

ティッシュでこすり落とした

質感を調整しようと、ティッシュでこすって落としてみたら、ほとんど全部取れてしまった。

つや消しのコート剤を吹いてウェザリングマスターを塗った

先につや消しのコート剤を吹きつけてから、胸部にウェザリングマスターのシルバーを塗ってみた。

ティッシュでこすってもなかなか落ちない

ティッシュでこすってみたところ、ウェザリングマスターはそれほど落ちなかった。

仕上げにコート剤を吹く理由

ウェザリングの作業がひと通り終わったら、仕上げとしてコート剤を吹いて表面を保護したほうがよい。

下地にコート剤を吹いていたとしても、手で何度も触っていれば、少しずつ塗料や粉が落ちてしまいます。

そこで、**さらに強力に塗料や粉を保護するために、仕上げとしてもコート剤を吹くようにしましょう。**上から吹きかけられたコート剤によって、塗料や粉がフタをされて、さらに落ちにくくなります。**仕上げでも、塗膜面がザラザラした状態になる「つや消し」を使用するとよいでしょう。**

1 ウェザリング後に仕上げのコート剤を吹く

ウェザリングマスターやウェザリングパステルのような粉状のツールを使った場合は、とくに仕上げのコート剤を吹いたほうがよい。

仕上げのコート剤のメカニズム

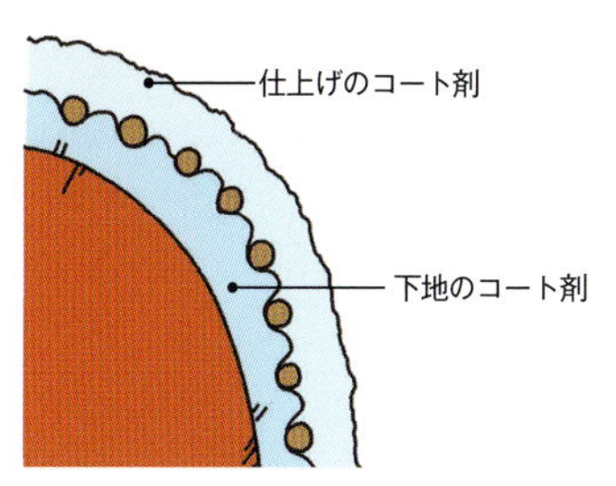

下地のコート剤で塗料や粉の入る部屋をつくり、仕上げのコート剤でフタをするイメージ。二重のコート剤で万全となる。

POINT

クリアパーツにコート剤がついたときの対処法

ウェザリングをする場合でも、クリアパーツは透明のままのほうがいい。もし、クリアパーツにつや消しのコート剤がかかってしまった場合は溶剤を綿棒などにつけて、クリアパーツの部分だけふき取ろう。

コート剤が付着

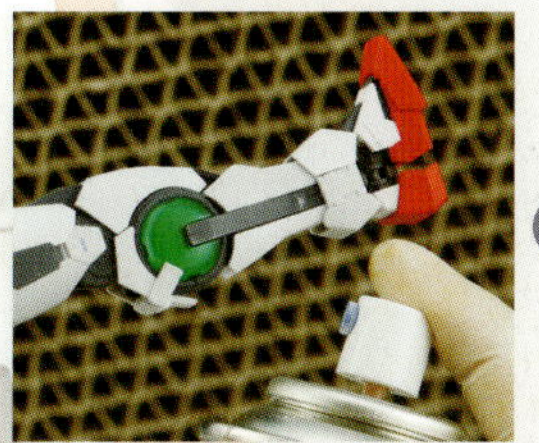

下地のためにつや消しのコート剤を吹いたら、クリアパーツにもかかってしまった。

溶剤をつけてふき取る

水性のコート剤なら水性ホビーカラーうすめ液で落ちる

クリアパーツについたコート剤は、対応する溶剤をつけた綿棒でふき取れる。

クリアパーツの輝きが復活

ウェザリングをするにも、クリアパーツにはガラスらしさがあったほうがリアル。

使用感・経年劣化を表現する①
装甲の汚れ(リアルタッチマーカー)

難易度: かんたん / ふつう / むずかしい
におい: しない / よわめ / つよめ

▶ **リアルタッチマーカーでもウォッシングのような効果**で、リアルな装甲の汚れを再現できる。

▶ リアルタッチマーカーでのウェザリングのコツは、**ティッシュなどでのふき取り加減**。そして、極意は**2色以上のリアルタッチマーカーを組み合わせること**にある。

HGUC ガンダムGP01 ゼフィランサス

ウェザリングの基本テクニックの1つに「**ウォッシング**」があります。薄めた塗料を塗り、乾く前に素早くふき取ります。残った塗料がちょうどパーツの角やフチに残ったり、うっすら汚れたようになったりするので、キットの質感がぐっとリアルになります。

この**ウォッシングと同じ効果が、リアルタッチマーカーでも得られます。まずは大胆に塗り、そしてていねいにふき取っていきましょう**。

使用する道具

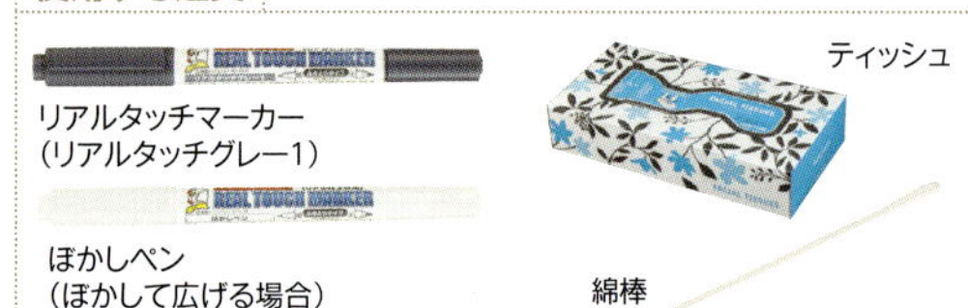

リアルタッチマーカー(リアルタッチグレー1)
ぼかしペン(ぼかして広げる場合)
ティッシュ
綿棒

全体を塗ってふく方法

リアルタッチマーカーを全体に塗ってから、ティッシュや綿棒でふき取っていく。うっすらと残る塗料が、装甲のリアルな汚れを再現してくれる。

1 リアルタッチマーカーで全体を塗る

大胆にガシガシと塗りたくる

下地につや消しのコート剤(→P.176)を吹いて準備ができたら、パーツ全体にリアルタッチマーカーを塗る。ここでていねいに塗る必要はない。

2 ティッシュなどでリアルタッチマーカーをふき取っていく

ボディの縦方向にふくようにする

リアルタッチマーカーを塗ったら、すぐにティッシュなどでふいていく。ためらわずに、どんどんふき取っていい。

3 細部は綿棒を使ってふきバランスを整えて完成

細かいところは綿棒も使って調整しよう

ふいているうちに、ふき取りやすいところと、ふき取りにくいところでメリハリがついて立体感が出てくる。それで完成だ。

ぼかして広げていく方法

全体に塗って、全部ふくのは大変だと思ったらもっと省エネな方法もある。リアルタッチマーカーで全体に点を打ってから、それをぼかしペンで伸ばしていく。

1 リアルタッチマーカーで全体に点を打つ

つや消しのコート剤を吹いてから、部位ごとに点を打っていく。まずは少なめで打っていき、徐々に増やしていく。

2 ぼかしペンで点をぼかして広げていく

ボディの横方向にぼかさないように

打った点をぼかしペンでこすってのばしていく。点がわからなくなって、全体に伸びたらOK。

3 バランスを見ながら綿棒で整える

足りなければ点を足していく

ティッシュや綿棒で調節する。薄いところ、濃いところがねらったとおりになっているかよく見る。

4 自然な汚れになったら完成

全体に陰影のバランスが整ったら出来上がり。浅めのウォッシングならこのテクニックが有効だろう。

色の選び方

リアルタッチマーカーにはさまざまなカラーバリエーションがあるが、基本的にグレー系は何色にでも合う。ほかの色も試してみたい。

ブルー系のキットには同系色のブルーが合う

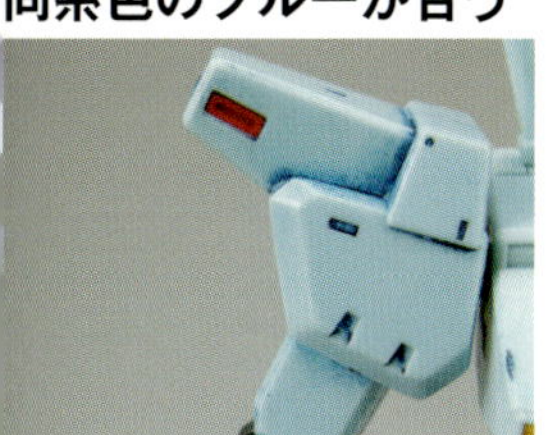

ブルー系のキットにブルーのリアルタッチマーカーを使うと、光の陰影を強調した様子になる。

レッド系キットにワインレッドで陰影を

レッド系のキットは、ワインレッド、ブラウン、ライトブラウンなどの暖色が基本になるだろう。

グリーン系にはグリーンをメインに

グリーンのリアルタッチマーカーは量産型ザクなど、ジオンの量産機によく似合う。

プラスα ティッシュよりキレイに仕上がる「キムワイプ」

仕上がりをもっとよくしたいならキムワイプを使ってみよう。特殊加工でケバが出にくく、ふき取り力が高いので、より細かな表現の調整が可能になる。

重ね塗りで陰影をつける方法

リアルタッチマーカーでのウォッシングをハイレベルに引き上げるテクニックを紹介。あとは組み合わせのアイデア次第で可能性は無限大だ。

1 グレー1で全体を塗ってふき取る

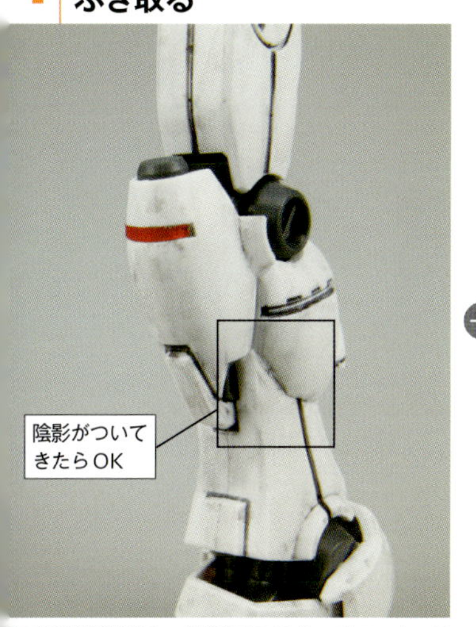

まずは通常通りに、全体をリアルタッチマーカーで塗り、ティッシュや綿棒でふき取る。ぼかして広げる方法でもOK。

2 ブラウンで影を強調していく

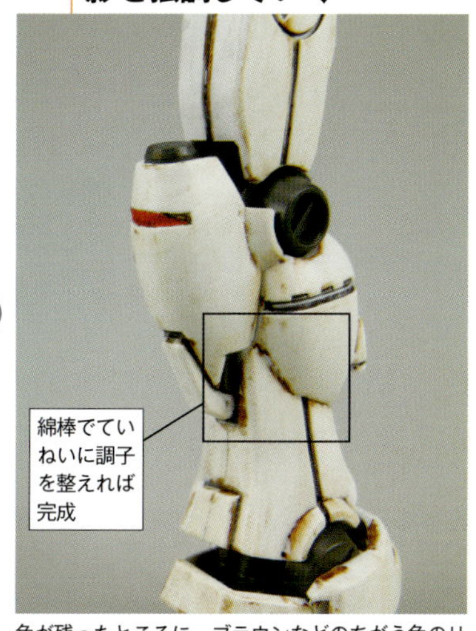

色が残ったところに、ブラウンなどのちがう色のリアルタッチマーカーを塗っていく。1色だけ塗ったときより、深くてリアルな質感を再現できる。

NG 横に塗る&ふく色のミスマッチに注意

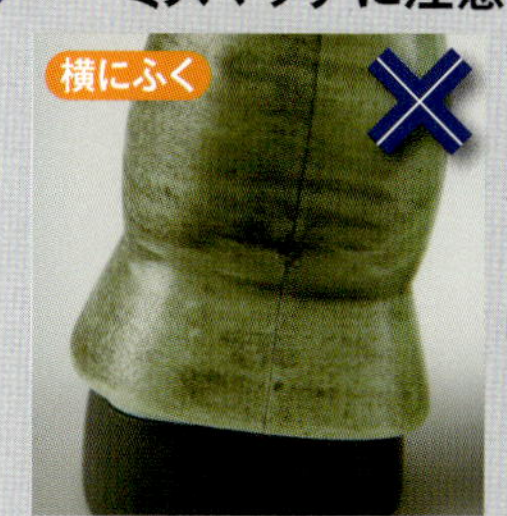

装甲の汚れは、通常は重力によって、上から下に流れるようにつくもの。横方向に流れているのは不自然に見えてしまう。

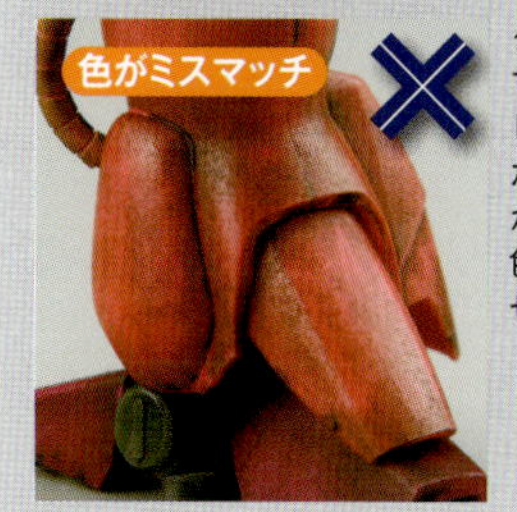

グリーン系のマーカーで汚したが、いったい何の汚れかわからない。色の組み合わせを考えよう。

ふき取り方による仕上がりのちがい

ふき取る道具によっても、ウォッシングの効果が変わってくる。ふき取りによく使われるのは、ティッシュと綿棒だ。

ふき取る強さでも、ウォッシング効果が変わってくる

どのぐらいまでふき取るかで、質感はどんどん変化する。強くふくと下地のコート剤もはがれるが、あとでもう一度全体に吹けばいい。

ほどほどにふき取ると、リアルタッチマーカーの色がある程度残って、陰影を強く出すことができる。

ふき取るものでウォッシングの効果が変わる

ティッシュの場合は、全体に同じぐらいのウェザリングを施すことができる。

綿棒でふく
狭い面をふき取れるので、陰影をつけやすい

綿棒を使うと細かくふき取ることができ、グラデーションに似た効果を出せる。

使用感・経年劣化を表現する②
装甲の汚れ（ウェザリングマスター）

難易度：**かんたん** / ふつう / むずかしい
におい：**しない** / よわめ / つよめ

▶ ウェザリングマスターBセットの「スス」を使えば、簡単に装甲の汚れを表現することができる。
▶ ポイントは、パーツの角やフチを中心にカラーをつけていき、ティッシュや綿棒で広げながらなじませていく。全身にバランスよく行おう。

装甲の汚れは、使用感や長い戦歴を表現する基本的な汚れといえるでしょう。汚れが陰影にもなって、機体の細部を際立たせる効果も出てきます。**ウェザリングマスターを使えば、粉を塗りつけるだけで簡単に装甲の汚れをつけることができます。**素組みしただけのキットでも、塗装してあるキットでも有効です。とくに塗装している場合は、**Bセットのススがオススメ**です。装甲の汚れは1カ所だけにつくことはないので、**全身のバランスを見ながらつけていきましょう。**

使用する道具

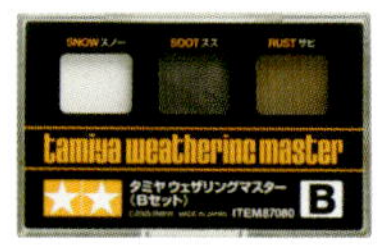

ウェザリングマスターBセット

ティッシュ

綿棒

ウェザリングマスターで装甲を汚す方法

ウェザリングマスターを使えば、手軽に装甲の汚れを表現できる。微調整はティッシュや綿棒で。

1 ウェザリングマスターを準備する

装甲の汚れはBセットのススが向いている。付属のスポンジにたっぷりと粉をつける。

2 エッジを中心に汚れをつけていく

装甲の角や継ぎ目などをなぞるように汚していく

下地としてつや消しのコート剤を吹いてから（→P.176）、ススの粉をつけていく。

3 ティッシュや綿棒でなじませて完成

広いところはティッシュ、細かいところは綿棒で、余分な粉を落としてなじませていく。

プラスα ウェザリングパステルでもOK!

ウェザリングパステルセット2の「チャコールグレー」も、装甲の汚れの表現に使うことができる。

POINT 画材用のパステルもウェザリングツールになる

画材屋や百円均一ショップなどで市販されているパステルも、立派なウェザリングツールになる。チョークのようになっているので、まずはカッターなどでけずって粉状にする。その粉を筆や指につけて、キットに塗りつけていけば、立派な汚し表現ができる。カラーバリエーションが豊富なのもうれしいところ。

市販のパステル

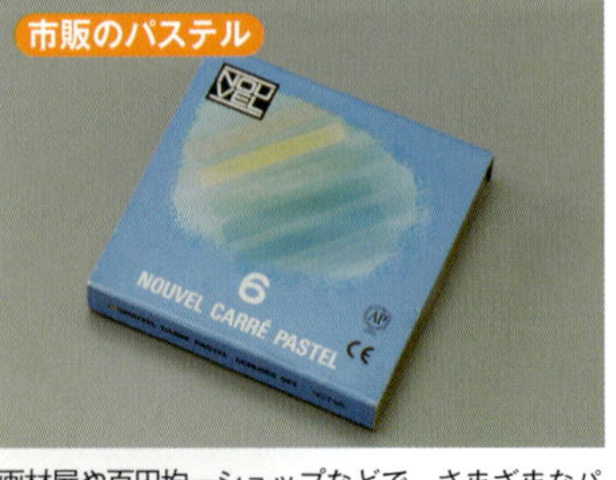

画材屋や百円均一ショップなどで、さまざまなパステルが市販されている。

カッターで粉にする

パステルをカッターなどでけずって、粉状にする。複数の色を混ぜて使うのもありだ。

使用感・経年劣化を表現する③
装甲の汚れ（筆）

▶ ビン入りの塗料を使って装甲の汚れを表現するには、「ウォッシング」のテクニックを使う。**洗うように全体的に筆で塗って、ティッシュや綿棒でこすり落とすことで汚れを表す。**

▶ 油彩系塗料はエナメル系に比べてプラを侵しにくいが、**関節パーツなどにつけすぎないように注意する。**

薄めに希釈した塗料をパーツ全体に塗り、ティッシュなどでふき取っていきます。これは**ウォッシング**と呼ばれるテクニックです。モールドやへこみ、角などについた塗料がふき残されるので、長期間使用した感じの汚れや装甲の経年劣化を表現することができます。**使用する塗料は下地の塗装やプラスチックを侵しにくい、Mr.ウェザリングカラーがよいでしょう。**ふき取り具合で印象が変わりますので、いろいろ試してみましょう。

使用する道具

Mr.ウェザリングカラー（ステインブラウン、マルチブラック）

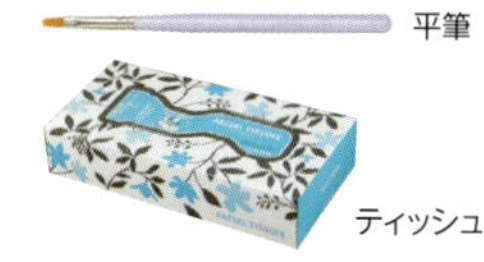

綿棒
平筆
ティッシュ

※必要に応じて、ブラシエイドなど筆を洗うツールを用意。

塗料でウォッシングする方法 よわめ

ポイントは、部位ごとの汚れ具合にばらつきが出ないようにすること。全体を見ながら、調整していこう。

1 Mr.ウェザリングカラーを用意する

Mr.ウェザリングカラーのステインブラウンとマルチブラックを用意。2色以上混ぜると絶妙な色調を表現できる。

2 平筆でバシャバシャと塗る

Mr.ウェザリングカラーはちょうどいい濃さになっているので、希釈せずに平筆につけ、全体に塗りつける。

3 塗料をティッシュで落とす

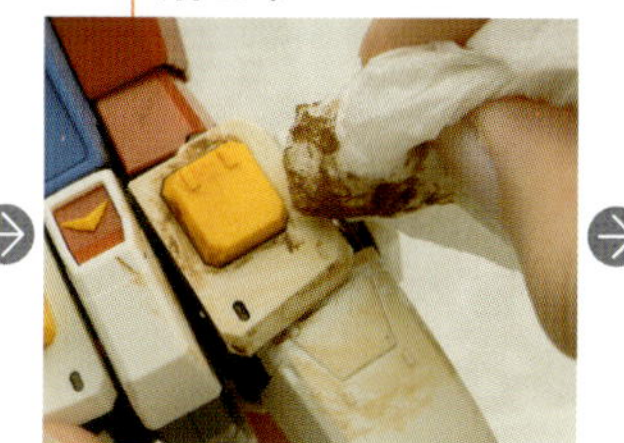

乾く前にティッシュでふき取っていく。ほとんどふき取ってしまうくらいでも、汚れがほどよく残る。

4 細かいところは綿棒で調整する

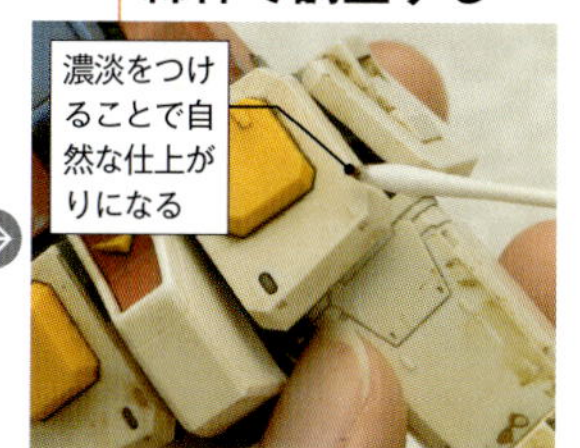

細かいところに塗料が多く残っていたら、綿棒でふき取って仕上げていく。

プラスα 色を選んでウォッシュ

Mr.ウェザリングカラーは色の種類が豊富。狙う汚れ方に合わせて、カラーをチョイスしよう。

プラスα うすめ液は水筆で手軽に

水筆の中にうすめ液をスポイトで注入すれば、手軽に適量のうすめ液を塗ることができる。水筆は百円均一ショップなどでも入手可能。

ウォーターブラシ（水筆）
細筆／ステッドラー

NG 合わせ目に塗料が流れ込まないように注意！

パーツの合わせ目に塗料が流れ込むと、不自然に目立ってしまう。塗料が流れ込まないように注意し、もし流れ込んでしまった場合は乾く前にティッシュなどでふき取ろう。

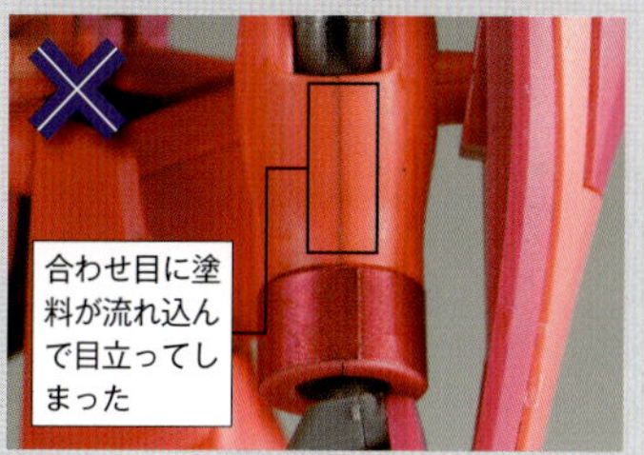

使用感・経年劣化を表現する④
塗装のはげ(リアルタッチマーカー)

難易度：かんたん／ふつう／むずかしい
におい：しない／よわめ／つよめ

- 装甲の塗装のはげは「ハゲチョロ」とも呼ばれ、「チッピング」というテクニックで表現する。
- リアルタッチマーカーで装甲の塗装のはげを表現することができる。**コツはパーツの角やフチに点を打っていき、全体的にバランスよく増やしていく**こと。

MG RX-79(G)陸戦型ガンダム

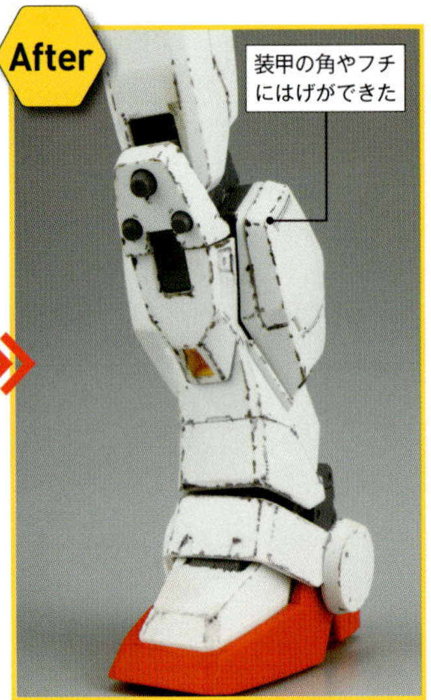

モビルスーツは自動車などと同じように、装甲に塗装を施しています。何かにぶつかったり、こすれたりすれば、塗装面がはげて下の金属が露出します。

プラモデルで、そのような状態(ハゲチョロ)を表現するテクニックに「チッピング」があります。パーツの角やフチなどに点を打つように塗料をつけていくことで、装甲がはげて下の金属がむき出しになったように見せるものです。**リアルタッチマーカーならペン先で軽くつつくだけでできるので、初心者にもオススメです。**

使用する道具

リアルタッチマーカー
(リアルタッチグレー1、
リアルタッチグレー2)

ティッシュ

綿棒

リアルタッチマーカーでチッピングする方法

最初のうちはついやりすぎてしまうが、全体を見ながらほどほどにつけていく。足りなければ、少しずつ追加していく。

1 リアルタッチマーカーでパーツの角に点を打つ

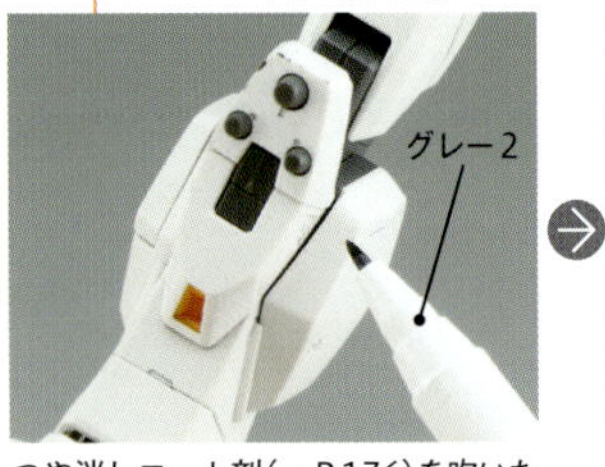

つや消しコート剤(→P.176)を吹いたパーツに、リアルタッチマーカーのグレー2で角を中心に点を打っていく。

2 バランスを見ながら増やしていく

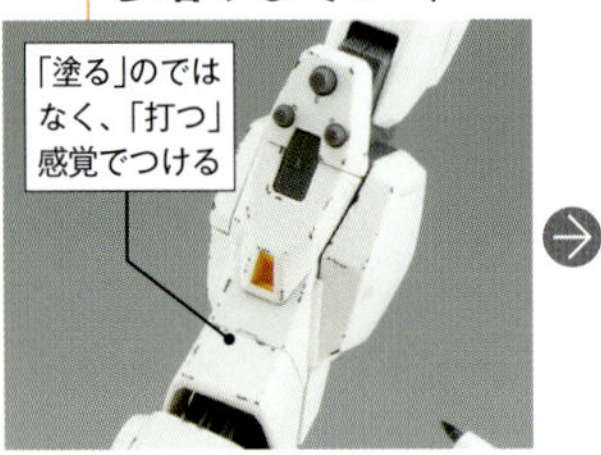

「塗る」のではなく、「打つ」感覚でつける

エッジやモールド周辺など、塗装がはげそうなところはどこか考えながら、少しずつチッピングを増やしていく。

3 2色以上使って変化をつける

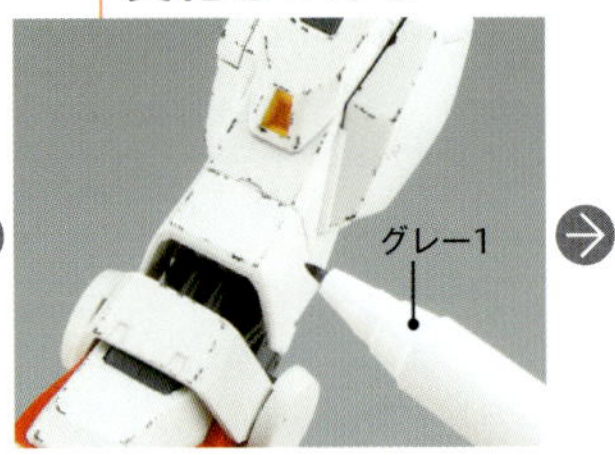

1色だと単調になるので、リアルタッチマーカーのグレー1など、別の色のマーカーも使って表現を深めていく。

4 全体を見ながらバランスを整える

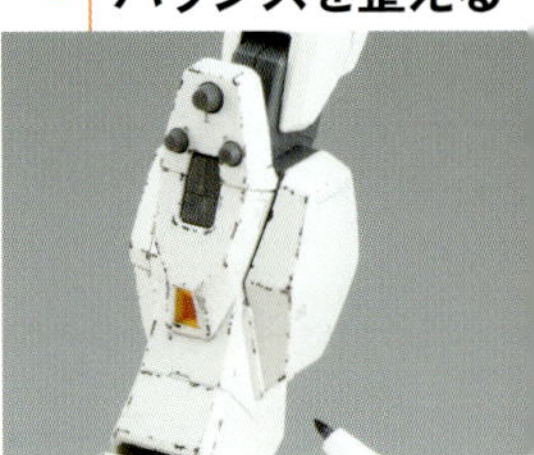

最後に全体を見て、かたよっていたり忘れていたりするところがないかをチェックする。

POINT 線ではなく点を打つ

チッピングは塗料を塗ることで、装甲がはげている様子を表現するものなので、「塗った」という感じがわからないほうがリアルに見える。自然な仕上がりにするポイントは、「点を打つ」ようにチッピングすることだ。

ハゲチョロは装甲の角に何かがぶつかって、塗装がはげてしまったという表現。点を打つようにすることで、自然なはげが出来上がる。

線を描くように塗った
△

普通に塗っていくと、いかにも「塗った」という印象になってしまう。派手にはげたという設定なら OK だが、やや大げさに見える。

使用感・経年劣化を表現する⑤
塗装のはげ（ガンダムマーカー）

難易度: かんたん / ふつう / むずかしい
におい: しない / よわめ / つよめ

▶ 成型色が濃い色の場合は、色の薄いリアルタッチマーカーではうまく見えない。**「ガンダムマーカー 塗装用」でチッピングすれば、しっかりと塗装のはげを表現できる。**

▶ ポイントはブラックとシルバーの2色を使い、**黒フチをつくることで立体的に見せる**こと。

リアルタッチマーカーはどちらかというと色が薄いので、黒系や濃紺系の機体につけてもあまり目立ちません。そこで、**濃い色のパーツには、はっきりした色がつき、シルバーなどのラインアップもある塗装用のガンダムマーカーがオススメです。**ポイントはシルバーでチッピングする前に、**黒のマーカーを塗っておく**こと。これがフチどりのようになって立体感が生まれます。仕上げとして、ティッシュや綿棒で少しずつぼかして、なじませればリアルなはげになります。

使用する道具

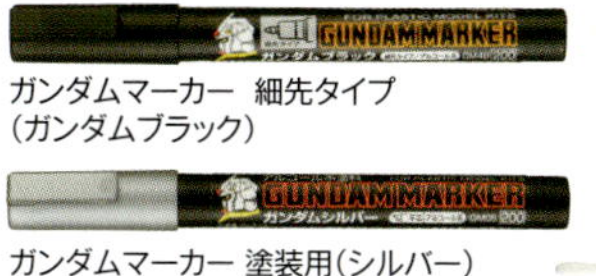

ガンダムマーカー　細先タイプ（ガンダムブラック）

ガンダムマーカー 塗装用（シルバー）

ティッシュ

綿棒

ガンダムマーカーでチッピングする方法

成型色が濃いパーツにチッピングを行う場合は、ガンダムマーカーがオススメ。リアルタッチマーカーよりもはっきりした色がつく。

1 先に黒色のガンダムマーカーを塗る

ここでは「ガンダムブラック細先」を使用

下地につや消しのコート剤を吹き(→P.176)、まずは黒色でチッピングする箇所を塗っていく。一度に全部やらずに、様子を見ながら少しずつ塗る。

2 黒色の部分に沿うようにシルバーを塗る

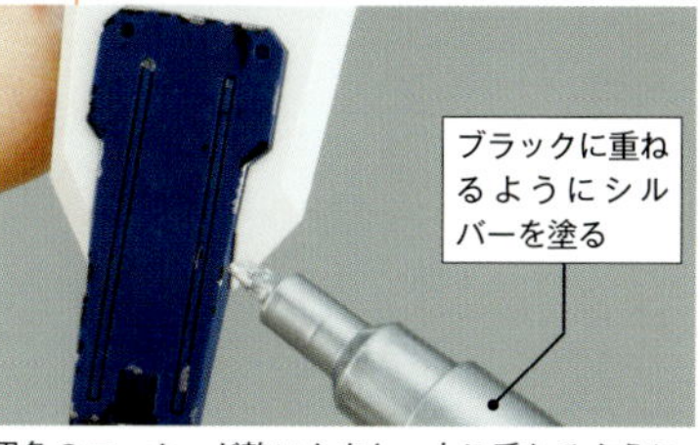

黒色のマーカーが乾いたあと、上に重ねるように、シルバーのガンダムマーカーを塗っていく。黒が銀のフチになるように塗るとよい。

3 全体にバランスを整える

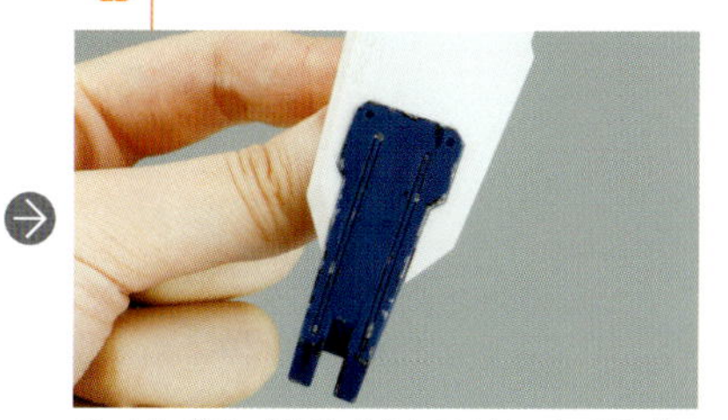

チッピングは一度にたくさんつけないで、少しずつ増やしていくのがポイント。常に全体のバランスを確認しながら行うようにしよう。

POINT パーツ色に合わせて色を使い分ける

チッピングで使える色はシルバー系だけではない。スミ入れの色選び(→ P.93)と同じように、キットの成型色や塗装色に合わせてチッピングの色を選ぶと、さまざまな質感を楽しむことができる。ただし、迷ったら万能なシルバー系を選ぼう。

成型色が濃い場合はシルバー系が合う

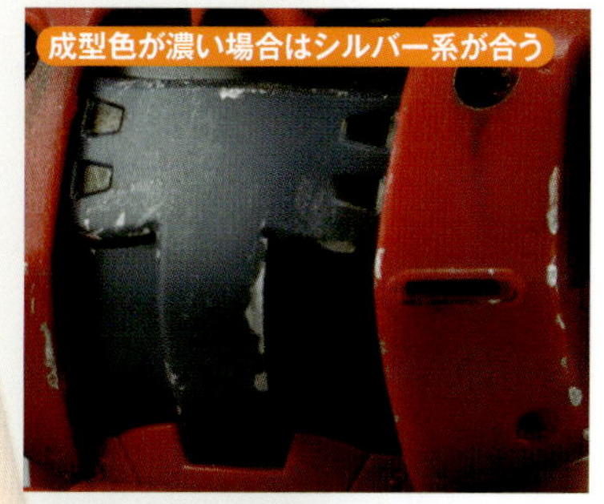

黒や濃紺、ダークレッドなど、成型色が濃い場合は、シルバー系で金属感を出す。濃い色とシルバーでメリハリがついて、リアリティがアップ。

グレー系の成型色にはブラウン系も合う

グレー系のパーツであれば、ブラウン系のガンダムマーカーを使うのも面白い。少しサビが混ざった様子にもなる。

使用感・経年劣化を表現する⑥
塗装のはげ（ウェザリングマスター）

難易度：かんたん／ふつう／むずかしい
におい：しない／よわめ／つよめ

- ▶ウェザリングマスターで、塗装のはげを表現することができる。
- ▶ウェザリングマスターCセットのシルバーを、装甲の角やフチに塗っていく。塗装が広い範囲で薄くこすれた感じになる。

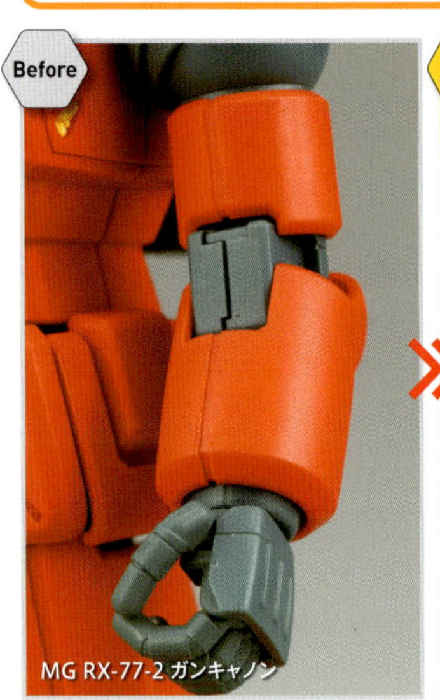

塗装のはげは、ウェザリングマスターを使って表現できます。マーカーや塗料を使って行うチッピングにくらべて、広い範囲が薄くこすれたような印象になります。モビルスーツは金属の上に塗装しているので、どこの戦場で、どのような使われ方をしていても塗装がはげる可能性はあります。「完成したものの少し物足りないな」「使用感を高めたいな」と思ったら、ウェザリングプランに塗装のはげを入れてみましょう。

使用する道具

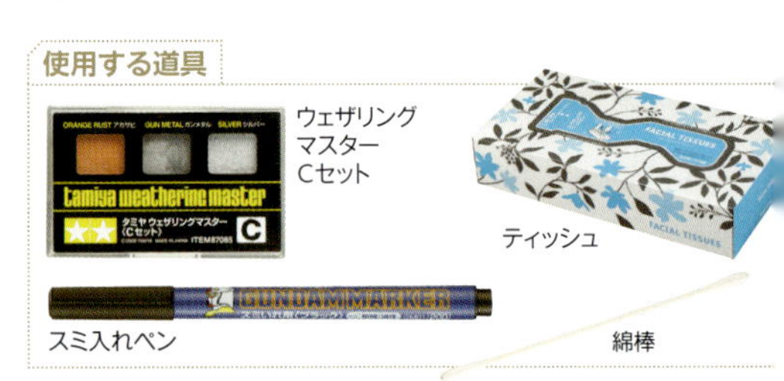

ウェザリングマスターで塗装のはげを表現

塗装のはげを表現するには、Cセットのシルバーがオススメ。広い面が薄くはげて、地の金属素材が見えている様子をつくれる。

1 ウェザリングマスターCを用意

キットにつや消しコート剤（→P.176）を吹いておく。ウェザリングマスターCセットのシルバーを使う。

2 スポンジでフチや角から塗っていく

ゴシゴシと塗りつけるようにする

パーツの角やフチなど、こすれてはげやすいところに、付属のスポンジでシルバーの粉をつけていく。

3 装甲のフチを中心に増やしていく

パーツ中央部にはあまりつけないように気をつける

フチを中心に、内側へも少しずつ塗っていく。同じ箇所でもつけ方にメリハリをつけると、自然な印象になる。

4 全体にバランスを整えて仕上げる

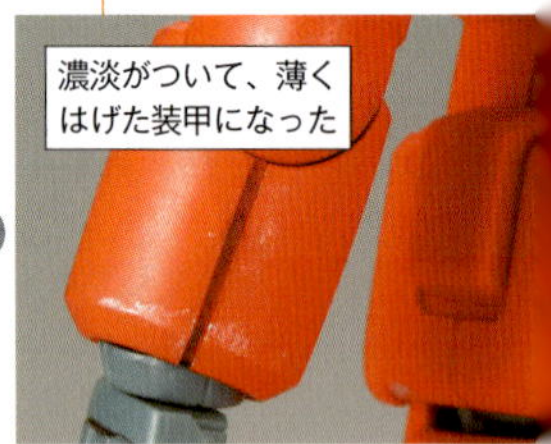

濃淡がついて、薄くはげた装甲になった

機体の全体に施して、バランスを整える。スミ入れなども行っておく。

POINT やりすぎに気をつけよう

ウェザリング全般に共通することだが、「やりすぎ」には気をつけたい。とくにウェザリングマスターは手軽に使えるので、ついやりすぎてしまう。自然な仕上がりになるように、ほどよく抑えることが上達へのポイントだ。

エッジを中心に、少しだけつけた。ひかえめながら、輪郭はすっと立つので、シャープな印象に。

多いところと少ないところのメリハリを意識してつけた。シルバーになった部分が際立って見える。

装甲の質感が変わるくらいに、しっかりつけた。最前線で奮戦しているモビルスーツという印象だ。

使用感・経年劣化を表現する⑦
塗装のはげ（筆）

難易度：かんたん／**ふつう**／むずかしい
におい：しない／**よわめ**／つよめ

▶塗料でチッピングをするときは、**乾きが遅くて伸びのよいエナメル塗料がオススメ**だ。
▶装甲の角やフチなど、塗装がはげそうなところに**面相筆でクロームシルバーを塗っていく**。さらに**ダークグレイやフラットブラックを塗って陰影をつける**。

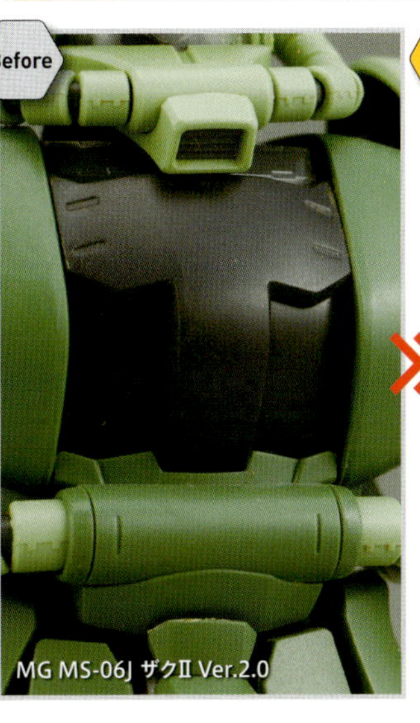

After
塗装がはげて年季が入った量産型ザクに

ウェザリングには、乾きが遅く伸びのよいエナメル塗料が向いています。塗装のはげの表現には、シルバー系の塗料がオススメです。**こすれて塗装がはげそうな箇所を、面相筆でつつくようにして色をつけていきます。**少し大きめのはげをつけたら、その両側にひかえめにはげを並べるなど、メリハリをつけることで全体の完成度が高まります。キット全体のバランスを見ながら、「やりすぎ」に注意してチッピングしていきましょう。

使用する道具

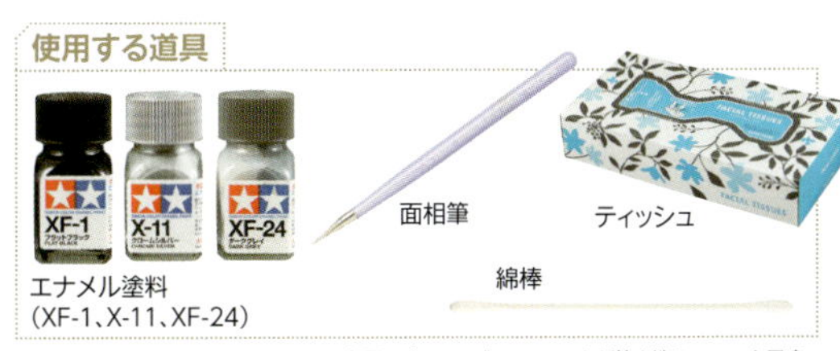

※必要に応じて、ブラシエイドなど筆を洗うツールを用意。

エナメル塗料でチッピングする方法 よわめ

エナメル塗料を使ってチッピングを施す。シルバー以外に、ブラックやグレーも添えて立体感を出す。

1 エナメル塗料を用意する

タミヤカラー エナメル塗料のクロームシルバー（X-11）を使用。チッピングの場合は、とくに希釈は必要ない。

2 フチや角を中心にシルバーを塗る

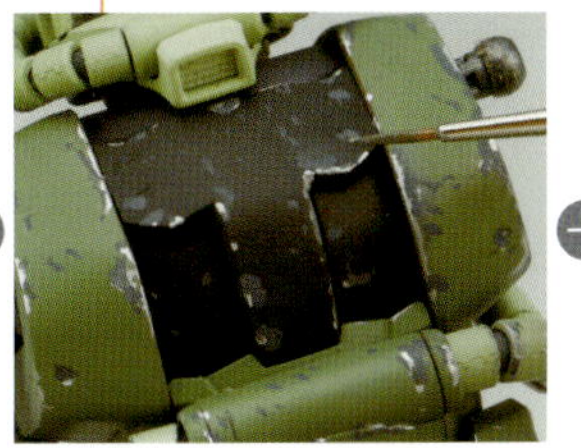

フチや角など、塗装のはげそうなところにシルバーを塗っていく。1ヵ所に集中しないように注意しよう。

3 シルバーの脇にダークグレイを塗る

さらにダークグレイ（XF-24）をクロームシルバーに添えるように塗る。完全になぞる必要はない。

4 3色目を使ってアクセントをつける

フラットブラック（XF-1）をところどころに打って、濃淡を強調する。完全に乾く前に綿棒でこすっておく。

POINT 単調にならないようにしよう

等間隔に同じ大きさでチッピングするなど、単調に塗ると不自然な仕上がりになる。間隔や大きさをランダムに変えつつ、その中で派手さを変えると、ウェザリングプランに合わせて幅広い表現ができるようになる。

「よく見るとはげている」程度にうっすらつける方法もある。ディテールにこだわった出来映えになる。

パーツの角にしっかりとチッピングした。これくらい塗ると、はげが目立ってくる。

装甲のはげがメインになるくらい、派手にした。やりすぎの印象もあるが、プラン次第ではOK。

使用感・経年劣化を表現する⑧
赤サビ（リアルタッチマーカー）

難易度：かんたん／**ふつう**／むずかしい

におい：**しない**／よわめ／つよめ

▶ **リアルタッチマーカー**のみで使うだけで、**長年使い込んだ機体のような赤サビを表現**できる。

▶ リアルタッチマーカーの**ブラウン1とオレンジ1を塗り、ぼかしペンで塗料をにじませ、指先でなじませていく**ことで、リアルなサビを描くことができる。

HG ガンタンク初期型

モビルスーツは金属製の兵器なのでサビをつけるウェザリングを行ってもよいでしょう。実際、鉄がサビると赤黒くなることがありますが、その様子はリアルタッチマーカーで表現することができます。**機体の端や角に点を打つように塗って、指や綿棒などで軽くこすってなじませるだけで、装甲についた赤サビの出来上がりです。**部品交換をせず、長期間戦い続けているモビルスーツには、このような赤サビがついていても不思議ではないでしょう。

使用する道具

リアルタッチマーカー
（リアルタッチブラウン1、
リアルタッチオレンジ1、
リアルタッチグレー1）

ティッシュ

綿棒

ぼかしペン

リアルタッチマーカーで赤サビをつける方法

複数色のリアルタッチマーカーとぼかしペンを駆使する。指先で塗料をなじませるのがコツ。

1 リアルタッチマーカーのブラウン1を打っていく

つや消しのコート剤(→P.176)を吹いたら、ブラウン1で装甲の端などに点を打っていく。

2 ぼかしペンと指でにじませる

ぼかしペンを使って塗料をゆるませてから、指でこすってにじませていく。

3 オレンジ1を塗って同じようににじませる

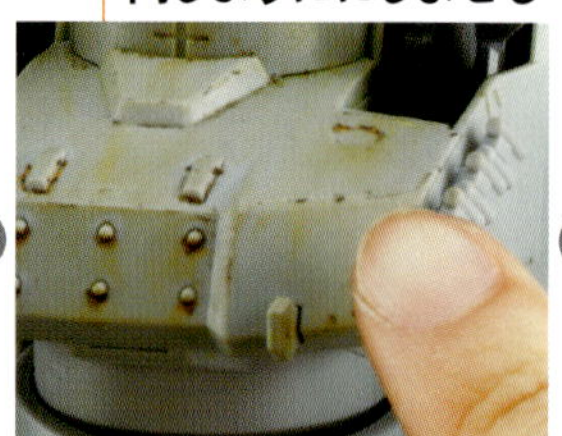

にじんで薄くなったあたりに、オレンジ1で点を打ち、指でにじませていく。

4 3色目はグレー1でアクセントをつける

リアルタッチマーカーのグレー1でくすみをつけると、赤サビに立体感が出る。

POINT サビるところとサビないところを考える

モビルスーツに使われている金属が何かはわからないが、サビがつくという前提で考えてよいだろう。しかし、メインカメラ部分など、絶対にサビないと思われる部分もあるので、やり分けることが大切だ。

サビそうな装甲まわりについている

サビの出そうなところは、装甲が合わさる部分や端、角、ダクトの脇、ボルト周辺などだろう。ダメージがついた箇所にもつきやすそうだ。

ガラスや強化樹脂のようなものはサビない。おそらくメインカメラはサビないと思われるので、この例のようにサビがつくと、違和感が大きくなる。

使用感・経年劣化を表現する⑨
赤サビ（筆）

難易度：かんたん／**ふつう**／むずかしい
におい：しない／**よわめ**／つよめ

▶ エナメル塗料を使うと、本格的に赤サビを表現することができる。**面相筆でキットに赤サビを描く。**
▶ **ハルレッド、クリヤーオレンジを基本**として、**アクセントにダークグレイを使用**する。塗料はあまり薄めないのがコツだ。

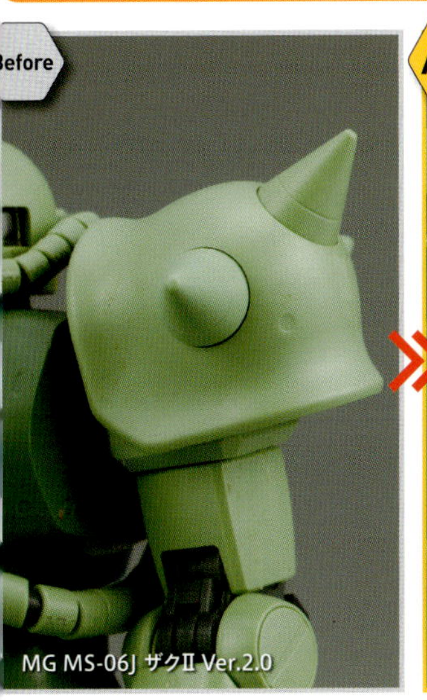

塗装したキットに赤サビを表現したい場合は、エナメル塗料を使用します。2色以上使うことで赤サビの立体感が増します。１色目は濃いめの色をつけていきます。サビは、そこから流れ出して周囲に広がるものなので、クリア系の色で流れたサビを表現します。仕上げにティッシュや綿棒でにじませれば完成です。現役のモビルスーツが全身サビるとは考えにくいので、機体の形をよく見て、装甲が合わさる部分や角やフチ、傷がつきやすそうなところを中心に赤サビをつけましょう。

使用する道具

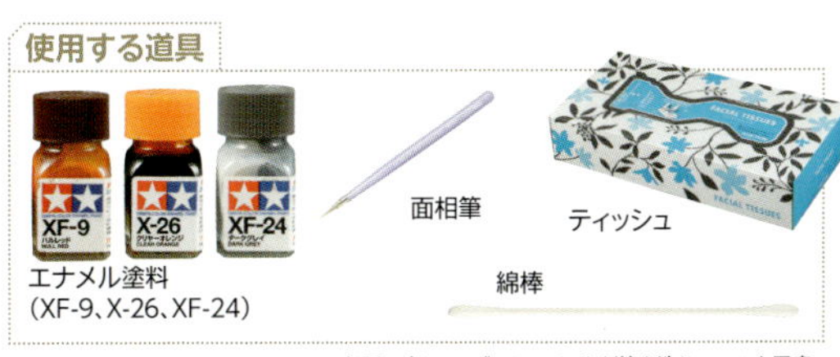

※必要に応じて、ブラシエイドなど筆を洗うツールを用意。

エナメル塗料で赤サビをつける方法（よわめ）

エナメル塗料で赤サビ表現をするときは、あまり薄めず、ハルレッド、クリヤーオレンジ、ダーググレイを使用する。

1 エナメル塗料はあまり薄めずに使う

点を打つので面相筆を使う

赤サビではタミヤカラー エナメル塗料のハルレッド(XF-9)を使用。

2 1色目は濃いめの色を塗る

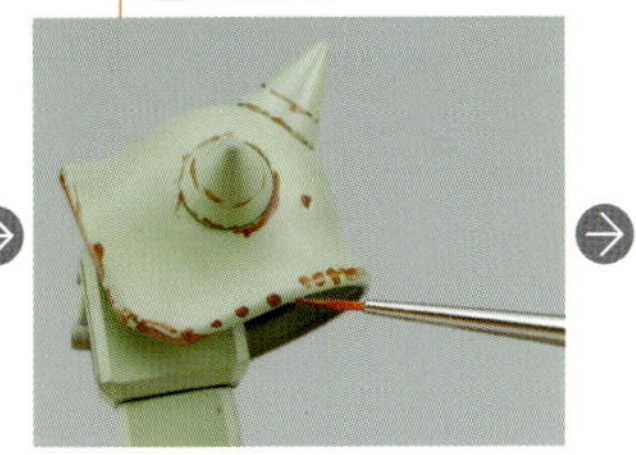

サビの出そうなところに、ハルレッドを点状に塗っていく。端から順に塗るのではなく、ランダムに間隔をあける。

3 2色目はクリア系塗料を垂らすように塗る

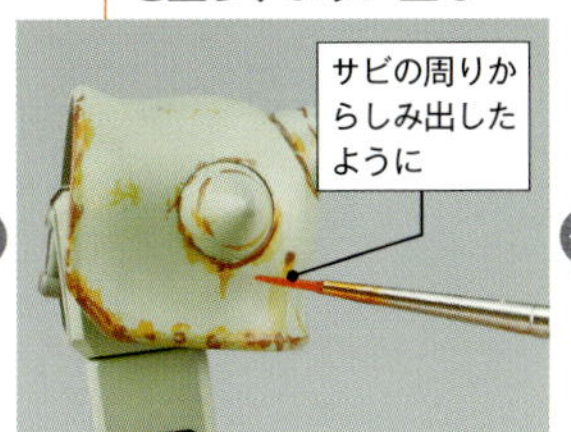

サビの周りからしみ出したように

1色目の周りに面相筆で引いていくように、タミヤカラー エナメル塗料のクリヤーオレンジ(X-26)を塗る。

4 グレー系でメリハリをつける

2色だけでは物足りないので、タミヤカラー エナメル塗料のダークグレイ(XF-24)でくすみをつけた。

POINT 世の中のサビを観察してみよう

サビ表現は見た目のインパクトが強いが、それほど難しいテクニックではない。ポイントはサビの中心をつくり、そこから周囲にしみ出しているように見せること。また、物が均一にサビることはないので、濃淡のメリハリも大切。

実際にサビさせるのではなく、サビの絵を描いているだけなので、本物のサビがどのようなものか、身の回りのサビを見てイメージをつかんでおくとよいだろう。

金属の合わせ目部分から垂れるようにサビがついている。ほかにも交通標識、ガードレールなど、サビが見られるものはたくさんある。

サビのウェザリングの参考になりそうなもの
- 古い自動車
- 古い鉄塔
- 河川、海岸の構造物
- 係留されている船舶

など

MISSION_3 ▸ ウェザリング

使用感・経年劣化を表現する⑩
装甲のサビ（スポンジ）

難易度: かんたん / **ふつう** / むずかしい

におい: しない / **よわめ** / つよめ

▶ **朽ち果てるほどにサビついた状態を、塗装で表現**することができる。

▶ 下地をサーフェイサーで荒らして、**サビで生じたデコボコ感を表現**するのがコツ。**ムラやぼかしは、スポンジでたたいて表現**していく。

長らく放置されて、サビが広範囲にまわったような機体を表現するには、ビン入りのサーフェイサーと塗料、スポンジを使用します。

まず、下地はビン入りのサーフェイサーを筆でたたくように塗り、表面を凸凹（でこぼこ）に荒らします。サーフェイサーを黒く塗りつぶしておくことも大事です。**黒塗りした上から、スポンジに茶系の塗料をつけてポンポンとたたくように塗り、ぼかします。**仕上げにオレンジ系のMr.ウェザリングカラーやウェザリングマスターで仕上げます。

使用する道具

塗料でサビをつける方法

塗料とスポンジを駆使して、完全にサビた状態を表現する。立体的に見えるにはどうするかを意識しながら、塗り重ねていこう。

1 ビン入りのサフを用意する

下地にはビン入りのサーフェイサーを使用する。500番の粗いタイプが、メリハリがつきやすくてオススメ。

2 サフで粗く下地をつくる

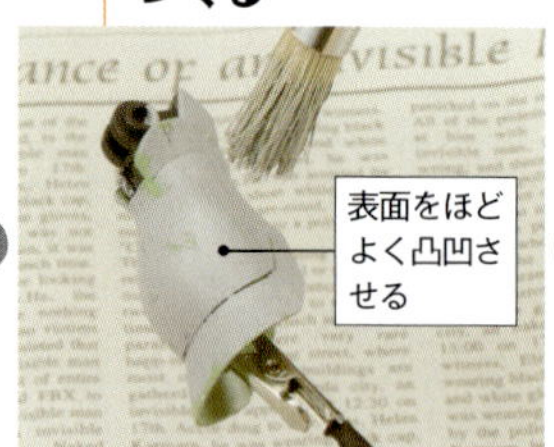

平筆にサーフェイサー（500番）をつけて、たたきつけるようにパーツを塗っていく。均一にならないように注意。

3 サフを黒く塗りつぶす

乾燥後、つや消しブラックでパーツを塗る。下地のサフが見えてしまうとサビらしく見えないので、塗りつぶす。

4 茶系の塗料をスポンジにつける

塗料皿に茶色系の塗料をとって、小さく切ったスポンジにつける。今回は水性ホビーカラーのマホガニーを使用。

5 スポンジでポンポンと塗る

スポンジでたたくように、パーツを塗っていく。ムラが出て、下地の黒色が見えてもかまわない

6 Mr.ウェザリングカラーを塗る

全体にMr.ウェザリングカラーのラストオレンジを希釈せずに塗る。バシャバシャとランダムに塗るのがよい。

7 綿棒で塗料をふき取る

余分なMr.ウェザリングカラーを綿棒でふき取る。大胆にふき取っても、凸凹にしっかりと塗料が残る。

8 ウェザリングマスターをつける

サビの粉っぽさを表現するために、ウェザリングマスターBの「サビ」をつける。ほどよくアクセント程度に。

使用感・経年劣化を表現する⑪
バーニア汚れ(ウェザリングマスター)

難易度: かんたん / ふつう / むずかしい
におい: しない / よわめ / つよめ

▶ **バーニアの使用感は、ウェザリングマスターで表現**することができる。
▶ ウェザリングマスターは**Dセットの「赤焼け」「青焼け」とBセットの「スス」を使う**。あらかじめバーニア本体をシルバーで塗装しておくと、さらにリアルな質感に仕上がる。

ガスコンロやバーナーなどを見るとわかりますが、炎の出るところは非常に汚れやすい場所です。また、**金属は加熱されると変色するもの**です。一度でも出撃したモビルスーツであれば、バーニアも元の銀色ではなく、焼けついているはずです。また、ススなどの汚れもついているでしょう。このような表現はウェザリングマスターの出番です。**焼け色やススのカラーを使って、使い込まれたバーニアまわりを表現してみましょう。**

使用する道具

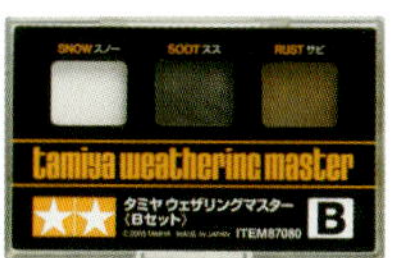

ウェザリングマスターBセット

ウェザリングマスターDセット

ウェザリングマスターでバーニアを汚す方法

ウェザリングマスターを使えば、簡単にバーニアの使用感を表現できる。2色の焼け色とススを使おう。

1 まずはDセットの赤焼けと青焼けをつける

バーニアノズルはタミヤカラー クロームシルバー(X-11)で塗っておいた。その上にDセットの赤焼けと青焼けをスポンジでつける。

2 次にBセットのススをつけていく

バーニアノズルの内側と下側を中心に、Bセットのススをスポンジでつけていく。全体に濃く塗りつけるよりは、薄くまぶすような感じにする。

3 ボディ側にも「スス」をつける

上から下に向かって薄くするとリアリティが出る

バーニアからの噴射炎の当たっていそうな装甲部分にも、ススをつけていく。仕上げにつや消しのコート剤を吹いて完成。

プラスα ウェザリングパステルでもできる!

バーニアのスス汚れは、ウェザリングパステルでも施すことができる。粉を筆に取って、キットに塗っていくだけでOK。バーニアに近いほど粉を濃くし、遠くなるほど薄くするようにするとリアルな汚れ具合になる。

ウェザリングパステルのチャコールグレーを使用

ウェザリングパステルセット2からチャコールグレー(PW04)を使用する。まずは粉を直接、平筆につける。

バーニア付近につける

バーニアの向きに合わせて下側を少し濃くした

下地にコート剤を吹いておいた。さらにパステルをつけた筆で、バーニアの内部と周辺にこすりつける。

つや消しのコート剤で定着させる

ウェザリングパステルはそのままでは落ちやすいので、仕上げにコート剤を吹いて定着させる。

使用感・経年劣化を表現する⑫
バーニア汚れ（ドライブラシなど）

難易度：かんたん／**ふつう**／むずかしい
におい：しない／**よわめ**／つよめ

▶ バーニア汚れを本格的につける場合は、**エナメル塗料を使う**のがオススメだ。
▶ **焼け色はドライブラシ（→P.192）のテクニック**を使って、こすりつけるように塗っていく。**スス汚れは、エアブラシの細吹き**でスジ状につける。

バーニア汚れの基本は、金属が焼けた色の再現とスス汚れをつけることです。たとえばフライパンやガスコンロのノズルなど、実際に焼けた鉄を見てみると、**焼けたところは赤だけでなく、青も混ざった色味でギラギラして見えます。**ロケットなどの噴射口も同じように変色をしています。そこで、**赤系の色をつけたあとで、青系も少しだけ足し、その上からスス色を乗せることで「バーニアらしい汚れ」を表現していきましょう。**このような表現では、筆塗りとエアブラシ塗装が活躍します。

使用する道具

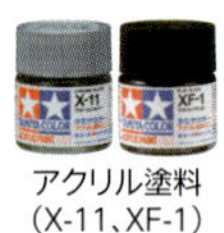

エナメル塗料（X-26、X-3）

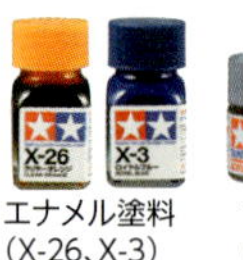

アクリル塗料（X-11、XF-1）

エアブラシセット

- アクリル系溶剤
- 平筆
- 塗料皿
- 調色用スプーン
- スポイト

※必要に応じて、ブラシエイドなど筆を洗うツールを用意。

エナメル塗料でバーニアを汚す方法 よわめ

ドライブラシのテクニックを使い、エナメル塗料をうすくぼかすように塗っていくようにする。

1 アクリル塗料でバーニアを筆塗りする

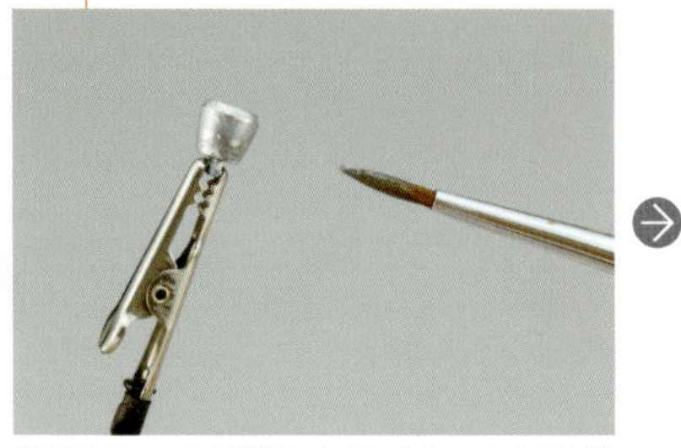

最初にバーニアを塗装。タミヤカラー アクリル塗料のクロームシルバー（X-11）を使って筆塗りする。

2 ドライブラシで赤焼けを表現

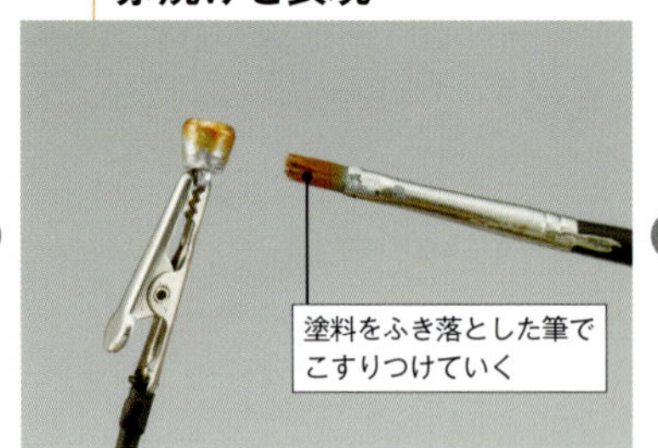

塗料をふき落とした筆でこすりつけていく

次にバーニアの赤焼けを表現するために、タミヤカラー エナメル塗料のクリヤーオレンジ（X-26）をドライブラシ（→P.192）で塗る。

3 ドライブラシで青焼けを表現

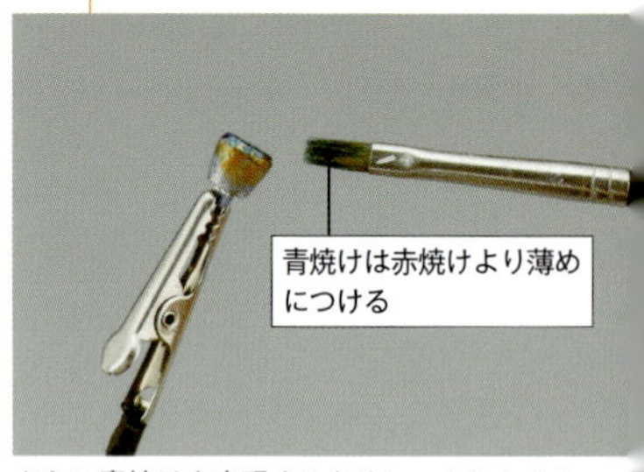

青焼けは赤焼けより薄めにつける

さらに青焼けを表現するために、タミヤカラー エナメル塗料のロイヤルブルー（X-3）を同じくドライブラシで塗る。あまり多く塗らないようにする。

4 ドライブラシでススを表現する

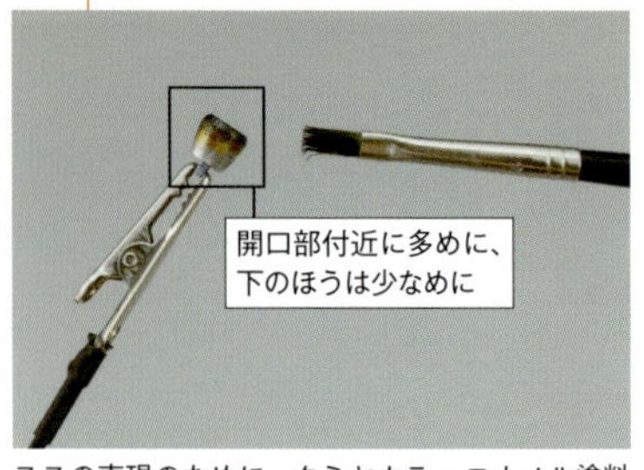

開口部付近に多めに、下のほうは少なめに

ススの表現のために、タミヤカラー エナメル塗料のフラットブラック（XF-1）をドライブラシで塗る。赤焼け、青焼けがほどほどに残る程度にしておく。

5 エアブラシでボディにススを吹く

細く吹いて（→P.120）、ほんのりススで汚れているようにする

バーニア下の装甲に付着したススは、タミヤカラー アクリル塗料のフラットブラック（XF-1）をエアブラシでスジ状に吹きつける。

プラスα リアルの焼け色を観察

バイクや自動車のマフラーなどのように、金属はチタンが含まれると比較的青く焼ける。これらの汚れは身近で見ることができるので、焼けつき具合を観察してみよう。写真は、実際に青く焼けたバイクのエキゾーストパイプ。

写真:石（@ishi_ae86）/PIXTA（ピクスタ）

使用感・経年劣化を表現する⑬
オイル汚れ（筆）

難易度：かんたん ふつう むずかしい
におい：しない よわめ つよめ

▶ **関節などからオイルが漏れて汚れた表現**も、モビルスーツの兵器らしさを演出できるテクニックだ。
▶ オイル汚れには、クリア系のエナメル塗料を使用する。**面相筆で流れるように塗り、乾く前に綿棒でぼかすと雰囲気が出る。**少しひかえめぐらいでちょうどよい。

モビルスーツは未来の兵器なので、可動部分の動きをよくするために油を注す必要はないかもしれませんが、兵器らしさを出すのであればオイル汚れをつけてもよいでしょう。ポイントは関節など、油をよく注すと思われる可動部周辺につけること。使用するものは、エナメル塗料がオススメです。気をつけるのは、スケール感とのバランス。あまりベチャベチャと漏れすぎても、おかしくなってしまいます。**併用する汚し表現とのバランスを見て、オイル汚れはひかえめにするとよいでしょう。**

使用する道具

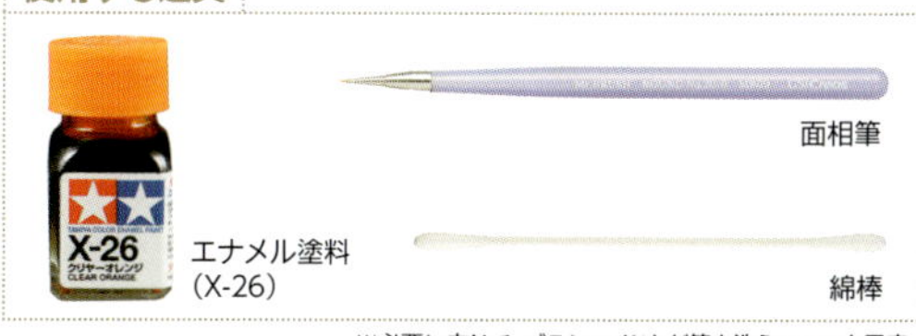

※必要に応じて、ブラシエイドなど筆を洗うツールを用意。

エナメル塗料でオイル汚れをつける方法

よわめ

面相筆で描くように塗っていく。

1 クリア系のエナメル塗料を使用

細かい作業に向いた面相筆を使う

タミヤカラー エナメル塗料のクリヤーオレンジ(X-26)を使う。溶剤はあまり使わず、そのまま筆に塗料をつける。

2 面相筆で流れ出した油を描き込む

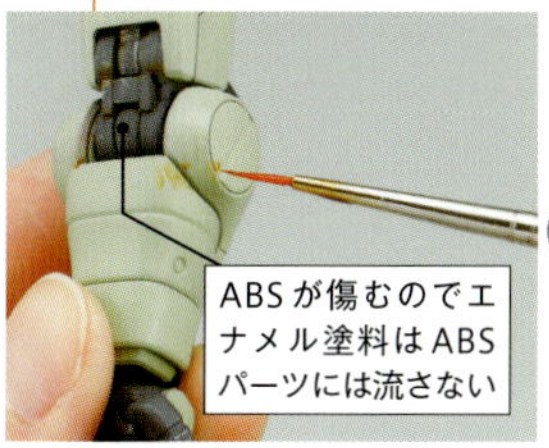

面相筆で油が流れ出しそうな方向に、すっと線を引くように描いていく。やりすぎないように気をつけよう。

3 乾く前に綿棒でぼかす

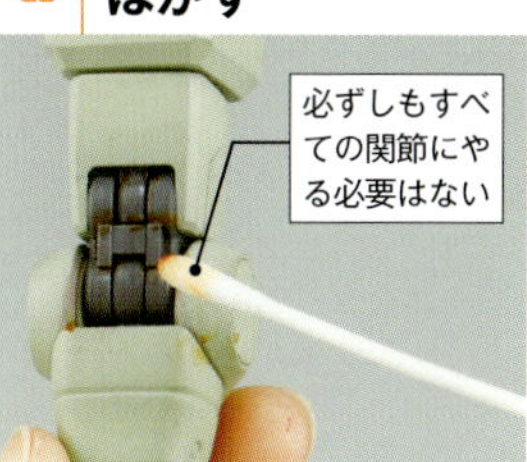

必ずしもすべての関節にやる必要はない

エナメル塗料が乾く前に、綿棒でこすってぼかすことで自然な汚れ具合になる。あまり広く伸ばさないように注意。

NG スケールに合わない汚れにしない

あまり派手に油を飛び散らせてしまうと、「いったい何リットルの油が吹き出したのか？」というような大げさな表現になってしまう。

POINT オイル汚れを観察してみよう

実際のオイル汚れは、身近なところで見ることができる。ショベルカーなどの工事機械の関節部などを見てみよう。にじみ出たオイルがホコリと混ざりあっている感じを見ると、ウェザリングの参考になる。

写真:yako/PIXTA（ピクスタ）

工事機械の多くは油圧で動くので、長年使っているとオイルのシミができることがある。どんなふうにシミができるのか観察して参考にしよう。

オイル汚れの参考になりそうなもの

- 工事現場の重機
- 工場などの外観
- 鉄道など

など

※工事現場に勝手に入ったり、動いている機械に近寄ったりしてはいけません。

使用感・経年劣化を表現する⑭
退色表現（ドライブラシ）

難易度：**かんたん** ／ ふつう ／ むずかしい

におい：**しない** ／ よわめ ／ つよめ

▶ **長時間の直射日光によって焼けてできる塗装の退色**も、経年劣化を表すのによい表現方法だ。

▶ 退色表現には、**ドライブラシのテクニックを応用して、全体にうっすら色を入れていく**ようにする。装甲の角やフチを少し多めにこすると雰囲気が出る。

MG RX-78-02 ガンダム（GUNDAM THE ORIGIN版）

色あせて長期間使用された雰囲気に

砂漠や宇宙など戦場は過酷です。常に屋根のあるところに機体を保管しておけるとはかぎりません。日光などにさらされて、色がだんだん薄くなることを退色といいますが、**ドライブラシを使えば、ガンプラでも退色を表現することができます。**退色は広い範囲に起こる可能性がありますが、全体の色が均一に薄くなるとはかぎりません。機体の形状などを見ながら、ほどよく退色の濃淡をつけましょう。グレーの塗料なら汎用性が高いですが、機体色に合わせた色を使い、ほどよい退色具合に調整してもいいでしょう。

使用する道具

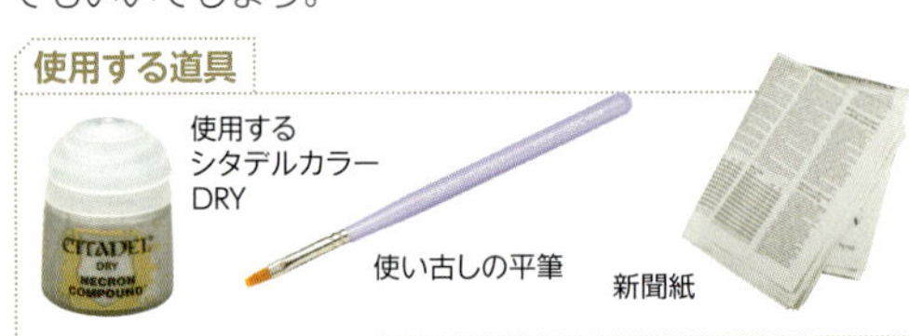

使用するシタデルカラーDRY
使い古しの平筆
新聞紙

※必要に応じて、ブラシエイドなど筆を洗うツールを用意。

ドライブラシで退色を表現する方法（よわめ）

ドライブラシのコツは筆についた塗料をできるだけ新聞紙にこすり落としてしまうこと。筆にわずかに残った塗料で十分に表現できる。

1 ドライブラシに必要な道具を用意する

ボディ色に合わせて青系の色を選択

ドライブラシには古くなった平筆などを使う。今回はドライブラシ向けのシタデルカラーDRYを使用（→P.74）。

2 新聞紙などに筆をこすりつけて塗料を落とす

筆につけた塗料を、新聞紙などにこすり落とす。ほとんど塗料が残っていないくらいまで落とす。

3 ランナーで塗料の残り具合をチェック

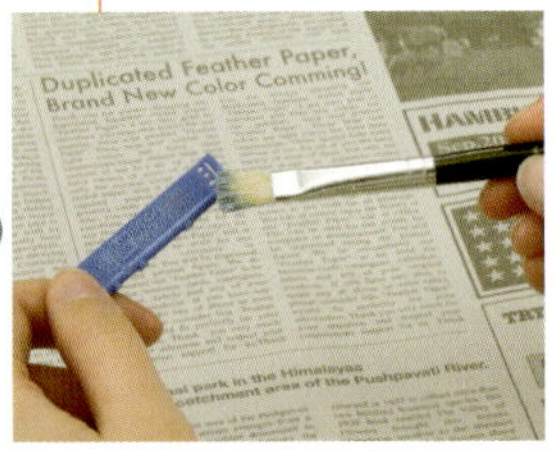

ランナーなどに筆をこすりつけ、塗料の残り具合を確認。ゴシゴシこすりつけて、うっすら塗料がつくくらいで。

プラスα 無地の新聞紙が市販されている

百円均一ショップなどで、無地の新聞紙が市販されている。下敷きや塗料のふき取りに便利。

4 筆をこすりつける

筆をこすりつけるようにして、塗料をつけていく。塗料は少しずつつくので、何度もこすりつける。そうすると、ようやく上の写真くらいになる。

5 全体に塗料をこすりつける

退色は全体に施さないとおかしな印象になる。その中で、装甲の角や端などは多めに塗料をつけると、立体感が強調され、自然な仕上がりになる。

プラスα 古い自動車のボンネットを見る

野ざらしになった古い自動車のボンネットを見ると、退色の様子がよくわかる。砂漠や宇宙などの過酷な環境なら、短時間でそのような状態になってもおかしくはない。

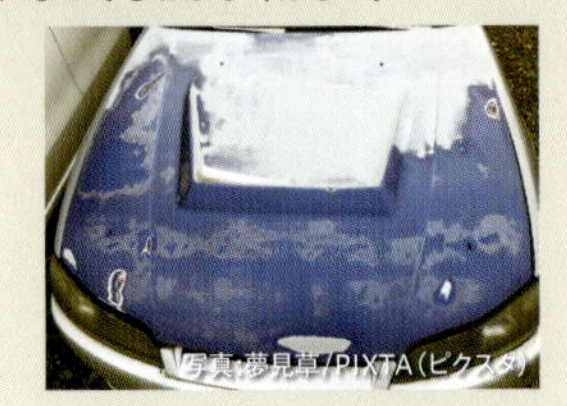
写真：夢見草／PIXTA（ピクスタ）

砂漠&沼地の汚れを表現する①
砂汚れ（ウェザリングマスター）

難易度：かんたん／ふつう／むずかしい
におい：しない／よわめ／つよめ

▶ モビルスーツの砂汚れをもっとも簡単に表現できるのは、ウェザリングマスターを使う方法だ。
▶ ウェザリングマスターのAセットには、砂汚れ向けのカラーが3色揃っている。Aセットだけでも十分に砂汚れのウェザリングができる。

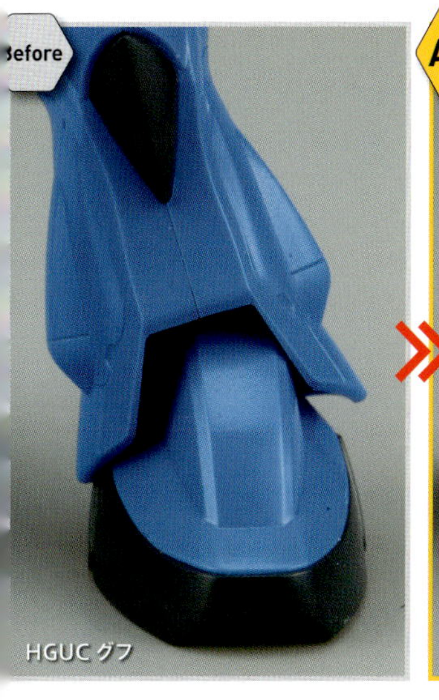

砂汚れを手軽につけたいときには、ウェザリングマスターがオススメです。付属のブラシにカラーをつけてキットにこすりつけるだけで、簡単に砂汚れを表現できます。Aセットは、「サンド」「ライトサンド」「マッド」という砂漠の汚れに合うカラーのセットになっています。1色よりも複数のカラーを併用してつけていくと、リアリティあふれる砂汚れを表現できます。ウェザリングマスターは触ると落ちやすいので、前後につや消しのコート剤を吹いておくとよいでしょう。

使用する道具

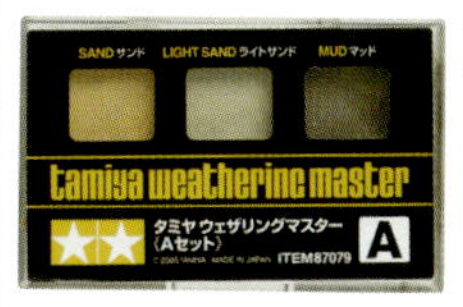

ウェザリングマスターAセット

ウェットティッシュ（修正をするとき）

ウェザリングマスターで砂汚れを表現する方法

砂汚れは砂漠にかぎらず、どこででもつく可能性がある。足元を中心に、砂がつきそうな部位につけていこう。

1 ウェザリングマスターAセットを用意する

砂漠のウェザリングには、ウェザリングマスターAセットがベストマッチ。サンド、ライトサンド、マッドと、砂汚れに最適なカラーが揃っている。

2 スポンジとブラシでサンドをつけていく

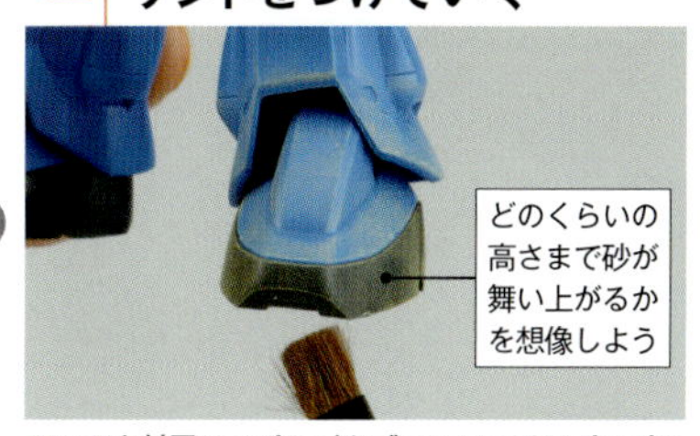

どのくらいの高さまで砂が舞い上がるかを想像しよう

サンドを付属のスポンジかブラシにつけてポンポンとつけていく。足元を中心にうっすらとつけていくとよい。

3 ライトサンドとマッドも使って立体感を出す

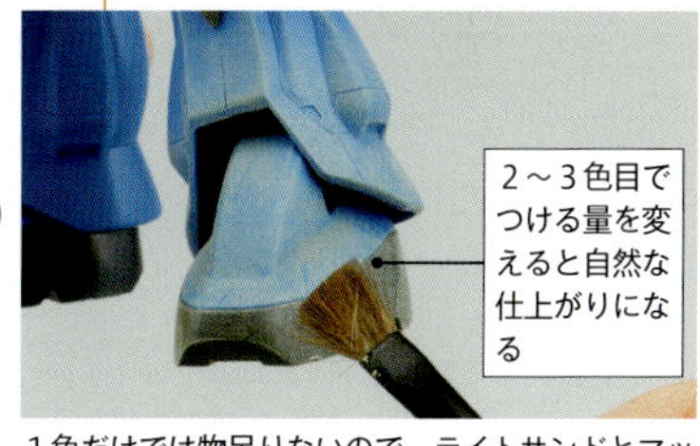

1色だけでは物足りないので、ライトサンドとマッドも使って彩りを加えると、立体感が高まる。

やりすぎた場合の修正方法

モビルスーツの大きさから考えて、あり得ない高さに砂をつけない。

1 かなり上まで濃くつけてしまった

ヒザの上まで濃く砂がついている。こんな汚れ方は考えにくい

ウェザリングマスターは簡単なので、ついやりすぎてしまう。プラン通りならよいが、現実に起こり得る汚れ方にしたほうが説得力が出る。

2 ウェットティッシュでふき取る

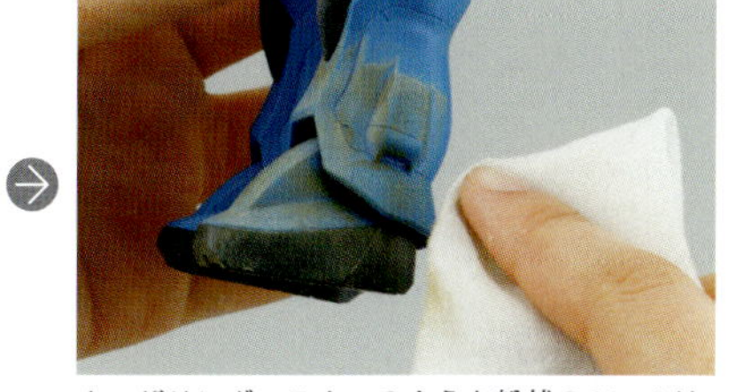

ウェザリングマスターのような粉状のツールは、ウェットティッシュでこすれば、ふき取れる。失敗したと思ったときは、きれいにしてやり直そう。

プラスα やり直しに便利なウェットティッシュ

ウェザリングを行う際にウェットティッシュがあると、何かと重宝する。粉状のツールなら簡単にふき取れるので、修正用に用意しておこう。

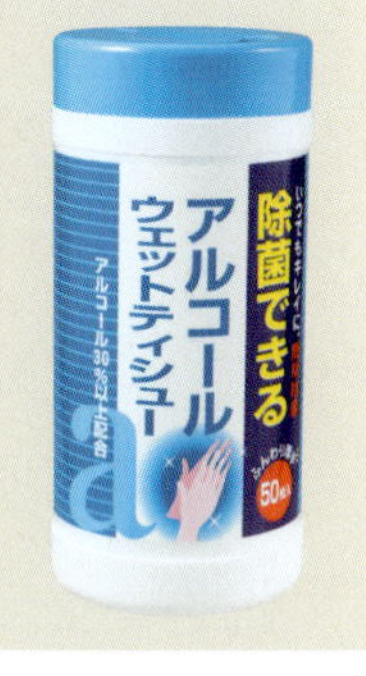

砂漠&沼地の汚れを表現する②

砂汚れ（ウェザリングパステル）

難易度：**かんたん** ／ ふつう ／ むずかしい

におい：**しない** ／ よわめ ／ つよめ

▶ キットの広い範囲に砂汚れを施したい場合は、**ウェザリングパステルと平筆を使うと効率的で、全体に均一感を出すこともできる。**

▶ あわせてホバー装置などにスス汚れをつけたいときは、**セット2のチャコールグレーを塗っていく。**

Before

After

砂漠での戦闘で脚部全体が砂まみれに

HGUC ドム・トローベン サンドブラウン

広い範囲に砂汚れをつけたい場合は、ウェザリングパステルが便利です。大きめの平筆を使うことで、広い範囲を均一に塗ることができます。たとえば、砂嵐（すなあらし）が吹き荒れる砂漠（さばく）で戦うモビルスーツは、全身が薄く砂で汚れている可能性があるからです。

ウェザリングパステルは溶剤に溶かず、粉状のまま平筆につけて、キットにこすりつけていきましょう。下地につや消しのコート剤を吹いておけば、ほどよく定着して、まさに砂をかぶったような仕上がりになります。

使用する道具

ウェザリングパステルセット1

ウェザリングパステルセット2

平筆

ウェットティッシュ（修正をするとき）

※必要に応じて、ブラシエイドなど筆を洗うツールを用意。

ウェザリングパステルで砂汚れを表現する方法

ここでは平筆を使って、ウェザリングパステルを粉のまま、塗る。2色以上混ぜて、リアルな砂の質感を表現しよう。

1 まずはサンドとライトブラウンの2色を使う

セット1からサンドとライトブラウンを用意。溶剤で溶かず、粉を平筆につけて使う。

2 平筆で塗る

サンドとライトブラウンの2色を順に塗りつけていく。足元から上へ少しずつ薄くすると、現実味が出る。

3 スス汚れに適したチャコールグレーも使う

セット2のチャコールグレーは、スス汚れの表現に最適な粉。

4 ホバー装置にスス汚れをつける

少し足す程度でOK。機械らしい汚れになった

ドム・トローベンの脚部についているホバー装置にススがつきそうなのでチャコールグレーをつける。

POINT

下地と仕上げに必ずコート剤を吹こう

ウェザリングパステルやウェザリングマスターのような粉状のツールは、触ると簡単に落ちてしまう。そこで、ウェザリング前と完成後に必ずつや消しのコート剤を吹いて、しっかりと定着させるようにしよう。

下地にコート剤を吹いて定着しやすくする

下地づくり（→P.176）として、つや消しのコート剤を吹いておく。すると、ウェザリングパステルの粉が定着しやすくなる。

仕上げにコート剤を吹いて保護する

粉をつけたあとは、仕上げとしてつや消しのコート剤を吹いて保護する。そうすれば触っても簡単には、粉が落ちなくなる。

砂漠&沼地の汚れを表現する③

砂汚れ（ドライブラシ）

難易度
かんたん
ふつう
むずかしい

におい
しない
よわめ
つよめ

▶ **ドライブラシのテクニックで、砂汚れを表現**することができる。

▶ 使い古した平筆に塗料をつけたら、新聞紙などにできる限りこすりつけて塗料をふき取っていく。そして、**残ったわずかな塗料をキットにゴシゴシとこすりつけて汚していく。**

ドライブラシは筆につけた塗料を新聞紙などでしっかりふき取り、半乾きにして（ドライにして）からキットにこすりつけるようにして塗るテクニックです。塗料を使うので決まった色だけでなく、調合した色を使うことができます。また、複数の色を塗ることで、表現に幅や深みが出ます。塗料は伸びがよく、乾きにくいエナメル塗料がオススメです。素組みの上からでも、アクリル塗料やラッカー塗料での塗装の上からでもウェザリングでき、失敗しても修正しやすいので便利です。

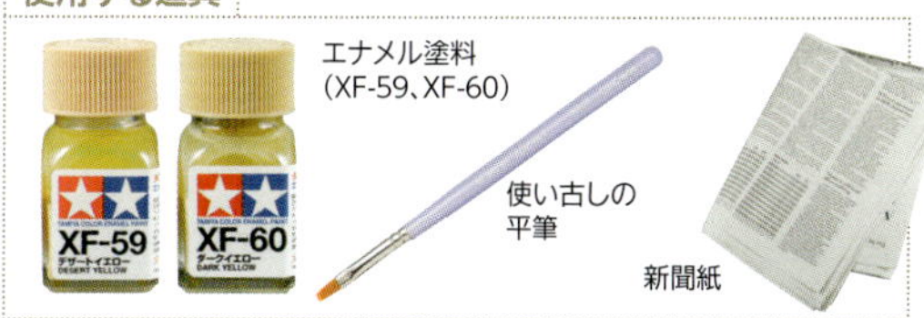

※必要に応じて、ブラシエイドなど筆を洗うツールを用意。

ドライブラシで砂汚れを表現する方法 よわめ

使い古しの平筆に塗料をつけ、できるかぎり新聞紙で塗料を落としてから塗る。複数の色を使って、表現を豊かにしよう。

1 エナメル塗料を使い古しの筆につける

タミヤカラー エナメル塗料のダークイエロー（XF-60）を使う。溶剤は使わず、そのままドライブラシ用の筆につける。ドライブラシは使い古しの筆で。

2 筆についた塗料を新聞紙にこすりつける

筆についた塗料を新聞紙などにこすりつけて、落としていく。ほとんどふき取れて、普通には塗れなくなるくらいまでこすって落とす。

3 塗料がほとんど新聞紙につかなくなるまで落とす

何度もこすりつけて、塗料が新聞紙につかなくなるくらいまで落としてしまう。写真くらいまで落ちていれば大丈夫。さらに少し乾かす。

4 ランナーで塗料の残り具合を確認する

ランナーなどに筆をこすりつけて、塗料の残り具合を確かめる。写真のように塗料がかすれてつく程度の量がちょうどよい。

5 キットにこすりつけていく

塗料を落とした筆をキットにこすりつけていく。ここでは砂嵐（すなあらし）をかぶったイメージで、全体にうっすらとつくような感じにした。

6 同じように2色目のドライブラシをかける

1色だと平坦な印象になるので、2色目もつけていく。ここではタミヤカラー デザートイエロー（XF-59）を使用。

砂漠&沼地の汚れを表現する④

砂汚れ（エアブラシ）

難易度：かんたん / **ふつう** / むずかしい
におい：しない / **よわめ** / つよめ

▶ **全身をおおうような砂ぼこりの表現**には、エアブラシを使うとよい。

▶ 薄めに希釈（→P.108）した塗料（量は少なめでOK）をエアブラシのカップに入れて、**通常より遠い距離から霧をふりかけるようにして吹きつける**のがコツ。

HGUC ドム・トローペン サンドブラウン

キットの広い範囲にうっすらと砂汚れをつけたい場合は、エアブラシで吹きつける方法があります。薄く砂をかぶった様子を再現するので、通常の塗装よりもエアブラシを遠目に離して吹いていきましょう。全体に砂ぼこりをかぶっている表現なので、**どの方向から砂を含んだ風が吹いてきたのか考えながら吹く**と、よい仕上がりになります。基本的には、前方の少し上くらいからがちょうどよい角度になるでしょう。

使用する道具

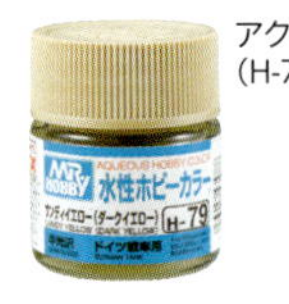

アクリル塗料（H-79）

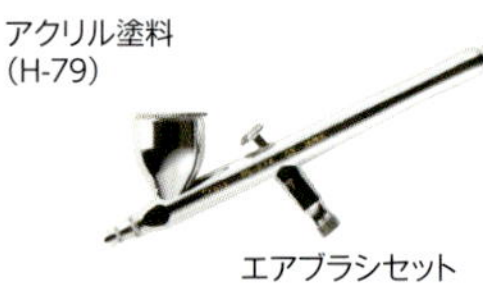

エアブラシセット

・アクリル系溶剤
・塗料皿
・調色用スプーン
・スポイト

エアブラシで砂汚れを表現する

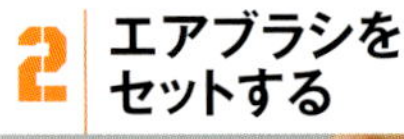

エアブラシをキットから遠目に離して吹くのがコツ。吹きすぎないように注意。

1 エアブラシ用に塗料を希釈する

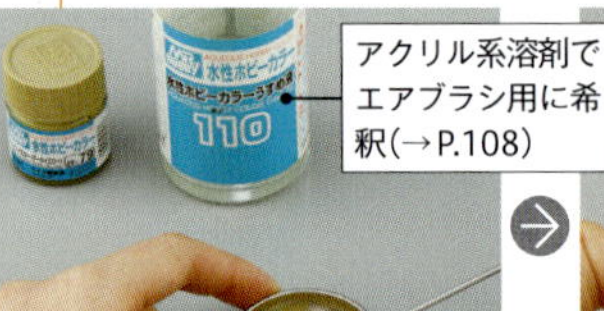

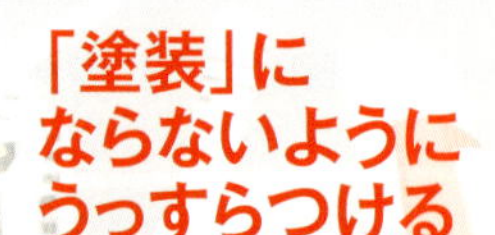

アクリル系溶剤でエアブラシ用に希釈（→P.108）

ここでは素組みの上から吹くので、水性ホビーカラーのサンディイエロー（ダークイエロー：H-79）を使用。

2 エアブラシをセットする

希釈した塗料をエアブラシの塗料カップに入れる。塗装するわけではないので、塗料の量は少なめでOK。

3 通常より遠めの距離から吹きつける

通常よりも遠め、15～20cmくらいの距離からふりかけるように、吹きつけていく。

NG 通常の距離で吹くと…

塗装する感覚で10cmくらいの距離から吹くと、普通に塗装しているだけになり、砂汚れとしてはやりすぎになってしまう。

POINT 「塗装」にならないようにうっすらつける

距離を離して吹いても、吹く量が多ければ、やはりやりすぎになってしまう。プランにもよるが、腰より上はほんのり薄く砂がついているくらいが自然だ。吹く前に仕上がりをイメージして、ほどほどで止めるようにしよう。

あくまで砂がこびりついたのを再現するウェザリングなので、うっすらかぶっているぐらいで十分。

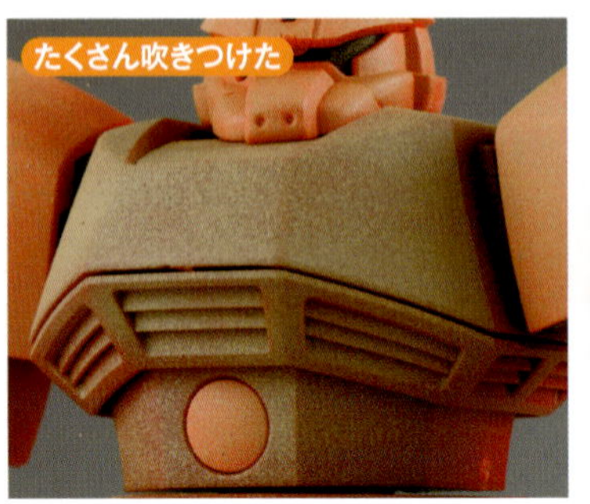

胸部アーマーがここまで砂まみれになるのは考えにくい。シチュエーションは限定されそうだが、そういうウェザリングプランならナシではない。

沼地&水辺の汚れを表現する①
泥汚れ（ウェザリングスティック& Mr.ウェザリングペースト）

難易度：かんたん／ふつう／むずかしい（かんたん）
におい：しない／よわめ／つよめ（よわめ）

▶ ウェザリングスティックを使うと、**かたまりのような泥のウェザリング表現が手軽にできる**。Mr.ウェザリングペーストと併用することで、よりリアルな表現にすることができる。

▶ Mr.ウェザリングペーストは、**2色以上混ぜて使うことで表現の幅が大きく広がる**。

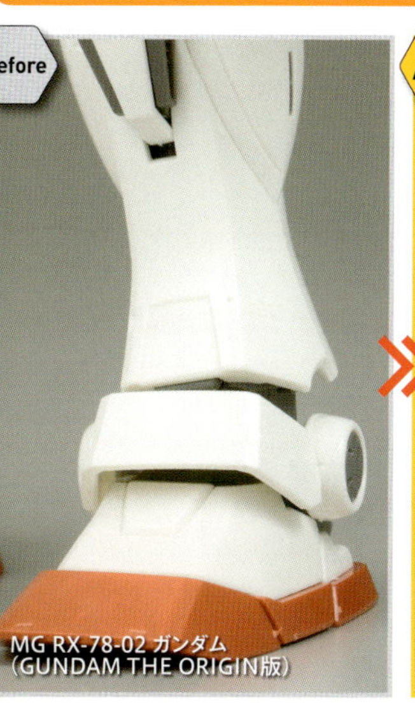

MG RX-78-02 ガンダム（GUNDAM THE ORIGIN版）

After
ジャングルの沼にはまって2～3mの泥汚れがついた様子に

ジャングルや水辺で戦った場合は、足元に泥汚れがつくでしょう。**泥のかたまりがついた様子を表現するには、ウェザリングスティックとMr.ウェザリングペーストの併用がオススメです。**ウェザリングスティックは、かたまりの質感を表現しやすく、こすりつけるだけで泥汚れを表現できます。さらに本物らしさを演出するために、上からMr.ウェザリングペーストを筆塗りするとよいでしょう。Mr.ウェザリングペーストは複数の色を混ぜて使うことで、汚れ具合に深みが増します。

使用する道具

Mr.ウェザリングペースト（マッドブラウン、マッドイエロー）

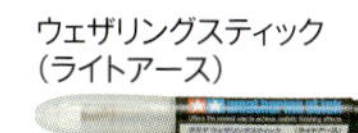
ウェザリングスティック（ライトアース）

- 塗料皿
- 調色用スプーン
- スポイト
- 平筆

※必要に応じて、ブラシエイドなど筆を洗うツールを用意。

泥汚れを表現する方法 よわめ

泥汚れは基本的に足元につくことが多いので、ここでも足元を汚していく。スケール感を忘れず、現実的な泥の量にしていこう。

1 足元にウェザリングスティックを塗る

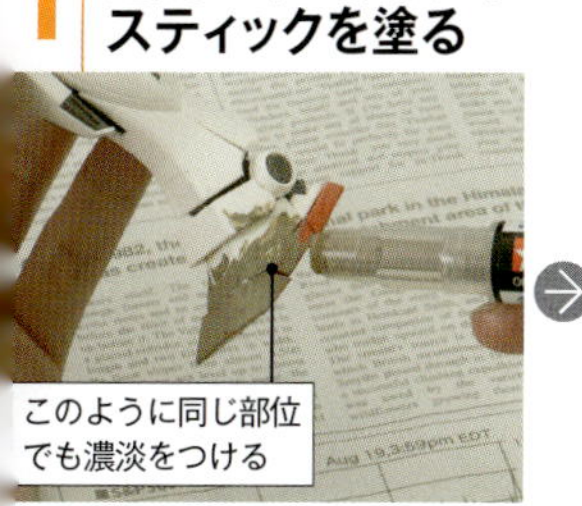

このように同じ部位でも濃淡をつける

足元のエッジを中心にウェザリングスティックのライトアースを塗る。泥の質感を出すために少し派手でもいい。

2 Mr.ウェザリングペーストを皿にとる

ウェザリングスティックだけでは単調なので、Mr.ウェザリングペーストも使う。2色使って深みを出す。

3 Mr.ウェザリングペーストを混ぜる

Mr.ウェザリングペーストを混ぜるときは、あえてムラが残るように、ランダムに軽く混ぜるだけにしておく。

4 混ぜたペーストを筆で塗る

混ぜたMr.ウェザリングペーストを平筆で塗る。先に塗ったウェザリングスティックの上にのせる感じで塗る。

5 つや消しコート剤を吹いて保護する

ウェザリングスティックとMr.ウェザリングペーストは落ちやすいので、つや消しのコート剤を吹いて保護する。

POINT 自然な汚れ具合にするか、デフォルメして臨場感を出すか

作業前にどれくらい泥をつけるか、イメージを固めておこう。リアルな汚れ具合にしたいなら、スケール感に合った量にする。プランによっては、大胆に汚してデフォルメされた臨場感を演出してもOK。

同スケールのフィギュアとくらべた場合、実際に泥で汚れそうなのはこのくらい。迫力は小さいが、リアリティがある。

左写真にくらべて大げささに泥汚れをつけた。大胆に泥をつけると、迫力が出てくる。

沼地＆水辺の汚れを表現する②

泥はね（Mr.ウェザリングペースト）

難易度：**かんたん** ／ふつう／むずかしい

におい：**しない** ／よわめ／つよめ

- ▶自然な泥はねを表現するには、**水で溶いたMr.ウェザリングペーストを使う**。
- ▶**水で溶いたMr.ウェザリングペーストを平筆に含ませて、つまようじではじくように飛ばす**と、まるで本当に泥の中を歩いてきたような泥はねをつけられる。

MG RX-78-02 ガンダム（GUNDAM THE ORIGIN版）

After
脚部にリアルな泥はねがついた

モビルスーツは人型なので、泥の上を歩けば、その泥がはねて汚れるでしょう。脚部の裏側に泥がはねて汚れた様子を表現することで、本当に歩いて移動したような臨場感が生まれます。**このような泥はねの表現には、Mr.ウェザリングペーストを専用うすめ液で溶いたものを使います。**溶いたMr.ウェザリングペーストを筆先につけて、**つまようじなどを使ってはね飛ばしてやると、まさに泥が飛び散って付着したような質感を表現できます。**

使用する道具

※必要に応じて、ブラシエイドなど筆を洗うツールを用意。

つまようじで飛ばして泥をつける方法

Mr.ウェザリングペーストを専用うすめ液で溶いて、筆とつまようじではね飛ばしていく。

1 Mr.ウェザリングペーストを溶剤で溶く

はね上がる泥の質感になるように水で溶く

ペーストを塗料皿にとり、Mr.ウェザリングカラー専用うすめ液で、塗料4:1溶剤程度の割合で溶く。

2 溶いたペーストを筆で塗る

溶剤で溶いたMr.ウェザリングペーストを平筆につける。まず、足の下のほうに泥汚れとして、そのまま塗る。

3 筆先をつまようじではじいて泥を飛ばす

筆についた泥が飛んでパーツにつく

ふくらはぎに当たる部分など、はねた泥がつきそうなところに向けて平筆を構え、筆先をつまようじではじく。

4 はねた泥がついた様子が表現された

Mr.ウェザリングペーストでつくった泥がはねて、本物の泥らしくなる。つや消しのコート剤を吹いて保護する。

筆やつまようじでつついて泥をつける方法

面相筆やつまようじで突いて泥をつけることもできる。

面相筆で泥はねを点々とつける

面相筆の筆先でパーツをつついて、泥はねを描く。ここでは専用うすめ液で溶いたMr.ウェザリングペーストを使用したが、サンド系の塗料でもOK。

つまようじの先で泥はねを点々とつける

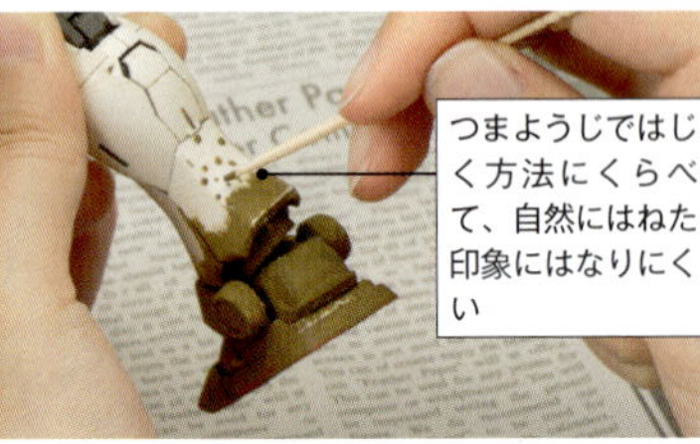

つまようじではじく方法にくらべて、自然にはねた印象にはなりにくい

つまようじの先を使うと、面相筆より細かい泥はねを描くことができる。写真は面相筆とつまようじでの泥はね表現を重ねて施したもの。

プラスα 実在の重機とモビルスーツのサイズ

実在の重機として世界最大級を誇るコマツのWA1200は全高約7mもあるが、RX-78-2ガンダム（約18m）の半分もない。どの高さまではねた泥がつくのか、モビルスーツの大きさを意識して決めよう。

沼地&水辺の汚れを表現する③
泥を含んだ水あか(塗料&ウェザリングスティック)

難易度: かんたん / ふつう / むずかしい

におい: しない / よわめ / つよめ

▶ 沼などに一度つかってから抜け出した場合、**水につかったところまで薄く泥汚れが残り、水あかもつく**だろう。このような表現には、ウォッシング(→P.181)のテクニックを応用する。

▶ **「スミ入れ塗料」を使用して、手軽にウォッシング**ができる方法を紹介する。

MG RX-77-2 ガンキャノン

After
沼につかって抜け出した様子が出ている

泥の混ざった水につかったという表現です。ジャングルを流れる河や沼を通過したという設定で使えます。ここでは足がどっぷりとつかった様子を表現するために、**ウォッシング**を行います。エナメル塗料を希釈して使ってもよいのですが、今回はすでに**希釈された状態で市販されているタミヤの「スミ入れ塗料」を使用しました。色はブラウンです。**どのあたりまで泥につかるかを考えて、3〜4mぐらいの位置までにしています。**その上からウェザリングスティックで泥をつけて仕上げました。**

使用する道具

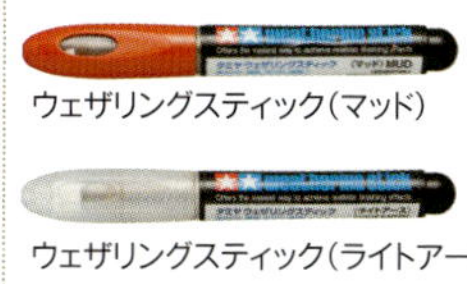
ウェザリングスティック(マッド)

ウェザリングスティック(ライトアース)

スミ入れ塗料(ブラウン)

ティッシュ

泥を含んだ水あかを表現する方法

よわめ

スミ入れ塗料を使えば、簡単にウォッシングができる。仕上げにウェザリングスティックを使う。

1 スミ入れ塗料で足元を塗っていく

「スミ入れ塗料」のブラウンを使って、足元を塗っていく。すでに希釈された状態なので、そのまま塗ってOK。

2 泥水につかった範囲全体に塗る

スネに当たる部分の下半分がつかったという設定にするため、その範囲全体をていねいにウォッシングする。

3 ティッシュでこすり落とす

塗料が乾く前に、ティッシュでふき取る。上から下へこすり落とすようにティッシュを動かす。

4 ウェザリングスティックを塗る

2色を使うことで深みが出る

乾いて残った泥のかたまりのイメージでつける。ウェザリングスティックのマッド、ライトアースを塗った。

POINT

モビルスーツの大きさを考える

泥を含んだ水あかは、足など下のほうの部位につくのが自然。どのような行動をしてその汚れがついたのか、モビルスーツの大きさも考えながら決めないと、格好悪い汚れになってしまう。

頭から泥まみれになるのはおかしい

モビルスーツは18m前後もある巨大なもの。それが頭まですっぽり沈むような泥の河や沼は想定しにくい。泥のウェザリングは足元を中心にしたほうがよいだろう。

たとえば、大きな河の中流域あたりは浅いところでも水深5mはあり、深ければ10mにもなるところがある。モビルスーツがすっぽり沈む泥の河もあるかもしれないが、場所はかぎられている。

水辺＆寒冷地の汚れを表現する①

海水による水あか（筆）

難易度：かんたん／**ふつう**／むずかしい
におい：しない／**よわめ**／つよめ

- ▶水陸両用モビルスーツにつくと思われる**水あかは、ウォッシングのテクニックで表現**できる。
- ▶油彩系塗料はエナメル塗料に比べてプラスチックを侵しにくいが、**関節などにつけすぎないように注意する。**うすめ液は使わず、ビンから出したままでOK。

HGUC MSM-07S ズゴック（シャア専用）

全体に長く海中で使用されていた様子に

海水を浴びて塩がついたような水あかの表現は、白系のMr.ウェザリングカラーでウォッシングを施します。ウォッシングは溶剤で薄めた塗料をキット全体に塗り、その塗料を綿棒などでふき取って、ほどよい汚れ具合にするテクニックです。**「上から下」といった水の流れる方向を意識してふき取りましょう。Mr.ウェザリングカラーは最初からウォッシングに適した濃度に調整されていますので、溶剤でうすめずに使用できます。**キットのカラーなどに合わせて、２色以上混ぜるといいでしょう。

使用する道具

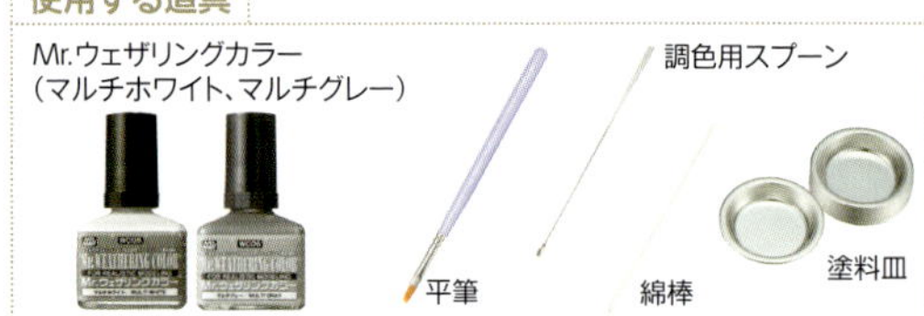

※必要に応じて、ブラシエイドなど筆を洗うツールを用意。

海水の水あかを表現する方法 よわめ

Mr.ウェザリングカラーでウォッシングするテクニック。Mr.ウェザリングカラーを塗ったら、綿棒でふき取る。

1 Mr.ウェザリングカラーを用意する

水あかの汚れを表現するために、Mr.ウェザリングカラーのマルチホワイトとマルチグレーを用意する。マルチグレーは、少し混ぜるぐらいでよい。

2 2色のMr.ウェザリングカラーを混ぜる

２色のMr.ウェザリングカラーを混ぜる。原液のままでウォッシングしやすい濃度となっているので、溶剤で溶く必要はない。

3 キットの上から平筆でじゃぶじゃぶ塗る

平筆を使って、調色したMr.ウェザリングカラーを塗る。水陸両用の機体なので、頭頂部から流れるように広範囲をじゃぶじゃぶと塗っていく。

4 塗料が乾く前に綿棒でこすり落とす

Mr.ウェザリングカラーが乾く前に綿棒でふき取ることで、Mr.ウェザリングカラーがほどよく残って水あかのようになる。

NG ケバが出ないように注意する。

ティッシュや綿棒は、強くこすりすぎると紙の線維がキットについて、ケバが出てしまうことがある。やさしくていねいに、理想の仕上がりになるように調整しながらふき取ろう。

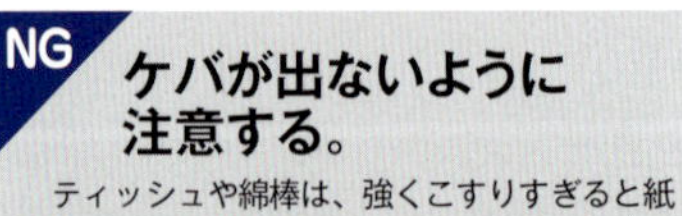
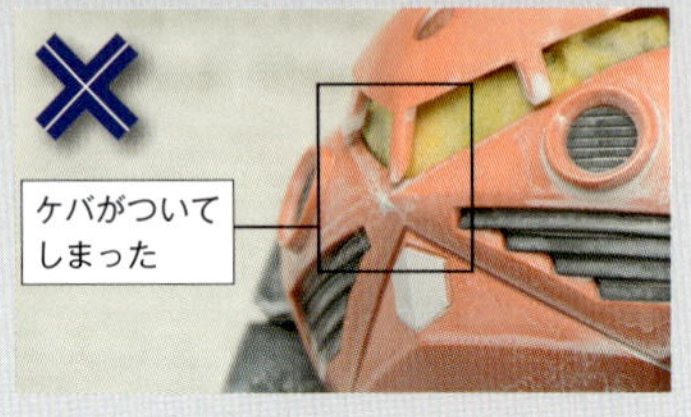

プラスα 水あかはどうつくか

港などで船を見ると、外側に白っぽく水あかが付着しているのがわかる。付着する部分や垂れ方などをよく観察して、ガンプラに応用しよう。

写真:川村恵司/PIXTA（ピクスタ）

水辺＆寒冷地の汚れを表現する②
海辺のサビ（筆）

難易度: かんたん / **ふつう** / むずかしい

におい: しない / **よわめ** / つよめ

▶ 海を主戦場とするモビルスーツであれば、**長く使われるほどサビが浮いてくる**だろう。

▶ **サビは面相筆でエナメル塗料を塗って、描くようにして表現する**ことができる。2〜3色を使ってメリハリをつけると、リアルな質感になる。

海辺にあるものは、サビやすく、傷みやすくなります。それは水陸両用モビルスーツにも当てはまるでしょう。**エナメル塗料と面相筆を使ってサビを描き込めば、いかにも長期間、海で使われてきたような風情を表現できます。**サビが浮き出るのは、装甲が合わさる部分や関節部、排気ダクト、ダメージを負った部分などです。それらの部位にどのようなサビがつくかを考え、プランを決めていきましょう。

使用する道具

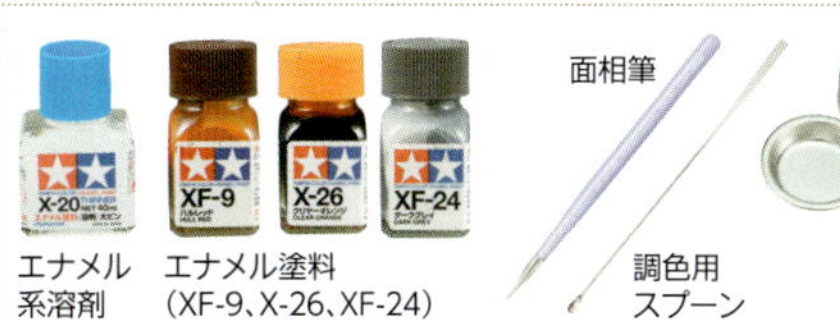

※必要に応じて、ブラシエイドなど筆を洗うツールを用意。

海辺のサビを表現する方法 よわめ

面相筆でエナメル塗料を描き込むようにしてサビを表現する。3色を使い分けて奥行きを出すのがポイントだ。

1 サビ色に必要なエナメル塗料を用意する

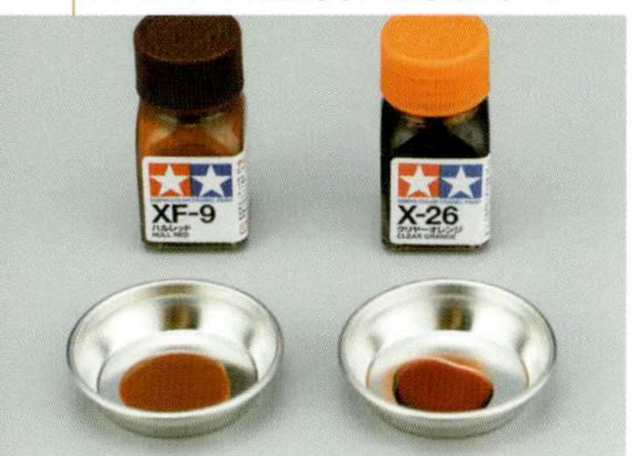

サビの表現には、タミヤカラー エナメル塗料のハルレッド（XF-9）とクリヤーオレンジ（X-26）がオススメ。混ぜるのではなく、１色ずつ使っていく。

2 エナメル系溶剤で塗料を希釈する

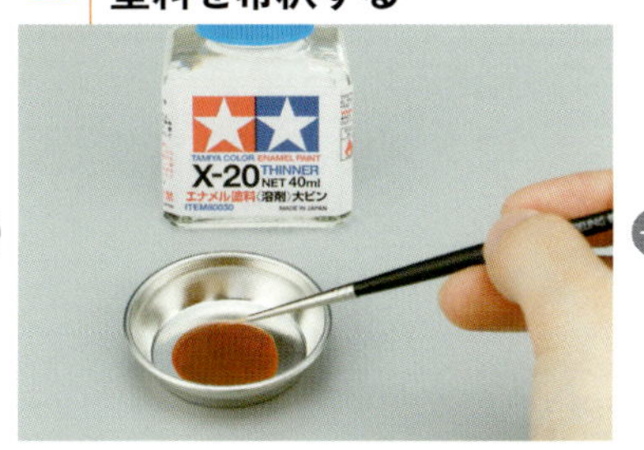

塗料の伸びをよくするために、エナメル系溶剤で希釈する。通常の筆塗りと同じくらいの薄さにする。

3 1色目はハルレッドでサビそうなところを塗る

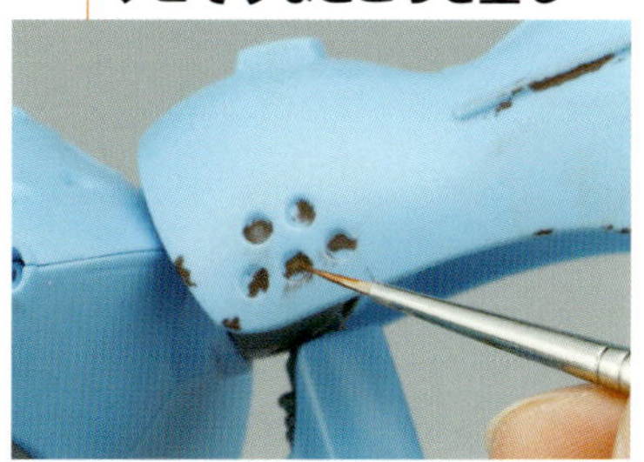

サビの出そうなところに面相筆で、ハルレッドを塗っていく。水陸両用モビルスーツなので、水のたまりそうなところはどこかを考えながら塗る。

4 2色目はクリヤーオレンジで流れたサビを描く

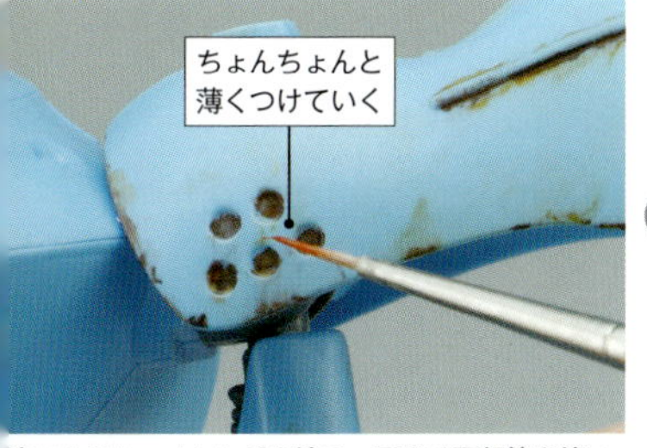

次にクリヤーオレンジを塗る。同じく面相筆を使い、ハルレッドでつけたサビから流れ出たように見せるために、水の流れる方向に細く線を引いていく。

5 必要に応じてグレーでメリハリをつける

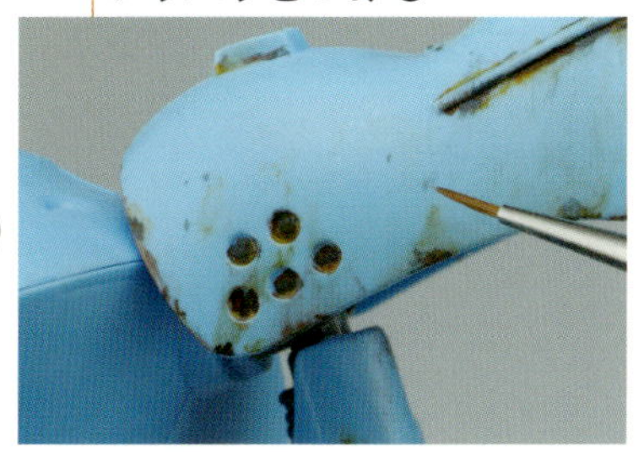

さらにタミヤカラー エナメル塗料のダークグレイ（XF-24）を塗る。これからサビが浮き出るところがくすんでいるというイメージになる。

プラスα 船のサビをチェック

船には海水によるサビがつきものだ。サビ止めを施しても、これだけサビがつく。サビがつく部分や垂れ方などを参考にしよう。

写真:keladawy /PIXTA（ピクスタ）

テクニック

水辺＆寒冷地の汚れを表現する③
雪（ウェザリングスティックなど）

難易度：かんたん／**ふつう**／むずかしい

におい：**しない**／よわめ／つよめ

▶ 寒冷地で戦闘を行うモビルスーツもいる。**寒冷地で待機する機体は、全身が氷と雪に覆われるだろう。**

▶ ウェザリングスティックの**スノーでこびりつく雪を、石膏（せっこう）と木工用ボンドで降り積もった雪を表現した。**ジオラマなどにも使えるテクニックだ。

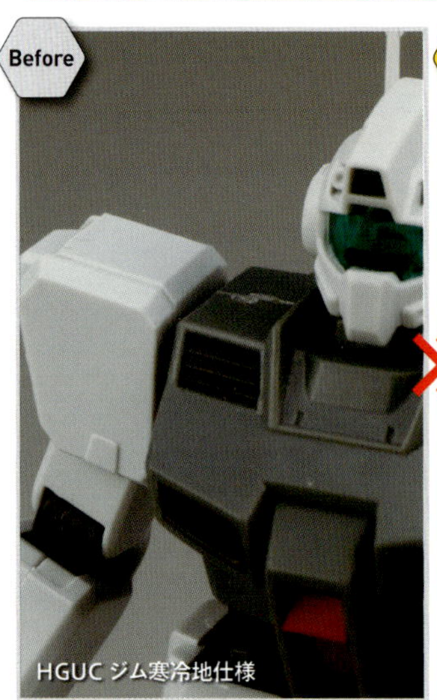
Before

HGUC ジム寒冷地仕様

After

肩や胸部に雪が降り積もった

降り積もった雪を表現するには、**ウェザリングスティックのスノーを使う方法**と**石膏など雪表現に使える素材を使う方法**などがあります。モビルスーツに雪が積もるのは、敵を待ち伏せているときや待機しているときなどでしょうから、どのような体勢で何時間くらいいたのかを考えると、雪を積もらせる量が見えてきます。そのモビルスーツのストーリーとスケール感を考えて、完成イメージを固めてから作業するようにしましょう。

使用する道具

＜方法①＞

ウェザリングスティック（スノー）

コート剤（つや消し）

＜方法②＞

石膏

木工用ボンド

茶こし

・塗料皿
・調色用スプーン
・平筆
・エアブラシなど石膏を吹き飛ばせるもの

方法① ウェザリングスティックで雪を表現

におい：よわめ

ウェザリングスティックのスノーを使えば、塗るだけで雪表現ができる。

1 ウェザリングスティックを使う

ウェザリングスティックにはそのものズバリのスノーがあるので、それを使用する。

2 肩の上などにウェザリングスティックを塗る

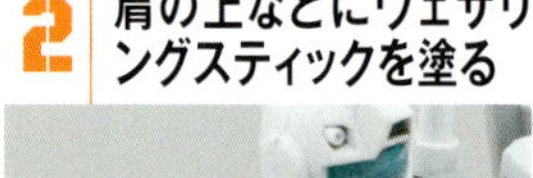

肩の上など、雪の積もりそうなところにウェザリングスティックを塗っていく。ほどよくランダムにつける。

3 つや消しのコート剤で保護する

ウェザリングスティックは触ると落ちてしまうので、つや消しのコート剤を吹いて保護して仕上げる。

プラスα 足元は泥（どろ）だらけにするとリアルな汚れになる

足元は雪が溶けかけて泥まみれになっているということも考えられる。上半身には雪をつけ、足元には泥汚れ（→P.197）をつけるとリアリティが高まる。

方法② 石膏で雪を表現

降り積もる雪は、石膏と木工用ボンドでも表現できる。フワフワとした積雪をつくることができる。

1 木工用ボンドを水で溶く

筆でつけやすいように、木工用ボンドを水で溶く。木工用ボンドは水溶性なので、水で溶いて薄めることができる。

2 キットに溶いた木工用ボンドをつける

平筆を使うことで、パーツ一面に薄く均一につけられる

肩や胸の上部など、雪の積もりそうな部位に、水で溶いた木工用ボンドをつけていく。

3 茶こしで上から石膏をふりかける

茶こしに石膏を入れ、上からふりかけることで、自然に雪が降り積もった様子をつくれる。少し多めでよい。

4 ボンドが乾いてから余分な雪を吹き飛ばす

木工用ボンドが乾いたら、エアブラシなどで余分な石膏を吹き飛ばす。仕上げにつや消しのコート剤で保護。

水辺&寒冷地の汚れを表現する④

氷・凍結（筆）

難易度：かんたん／**ふつう**／むずかしい

におい：しない／**よわめ**／つよめ

▶ 寒冷地の前線で**待機している時間が長くなれば、機体の一部が凍結する**こともあるだろう。

▶ 凍結した装甲は、アクリル塗料と燃料用アルコールの反応で表現する。エアブラシで吹きつけた**アクリル塗料に燃料用アルコールを垂らすと、凍結したような状態に変化していく。**

After
胸部に降り積もる雪によってシールドは凍りついている

寒冷地で戦うモビルスーツは、装甲についた雪などで部分的に凍結している可能性があります。**アクリル塗料とアルコール燃料の反応を活用することで、いかにも冷えきった装甲が凍結したという雰囲気を表現できます。**左の作例は、凍りついてじわっとにじんだ感じが上手に表現できています。燃料用アルコールの量によって、仕上がりが変化するので、本番前にプラ板やジャンクパーツなどを使って練習しておくとよいでしょう。

使用する道具

※必要に応じて、ブラシエイドなど筆を洗うツールを用意。

凍結を表現する方法 よわめ

塗料はアクリル塗料を使用。薄くエアブラシで吹きつけてから、燃料用アルコールを垂らすと、塗料と反応して凍結したように見える。

1 アクリル塗料を用意する

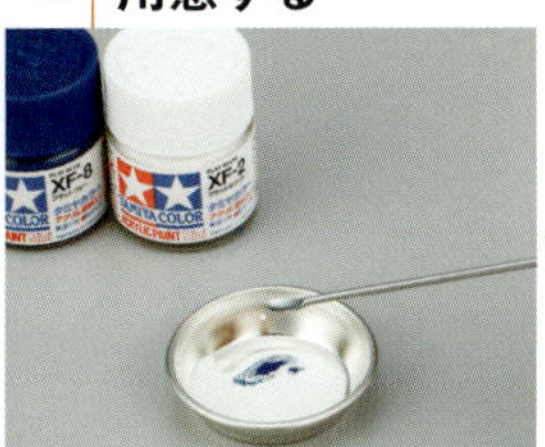

必ずアクリル塗料を使う。タミヤカラーのフラットホワイト（XF-2）に、フラットブルー（XF-8）をごく少量混ぜた。

2 エアブラシで吹きつける

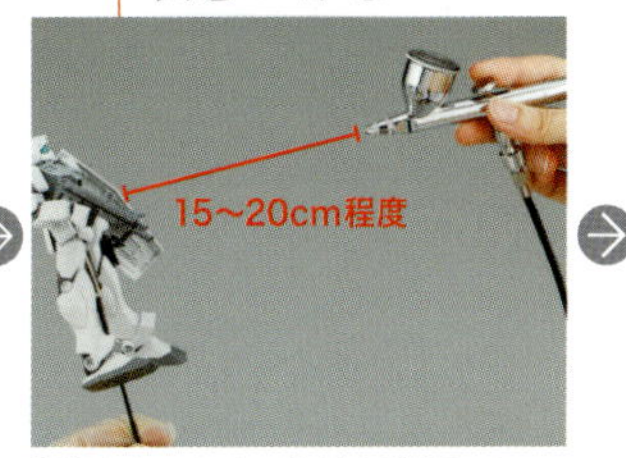

調色したアクリル塗料を希釈して、エアブラシで吹きつける。通常の塗装よりも距離をあけ、全体に薄く吹く。

3 燃料用アルコールを垂らす

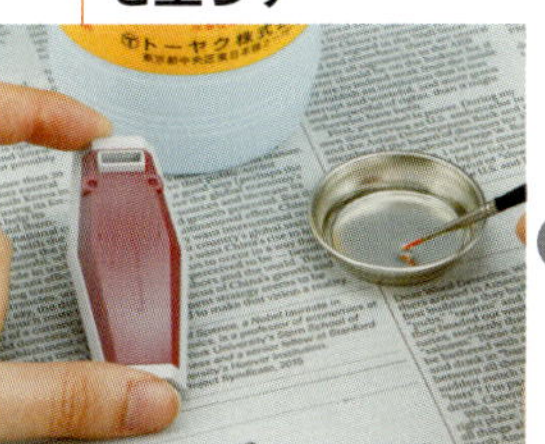

アクリル塗料が乾く前に燃料用アルコールを少しだけ垂らす。面相筆の穂先に含ませてそっと流す程度でOK。

4 アクリル塗料が燃料用アルコールで変化

アクリル塗料と燃料用アルコールが反応して、写真のような質感に変化する。パーツのフチや角を中心に垂らす。

POINT

アルコールの量で調節する

燃料用アルコールを垂らす量によって、仕上がりが変化する。あらかじめ完成イメージを決めておき、少しずつ垂らして、プランどおりになったところで止めるようにしよう。

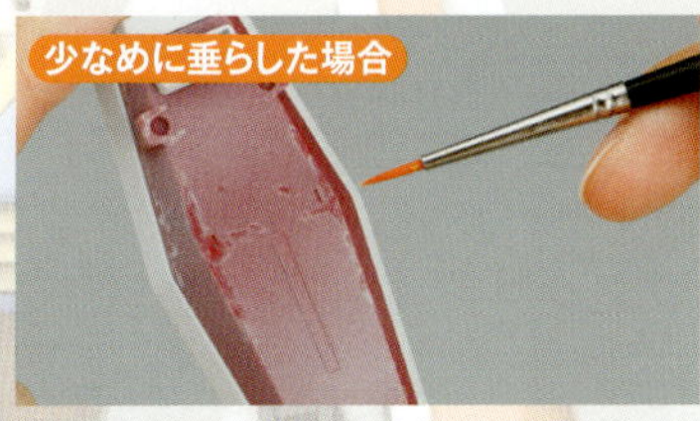

燃料用アルコールを垂らした端だけが溶け始めている印象になる。端から垂らすことで、自然な凍結表現になる。

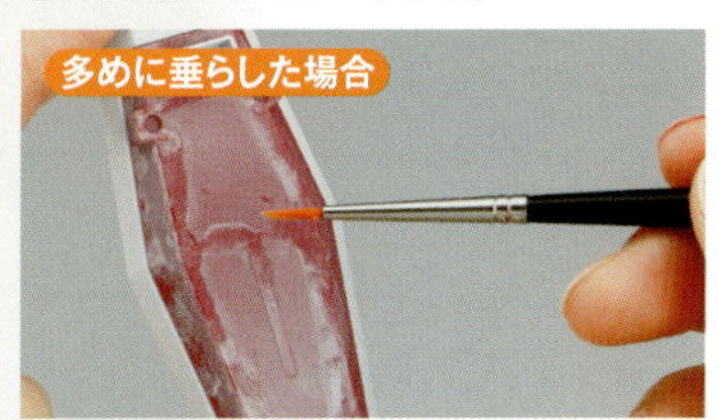

凍結が溶けた範囲が広くなった。量だけでなく、垂らす範囲で調節することもできる。ただし、パーツの中央から垂らすと不自然になるので注意。

燃料用アルコールはドラッグストアやネット通販などで入手できる。引火しやすいので、近くで火気を扱うのは避けること。

ダメージを表現する①
市街地の通行傷（やすり）

難易度：かんたん／**ふつう**／むずかしい
におい：**しない**／よわめ／**つよめ**

▶ 市街戦では、**建物などに装甲をこすることでスリ傷がつくことがある**。もしモビルスーツが何層にも塗装してある場合、こすれ方によって下地の見え具合も変わるだろう。

▶ あらかじめ**三層に塗装して、それをけずることでリアルなスリ傷を表現**する。

よりリアルな傷をつくるために、ここでは**下地の金属色を塗り、次に防サビ剤の色、そして表面のザクカラーのグリーンと、三層に塗り重ねました。そのように三層塗装したところで、紙やすりなどでけずって傷をつけていきます。**やすりのかけ方によって、下地の塗装の見え具合が変わるので、リアルな通行傷を表現することができます。

使用する道具

<方法①>
使用するラッカー塗料（3色）

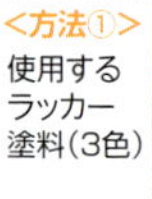

- 紙やすり（320〜400番）
- ラッカー系溶剤
- 塗装用クリップ
- 塗料皿
- 調色用スプーン
- スポイト

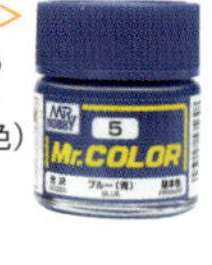
エアブラシセット

<方法②>

棒やすり（もしくは紙やすり320〜400番）

- リアルタッチマーカー（リアルタッチグレー3）
- ぼかしペン
- ウェザリングマスターBセット

方法① 三層塗装してけずる方法 つよめ

三層に塗装してからけずっていくことで、リアルな通行傷を表現。けずる前に完全に乾燥させること。

1 一層目はシルバーを塗る

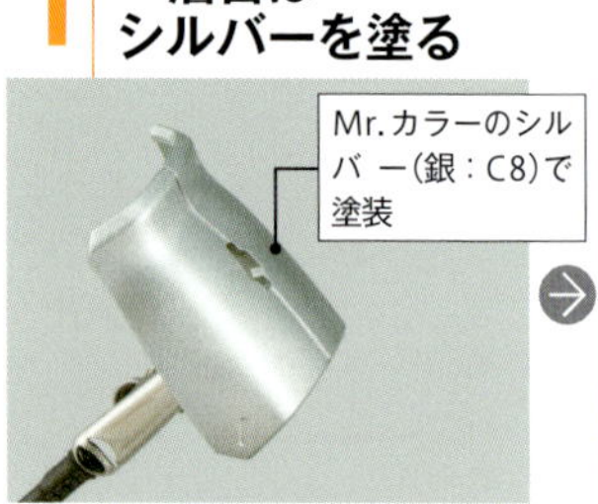

モビルスーツの装甲の合金を表現するために、一層目はシルバーに塗装する。ラッカー塗料をエアブラシ塗装した。

2 二層目は防サビ剤の色を塗る

シルバーが乾燥したら、二層目は下地として塗られた防サビ剤を表現するためにレッドブラウンを塗る。

3 三層目はボディ色を塗る

最後にボディ色を塗装。すべてラッカー塗料でエアブラシ塗装をした。完全に乾燥させて三層塗装を完成させる。

4 三層塗装した上から紙やすりでけずる

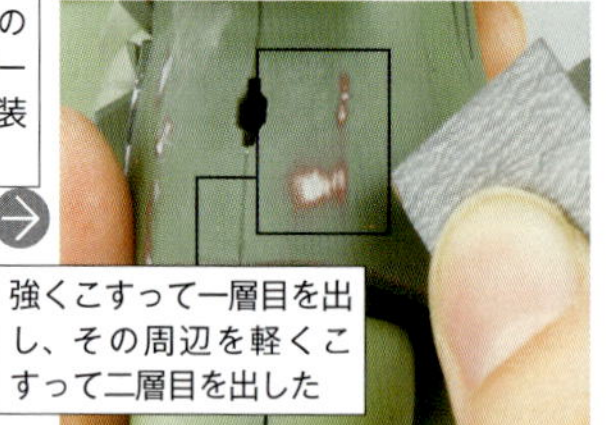

強くこすって一層目を出し、その周辺を軽くこすって二層目を出した

紙やすり（320番〜400番）でこすり、下地を露出させる。こすり加減で、露出具合を調整する。

方法② 先にけずってから塗る

先に傷跡をつけ、そこを塗装する方法もある。

1 棒やすりでスリ傷をつくる

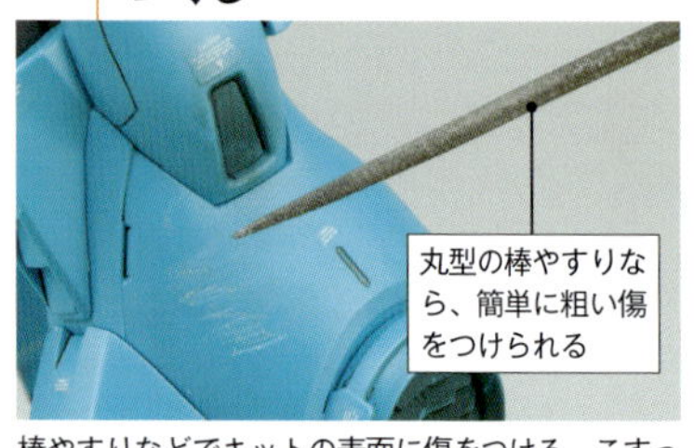

丸型の棒やすりなら、簡単に粗い傷をつけられる

棒やすりなどでキットの表面に傷をつける。こすったような跡にするために、傷の方向を一定にする。

2 傷跡にマーカーやウェザリングマスターを塗る

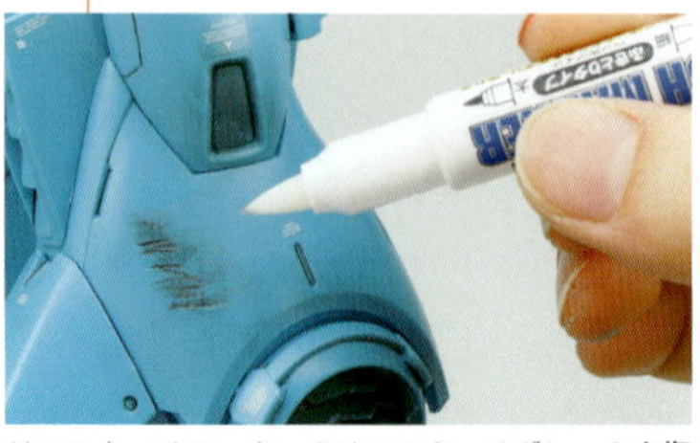

リアルタッチマーカーのリアルタッチグレー3を傷に塗り、ぼかしペンでにじませる。その上から、ウェザリングマスターBセットのススを少しつける。

プラスα こすった傷表現に便利なMr.チッピングゴム

こすれた傷を表現するときには、Mr.チッピングゴムが便利。ゴム状のやすりで、消しゴムを使うような感覚で、パーツの表面にこすれた傷をつけることができる。角が丸くなったら、カッターで切って角を出せる。

Mr.チッピングゴム／GSIクレオス

ダメージを表現する②
デブリ衝突による小傷（リューター）

難易度：かんたん／**ふつう**／むずかしい
におい：**しない**／よわめ／つよめ

▶ 宇宙で戦うモビルスーツに**デブリ（宇宙ゴミ）がぶつかって傷がついた状態**を表現する。
▶ デブリの衝突傷をどこにつけるか**あらかじめマーキングしておき、リューターでつけていく**。ランダムになるようにつけていくのがコツ。

宇宙には、デブリと呼ばれる大小のゴミが高速で飛び回っています。**宇宙空間で戦闘を行うガンダムの世界では、きっと現実以上に大量のデブリが飛び交っているでしょう。**その中を高速で移動するのですから、モビルスーツには大小さまざまなデブリの衝突傷がつくと考えられます。**傷痕（きずあと）は丸く球状になると思われるので、リューターを使い、ランダムにつけていきましょう。**機体が飛ぶときの進行方向を考え、その方向からデブリが当たると想定することでリアリティを高められます。

使用する道具

小さなデブリの衝突傷をつける方法

油性ペンでマーキングして、リューターでランダムにけずっていく。仕上げはウェザリングマスターで。

1 傷痕をつけるところを油性ペンでマーキングする

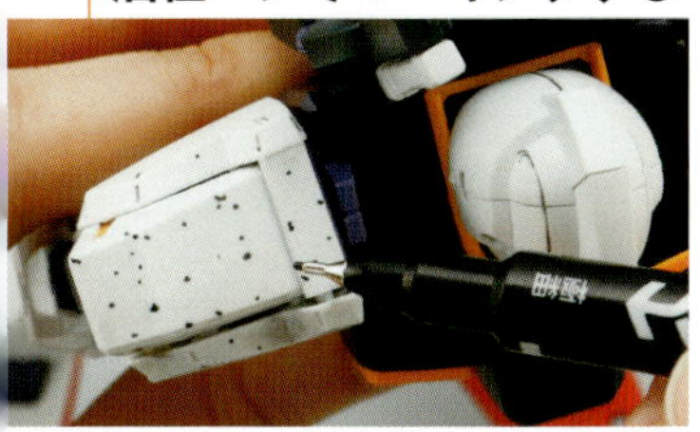

キットをけずる作業なので、やり直しがきかない。どのように衝突傷をつけていくか、事前に油性ペンで印をつけておこう。

2 マーキングしたところをリューターでけずる

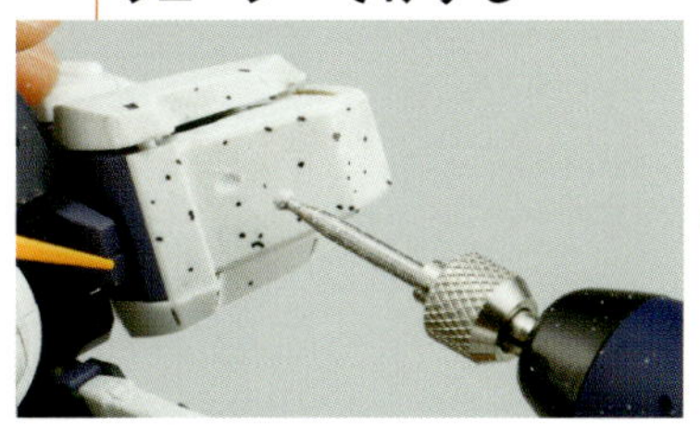

傷をつける位置が決まったら、リューターでけずっていく。カッター系の球型を使用した。デブリの衝突傷なので小さくけずる。

3 ランダムに傷をつけていく

深さが均一だと不自然なので、ランダムに深さを変える。広範囲に傷を散らしてつける、仕上げとしてウェザリングマスターのススをつける。

POINT

デブリとは何か

デブリとは、宇宙を飛び交うゴミのこと。衛星軌道上に人工衛星やロケットの破片などが大量にあって、すべてNASAで観測して位置を把握（はあく）しているそうだ。サイズは大小さまざまで、地上では考えられないような速度で飛び交っている。きっと宇宙世紀の時代は、今とはくらべものにならないほどのデブリが存在しているはずだ。

デブリは高速でぶつかってくるので、小さくても相当な衝撃があるはず。衝突時にはモビルスーツの装甲には球状のへこみができると思われる。

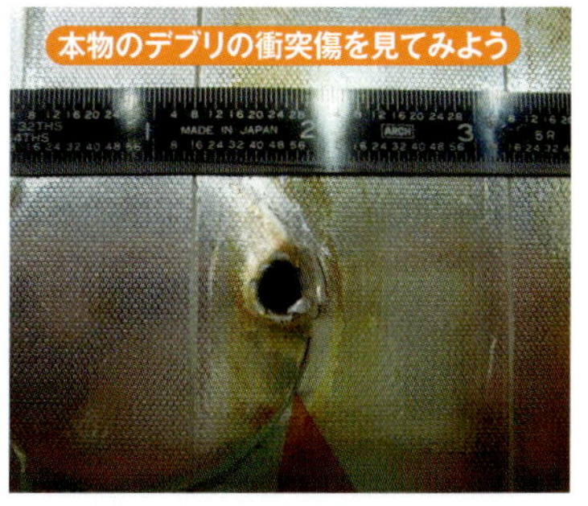

本物のデブリの衝突傷を見てみよう
MADE IN JAPAN

スペースシャトルについた本物のデブリの衝突傷。宇宙空間ではデブリが高速で飛び交っており、衝突したら大きな破損になるおそれがある。

ダメージを表現する③
デブリ衝突によるへこみ(コテライザー)

難易度: かんたん / **ふつう** / むずかしい

におい: しない / **よわめ** / つよめ

▶ **大きなデブリの衝突傷をつけるには、コテライザー**を使ってみよう。

▶ コテライザーはガス式のハンダゴテだが、**先端をブローノズルに交換することで熱風を出せるようになる**。この熱でパーツの表面を溶かしてへこみをつくる。

※「After」の写真にはウェザリングマスターによる汚し(→P.180)も施されています。

デブリにはさまざまなサイズがあるので、大きなものが衝突すれば装甲が大きくへこむことがあるでしょう。しかし、**兵器による攻撃ほどのダメージはありませんから、ほどほどのへこみを表現したいところ**です。そのようなへこみは、コテライザー(→P.175)を使って表現できます。先端につけたブローノズルで熱風を送ると、ほどよくプラスチックを溶かして、へこみをつくることができます。熱風の当て具合を調節することで、いかにもデブリがぶつかったような、大小さまざまなへこみを表現できます。

使用する道具

コテライザーでへこみをつくる方法 よわめ

へこみをつける位置にマーキングをして、コテライザーのブローノズルで熱加工をする。火の取り扱いに注意。

1 へこませる箇所を油性ペンでマーキング

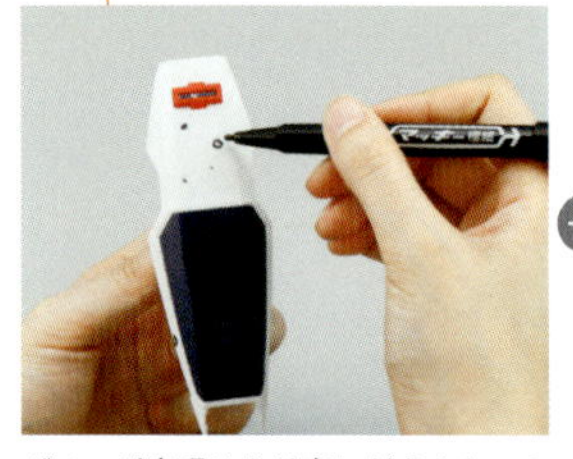

ダメージ表現はやり直しがきかないので、事前にへこませる箇所に油性ペンでマーキングをしておく。

2 コテライザーにブローノズルをセットして着火

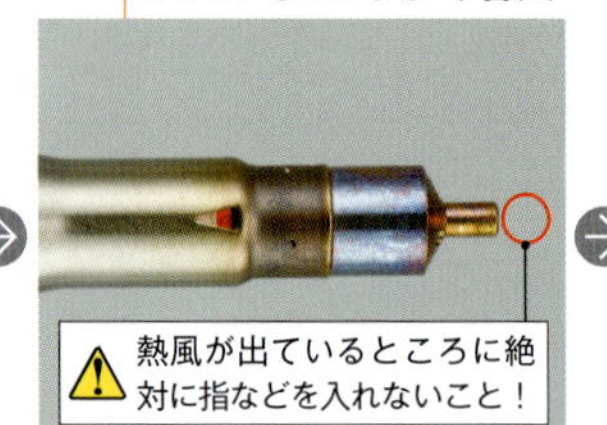

熱風が出ているところに絶対に指などを入れないこと!

コテライザーの先端をブローノズルに交換する。着火すると三角の窓から炎が確認できる。取り扱いには十分注意!

3 先端を近づけて少しずつ熱風を送る

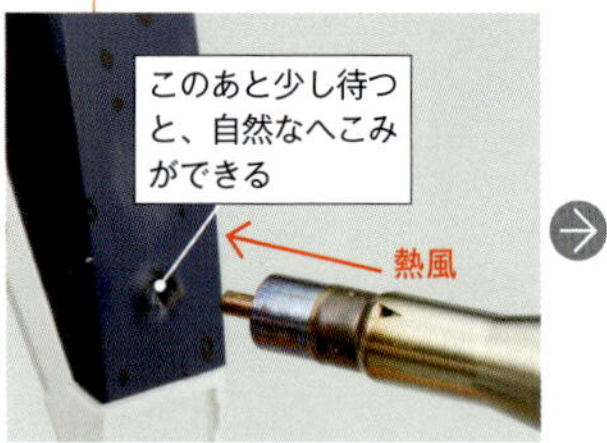

ノズルの先端から高温の熱風が出ているので、加工箇所に近づけていく。表面がある程度へこんだら離す。

4 大きさにメリハリをつけながらへこみの数を増やす

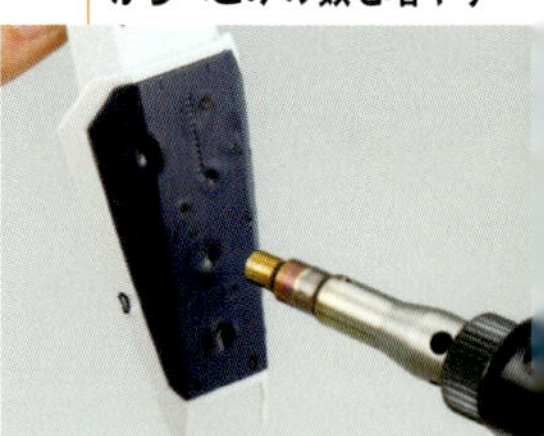

ブローノズルのサイズや熱を当てる時間・距離を変えることで、ランダムに衝突傷がつくようにする。

NG 火の取り扱いには十分注意!

火や高熱の器具を使う加工は、火傷(やけど)や火災のおそれがあるので、取り扱いには十分に注意する必要がある。また、きちんと作業環境を整えることも大事。塗料などに引火しないように、周辺を安全な状態にしてから作業をしよう。

- ⚠紙など燃えやすいものを遠ざける
- ⚠塗料や溶剤など、可燃性のものを遠ざける
- ⚠周辺を整理整とんする
- ⚠必ず換気をする
- ⚠作業後は器具が冷めるまで触らない

プラスα 電気ハンダゴテは使えるツール!

電気ハンダゴテも、熱加工の定番ツールの1つ。コードがついているのでコテライザーよりは取り扱いが面倒だが、比較的安い価格で手に入る。ブローノズルのようなものはないので、大きなへこみをつけるのは大変だが、弾痕(だんこん)や貫通痕(かんつうこん)などは十分に表現できる。

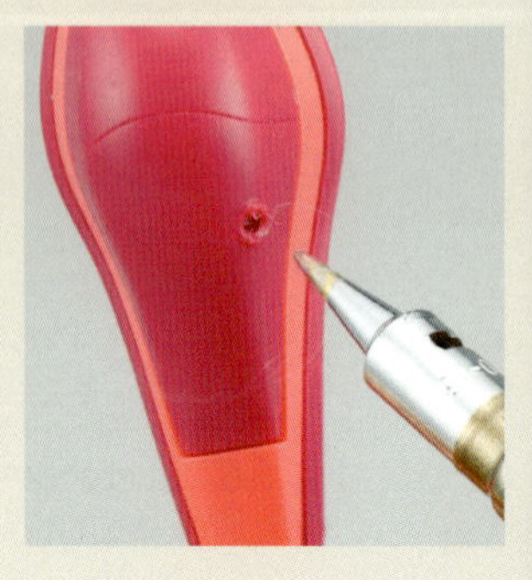

ダメージを表現する④ 実弾兵器による弾痕（ピンバイスなど）

難易度	
かんたん	
ふつう	●
むずかしい	

におい	
しない	
よわめ	●
つよめ	

▶ マシンガンなどの**実弾兵器によって貫通した弾痕（だんこん）は、ピンバイスを使って表現**できる。
▶ パーツの表面にマーキングをして、**攻撃された武器に見合った径のピンバイスで穴を開けていく。**塗装とウェザリングで弾痕らしさを演出していく。

硬い砲弾で装甲を貫かれた弾痕を表現する場合は、ピンバイスを使います。ここではザク・マシンガンの連射を受けてしまったという設定で、3発の弾痕が連なった表現にしました。砲撃によるダメージを考える際のポイントは、どんな兵器で撃たれたのかということです。ザク・マシンガンで撃たれたのなら、**同じスケールのザク・マシンガンの銃口（じゅうこう）サイズを測り、同じ太さのドリルを使うとよいでしょう。**実際には直撃時の衝撃によって、もっと大きな穴になる可能性はありますが、そこは好みの範囲でよいでしょう。

使用する道具

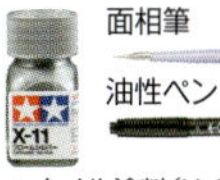

※必要に応じて、ブラシエイドなど筆を洗うツールを用意。

ピンバイスで弾痕をつける方法

よわめ

油性ペンでマーキングしたところに、ピンバイスで穴を開ける。径は武器に合わせて決める。ウェザリングなどで仕上げて完成。

1 貫通させる箇所を油性ペンでマーキングする

穴を開けてしまうとやり直しがきかない。先に油性ペンでマーキングしておく。

2 攻撃された武器に合ったドリル径を選ぶ

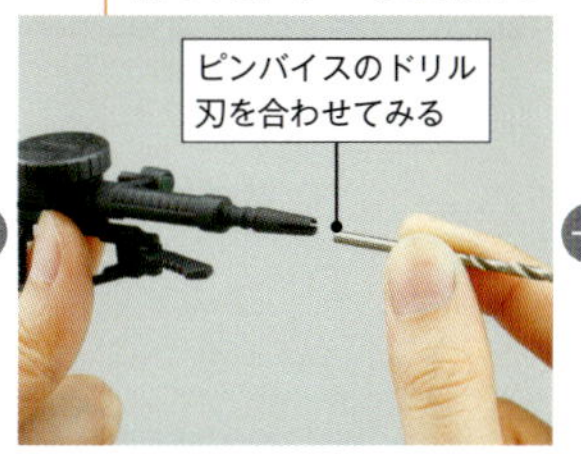

同スケールのザク・マシンガンの口径に合ったサイズのドリル刃を使う。

3 マーキングに合わせてピンバイスで穴を開ける

ピンバイスにドリル刃を取りつけ（→P.174）、まっすぐに当てて穴を開けていく。途中で曲げないよう注意。

4 穴の周囲を整えてウェザリングをする

このあとデザインナイフで穴を少し荒らし、クロームシルバー（X-11）やウェザリングマスターBのススで仕上げる。

POINT スケールに合った弾痕の大きさにする

ダメージ表現は、「どのような兵器で攻撃され、どのように当たったのか」を考えておくことが大事。具体的なダメージプランを立ててつくることで、見ただけで、その機体がくぐり抜けてきた戦場が伝わるようになるだろう。

ザク・マシンガンは正しくは120mmマシンガンで、120mmは銃口の直径を示している。これはレオパルトⅡという戦車に搭載されている砲と同じサイズ。

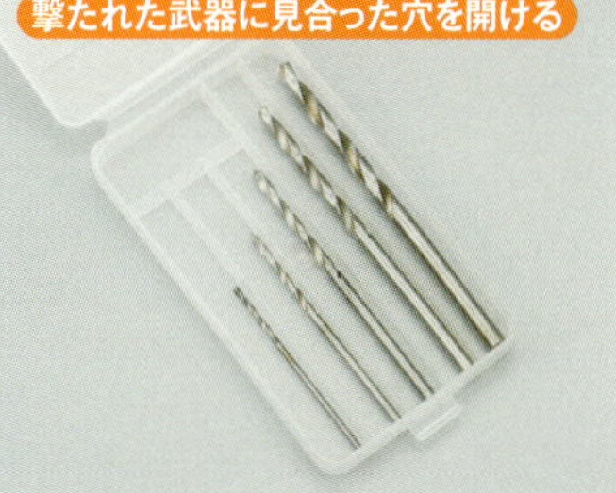

砲弾は命中時の速度に応じた衝撃が発生するので、必ずしも弾のサイズと同じ大きさの穴ができるわけではない。開ける穴は銃口と同じか、それより少し大きめくらいにしよう。

ダメージを表現する⑤
実弾兵器による弾痕(リューターなど)

難易度：かんたん／**ふつう**／むずかしい
におい：しない／**よわめ**／つよめ

▶ 実弾兵器で受けたものの、**貫通しなかった弾痕はリューターを使って表現**できる。
▶ **リューターを使うと浅い弾痕やナナメに受けた傷も簡単につける**ことができる。マーキングしてからパーツをけずり、塗装で仕上げる。

※「After」の写真にはチッピング(→P.185)なども施されています。

貫通せず、装甲をけずった程度の**弾痕は、リューターを使います**。カッター系の丸い先端のビットがオススメです。リューターであれば、装甲に対してナナメに当たった弾痕を表現することもできます。ここでは61式戦車(『機動戦士ガンダム』などに登場)の砲撃を受けて、装甲が傷ついた場面を想定しました。丸形の弾痕にするよりも、**少しゆがませたほうが、より臨場感のある仕上がり**になります。戦って帰還したばかりであれば、まだサビは浮いていないので、傷痕には金属色を塗り、その周辺にスス汚れを表現するとよいでしょう。

使用する道具

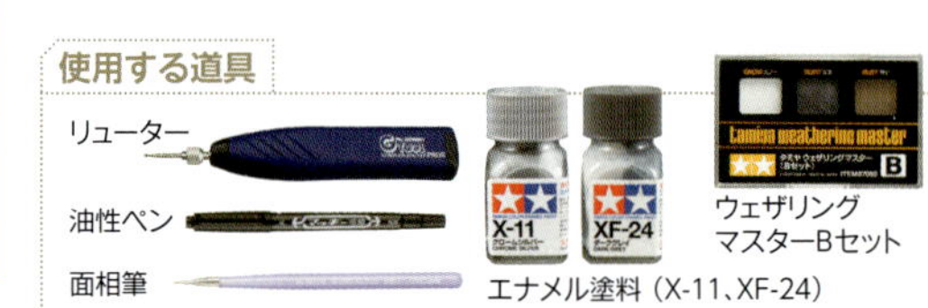

エナメル塗料(X-11、XF-24)

※必要に応じて、ブラシエイドなど筆を洗うツールを用意。

実弾兵器による弾痕をつける方法 よわめ

タミヤカラー エナメル塗料のクロームシルバー(X-11)とダークグレイ(XF-24)で傷痕を塗る。

1 弾痕をつける箇所にマークをつける

リューターで加工する箇所に、あらかじめ油性ペンでマークをつけておく。ここでは腰アーマーと脚部を加工。

2 マークをつけたところにリューターを当てる

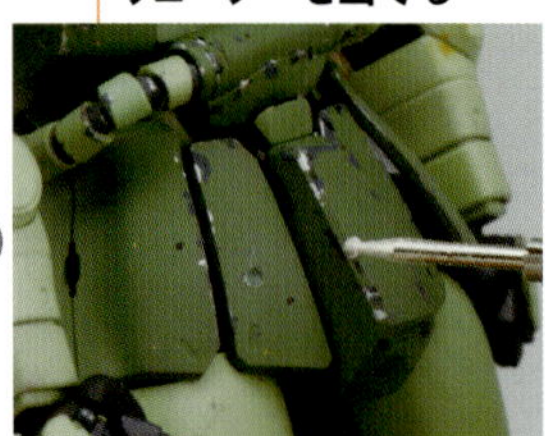

丸型のカッター系ビットをリューターにつけ、マークをつけた箇所に当てる。大きさや深さをランダムに。

3 機体の側面にかすったような弾痕をつける

ビットを軽くこすらせるように動かすと、かすったような傷痕になる。ピンバイスにはできない表現方法。

4 傷痕を塗装して仕上げる

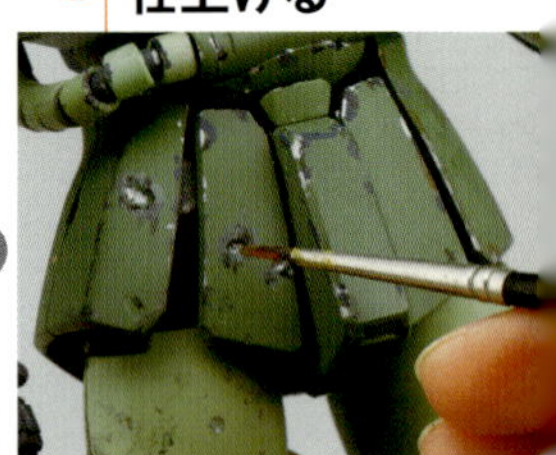

タミヤカラー エナメル塗料のクロームシルバー(X-11)とダークグレイ(XF-24)で傷痕を塗る。

POINT

実弾兵器もたくさん登場!

ガンダム作品では、ビーム・ライフルに代表されるビーム砲の印象が強いが、『機動戦士ガンダム』などで描かれた「一年戦争」の時代では、ザク・マシンガンなどの実弾も多かった。設定情報などを読んで、どのようなダメージを与えられる武器なのかチェックしておこう。

とくにミリタリー色の強い演出がされている『機動戦士ガンダム第08 MS小隊』では、弾痕などの表現が豊富。全身がボロボロになった量産型ザクなども登場した。

ビーム兵器が役に立たない『機動戦士ガンダム 鉄血のオルフェンズ』の世界では、実弾兵器がモビルスーツの主力武器になる。火薬のにおいがしてきそうな画面の迫力をガンプラに活かしたい。

ダメージを表現する⑥
クローによるダメージ

難易度
かんたん
ふつう
むずかしい

におい
しない
よわめ
つよめ

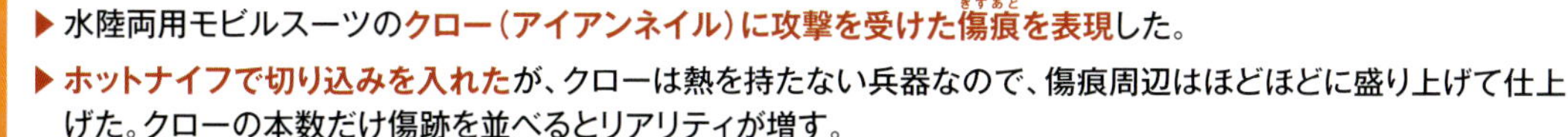

▶ 水陸両用モビルスーツの**クロー（アイアンネイル）に攻撃を受けた傷痕（きずあと）を表現**した。

▶ **ホットナイフで切り込みを入れた**が、クローは熱を持たない兵器なので、傷痕周辺はほどほどに盛り上げて仕上げた。クローの本数だけ傷跡を並べるとリアリティが増す。

※「After」の写真にはウォッシング（→P.181）なども施されています。

　ズゴックやゴッグなどの大型クローを持つモビルスーツに攻撃されたときは、複数の切り傷が並びます。デザインナイフでけずってからラッカーパテで傷痕を成形する手法もありますが、ホットナイフを使えばプラスチックを溶かして、そのまま傷痕らしく見せることができます。**どの機体のクローで攻撃され、どの程度の傷がついたのかというストーリーを考えて、傷のサイズやえぐれ方を決めましょう。**仕上げには内部の金属色や、塗装がはがれた感じを見せるためにエナメル塗料を塗るとよいでしょう。

使用する道具

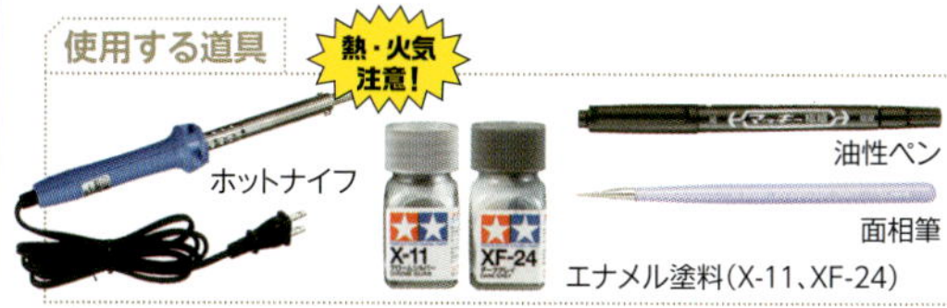

※必要に応じて、ブラシエイドなど筆を洗うツールを用意。

ホットナイフで傷痕を刻む方法 よわめ

加工するラインをマーキングし、ホットナイフで切り込みを入れていく。周囲をエナメル塗料で塗って完成。

1 油性ペンで加工する箇所をマークする

加工前に油性ペンでホットナイフを当てる箇所をマーキングしておく。傷同士の距離を均等にしておく。

2 傷つけたと想定したクローで確認してみる

HGUC ハイゴック

もし攻撃したクローを装備するキットを持っていたら、マーキングした箇所に合わせて確認してみる。

3 マーキングに合わせてホットナイフを当てる

ホットナイフでマーキングした箇所に刃を当てていく。ずれないように気をつけ、ゆっくり少しずつ切っていく。

4 えぐれたようにするために刃を左右に動かす

プラスチックが溶けてやわらかくなったら、左右に少しずつ刃を動かして、傷のフチが盛り上がるようにする。

5 2本目の傷痕も同じようにつける

2本目の傷も、1本目と同じときにつけられたものなので、平行になるよう角度に気をつけて刃を入れる。

6 3本目の傷をつけて全体を整える

3本目も同じように刃を入れて傷痕をつけたら、全体のバランスを見てそれぞれの傷痕の盛り具合を整える。

7 傷痕をエナメル塗料で塗装する

傷痕はタミヤカラー エナメル塗料で塗装。クロームシルバー（X-11）とダークグレイ（XF-24）を使用する。

プラスα ホットナイフがなくてもOK

　ホットナイフがなくても、デザインナイフなどで切り傷をつくることができる。切った部分にスチロール系接着剤などを塗って溶かし、少し荒らしておくと、ほどよい傷痕に仕上がる。

ダメージを表現する⑦
ビーム砲による弾痕（線香&筆）

難易度：かんたん／**ふつう**／むずかしい
におい：しない／**よわめ**／つよめ

▶高熱のビーム砲で撃たれたことによる弾痕(だんこん)は、**線香による熱加工**で表現できる。
▶加工箇所をマーキングし、**火をつけた線香を当ててプラスチックを溶かしていく。**さらにラッカーパテで傷痕(きずあと)を成形し、塗装とウェザリングを施す。3つのステップで紹介する。

Before
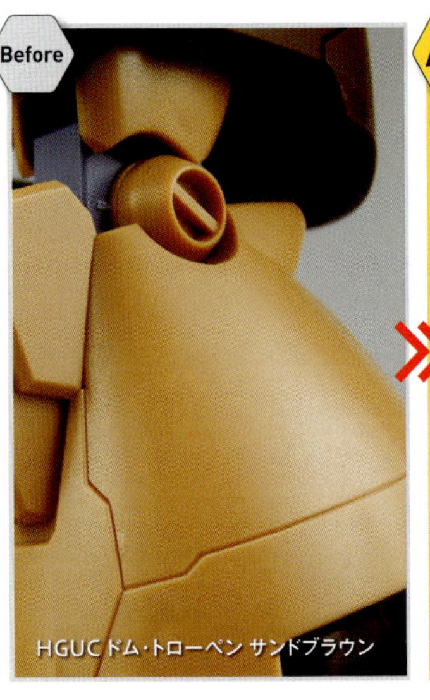

HGUC ドム・トローペン サンドブラウン

After

ビーム砲は、高熱によって装甲を破壊する兵器です。合金製の装甲がまるでプラスチックのように溶けて爆発していくシーンは、さまざまなガンダム作品の中で描かれています。ビーム砲は当たったけれども、爆発せずに済んだ場合、その弾痕は焼けて溶けたようになっているでしょう。そのような表現には、**線香を使う方法があります。実際にプラスチックが溶けるので、簡単にえぐれた傷痕を表現できます。**貫通痕(かんつうこん)にすることも可能です。ただし、火の取り扱いには十分に注意してください。また、有害なガスが出るので、必ず換気してください。

使用する道具

熱・火気注意！

線香

ウェザリングマスターBセット

エナメル塗料（X-11、XF-24）

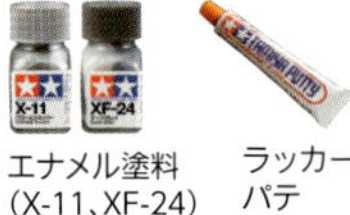
ラッカーパテ

・スパチュラ
・灰皿
・ラッカー系溶剤
・面相筆
・ライター
・油性ペン

※必要に応じて、ブラシエイドなど筆を洗うツールを用意。

Step1 線香を使って穴を開ける　よわめ

ダメージ加工したい箇所をマーキングし、火をつけた線香で熱を加えていく。火の取り扱いは要注意。

1 加工する箇所をマーキングする

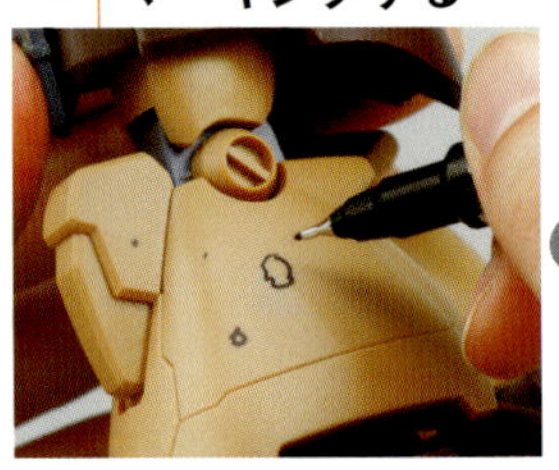

ビームが当たった箇所を考えて、油性ペンでマーキング。数が多すぎると、爆発しそうに見えるのでほどほどに。

2 線香に火をつける

火気に注意 >> P.206

灰皿、水、ライター、線香を用意。線香に火をつけ、炎を消してけむりが出る状態にする。

3 マーキングした箇所に線香を近づける

油性ペンでマーキングしたところに、線香を近づける。線香の先端が、パーツに触れたところでしばらく止める。

4 少し溶けたところで線香を上げる

パーツが少し溶けたら線香を離す。当てる時間によって、傷の深さやえぐれ方が変わるので、好みで調節する。

プラスα 線香の当て方によって異なる傷痕をつくれる

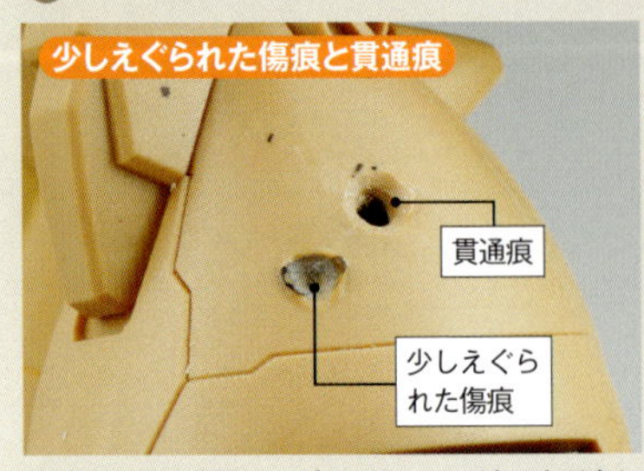

線香を当てる時間で、プラスチックの溶け方が変わる。少し当てれば、少しえぐれた傷痕に、じっと当てれば貫通痕になる。

開けた穴の中に線香の灰が残ることがある。そのまま弾痕の質感として活かすこともできるが、取りのぞきたい人はエアブラシなどで吹き飛ばそう。

NG 溶けた部分は紙やすりなどでけずらない

線香による加工のメリットはプラスチックが溶けることで、金属が溶けたようにぬるっとした形をつくれること。やすりなどでけずってしまうと、せっかくのダメージ感が台無しになる。

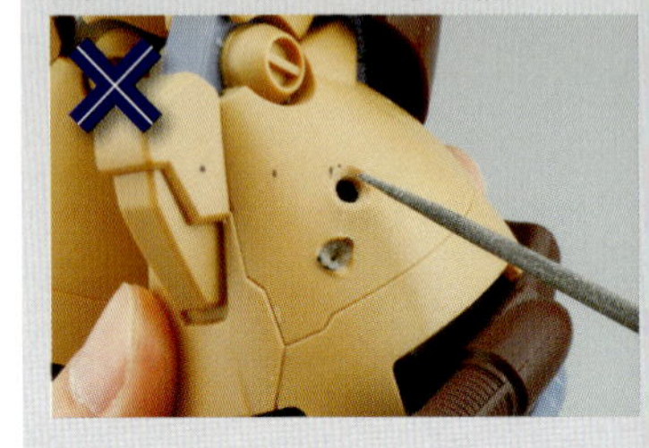

Step2 傷痕の質感をさらに高める つよめ

次に弾痕の周囲を、ビームで溶かされたようにパテで盛り上げる。ラッカーパテと、ラッカーパテを溶剤で溶かした「溶きパテ」を使う。

1 線香で開けた穴の周りをパテで成形する

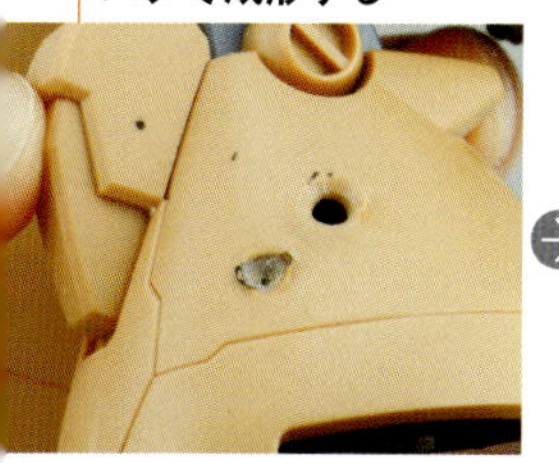

香で貫通させた穴の周囲をビーム砲
溶けた感じにするために、ラッカー
テで成形していく。

2 ラッカーパテを周囲に盛りつけて整える

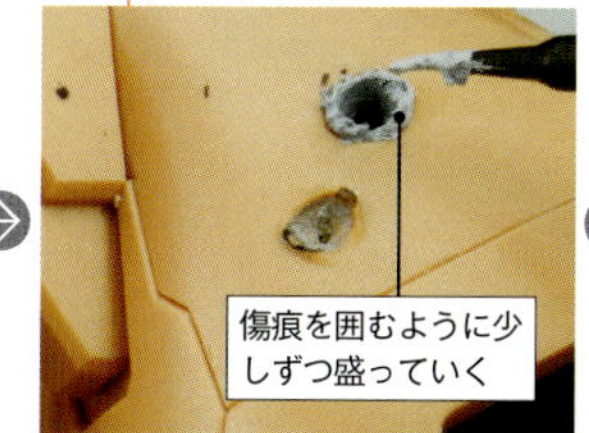

ラッカーパテを少量、スパチュラで盛りつける。このあとラッカーパテを溶いたものをかぶせるので盛りすぎに注意。

3 溶きパテを塗ってなめらかにする

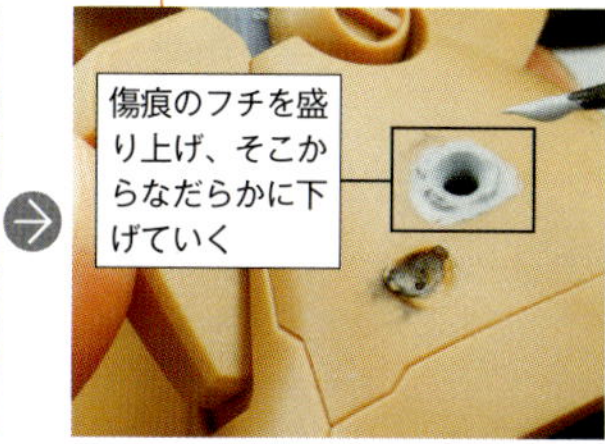

ラッカーパテをラッカー系溶剤で溶いて、先ほど盛りつけたパテの上に塗りつける。スパチュラで形を整える。

プラスα パテを盛るのに便利なスパチュラ

スパチュラは日本語で「ヘラ」のことで、パーツに接着剤やパテなどを盛るのに便利なツール。さまざまな形状のものが市販されている。

Mr.グルー・アプリケーター（接着剤用塗布棒）
GSIクレオス

Step3 エナメル塗料で傷痕を塗装する よわめ

仕上げに傷痕の内部をクロームシルバー、外部をダークグレイで塗装し、ウェザリングマスターのススをつける。

1 傷痕の内側をクロームシルバーで塗装する

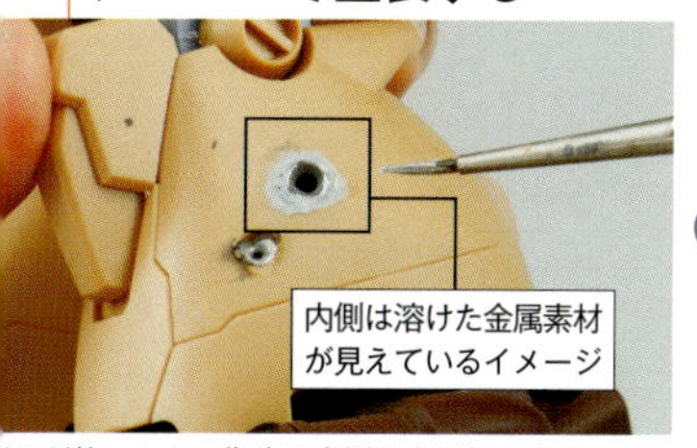

テが乾いたら、傷痕の内側を金属色で塗る。タミ
カラー エナメル塗料のクロームシルバー(X-11)
使用し、面相筆で塗った。

2 傷痕の周辺をダークグレイで塗装する

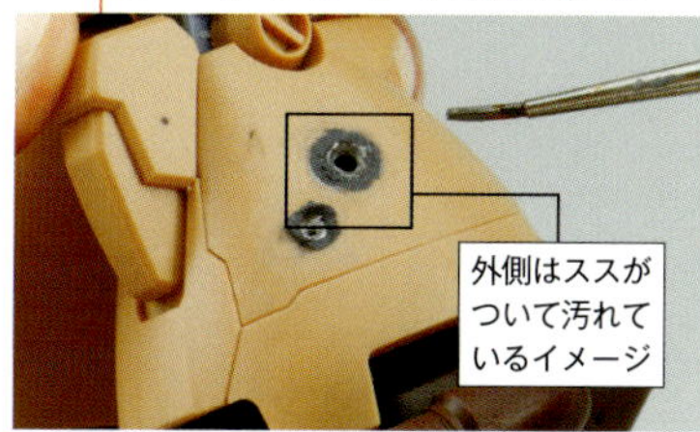

傷痕の外側は、グレー系の色で塗る。タミヤカラー エナメル塗料のダークグレイ(XF-24)を使用。同じく、希釈は必要ない。

3 仕上げにウェザリングマスターを塗る

傷痕周辺にウェザリングマスターBセットのススを塗ることで、高熱のビーム砲で焼けた際に、細かいススがついた様子を表現できる。

プラスα デカールの上から弾痕をつけるときは

デカールやシールを貼っているときは、先にそれらを貼ってから線香で熱加工をする。先に線香で穴を開けてからデカールなどを貼ると、デカールだけが浮いて見えてしまう。

デカールやシールが貼ってある場合でも、線香で弾痕をつけることができる。弾痕の上から、デカールなどを貼るのは不自然すぎるだろう。

弾痕のまわりをエナメル塗料などで塗装した

上と同じようにクロームシルバー、ダークグレイ、ウェザリングマスターBセットのススを使って、傷痕の内外や周辺を塗装して完成。

POINT ビームで攻撃されるとどうなる？

ビーム・ライフルなどのビーム兵器は、劇中でも非常に強力な武器として描かれている。たとえば、ビーム・ライフルの直撃を受けた量産型モビルスーツなどは、一撃で大爆発を起こすシーンが多い。だが、急所に当たらなければどうということはないこともあるようで、どのようなダメージ表現を施すかは、つくる人の自由だ。

たいていの場合は、モビルスーツはビーム攻撃を受けると爆発してしまう。

ガンダムなどのエース機はかなり丈夫にできているようで、なかなか爆発まではしない。

MISSION_3 ▸ウェザリング

テクニック

ダメージを表現する⑧
ビーム砲による破損

難易度
かんたん
ふつう
むずかしい

におい
しない
よわめ
つよめ

▶ **ホットナイフを活用**すれば、装甲が大きく破損したような派手なダメージ表現を行うことができる。3ステップで紹介。

▶ MGやRGのような内部も凝った仕様のキットは、破損した装甲の下に見える**内部フレームにも手を加えることで、さらにダメージの臨場感をアップさせることができる。**

Before
MG 百式 Ver.2.0

After
装甲がえぐられて、内部フレームが見えている

強力なビーム砲の直撃を受ければ、分厚い装甲板も溶かされてしまうでしょう。**パーツの広範囲が破壊された傷痕の表現には、ホットナイフが便利です。**ここでは「MG 1/100 百式 Ver.2.0」を使用しました。完成後には見えない内部構造までしっかり再現されているキットなので装甲部に大きな穴が開いて内部構造が見えても格好悪くはなりません。今回はさらに**内部構造をディテールアップ**して、完成度を高めました。

使用する道具

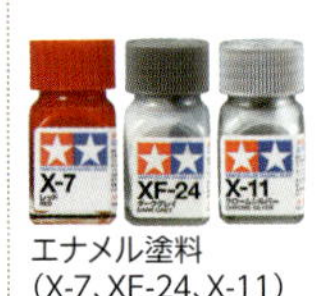

ホットナイフ
熱・火気注意!

エナメル塗料(X-7、XF-24、X-11)
ウェザリングマスターBセット

- ・油性ペン
- ・エポキシパテ
- ・スパチュラ
- ・ピンセット
- ・面相筆
- ・リューター
- ・ジャンクパーツ

※必要に応じて、ブラシエイドなど筆を洗うツールを用意。

Step1 ホットナイフで装甲を切り取る方法 よわめ

まずは、加工するラインをマーキングし、ホットナイフで切り取っていく。

1 切り取るラインを油性ペンでマーキングする

どのくらい装甲が破壊されるのかを決め、切り取る部分をマーキングする。本体に取りつけながら考えたほうが、位置やサイズなどを決めやすい。

2 加熱したホットナイフで切り口を入れる

刃を押し当てることで貫通させることができる

マーキングしたライン上の1点にホットナイフの刃を当てて切り口をつくる。厚みがあるパーツの場合は切れにくいが、あせらずじっくり刃を当てていく。

3 貫通した部分から切り込みを広げていく

あえて少し雑に切って傷痕の断面を表現

1ヵ所を貫通させたら、そこから徐々に切り込みを広げていく。断面はきれいに整えるよりも、少し溶けた感じを残すようにする。

4 完全に切り抜いたら断面を整える

破損箇所を切り抜いたら、ホットナイフでさらに断面の形をつくる。不規則な形にすることで、リアルな破壊表現をつくることができる。

5 本体につけてバランスを確認する

いったん本体に取りつけて、イメージどおりの傷の大きさや形になっているかを確認する。やり直しがきかないので、やりすぎず、少しずつ加工しよう。

プラスα ホットナイフの取り扱い

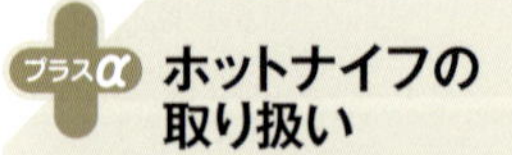

ホットナイフは高熱の刃で、プラスチックを焼き切るツール。燃えやすいものや溶剤を遠ざける、使用後は冷めるまで触れないようにするなど、取り扱いは慎重に行おう。

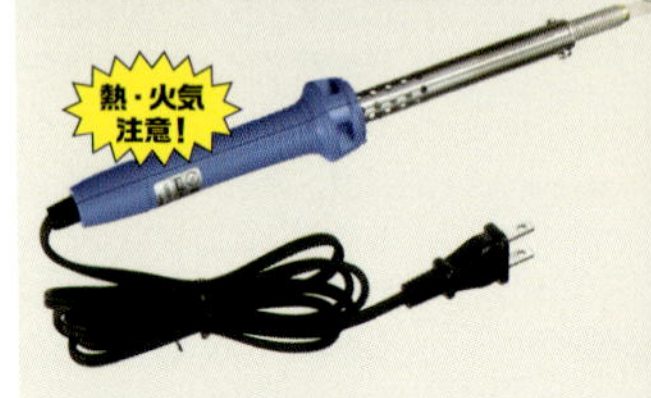
熱・火気注意!

Step2 切断面をパテで整える方法 よわめ

次に、装甲の破損部分を成形する。ここではエポキシパテで成形して、エナメル塗料で塗装した。

1 切断面にエポキシパテを盛りつける

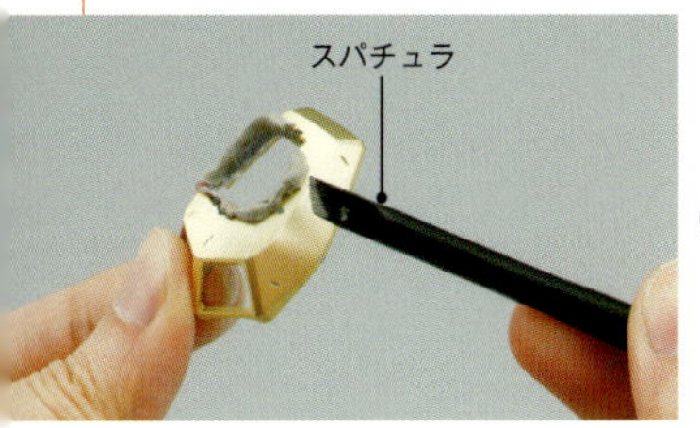

ェポキシパテを練り合わせて(→P.232)、スパチュラ(→P.211)を使って破損箇所の外側に盛りつける。傷痕のフチがめくれ上がっているイメージに。

2 傷痕の表面をなめらかに整える

ビーム砲の熱で焼かれたという設定なので、金属が溶かされたようにパテの表面をなめらかにならしていく。

3 傷痕をエナメル塗料で塗装し、ススをつける

金属が露出する内側はクロームシルバー(X-11)、外側をダークグレイ(XF-24)で塗装。仕上げにウェザリングマスターBセットのススをまぶす。

Step3 内部フレームを加工する

MGやRGのように内部フレームまでしっかりつくられているキットでも、もう少しつくり込んで完成度を高めたい。

1 塗装した破壊部のパーツを本体に取りつける

塗装まで終えた破損部のパーツを本体に取りつけると、内部構造が見えているのがわかる。外部装甲のつくり込みに対して、少し物足りない印象だ。

2 ジャンクパーツなどを瞬間接着剤でつける

いったん外装パーツを外し、ジャンクパーツや真鍮線などを瞬間接着剤でつけ、情報量をアップさせる。

3 リューターで少しけずる

内部装甲も少しダメージを受けた様子にするために、リューターなどで少しけずっておく。このあとで塗装するので、ほどほどでOK。

4 内部装甲を塗装する

タミヤカラー エナメル塗料のレッド(X-7)とダークグレイ(XF-24)、クロームシルバー(X-11)で内部を塗装。面相筆を使う。

5 外装パーツを取りつけて仕上げる

外装パーツを取りつけ、一体感が出るようにウェザリングマスターBセットのススなどを薄く塗って完成。

シャア(クワトロ)にもピンチはある。ハマーンとシロッコという強敵2人に襲われて、百式もボロボロになってしまったのだ。

プラスα ジャンクパーツを集めておこう

使われなかったパーツや予備の武器、ランナー、壊れた電子部品、リード線など、何でもジャンクパーツとして保存しておくと、こういう作例のときに大活躍してくれる。自分のジャンク箱をつくって、いろいろため込んでおこう。

未使用のパーツ、ランナーの破片、リード線など、ガンプラに使えそうなジャンクパーツをため込んでおく。

百式の左側のバインダーを切断して、そこに小さなスプリングを埋め込んだ。ジャンクパーツで破損箇所のディテールがアップした好例だ。

ダメージを表現する⑨
ヒート・ホークによるダメージ

難易度：かんたん／**ふつう**／むずかしい
におい：しない／**よわめ**／**つよめ**

▶ ホットナイフで、**ザクのヒート・ホークを受け止めたときにできる傷痕**を表現した。3ステップで紹介。
▶ 高熱の武器で受けた傷なので、少し装甲が溶かされたように加工した。**ホットナイフでパーツを切り、周囲をラッカーパテで盛り上げて塗装**して仕上げる。

ザクのヒート・ホークは刃の部分を高熱にして、装甲を焼き切るという武器です。ここでは、装甲にめり込む切り傷を再現しました。**このようにパーツの途中につける傷には、ホットナイフのように溶かして切るタイプのツールが向いています。**また、焼かれて切られた傷痕を際立たせるために、周りにラッカーパテを盛って成形します。熱によってつけられた傷なので、黒くこげたような色をつけておくのもポイントです。

使用する道具

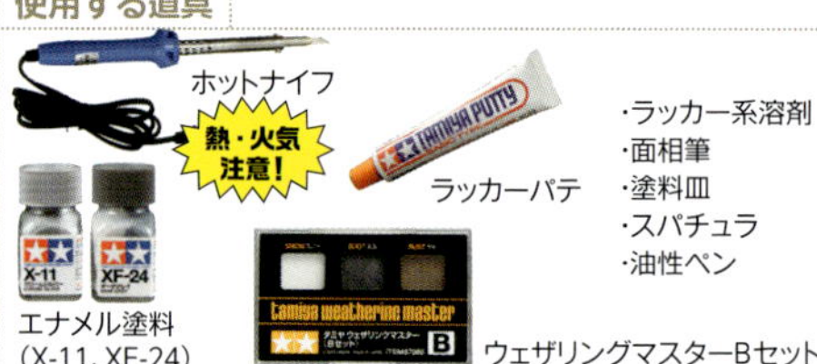

・ラッカー系溶剤
・面相筆
・塗料皿
・スパチュラ
・油性ペン

※必要に応じて、ブラシエイドなど筆を洗うツールを用意。

Step1 ホットナイフで切れ込みを入れる よわめ

まずは加工箇所をマーキングし、ホットナイフで切れ込みを入れていく。軽く刃をひねって、傷痕を広げるようにしておく。

1 切れ込みを入れる場所を決めてマーキングする

どうやってつけられた傷なのかを考えて、ダメージをつける箇所を油性ペンでマーキングする。

2 ホットナイフの熱で切れ込みを入れる

ホットナイフのスイッチを入れて熱し、マーキングした箇所に合わせて切れ込みを入れていく。ゆっくり押し当てて、熱しながら切っていこう。

3 刃をひねって傷痕を整える

切れ込みを入れたら、刃を左右にひねり、切れ込みを広げる。少し左右に盛り上がるようにひねっておくと、ヒート・ホークで切られたような傷痕になる。

POINT

デザインナイフで切る方法もある

ホットナイフがなければ、デザインナイフやカッターナイフで切れ込みを入れてもOK。時間はかかるが、根気よくけずって切り込みを広げていこう。

傷をつける部分に、軽く切れ込みを入れてから、そこにV字形の傷痕になるように何度も刃を当ててけずり、傷痕を広げていく。

傷痕はタミヤカラー エナメル塗料のクロームシルバー(X-11)とダークグレイ(XF-24)で塗装。ウェザリングマスターBセットのススをつけて仕上げる。

Step2 パテで切り口を成形する つよめ

次にパテで傷の周りを成形する。

1 切り口にラッカーパテを盛りつける

ホットナイフだけでは傷痕の表現が物足りないので、ラッカーパテを盛っていく。傷痕の左右に、スパチュラでラッカーパテを少量盛りつける。

2 パテを成形して切り口にボリュームをつける

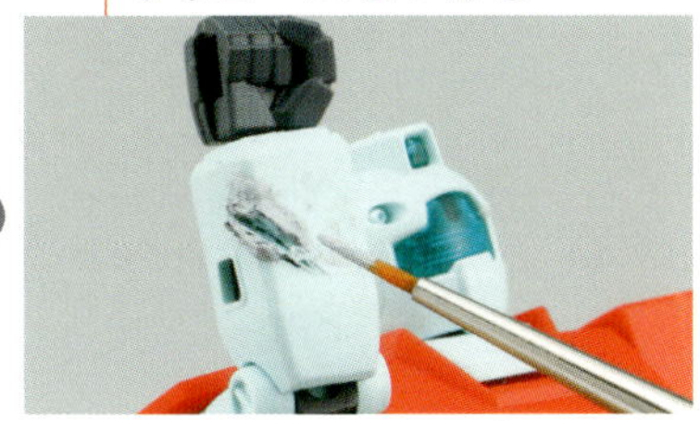

ラッカー系溶剤で溶いたパテを面相筆でつけて、熱で溶かされたようになめらかにすると、ヒート・ホークの傷らしく仕上がる。

プラスα 溶きパテも便利

ラッカーパテを溶剤で溶いても使えるが、最初から溶かれている「溶きパテ」もある。すぐに使えるので便利だ。

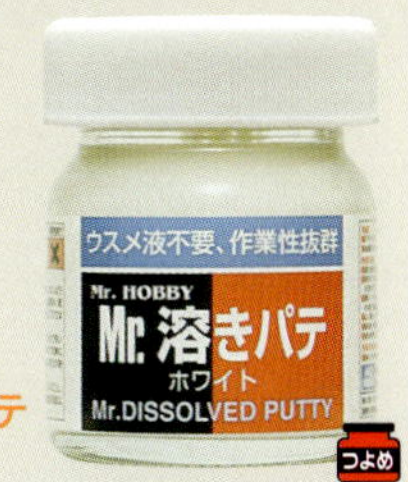

Mr.溶きパテ
GSIクレオス

Step3 傷痕を塗装する よわめ

仕上げにエナメル塗料で塗装して、傷らしさを演出する。ウェザリングマスターも使う。

1 エナメル塗料で塗装する

仕上げに塗装をする。ここでは内側をシルバーに、外側を塗装が焼けたイメージでダークグレイ(XF-24)に塗ることにした。希釈は不要。

2 クロームシルバーを内側に塗る

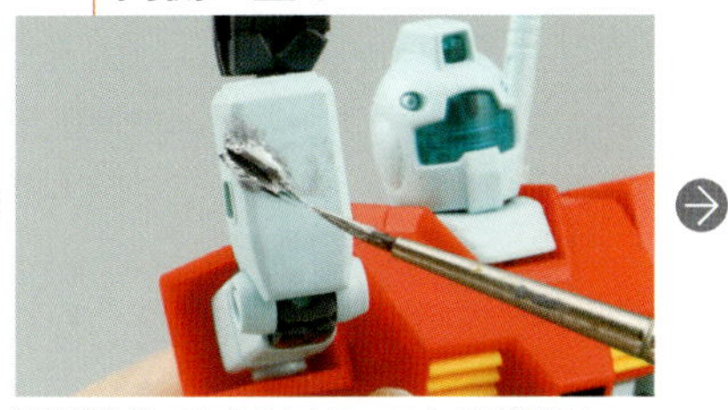

面相筆を使って、タミヤカラー エナメル塗料のクロームシルバー(X-11)を傷痕の内部に塗る。装甲が切られて、内部の金属が露出したイメージ。

3 外側にはダークグレイを塗る

外側には、タミヤカラー エナメル塗料のダークグレイ(XF-24)を塗る。さらにウェザリングマスターBセットのススなどで汚しをかけて完成。

POINT モビルスーツの壊れ方を観察しよう

劇中でも、さまざまなモビルスーツの破壊シーンが描かれている。多種多様な武器によって、さまざまな壊され方をしているのでダメージ表現の参考にしてみよう。とくにジムなどの量産型はダイナミックに破壊されているシーンが多い。また、あとになってつくられた作品ほど、細かいところまで凝った映像になっている。とくに『機動戦士ガンダムUC』がオススメ。

『機動戦士ガンダムUC』より。ゾゴックのヒート・サーベルで斬りつけられるジムII。溶けて斬られる断面がはっきりと描かれている。

『機動戦士ガンダム0080ポケットの中の戦争』より。ハイゴックに頭をつかまれるジム寒冷地仕様。このあと、腕部ビーム砲に貫かれてしまう。

『機動戦士ガンダム』より。砂の中に潜んでいたグフのヒート・ロッドで、ガンダムのつま先が斬られてしまうシーン。

『機動戦士ガンダム0080ポケットの中の戦争』より。バーニィのザクのヒート・ホークがクリスのガンダムNT-1頭部をはねた瞬間。

『機動戦士ガンダム0083 STARDUST MEMORY』より。ウラキとガトーが激突。ニナのさけびもむなしく機体は大破していく。

ダメージを表現する⑩
ビーム・サーベルによるダメージ

難易度
かんたん
ふつう
むずかしい

におい
しない
よわめ
つよめ

▶ ガンダムの**ビーム・サーベルで切断されたグフの両腕を再現**してみた。
▶ **ホビー用のこぎりでグフの腕パーツを切り、断面にジャンクパーツを埋め込む**などの加工をして仕上げた。2ステップで紹介する。

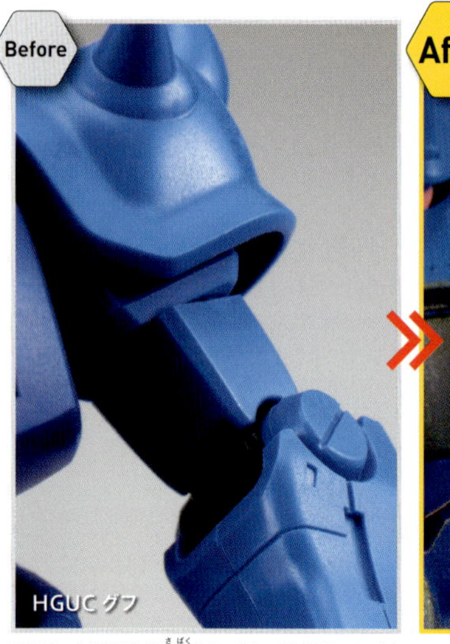

※「After」の写真には砂漠のウェザリングも施されています。

モビルスーツの腕や脚は巨大ですが、ビーム・サーベルで攻撃されればすっぱりと切断されてしまうこともあります。『機動戦士ガンダム』の作中で、アムロのガンダムが、ランバ・ラルのグフの両腕をビーム・サーベルで切断するシーンは印象的でしょう。ここではそのシーンをイメージして、**腕部を切断し、断面にジャンクパーツやリード線を入れて内部メカを表現してみました。**切断には、ホビー用のこぎりを使用しています。パーツ単位に分解して切ってもよいのですが、部位単位で切ったほうがより自然な断面になるでしょう。

使用する道具

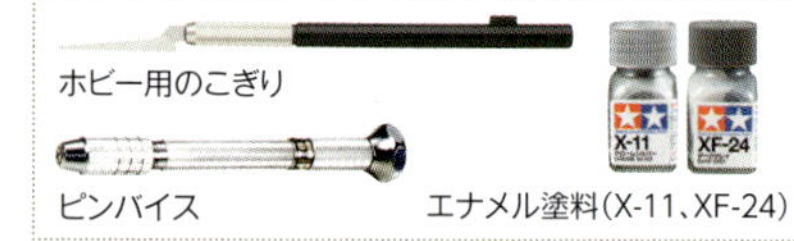

·油性ペン
·リューター
·リード線
·ジャンクパーツ
·瞬間接着剤
·面相筆

※必要に応じて、ブラシエイドなど筆を洗うツールを用意。

Step1 ホビー用のこぎりで切断する

まず、切断するラインをマーキングし、ホビー用のこぎりで切断する。両腕を同様に加工する。

1 カットするラインを油性ペンでマーキングする

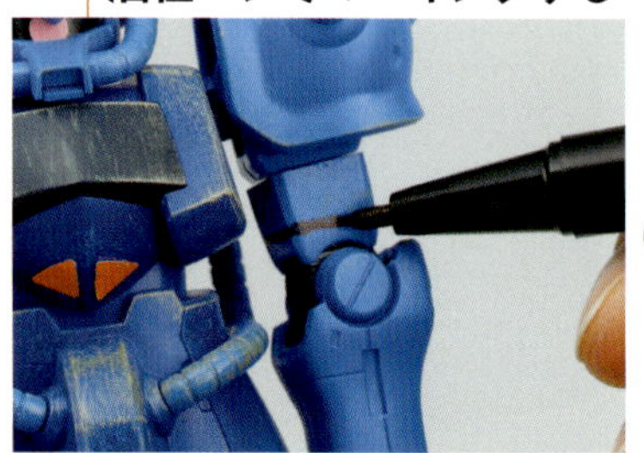

切断箇所を油性ペンでマーキング。今回はアニメの状況に合わせるので、上腕部を切断する。仕上がりをイメージしやすいので部位単位で作業を行う。

2 ラインに合わせてホビー用のこぎりで切る

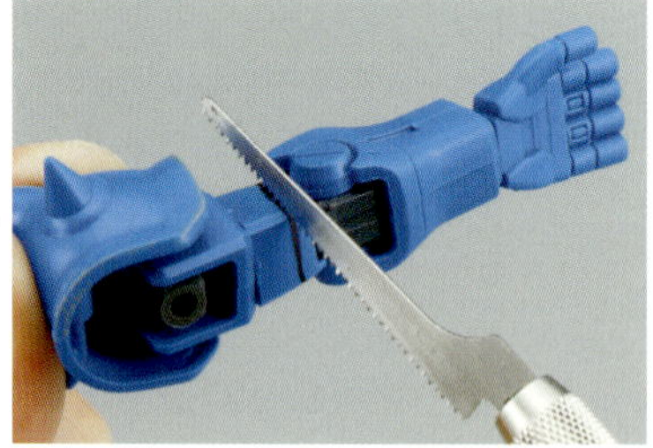

大きな部位の切断にはホビー用のこぎりが便利。マーキングしたラインに合わせて刃を当てて切っていく。刃をまっすぐ前後に動かしていく。

3 途中で曲がらないように注意する

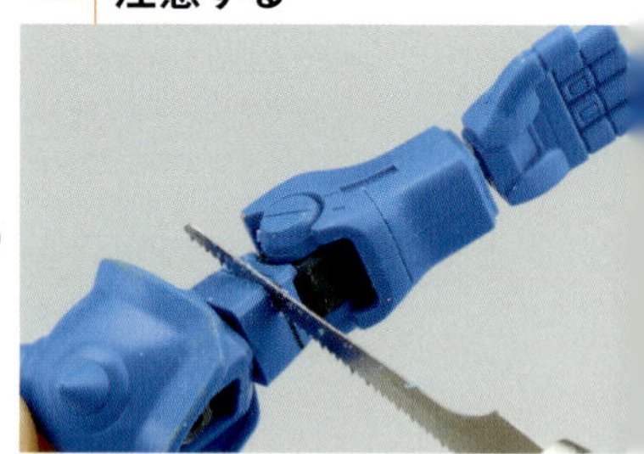

ホビー用のこぎりは刃が薄いので、無理な力がかかると曲がってしまう可能性がある。ねじらないように気をつけて、まっすぐに動かして切っていくこと。

4 切り終えたら切断面を確認する

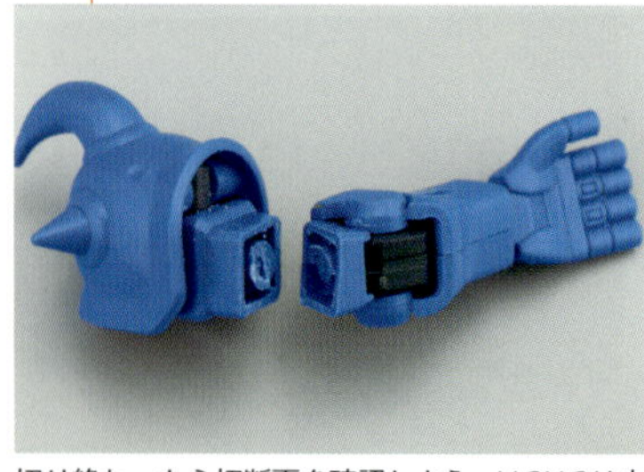

切り終わったら切断面を確認しよう。HGUCは内部構造があまり再現されていないので、もう少し加工したい人はStep2へ。

ガンダムのビーム・サーベルで攻撃され、両腕を切られたグフ。切断面のディテールをこのくらいまで高めると見栄えがよくなる。

Step2 切断面をディテールアップする よわめ

次に、断面をメカらしく加工する。芯になる部分をつくり、周囲にジャンクパーツを埋め込む。内部を塗装して完成。

1 切断面にジャンクパーツを入れ込む

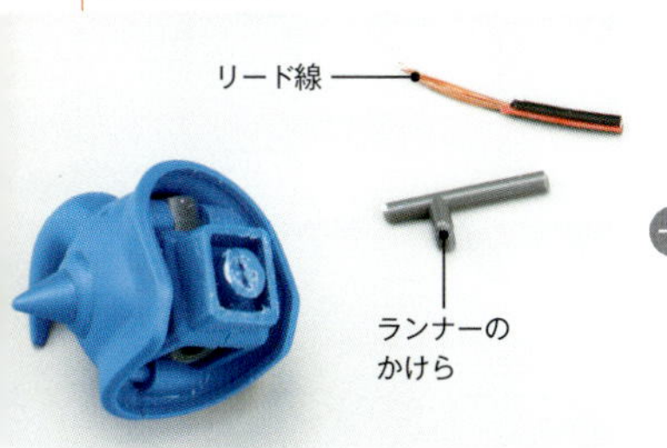

切断面の内部が物足りないので、ランナーのかけらやリード線を埋め込んでいく。道具としては、ピンバイスやリューター、接着剤などが必要になる。

2 ピンバイスやリューターで中央に穴を開ける

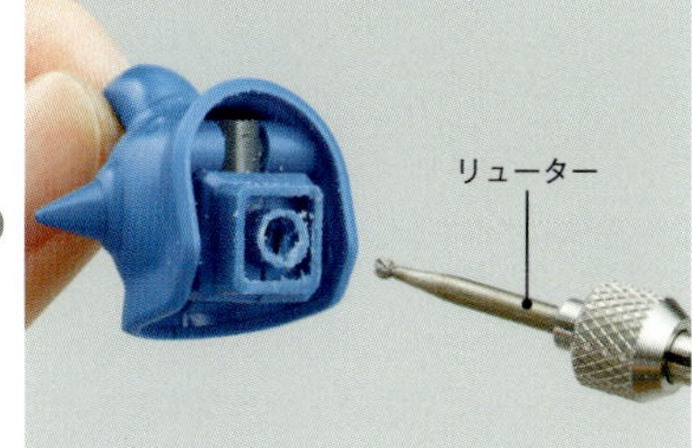

中央に丸いものがあると、機械の切断面らしくなるので、まずは中央にピンバイスで穴を開け、リューターで広げる。

3 瞬間接着剤で中央にランナーのかけらをつける

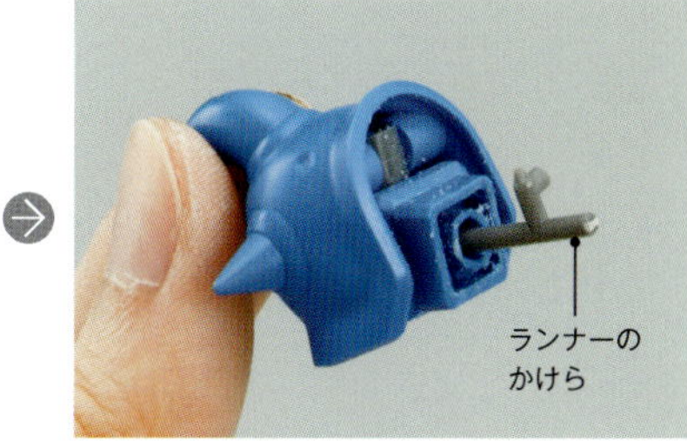

開けた穴の中に瞬間接着剤を塗り、ランナーのかけらを差し込む。乾いたら、ランナーがはみ出た部分をニッパーなどでカットする。

4 リード線を瞬間接着剤でつける

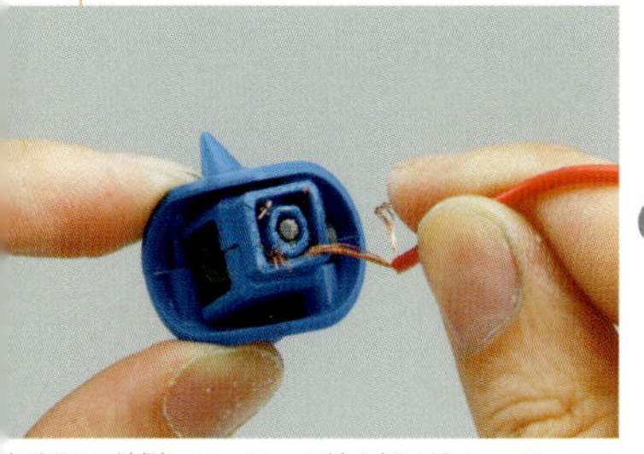

切断面の外側には、リード線を埋め込む。パーツの隙間に瞬間接着剤を流し込み、四隅にリード線を入れていく。はみ出た部分はニッパーでカットする。

5 ピンセットでリード線を隙間に押し込む

リード線をおおっている被膜ははがし、リード線から出た銅線はピンセットで隙間に押し込んでいく。機械らしい質感になってきた。

6 塗装して仕上げる

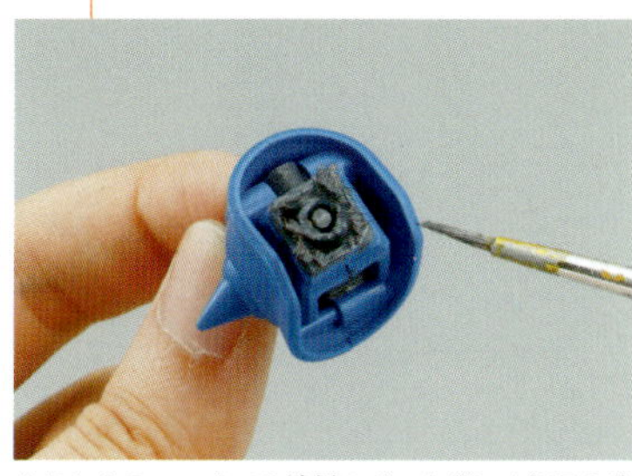

タミヤカラー エナメル塗料のダークグレイ（XF-24）やクロームシルバー（X-11）で切断面を塗装する。両腕とも同じように作業して、本体に取りつける。

ダメージ表現を施した「HGUC グフ」と素組みの「HGUC 1/144 RX-78-2 ガンダム」を並べて、ランバ・ラルVSアムロ・レイの決着シーンを再現してみた。

『機動戦士ガンダム』第19話「ランバ・ラル特攻！」より。グフのヒート剣をかわし、ガンダムがグフの腕を切り上げた。

美少女プラモデルに化粧をする

難易度：かんたん／**ふつう**／むずかしい
におい：**しない**／よわめ／つよめ

- ▶ 美少女プラモデルは顔が命！ **ばっちりとメイクを決めて、存在感をアップ**していこう。
- ▶ 光沢・半光沢・つや消しというコート剤のつやを使い分けることで、肌や衣装の素材ごとの質感の違いを表現することができる。

最近は、ガンダムシリーズに登場する美少女キャラクターのプラモデルが増えてきています。通常のガンプラに用いるツールやテクニックをうまく応用すれば、より生き生きとした姿に仕上げることができます。**顔のメイクにはガンダムマーカーやウェザリングマスターを使い、服や各部位は光沢・半光沢・つや消しの３種類のコート剤を使い分けて、成型色のままでも質感に変化をつけていきます。**

◀ Figure-rise Standard SEED ラクス・クライン

『機動戦士ガンダムSEED』より、主人公キラを見つめるラクス。絶大な人気をほこる歌姫にして、反政府組織の指導者でもあるスーパーガールだ。

顔のメイクをする

美少女プラモデルは顔が命。リップとチークを塗る感覚で、はなやかに仕上げていく。

1 唇にリップを塗る

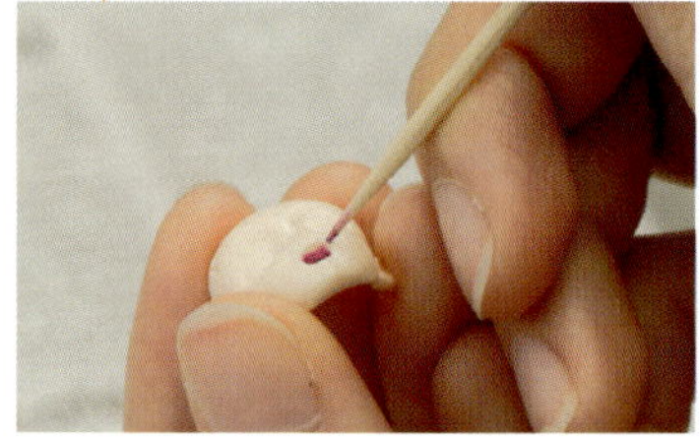

ガンダムマーカーのメタリックピンクを塗料皿に出し、つまようじの先端につけて、リップのようにして使う。失敗しても、消しペンでやり直せる。

2 頬にチークを塗る

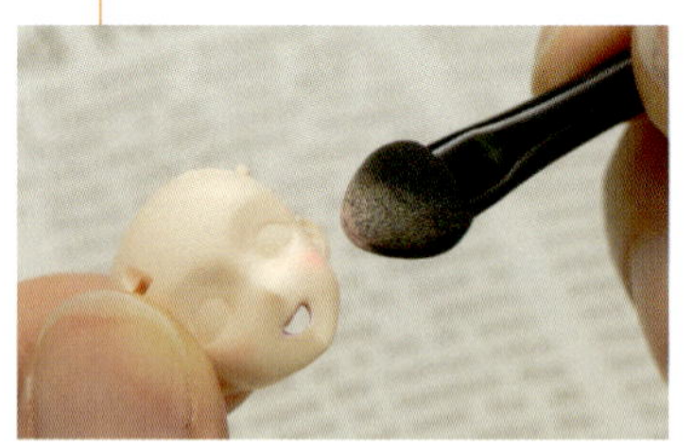

ウェザリングマスターGセットのサーモンをチークとして、頬につけていく。様子を見ながら、少しずつ盛っていく。

3 瞳のデカールを貼る

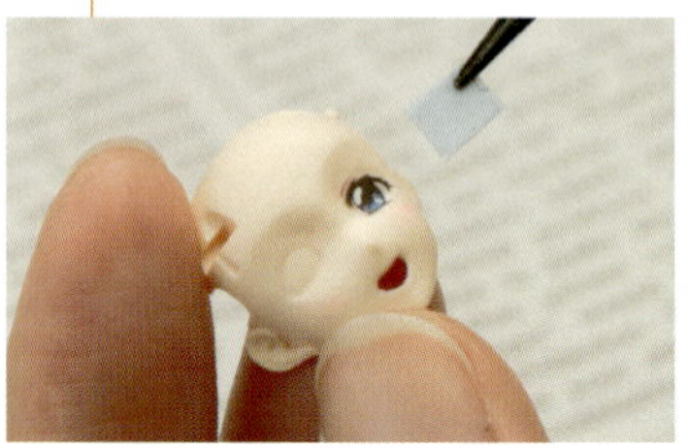

最後に瞳のデカールを貼る。水をつければ少し動かして調整できる。

MISSION_4

ガンダム世界の兵器を楽しむ

「ガンダム」シリーズはビーム・サーベルやビーム・ライフル、ヒート・ホークなど、
数多くの装備が登場する。また、マゼラ・アタックなどのサポート兵器や
ホワイトベースなどの戦艦(せんかん)といったさまざまな兵器が活躍する。
基本的にはモビルスーツのサポート役だが、その充実ぶりもガンプラの魅力の1つ。
これらの装備や兵器に塗装やウェザリングなどを施し、ガンプラを余すところなく楽しもう。

さまざまなガンダム兵器を楽しむ

▶ガンダムシリーズでは、**モビルスーツが装備する武器**や**サブ·フライト·システム**、**サポート兵器**、**戦艦**など、さまざまな兵器が登場する。これらの兵器づくりも余すところなく楽しみたい。

▶武器パーツは単色でできていることも多いので、**塗装やウェザリングなどを駆使して**、見栄えをよくしていこう。

ガンダムシリーズでは、モビルスーツが装備して使用する武器や搭乗して飛行するサブ・フライト・システム、戦闘を助けるサポート兵器、母艦となる戦艦など、さまざまな兵器が登場します。

とくに武器は、単色でできていることも多く、そのままで塗装やウェザリングなどを施したキットに持たせると物足りなさを感じてしまうかもしれません。そこで、**本体に合わせて武器にも塗装やウェザリングを施して、トータルでの完成度を上げていきましょう。**

スミ入れ(→P.94〜97)し、シール類を貼ったガンダムに、何の処理も施していないビーム・ライフルを持たせた。こうなると武器の見栄えも高めたくなってくる。

武器に塗り分けを行い、ウェザリングを施した。格好よく仕上げた本体に持たせて、全体の迫力がアップした。

▲MG RX-78-2 ガンダム Ver.2.0

プラスα いろいろなタイプの武器がある

モビルスーツが装備する武器には、とてもたくさんの種類がある。「接近戦用か中長距離射程のものか」「ビーム系かそれ以外か」など、さまざまな分類ができる。どのような武器を装備しているのかを見るのも、ガンプラの楽しみ方の1つだ。

接近戦用の武器

《打撃系》 ヒート・ホークなど

《ビーム系》 ビーム・サーベルなど

《刀系》 サムライソードなど

《その他》 ガンダム・ハンマーなど

中長距離射程の武器

《ビーム系》 ビーム・ライフルなど

《実弾系》 ザク・マシンガンなど

《バズーカ系》 ラケーテンバズなど

こんな兵器がキット化されている

サブ・フライト・システム

モビルスーツを乗せて飛行する兵器。モビルスーツとセットになっているもの以外にHGや「旧キット」、「EXモデル」などで、単独でキット化されているものもある。

フライング・アーマー

『機動戦士Zガンダム -星を継ぐ者-』などに登場。ガンダムMk-Ⅱとセットでキット化されているので、ジャブロー降下シーンを楽しむことができる。

▲HGUC 89式ベース・ジャバー

HGUCガンダムMk-Ⅱ+フライングアーマー▶

89式ベースジャバー

『機動戦士ガンダムUC』に登場した宇宙用サブ・フライト・システム。ジェスタなど、HGUCのモビルスーツを乗せることができる。写真は塗装やウェザリングを行ったもの。

ドダイ2

『機動戦士ガンダム第08MS小隊』に登場。1/144サイズなので、原作同様、HGUCのグフカスタムを乗せるなどして、劇中のシーンを再現できる。

EX-02 ドダイ2▶

サポート兵器

モビルスーツの戦闘をサポートする兵器。「EXモデル」や「旧キット」のほか、「U.C.HARD GRAPH」シリーズでもキット化されている。

EX-09 ガンペリー▶

マゼラ・アタック

『機動戦士ガンダム』などに登場。製造コストのよさから、多数が実戦配備され、ホワイトベースとも戦った。写真は旧キットを塗装し、ウェザリングを施したもの。EXモデルでも市販されている。

ガンペリー

『機動戦士ガンダム』などに登場。連邦軍のモビルスーツ用輸送機だが、大型ミサイルを装備しており、戦闘も可能。本キットにも6基のミサイルがついている。

61式戦車

写真は『機動戦士ガンダム MSイグルー 1年戦争秘録』に登場したセモベンテ隊が使用していたものをキット化。連邦軍の主力陸戦兵器として、一年戦争を戦った。

1/144 マゼラアタック▶

U.C.HARD GRAPH 1/35 地球連邦軍 61式戦車5型 セモベンテ隊▲

戦艦

モビルスーツの母艦となる宇宙戦艦。ホワイトベースなどのように、宇宙と地球の両方で運用されるものもある。EXモデルと旧キットで商品化されているが、旧キットは単色パーツであることが多いので、塗装のしがいがある。

ホワイトベース

『機動戦士ガンダム』などに登場。言わずと知れた一年戦争の英雄的戦艦。1/2400サイズと1/1200サイズの旧キットも市販されており、そちらも人気が根強い。写真はEXモデルのキットを塗装し、スミ入れしたもの。

EX-20 ムサイ▼

ムサイ

『機動戦士ガンダム』などに登場。赤い彗星のシャアも、当初は母艦としていたジオン公国軍の軽巡洋艦。EXモデルでは、精密なディテールが再現されている。

アークエンジェル

『機動戦士ガンダムSEED』などに登場。ローエングリンやゴットフリートなど、劇中を彩った装備が再現されている。塗装によって、同級2番艦「ドミニオン」にすることも可能。

▲EX ホワイトベース

EX-19 アークエンジェル▶

中長距離射程の武器を塗装する
ビーム・ライフル

難易度: かんたん / **ふつう** / むずかしい

におい: しない / **よわめ** / つよめ

▶ビーム・ライフルは、**ガンダム系のモビルスーツに装備**されていることが多い。

▶HGUCの場合、単色で構成されることが多いが、**形状に合わせて塗り分けたり、グリップ部分にはげをつけたり、銃身（じゅうしん）を汚したりする**ことで、見栄えよくできる。

Before
スコープ以外は単色なので塗り分けなどを考えてみよう！

▼MG RX-78-2 ガンダム Ver.2.0
※付属のビーム・ライフルを使用。

塗装する際は、原作アニメなどが参考になりますが、原作でも塗り分けされていないケースがあります。そこで、**「材質によって色がちがうはず」と想像力をはたらかせて、塗り分ける**とよいでしょう。さらに**グリップ部分のはげ**、**全体の汚し**などのウェザリングを施していくと、リアリティが増すのでオススメです。合わせ目が目立つ場合は、先に消しておくと、完成時の見栄えが変わります。

手順

❶合わせ目を消す→❷サーフェイサーを吹く→❸全体を塗り分ける→❹銃身の汚し、グリップ部分のはげをつける→❺スコープにスミ入れする→❻仕上げのコート剤(半光沢)を吹く

スコープにスミ入れする
スコープの陰影を表現するため、塗料によるスミ入れ(→P.97)をした。今回は黄色いパーツなので、クリアオレンジ系の塗料を使用。

本体部分に汚れをつける
使用時に汚れやすいと思われるカートリッジ部分は、ブラウン系でスミ入れし、シルバー系の塗料でドライブラシ(→P.190)をした。

材質をイメージして塗り分ける
銃器なのでメタリック系を中心に筆塗り(→P.111)で塗り分けた。2～3色で塗り分けると、いろいろな材質が使われていることを表現できる。

グリップ部分をはげさせる
モビルスーツが手で持つグリップ部分は塗装がはげやすいはずなので、シルバー系の塗料で、筆塗りによるチッピング(→P.185)を施した。

カラー&材料レシピ

◆銃身
- ●Mr.カラー 軍艦色2(C32)
- ●Mr.カラー 焼鉄色(C61)
- ●タミヤカラー クロームシルバー(X-11)
- ●タミヤカラー ガンメタル(X-10)
- ●Mr.カラー タイヤブラック(C137)

◆スコープ
- ●Mr.クリアカラーGX GXクリアオレンジ(GX106)

◆カートリッジの汚れ
- ●タミヤカラー フラットブラウン(XF-10)
- ●タミヤカラー メタリックグレイ(XF-56)

◆グリップのはげ
- ●タミヤカラー クロームシルバー(X-11)

さまざまな中長距離射程の武器を楽しむ

キット付属のものから別売りのものまで、幅広い種類がある。実弾を発射する銃器の場合は、銃身の焼けつきを表現してみよう。

各部を筆で塗り分け、ドライブラシで銃身に使用感の汚れをつけた。

ザク・マシンガン[HGUC 量産型ザク]
- ●Mr.カラー 軍艦色2(C32)
- ●タミヤカラー RLMグレイ(XF-22)
- ●タミヤカラー クロームシルバー(X-11)
- ●タミヤカラー ガンメタル(X-10)

マットな色とメタリックカラーで塗り分け、材質のちがいを表現。

ビーム・ガトリングガン[1/144 システムウェポン001]
- ●Mr.カラー 軍艦色2(C32)
- ●Mr.カラー タイヤブラック(C137)
- ●タミヤカラー クロームシルバー(X-11)
- ●タミヤカラー ガンメタル(X-10)

全体をガンメタルなどで塗り、ウェザリングマスターで砂汚れをつけた。

ラケーテンバズ[1/144 システムウェポン006]
- ●タミヤカラー クロームシルバー(X-11)
- ●タミヤカラー ガンメタル(X-10)
- ウェザリングマスターAセット(サンド、ライトサンド)

接近戦用の武器を塗装する①
ビーム・サーベル

難易度: かんたん / **ふつう** / むずかしい

におい: しない / **よわめ** / **つよめ**

▶ビーム・サーベルは、**ガンダム系のモビルスーツの定番装備**といえる。
▶柄（つか）部分は単一パーツで構成されていることが多いが、**形状に合わせて塗り分けたり、スミ入れやウェザリングを行ったりする**ことで、しっかりとディテールアップさせることができる。

Before

柄とビームエフェクトの２パーツで構成。両方に手を入れて見栄えをよくしたい！

▲HGUC 1/144 RX-78-2 ガンダム

After

ビーム・サーベルの柄部分は、**単色でとても小さなパーツでできていることが多いですが、部分的に筆塗りすると、見た目に変化がつきます**。さらにスミ入れやウェザリングを行えば、小さなパーツでも存在感が出てきます。パーティングライン（→P.51）が目立つことも多いので、あらかじめ消しておくと仕上がりがよくなります。

手順

❶パーティングラインを消す→❷部分的に塗装する→❸柄部分にスミ入れする→❹柄部分を汚す→❺ビームエフェクトを塗装→❻仕上げのコート剤（つや消し）を吹く

クリアパーツに塗装する
ビームエフェクトをよりリアルに表現するため、クリアパーツの根元部分をエアブラシで細吹き（→P.120）し、ホワイト系の塗料を吹きつけた。

柄部分にスミ入れ＆汚しを施す
柄部分の情報量を増やすため、モールドに沿ってスミ入れし（→P.94）、ウェザリングマスター（→P.180）で全体に汚れをつけた。

柄の一部を塗り分ける
「ビームの噴射部分は別の材質を使っているかも」と想像して、ブラック系塗料で筆塗り（→P.111）をした。

カラー＆材料レシピ

◆**柄部分の塗り分け**
●タミヤカラー ダークグレイ（XF-24）

◆**柄部分のスミ入れ**
●ガンダムマーカー スミいれ／極細タイプ（ブラック）

◆**柄部分のウォッシング**
ウェザリングマスターBセット（スス）

◆**クリアパーツ**
○Mr.カラー ホワイト（C1）

クリアパーツに替える

「HGUC RGM-79ジム」など一部のキットでは、ビーム・サーベルのビーム部分がクリアパーツになっていないものがある。そこで、ほかのキットのビームエフェクトパーツに付け替えてみよう。

Before
「HGUC RGM-79ジム」のビーム・サーベル。ビーム部分までが１つのパーツになっている。

After
「HGUC 1/144 RX-78-2ガンダム」のビームエフェクトパーツに付け替えた。

1 柄部分とビーム部分を切り離す

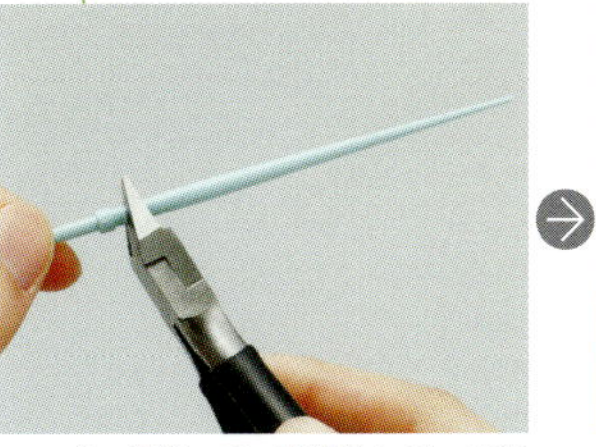

ニッパーを使って、柄部分とビーム部分を切り離す。切り離したあと、柄部分の切断面が荒れていたら、やすりがけでなめらかにしておくとよい。

2 ピンバイスで穴を開ける

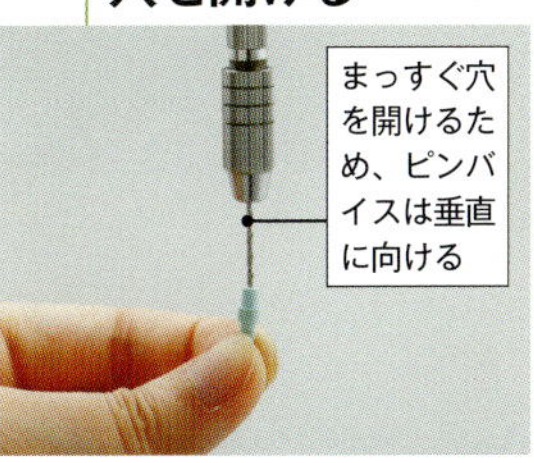

まっすぐ穴を開けるため、ピンバイスは垂直に向ける

付け替えるクリアパーツのダボの太さに合わせて、ピンバイス（→P.174）で穴を開ける。徐々に太くすれば、穴が大きすぎてユルユルになる心配がない。

3 ビームのクリアパーツを差し込む

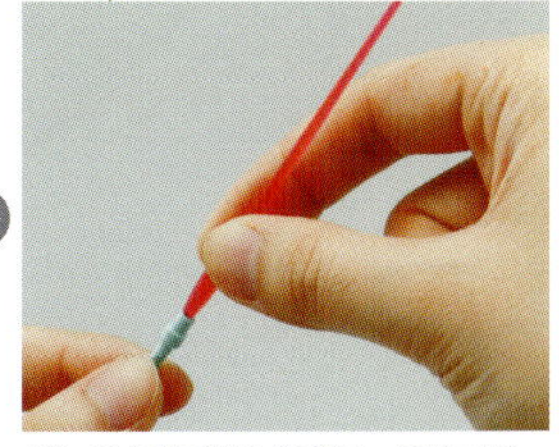

ピンバイスで開けた穴に、クリアパーツのダボを差し込む。穴が小さい場合は、少しずつピンバイスの径を太くして調整していこう。

接近戦用の武器を塗装する②
ヒート・ホーク

難易度：かんたん／**ふつう**／むずかしい
におい：しない／**よわめ**／**つよめ**

▶ヒート・ホークは、**ザク系のモビルスーツの代名詞的な武器**の1つ。
▶作品や機体のパーソナルカラーによって、**さまざまなカラーバリエーションが存在している**ので、アニメや説明書を見ながら塗り分けよう。もちろん、自分の想像で自由に塗り分けてもOKだ。

ヒート・ホークらしく塗り分けたい！

▲HG 1/144 ザクII
※付属のヒート・ホークを使用。

『機動戦士ガンダム』より。主色は紫で、使用時には刃が発光して黄色く熱を帯びる。

ヒート・ホークも、ビーム・サーベルと同じく単一パーツでできていることが多いので、全体の塗り分けがポイントです。ただし、**作品や機体のパーソナルカラーによってさまざまなカラーバリエーションがある**ので、設定に従いたい場合は作品や説明書をよく見て塗り分けましょう。全体を塗った場合、**スミ入れはお好み**で行ってください。スミ入れをすれば陰影のメリハリが強くなります。

手順

❶パーティングラインを消す→❷材質に合わせて塗り分ける→❸グリップ部分をはげさせる→❹仕上げのコート剤（つや消し）を吹く

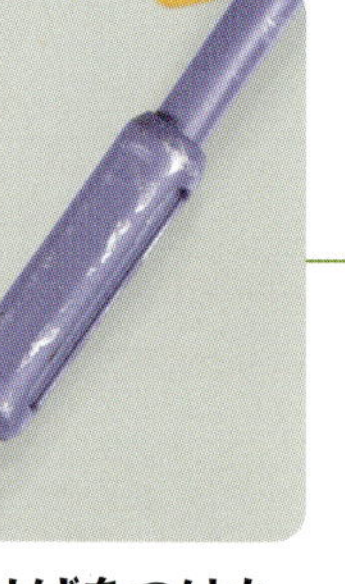

グリップにはげをつけた

モビルスーツが持つグリップ部分の塗装をはげさせるために、シルバー系の塗料でチッピング（→P.185）を行った。

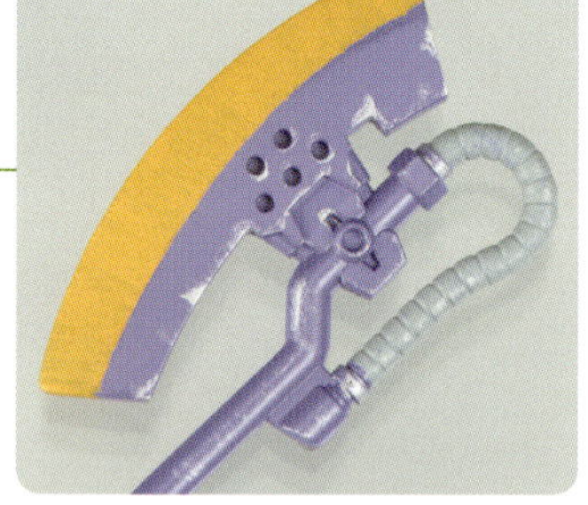

全体を塗り分ける

アニメの設定に合わせて、本体は紫系で、パイプはグレー系で、刃はイエロー系で、筆塗り（→P.110～111）で塗り分けた。

カラー&材料レシピ

◆本体
- ガンダムマーカー ガンダムパープル（GM169）※ガンダムマーカーエアブラシ使用

◆パイプ
- シタデルカラーBASE CELESTRA GRAY

◆刃
- シタデルカラーBASE AVERLAND SUNSET

◆グリップのはげ
- シタデルカラーDRY NECRON COMPOUND

カラーバリエーションを楽しむ

ヒート・ホークは色のバリエーションが多い。ここでは説明書を参考に塗り分けた作例を2つ紹介するが、自由な発想でオリジナルのヒート・ホークをつくるのもありだ。

同キットのカラーガイドを参考に塗り分け。ガルマカラーらしくなった。

ザクII（ガルマ専用機カラー）のヒート・ホーク

［HGUC ザク2（ガルマ専用機）］

- Mr.カラー ニュートラルグレー（C13）70%+Mr.カラー RLM66ブラックグレー（C116）30%
- Mr.カラー ブラウン（C7）70%+Mr.カラー イエロー（C4）20%+Mr.カラー グリーン（C6）10%
- Mr.カラー グリーン（C6）60%+Mr.カラー 濃緑色（C16）40%
- タミヤカラー コッパー（XF-6）

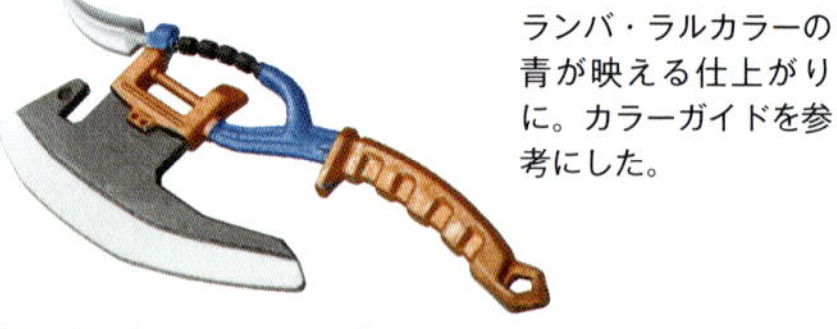

ランバ・ラルカラーの青が映える仕上がりに。カラーガイドを参考にした。

旧ザク（ランバラル専用カラー）のヒート・ホーク

［MG 旧ザク（ランバラル専用）］

- インディブルー（C65）90%+ホワイト（C1）10%
- ミッドナイトブルー（C71）100%
- イエロー（C4）70%+ブラウン（C7）15%+ブラック（C2）5%
- ホワイト（C1）90%+ニュートラルグレー（C13）10%

※すべてMr.カラー。

『機動戦士ガンダム0080 ポケットの中の戦争』より。ザクII改が持つヒート・ホークは主色がグリーンで、刃は銀色に輝いている。

接近戦用の武器を塗装する③ 刀

難易度
かんたん
ふつう
むずかしい

におい
しない
よわめ
つよめ

▶ そもそも刀は**日本を象徴する武器**であり、外国人からの人気が高い。

▶ 塗り分けすることで、切れ味鋭い刀に仕上げていきたい。塗装する際は**説明書などを見て設定カラーどおりに塗る**ほか、**本物の日本刀を参考**にしてもよいだろう。

Before

日本刀の鋭利な刃や柄のディテールを再現したい！

After

▲HGBF 戦国アストレイ頑駄無
※付属のサムライソードを使用。

『ガンダムビルドファイターズ』の戦国アストレイ頑駄無(がんだむ)など、刀を装備するキットが登場しています。ポイントは鋭利な刃をどのように表現するかでしょう。メタリック塗装(→P.132)の応用で、**黒のサーフェイサーを吹いてからシルバー系のメタリック塗料で塗れば、刃の質感を表現できます**。柄(つか)も日本刀の精巧さが表れる部分なので、設定色を参考に塗り分けてみましょう。

刃の部分を均一にきれいに塗りたいなら、缶スプレーのシルバーを吹きつけてもよいでしょう。

手順

❶サーフェイサー(黒)を吹く→❷柄を塗り分ける→❸柄をマスキングする→❹刃に缶スプレー(シルバー)を吹く→❺峰を筆塗り(グレー系)する→❻仕上げのコート剤(光沢)を吹く

刃と峰を塗り分ける

まずはシルバー系の缶スプレー(→P.114)で刃全体を塗る。乾いたら、峰部分をグレー系の塗料で筆塗り(→P.111)し、切れ味鋭い刃と峰の質感のちがいを表現した。

柄を細かく塗り分ける

設定色などを参考に鍔(つば)と頭(かしら)をゴールドで、目抜きを赤色で、柄巻をグレーでそれぞれ筆塗り(→P.111)した。

『ガンダムビルドファイターズ』より。和を好む天才ファイター、ニルス・ニールセンの愛機「戦国アストレイ頑駄無」のメイン武装は日本刀なのだ。

カラー&材料レシピ

◆刃
- Mr.カラースプレー シルバー(S8)

◆峰
- Mr.カラー RLM66ブラックグレー(C116)

◆鍔(つば)、頭(かしら)
- Mr.カラー ゴールド(C9)

◆目抜き
- Mr.カラー モンザレッド(C68)

◆柄巻
- Mr.カラー ニュートラルグレー(C13)

さまざまな打撃系武器を楽しむ

『機動戦士ガンダムSEED』は対艦刀を装備する機体が多いなど、作品によっても武器の特徴が異なる。設定を大事にするのか、オリジナルにするのか、コンセプトを決めて楽しもう。

チェーンはメタリック系の黒鉄色で、鉄球とグリップ部分は半光沢系の軍艦色で塗装。

ガンダム・ハンマー
[HG RX-78-2 ガンダムVer.G30th]
- Mr.カラー 軍艦色2(C32)
- 水性ホビーカラー 黒鉄色(H-18)
- タミヤ スミ入れ塗料(ブラック)
- タミヤカラー クロームシルバー(X-11)

部分的にシルバー系や黒系などで塗装。クリアパーツの根元にはエアブラシでホワイトを吹いた。

対艦刀
[HG デスティニーガンダム]
- 水性ホビーカラー ホワイト(H-1)
- 水性ホビーカラー レッド(H-3)90%+ホワイト(H-1)白10%
- Mr.カラー ホワイト(C1)
- Mr.カラー タイヤブラック(C137)
- タミヤカラー クロームシルバー(X-11)

クリアパーツの根元にホワイトを吹いたほか、柄側をダークグリーンなどで塗装し、汚しを施した。

ヒート剣
[HGBF グフ R35]
- Mr.カラー ダークグリーン2(C23)
- Mr.カラー ホワイト(C1)
- タミヤ スミ入れ塗料(ダークブラウン)
- タミヤカラー ニュートラルグレイ(XF-53)

シールド

難易度：かんたん／**ふつう**／むずかしい

におい：しない／**よわめ**／**つよめ**

▶ モビルスーツの装甲を守るシールドは、真っ先にダメージを負い、破損するもの。だからこそ、**汚れやダメージ表現など、ウェザリングのやりがい**がある。

▶ **どのような戦い方をしてダメージを受けたのか**、自分なりのイメージを膨らませてつくろう。

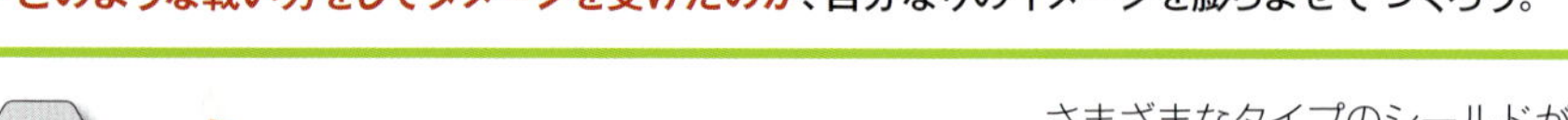

さまざまなタイプのシールドがありますが、いずれの場合も**ポイントはウェザリング**。くぐり抜けてきた戦場を自分なりに考えて、**弾痕（だんこん）や破損、切断などのダメージ表現**を施してみましょう。

Before

使用されたシールドは、汚れやダメージがついているはず！

▲MG RX-78-2 ガンダム Ver.2.0
※付属のシールドを使用。

After

手順

❶シールを貼（は）る→❷リューターで表面に弾痕の形をつける→❸全体にスス汚れをつける→❹弾痕部分を筆塗り（シルバー系）する→❺チッピングして塗装のはげをつける→❻仕上げのコート剤（つや消し）を吹く

エッジに塗装のはげをつける

塗装がはがれやすいシールドのエッジ部分に、シルバー系の**塗料でチッピング**（→P.185）を行った。

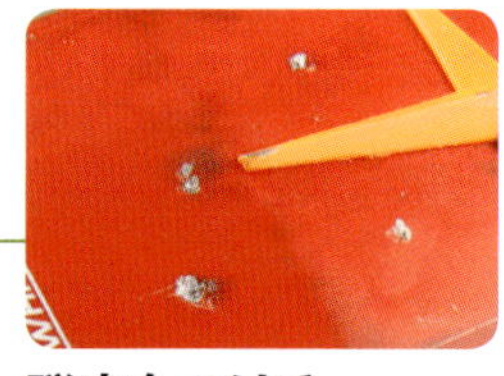

弾痕をつける

ザク・マシンガンを防いだイメージで、弾痕をつけた。**リューター**（→P.208）で少しけずり、そこをシルバー系の塗料で**筆塗り**（→P.111）した。

全体を軽く汚す

爆風などをよけるためにシールドをかざす場面が多いと想定し、**ウェザリングマスター**（→P.180）で全体にスス汚れをつけた。

プラスα シールドの裏側にもこだわってみる

最近のキットは、シールドの裏側にも細かいモールドを張りめぐらせるなど、つくりが凝っている。そこで、アニメ設定に合わせて成型色（白）を赤く塗り、モールドに沿ってスミ入れをした。

カラー&材料レシピ

◆弾痕・塗装のはげ
- Mr.カラー シルバー（C8）

◆全体の汚れ
- ウェザリングマスターBセット（スス）

◆シールドの裏側
- ●Mr.カラー レッド（C3）
- ●タミヤカラー フラットブラック（XF-1）

切断表現をする方法 よわめ

ヒート・ホークなどによる攻撃を受けて切断されたシールドをつくってみよう。切断面を塗装することで、激闘の臨場感を表現できる。

上下に切断されたシールド。激戦の様子がうかがえる。

1 切断するラインを油性ペンで書く

どのように切られたかを考えて、切断するラインを決めよう。油性ペンでラインを書いておくと、あとの作業を行いやすい。

2 ラインに沿ってホットナイフで切断

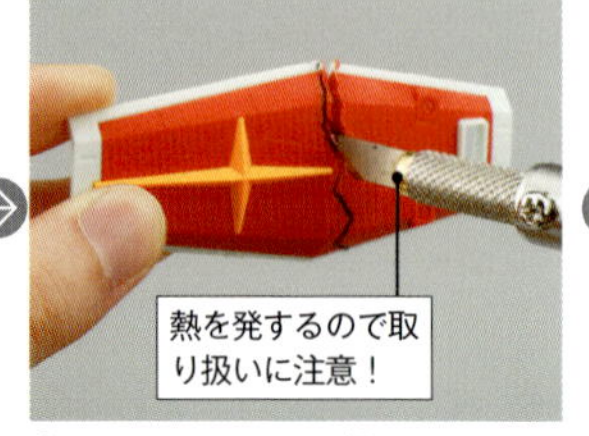

熱を発するので取り扱いに注意！

書いておいたラインに沿って、ホットナイフでパーツを切断していく。熱で溶けたパーツが、リアルな切断面の形状を表現してくれる。

3 切断面を塗装して仕上げる

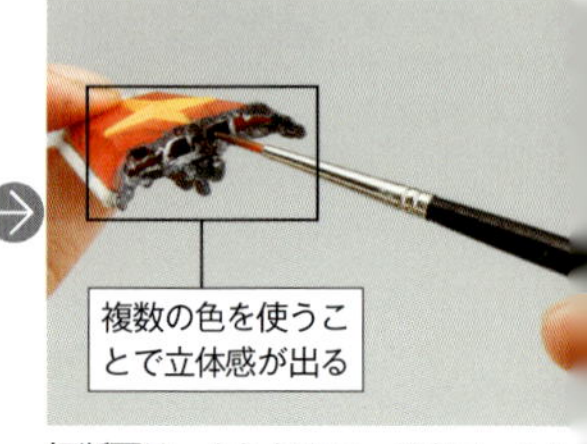

複数の色を使うことで立体感が出る

切断面は、タミヤカラーのクロームシルバー（X-11）とRLMブラックグレー（C116）の2色で塗装した。

テクニック

サブ・フライト・システムを塗装する
ベースジャバー

難易度: かんたん / **ふつう** / むずかしい

におい: しない / **よわめ** / **つよめ**

▶ ベースジャバーのように、モビルスーツを乗せて飛行する兵器をサブ・フライト・システムという。「モビルスーツを乗せるとどうなるか」を想像して、**機体と接する部分の傷や汚れ**を表現しよう。

▶ バーニア（噴射口）部分は高熱になることを想定して、**金属の熱焼けした質感を出す**のがポイント。

Before

▲HGUC 89式ベースジャバー

もっと激戦をくぐり抜けたウェザリング表現にしたい！

モビルスーツを乗せて飛行するサブ・フライト・システムはガンダムの世界を彩る兵器の1つで、ほかにもドダイ2やフライング・アーマーなどがあります。完成度を高めるポイントは、**モビルスーツが接する部分の塗装のはげや汚れを想像**すること。テクニックとしては、チッピング（→P.185）を多用します。

手順

❶各部の塗り分け（キャノピー、ダンパー、バーニアなど）→❷傷やはげの表現（足場やグリップなど）→❸仕上げのコート剤（つや消し）を吹く

モビルスーツと触れ合う部分に傷やはげを表現

モビルスーツが持つグリップ部分や足場は塗装がはげるはず。シルバー系の**塗料でチッピング（→P185）**し、塗装がはげて金属部分が見えている様子を表現した。

グリップ

足場

バーニアの塗り分け

バーニア部分は本体をシルバー系で筆塗りしたあと、**ウェザリングマスター**で熱焼けやスス汚れ（→P.189）をつける。

After

全体にスス汚れをつける

装甲部分など全体的な使用感の表現は、**ウェザリングマスター（→P.180）**をこすりつけてスス汚れをつけた。薄いグレー系の**塗料でウォッシングする（→P.181）**方法もある。

キャノピー

ダンパー

キャノピーやダンパーなどの塗り分け

キャノピーをイエロー系で**筆塗り（→P.111）**し、コクピット内の明かりのもれを表現。また、ダンパー（脚部）はシルバー系で塗って金属の質感にした。

カラー&材料レシピ

◆**バーニアの塗装**
●タミヤカラー チタンシルバー（X-32）

◆**バーニアの焼けつき**
ウェザリングマスターDセット（青焼け、赤焼け）

◆**各部の塗装のはげ**
●タミヤカラー クロームシルバー（X-11）

◆**全体のスス汚れ**
ウェザリングマスターBセット（スス）

サポート兵器を塗装する
マゼラ・アタック

難易度: かんたん / **ふつう** / むずかしい

におい: しない / **よわめ** / **つよめ**

▶ マゼラ・アタックは、モビルスーツを支援するサポート兵器の1つ。「EXモデル」も出ているが、「旧キット」の人気も高い。**旧キットの場合は、全塗装したほうが完成度が高まる**だろう。

▶ マゼラ・アタックでは**キャタピラの泥**(どろ)や**パイプ(排気口)の塗り分け**など、その部位に合った表現をしよう。

シリーズを通して、数多くのサポート兵器が登場してきましたが、61式戦車やガンペリーなど、人気のあるものはキットとして市販されています。**サポート兵器の登場シーンはモビルスーツよりは少ないので、その分、自由に想像力をはたらかせて楽しみましょう。**

手順

❶サーフェイサー→❷全塗装→❸各部の塗り分け(パイプなど)→❹全体のウォッシング→❺ドライブラシで塗装のはげ表現→❻キャタピラの泥表現→❼仕上げのコート剤(つや消し)を吹く

Before

単色なので塗装し、さらにウェザリングをして臨場感を高めたい!

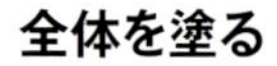

1/144 マゼラアタック▶

After

全体を塗る
全体的に深い緑系の塗料で**エアブラシ塗装(→P.116)**をすると成型色(Before)よりも重厚感が出る。

ウォッシング&はげ表現
全体にブラック系の**塗料でウォッシング(→P.180)**することによって、汚れ表現とスミ入れ効果で見栄えがアップ。マゼラ・トップの翼のエッジには、**ドライブラシ(→P.192)**で塗装のはげを入れた。

キャタピラの汚し表現
ウェザリングパステル(→P.172)で、キャタピラまわりの泥を表現。スケール感を損なう「やりすぎ」に注意。

プラスα 接着部分が目立つようなら?

接着剤が必要なキットの場合、塗装をしないと接着剤のはみ出しが目立ってしまう。乾燥後、やすりがけし、塗装するときれいに仕上がる。

パイプの塗り分け
パイプは金属感を出したほうが映えるので、**メタリック系の塗料で筆塗り(→P.110)**する。

接着剤で組み立て つよめ

中には、組み立てに接着剤が必要なキットがある。基本的なパーツの組み立て方を覚えておこう。

1 接着剤を塗る

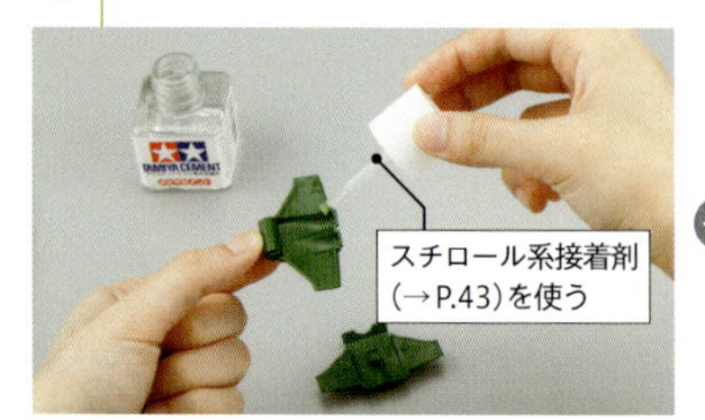

旧キットは接着剤が必要なものもある。まずは両パーツの接着部にスチロール系接着剤を塗る。

2 パーツを接着する

接着剤がムニュッとはみ出るくらいでOK

接合部がずれないように気をつけて、パーツを接着する。安定したところに置いて、乾燥まで待つ。

カラー&材料レシピ

◆装甲全体の塗装
- Mr.カラー オリーブドラブ2(C38)

◆装甲全体の汚れ
- タミヤカラー フラットブラック(XF-1)

◆マゼラ・トップのはげ
- Mr.カラー シルバー(C8)

◆パイプ
- タミヤカラー ダークコッパー(XF-28)

◆キャタピラ

ウェザリングパステルセット1
(ダークブラウン、ライトブラウン)
水性ホビーカラーうすめ液

テクニック

戦艦を塗装する
ホワイトベース

難易度: かんたん / **ふつう** / むずかしい

におい: しない / よわめ / つよめ

▶ ホワイトベースは、**ガンダムシリーズを代表する戦艦**で、「EXモデル」と「旧キット」の両方が市販されている。

▶ 「EXモデル」のホワイトベースは1/1700と、通常の1/100や1/144スケールのモビルスーツとはスケールが大きく異なる。**薄めの色で塗装すること、ウェザリングはしないこと**の2点がポイントになる。

戦艦のようなスケールの小さい(実物が大きい)キットをつくるときのポイントは2つ。1つめは、**薄めの色で塗ること**。なぜなら、遠くにあるものは、大気の関係で薄い色に見えるからです。2つめは、**ウェザリングをしないこと**。スケールが小さいので、ほんの少し汚れをつけたとしても、実際のサイズで考えたら巨大すぎる汚れとなってしまいます。**同じ理由で、小さな文字などは見えないはずなので、デカール類もあまり似合いません**。スミ入れは好みによりますが、とくにEXモデルはモールドが細かいので、**スミ入れによって全体の陰影がはっきりする**でしょう。

Before
設定カラーどおりに
塗り分けたい!
After

▲EX ホワイトベース

手順

❶設定色に合わせて塗り分ける→❷スミ入れする
→❸仕上げのコート剤(つや消し)を吹く

カラー&材料レシピ

◆主翼・ミサイルハッチ・エンジンカバーなど
- ●水性ホビーカラー レッド(H-3)80%+○水性ホビーカラーホワイト(H-1)20%

◆メガ粒子砲ハッチ・第一艦橋アンテナなど
- ●水性ホビーカラー イエロー(H-4)80%+○水性ホビーカラー ホワイト(H-1)20%

◆カタパルトハッチ側面・メガ粒子収納部外周など
- ●水性ホビーカラー ブルー(H-5)80%+○水性ホビーカラーホワイト(H-1)20%

◆全体のスミ入れ
- ●ガンダムマーカー スミいれ/極細タイプ(ブラック)

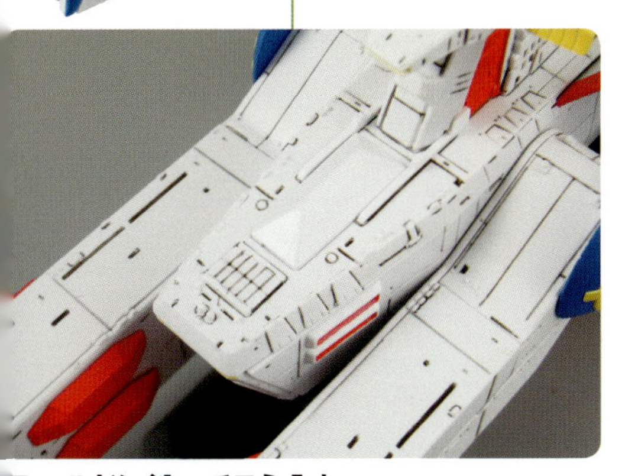

モールドに沿ってスミ入れ

Xモデルの多くは細かいモールドが入っているので、そのモールドに沿って**スミ入れ**(→P.94)を行った。今回はある程度、陰影をはっきりさせるために、ブラックのスミ入れペンを使用した。

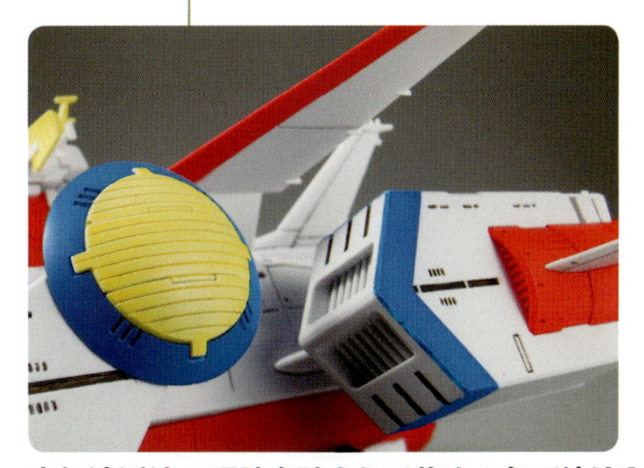

空気遠近法の理論を踏まえて薄めの色で塗り分ける

今回、白は成型色を活かすために塗装せず、薄めの青、赤、黄色を用意して、部分的に**エアブラシ塗装**(→P.116)した。組み立て前に塗装すれば、マスキングは不要。

キャタピラを汚す

難易度: かんたん / **ふつう** / むずかしい

におい: しない / **よわめ** / つよめ

- ガンタンクやマゼラ·アタック、61式戦車など、**キャタピラ(履帯)を装着している機体**もある。
- キャタピラに付着した泥(どろ)は、ウェザリングパステル(→P.172)をアクリル系溶剤で溶いたものでバシャバシャと塗っていくと、ブラウン系の色がつくだけでなく、**パステルの粉がついて、リアルな泥の質感を表現できる**。

キャタピラも塗装やウェザリングなどを施すことで、グッと見た目がよくなります。オススメは、**ウェザリングパステルをアクリル系溶剤で溶いて、バシャバシャと塗ること(→P.172)**。パーツにブラウン系の色がつくだけでなく、パステルの粉がついて、リアルな泥のような質感を表現できます。

手順

❶ウェザリングパステルをアクリル系溶剤で溶く→❷溶いたパステルをキャタピラ全体に塗る→❸ホイール部分にも塗る→❹仕上げのコート剤(つや消し)を吹く

NG 中途半端に塗ると格好悪い

キャタピラは、パーツ全体をまんべんなく汚したほうがよい。中途半端に成型色が見えていたり、塗った部分とそうでない部分の差が大きかったりすると、不自然で格好悪い仕上がりになる。

カラー&材料レシピ

◆キャタピラ・ホイール
ウェザリングパステルセット1
(ダークブラウン、ライトブラウン)
水性ホビーカラーうすめ液

ホイールにも塗る

ホイール部分など、泥がつきそうな部分は忘れずに塗る。キャタピラの動きを想像して、塗り具合を調整しよう。

キャタピラのオモテとウラの両面に塗っていく

泥が多く付着すると思われるキャタピラのオモテ面は派手めに、あまり泥がつかないと思われるウラ面は抑えめに塗った。1色だけでなく、複数色のウェザリングパステルで塗ると、立体感が出るだけでなく、色に変化が出ておもしろい。

内部フレームを塗る

難易度: かんたん / **ふつう** / むずかしい

におい: しない / **よわめ** / **つよめ**

▶ MGやRGのキットでは、内部フレームもさまざまな形で表現されている。**装甲パーツを外して飾っても楽しめるように、内部フレームを塗ってみよう。**

▶ 内部フレームのパーツは同一色であることが多いので、**形状から材質のちがいを想像して塗り分けていこう。**

Before

MG ボール Ver.Ka

MGやRGの内部フレームは、広い関節可動域を生み出すために精巧なつくりになっています。それだけではなく、**装甲パーツをつけたら見えなくなる部分まで、さまざまな形状のパーツで構成**されています。「こんな細かいつくりを隠しておくのはもったいない」と思ったら、装甲パーツを外して塗装してみましょう。ポイントは、**形状をよく見て、材質のちがいを想像すること**。ちがう材質を使っている部分は色を替えて、内部フレームをグレードアップさせましょう。

手順

❶内部フレームを塗る部分の装甲パーツを外す→❷パーツの形状などを見て塗り分ける→❸フレーム全体に汚しをかける→❹仕上げのコート剤を吹く

After

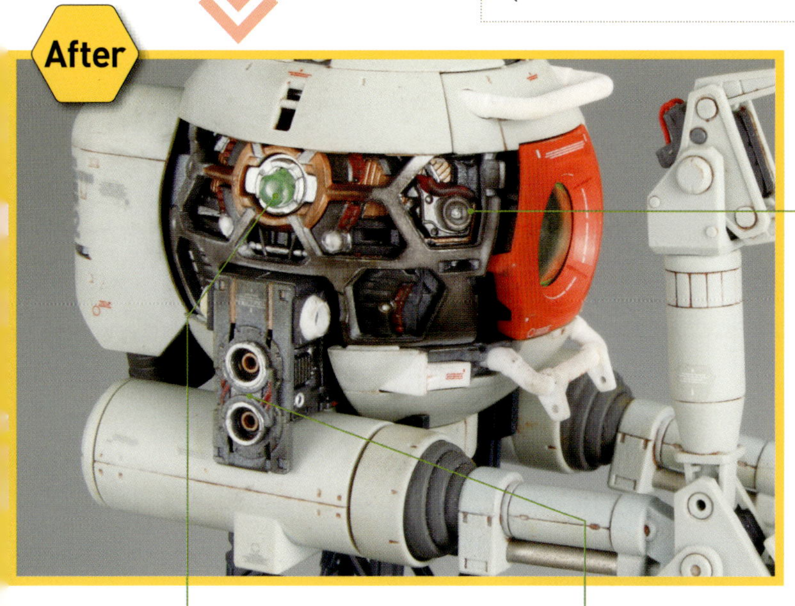

フレームと内部装甲を塗り分ける

内部のメカ部分と、その外側にあるフレームは材質がちがうはず。内部メカはグレー系、フレーム部分はシルバー系、パイプは赤系、それぞれ**筆塗り**(→P.111)した。

カラー&材料レシピ

◆**フレーム(シルバー部分)**
●タミヤカラー クロームシルバー(X-11)

◆**フレーム(銅部分)**
●タミヤカラー ダークコッパー(XF-28)

◆**パイプ(赤部分)**
●タミヤカラー フラットレッド(XF-7)

◆**内側の装甲(グレー部分)**
●タミヤカラー ダークグレイ(XF-24)

同じフレーム部分でも塗り分ける

サイドにあるレンズを囲むようについているフレームは、**銅系の塗料で筆塗り**し、ほかのシルバー部分とは塗り分けた。このあたりは自由に発想をふくらませる部分の1つ。

アームと本体の結合部も塗り分ける

ここも造形が細かいところ。装甲、輪になっているフレーム、パイプ、ミゾなどを**筆塗り**で塗り分けて、細かいつくりを活かした。

パテを活用する①
ツィンメリットコーティング

難易度
かんたん
ふつう
むずかしい
におい
しない
よわめ
つよめ

▶ ツィンメリットコーティングとは、かつて本物の戦車に使われたこともある装甲のコーティング方法。**装甲面を波打つ形状にする**ことで、装甲に貼りつけるタイプの地雷がつかないようにするもの。

▶ 工作方法としては、**エポキシパテを活用して、表面の波形状を成形**していく。

▲HGUC ギラ・ドーガ

ツィンメリットコーティングは、かつて本物の戦車に使われたこともある装甲部分のコーティング方法です。**装甲の表面を波打った形状にすることで、吸着地雷（戦車の装甲に貼りつけて爆発させるもの）がつかないようにする効果がある**といわれていました。そのような装甲をガンプラで再現することができます。

方法としては、**エポキシパテ（エポパテ）を活用して、表面の波形を成形していきます**。機体の全体につけるとかえって格好悪くなるので、脚部や腰アーマーの一部など、要所に絞って施したほうがよいでしょう。

手順（ツィンメリットコーティング部分）

❶エポキシパテをこねる→❷こねたパテをパーツの表面につける→❸マイナスドライバーなどで波形を成形する→❹パテが乾いたらサーフェイサー（グレーなど）を吹く→❺全体的に塗装する→❻水転写デカールを貼る→❼デカール保護のためにコート剤を吹く→❽ウェザリング（ウォッシング、ドライブラシ、ウェザリングマスター）を行う→❾仕上げのコート剤を吹く

After

全身をドイツ戦車風にぼかし塗装

タミヤカラーのフラットブラウン（XF-10）、濃緑色（XF-13）、ダークイエロー（XF-60）を使って、全身にぼかし塗装（→P.148）を行った。ドイツ戦車風のカラーリングがツィンメリットコーティングにマッチしている。

全身をタミヤのスミ入れ塗料（ダークブラウン）でウォッシング（→P.181）し、タミヤカラー ライトグレイ（XF-66）でドライブラシをし、ウェザリングマスターAセットのサンドとライトサンドを使って汚した。

シールドなどにデカールを貼る

シールドに機体番号を示す「34」のデカールを貼った。ほかに右腰、左脚にも貼っている。

ディテールの塗り分け

動力パイプをMr.カラーの黒鉄色（C28）、ビーム・マシンガンをタミヤカラースプレーのガンメタル（TS-38）で塗装。

エポキシパテで波形を成形する方法

ツィンメリットコーティング特有の波の形状は、エポキシパテとマイナスドライバーを使ってつくっていく。

1 エポキシパテを用意する

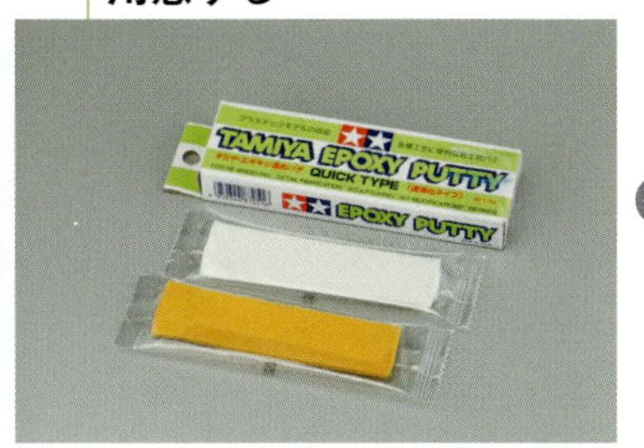

エポキシパテは写真のように2色のパテが入っている。この2種類のパテが混ざると、化学変化で粘土状のものが固まる。

2 2色のパテを混ぜ合わせてこねる

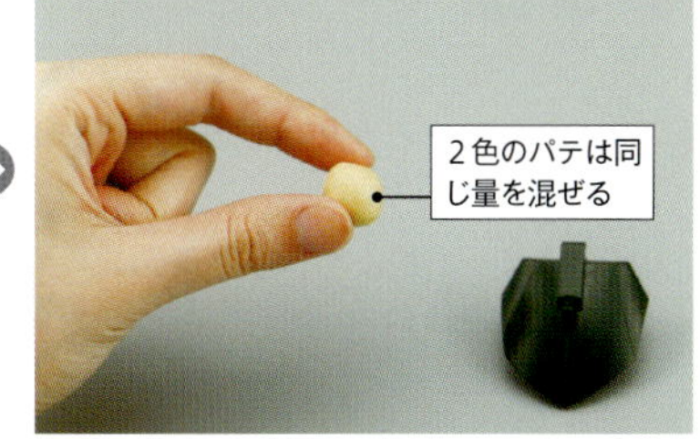

2色のパテを使う量だけ切り取り、こねて混ぜる。2つの色が完全に混ざり合うまでこねたらOK。

3 パテをパーツにつけて表面を均一にする

はみ出た部分は指やデザインナイフなどで取りのぞく

こね合わせたパテを対象のパーツにつける。指先で軽く押して、パテの厚みが均一になるように伸ばしていく。

4 マイナスドライバーで波をつける

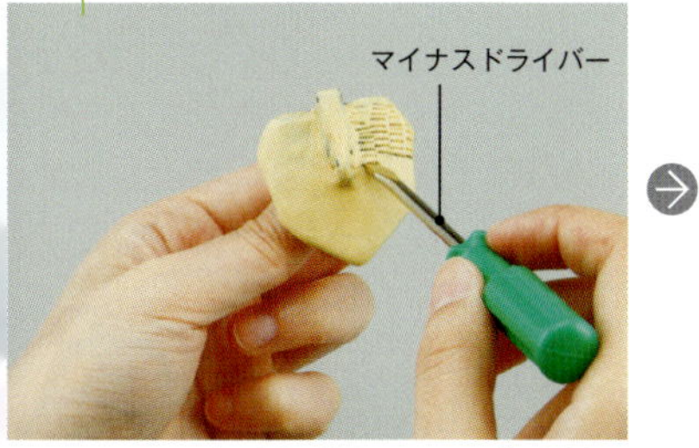

マイナスドライバーを軽く押しつけて、波の形をつけていく。ラインは一直線である必要はない。

5 成形したら乾燥させて固める

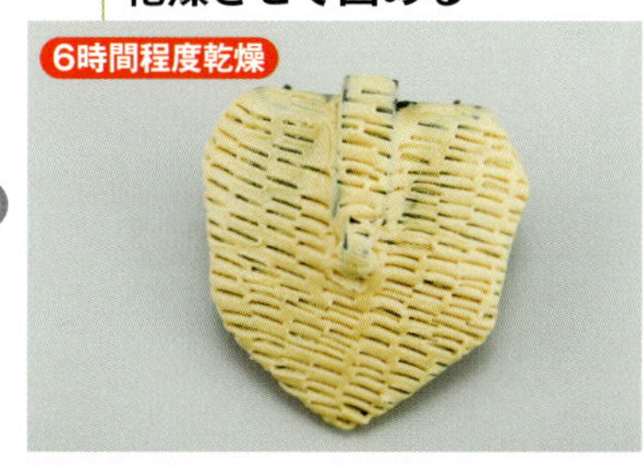

対象全体に波をつけたら、自然乾燥で乾かして固める。波の形が気に入らない場合は、指で平らにならしてやり直す。

『機動戦士ガンダム』第14話「時間よ、とまれ」より。吸着式の爆弾をつけようとしたジオン兵を蹴散らすガンダム。ツィンメリットコーティングを施しておけば、吸着式爆弾をつけられずに済むかもしれない。

プラスα ツィンメリットコーティングは塗料のフタや専用のツールを利用してもOK

ツィンメリットコーティングの波の形状をつけるには、さまざまな方法がある。その1つが、塗料のフタを利用する方法。塗料のフタの側面にはギザギザがあるので、そのギザギザを活用するというわけだ。

また、ツィンメリットの波をつけるための専用ツールも市販されている。ミゾの間隔のちがうローラーやスタンプがセットになっているので、思いどおりに仕上げることができる。

パテの上で塗料のフタを転がして、跡をつける。

マイナスドライバーにくらべて、均一でなめらかな形になる。

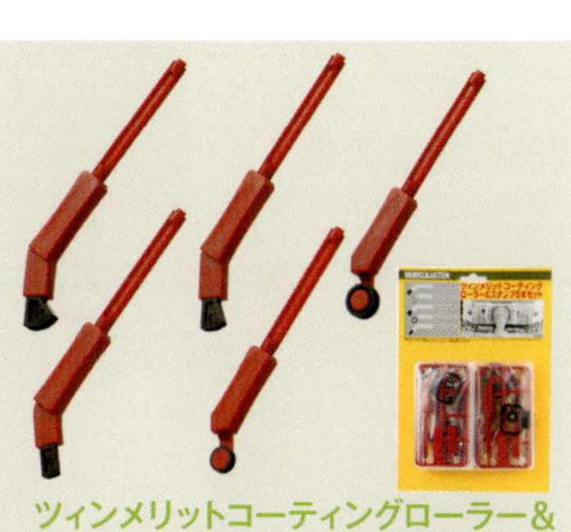

ツィンメリットコーティングローラー&スタンプ5本セット／モデルカステン
ツィンメリットコーティングの波をつけるための専用ツール。2本のローラーと3本のスタンプがセットになっている。

POINT エポキシパテを使いこなそう

ツィンメリットコーティングにはエポキシパテが欠かせない。エポキシパテの特徴は盛りつけながら成形できること。乾いて固まるまではやり直しができるので、使いやすい。なお、エポキシパテは固まるまでに時間がかかる。化学反応で固まるため、乾燥ブースを使っても時間短縮の効果はあまりない。

〈エポキシパテってなに？〉
- 主剤と硬化剤を混ぜることで固まる2種混合タイプのパテ。

〈エポキシパテの長所〉
- 盛りつけながら成形できる。
- ラッカーパテとちがい、ヒケ（乾燥後に体積が小さくなること）が少ない。

〈エポキシパテの短所〉
- 乾燥すると硬度が増すため、ラッカーパテとくらべると、成形に手間がかかる。
- 乾燥までに時間がかかる。
- 人によって、直接触ると手が荒れる場合がある。

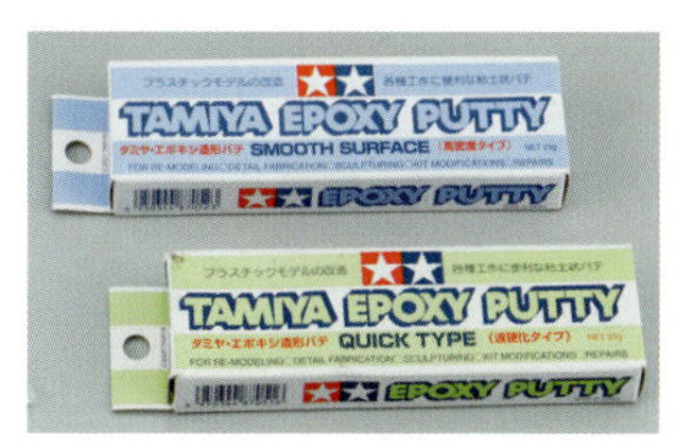

エポキシ造形パテ／タミヤ
白い主剤とライトブルーの硬化剤を混ぜて使用。「高密度タイプ（写真上）」と「速硬化タイプ（写真下）」の2種類がある。硬化するまでの速さは「速硬化タイプ」に軍配が上がるが、仕上がりのなめらかさとキメ細かさは「高密度タイプ」のほうが優れている。

パテを活用する②
鋳造表現

難易度：かんたん／**ふつう**／むずかしい

におい：しない／よわめ／**つよめ**

▶ 鋳造(ちゅうぞう)とは、液状にした金属類を鋳型(いがた)に流し込んで成型する加工方法のこと。ミリタリーの世界では、**防御力を高めるために戦車の装甲部分などに用いられる**ことがある。

▶ 方法としては、**溶きパテなどを筆先でたたくように塗って**ザラザラした表面を表現する。

Before

HGUC ギラ・ドーガ▶

鋳造とは、高温で熱して液体にした鉄や銅などの金属類を鋳型に流し込み、冷やして固めることにより目的の形にする加工方法のことです。ミリタリーの世界では、戦車の防御力を高めるために、敵の砲弾に耐えられる強度を持った鉄材を鋳造して装甲などをつくることがあります。**溶かした金属類を鋳型に流し込んで形をつくるので、表面がザラザラとした出来上がりになる**のも特徴の1つです。ガンプラでも、その形状を再現することができます。

具体的には、**溶きパテ（あるいはラッカーパテをラッカー系溶剤で溶かしたもの）をパーツの表面に、筆先でたたくようにして塗っていきます**。そうすることで、パーツに塗られたパテに筆先の跡がついて、鋳造したときのようなザラザラした表面になります。パテが乾いて固まったら、塗装しましょう。

After

頭部に鋳造表現

兵隊のヘルメットのような頭部に鋳造表現を施している。非常に硬い装甲に見えてくる。

胸部アーマーに鋳造表現

胸部アーマーの中央部分も鋳造表現で仕上げている。両端のツィンメリットコーティングと合わさって防御力の高さをうかがわせる。

左肩アーマーに鋳造表現

ギラ・ドーガのような丸みを帯びた肩アーマーには鋳造表現が似合う。ザラザラした鋳物の質感になっている。

足部に鋳造表現

足まわりに鋳造表現を施した。ドイツ戦車風のカラーリングがよく似合っている。

手順

❶溶きパテ（あるいは溶剤で溶かしたラッカーパテ）を用意→❷筆先が荒れた筆にパテをつけ、パーツをたたくようにして塗る→❸塗り終えたら乾燥させてパテを固める→❹必要に応じてサーフェイサーを吹く→❺全体的に塗装する→❻仕上げのコート剤（つや消し）を吹く

溶きパテでザラザラを表現する方法 つよめ

溶きパテと先の荒れた筆を使って、鋳造特有の装甲をつくっていく。

1 溶きパテを混ぜる

溶きパテとは、あらかじめパテが溶剤で溶かれているもの。よく混ぜてから使用しよう。

2 先の荒れた筆を用意する

鋳造表現に使う筆は、先が荒れたものが適している。普通の塗装では使えなくなった使い古しの筆を使おう。

3 溶きパテをたたくようにしてパーツに塗る

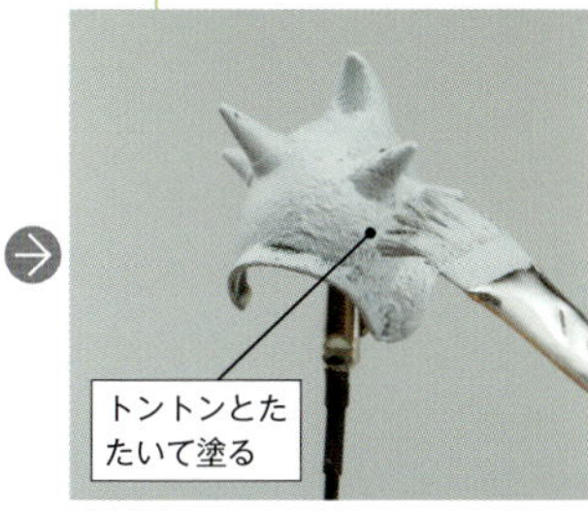

トントンとたたいて塗る

筆に溶きパテをつけたら、トントンとパーツをたたくようなイメージで塗っていく。

プラスα 溶きパテとは?

ラッカーパテが薄められた状態で市販されているもの。そのまますぐに鋳造表現などに使うことができる。

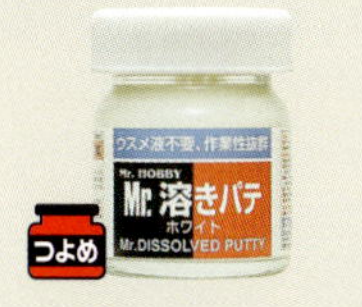

Mr.溶きパテ(ホワイト)
GSIクレオス

プラスα ラッカーパテを溶剤に溶いて使う方法もある

ラッカーパテを溶剤で溶いて、溶きパテをつくることもできる。市販の溶きパテにくらべて、濃度を自分で調節できるメリットがある。

塗料皿にラッカーパテを出す。

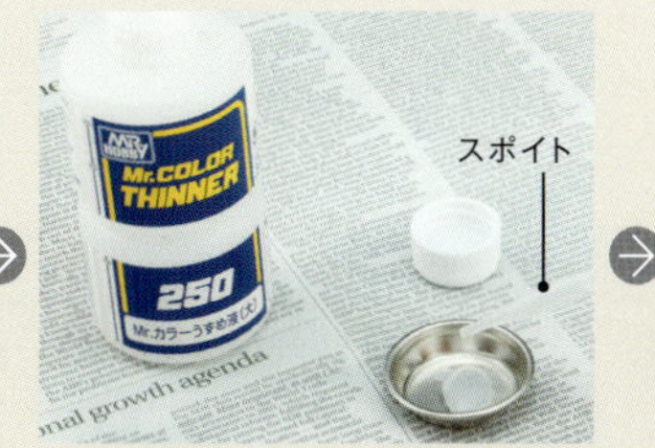

スポイトを使って、ラッカー系溶剤を加える。

多少粘り気があるくらいがちょうどいい

筆でラッカーパテとラッカー系溶剤を混ぜ合わせる。

塗装プランを考える

鋳造表現やツィンメリットコーティング(→P.232)はパテを表面につけるので、塗装まで行って完成となる。どんなふうに仕上げたいか、塗装プランを考えよう。

写真はツィンメリットコーティング(→P.232)を行ってグレーのサーフェイサーを吹いたうえで、鋳造表現の溶きパテを塗ったところ。ここから塗装を行っていく。

プラン1 ミリタリーの世界観で戦車風のカラーリングにする

鋳造表現などは、もともと戦車模型でよく使われていたものなので、戦車のカラーリングがよく似合う。左ページの完成作品も、ドイツ戦車風のカラーリングに仕上げている。

プラン2 カラーガイドをもとに設定カラーどおりに塗る

もとのモビルスーツの色のまま、鋳造表現やツィンメリットコーティングをしたらどうなるか。そういう発想で、本来の機体の色どおりに塗ってもよい。成型色とは、大きく印象が変わるはずだ。

プラン3 自由な発想でオリジナルカラーにする

ガンプラづくりは、基本的に自由だ。たとえば、鋳物らしさを出すために全身を黒鉄色などで塗る、あえてカラフルに塗るなど、大胆な塗装をしてもおもしろい。

付属フィギュアを塗る

難易度：かんたん／ふつう／**むずかしい**

におい：しない／**よわめ**／**つよめ**

- ▶ MGやRGには、**パイロットや関係するキャラクターなどのフィギュアがついている。**
- ▶ フィギュアはすべて単色だが、可能なら原作どおりに塗り分けたいところ。**極細の面相筆を用意し、説明書のカラーガイドを参考にしながらていねいに塗っていこう。**

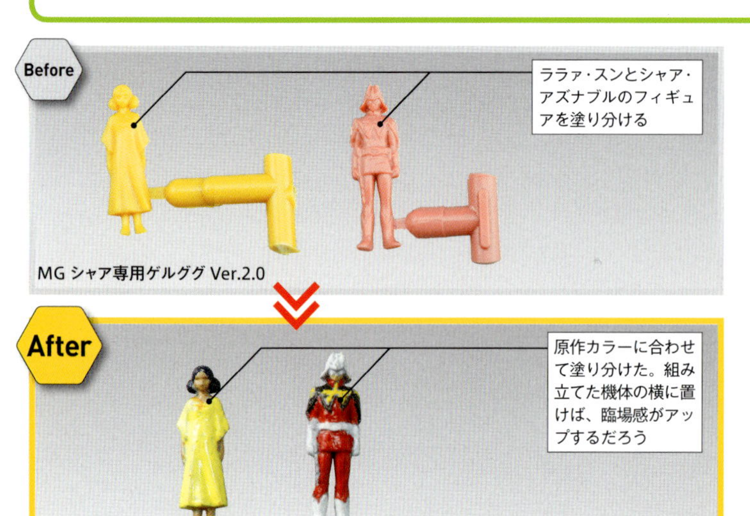

Before
ララァ・スンとシャア・アズナブルのフィギュアを塗り分ける
MG シャア専用ゲルググ Ver.2.0
After
原作カラーに合わせて塗り分けた。組み立てた機体の横に置けば、臨場感がアップするだろう

MGやRGのキットには、パイロットなどのフィギュアがついています。かなり小さいので塗らない人が多いかもしれませんが、**極細の面相筆を用意し、慎重に塗っていけば塗り分けも可能です。**ルーペ(→P.45)があると、作業の精度がよりアップするでしょう。原作どおりに塗りたいなら、説明書のカラーガイドに従って色を用意する必要がありますが、近い色で代用してもよいでしょう。

手順

❶必要な道具や塗料を集める→❷カラーガイドをチェックする→❸サーフェイサーを吹く→❹必要に応じて調色する→❺薄い色から順番に塗る→❻はみ出した部分などを塗り直す→❼ランナーを切ってゲート部分を塗る

フィギュアを塗る方法 つよめ

極細の面相筆は必須アイテム。あとは、筆塗りに必要な道具を用意しよう。模型用のルーペがあれば、細かい作業の精度が格段に上がる。

1 塗装に必要な道具や塗料を用意する

極細の面相筆、塗料一式、塗料皿、調色用スプーン、塗装用クリップ、サーフェイサー、ルーペを用意する。

2 カラーガイドを見て手順を決める

基本は薄い色から順番に塗っていく。また、調色が必要なものがないかも、このタイミングで確認しておく。

3 クリップにつけてサーフェイサーを吹く

ランナーを一部残して切り出し、そこを塗装用クリップにはさんでサーフェイサーを吹く。

4 必要に応じて調色する

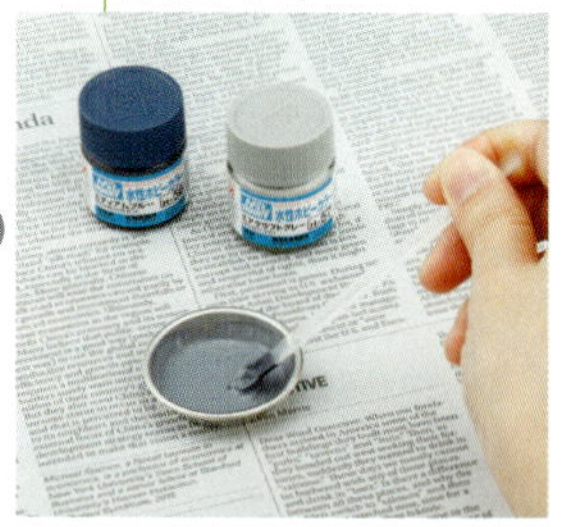

シャアのバイザーがエアクラフトグレー(70%)+ミディアムブルー(30%)という指定があるので、調色する。

5 薄い色から順番に塗る

今回はホワイト、オレンジイエロー、肌色、バイザーのグレー、モンザレッド、ミッドナイトブルーの順で塗る。

6 はみ出した部分などを塗り直す

ひと通り色を塗ったら、はみ出しや塗り残しがないかを確認し、必要があれば塗り直して調整する。

7 ランナーを切ってゲート部分を塗る

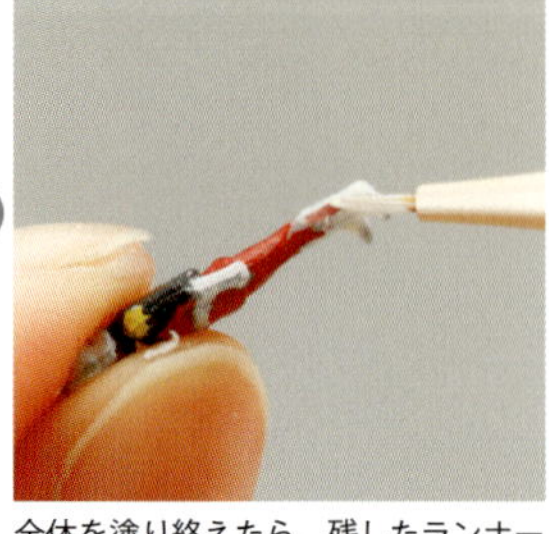

全体を塗り終えたら、残したランナーを切り取る。ゲート跡には色がついていないので、そこもきちんと塗る。

『機動戦士ガンダム』より。テレビ中継でガンダムの戦闘を見つめるシャアとララァ。「ララァは賢いな」「そういう言い方、嫌いです。大人っぽくて」。

MISSION_5

ガンプラを カスタマイズする

ガンプラはそのまま組み立てるだけでなく、自由にカスタマイズして
オリジナルの一体をつくることができる。
たとえば、別売りのディテールアップパーツをつけたり、
モールドを増やすためのスジ彫りをするなど、その方法は数限りない。
アイデアをふくらませて、ガンプラづくりの世界を自由に楽しんでいこう。

自由にカスタマイズして楽しむ

▶ 素組みや塗装だけではちょっと物足りないと思ったら、**カスタマイズにチャレンジ**してみよう。

▶ カスタマイズの方法には、**「ディテールアップパーツをつける」「スジ彫りを追加する」「パーツをシャープにする」**など、さまざまな方法がある。

ガンプラは素組みでつくってもかっこいいですし、設定に合わせて塗装してもバッチリ決まります。しかし、そうやって何体もつくっていると、もっと何か手を加えてみたくなるときがあります。

たとえば、シールで貼(は)った量産型ザクのモノアイ。シールではなく、ディテールアップパーツのクリアレンズをつけてみるだけで、敵を探して光るモノアイらしさが増してきます。**こうして「情報量」を増やしてくと、一気に本物らしさがあふれ出してきます。**

このように自分なりにパーツを交換・追加したり、加工したりすることをカスタマイズと呼びます。カスタマイズにはさまざまな方法がありますが、オススメは**「ディテールアップパーツをつける」「スジ彫りを追加する」「パーツをシャープにする」**などです。そこで、ここでは「HGUC MS-06F-2 ザクII F2型 連邦軍仕様」をもとに、これらのテクニックを詰め込んだオリジナル機をつくってみます。

▲HGUC MS-06F-2 ザクII（連邦軍仕様）

カスタマイズに使えるテクニック

ディテールアップパーツをつける

ディテールアップパーツとは、ガンプラの魅力を高めるための別売りパーツのこと。BANDAI SPIRITSの「ビルダーズパーツHD」シリーズをはじめ、各社から多様なものが登場している。「クリアレンズ」「バーニア」「パイプ・チューブ」「ブレードアンテナ」など多種多様。

スジ彫りをする

浅いスジ彫りを深くしたり、モールドやパネルラインを表現するスジ彫りを新たに加えるなどして、キット全体の情報量を増やす。HGUCシリーズは比較的モールドが少ないため、スジ彫りを入れると印象が変わってくる。

パーツをシャープにする

ガンダムのブレードアンテナやザクのショルダースパイクなどは、安全対策のため、角が太くなったり、丸くなったりしている。これらをけずって鋭くとがらせることで、かっこよさが増す。

カスタマイズプランを考える

カスタマイズは、基本的にやり直しがきかない。数あるカスタマイズのテクニックや材料をどのように活用していくか、じっくりプランを練って、一度決めたら完成まで突き進んでいこう。

カスタマイズはパーツをけずったり、接着したりする作業が多いので、やり直しは難しいものです。まずは、素組みしたキットを眺めて、どの部分をどのようにカスタマイズするか、じっくり考えましょう。

プランを考えるのは、素組みしたあとがよいでしょう。**実際の大きさや形状を見ながら考えたほうが、具体的なイメージがわきやすくなりますし、自作デカールを貼るためにサイズを測ることもできます。**素組みしたキットを写真に撮ってプリントアウトすれば、それをもとに設計図をつくることもできます（右写真）。

別売りパーツの写真を切り貼りして、組み合わせを確かめてもよいでしょう。ディテールアップには、大きく分けて右の3つのパターンがあります。

公式設定にこだわるか、オリジナル機をつくるかはつくる人の自由です。とことん考えて、満足のいく機体に仕上げましょう。

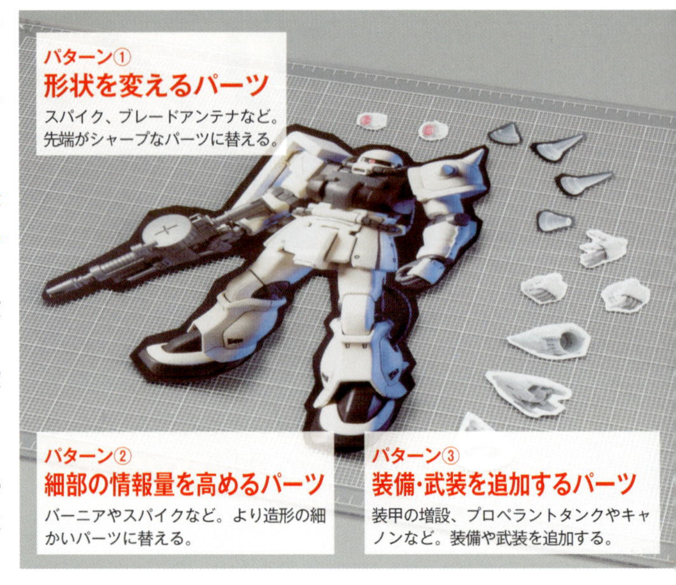

パターン①
形状を変えるパーツ
スパイク、ブレードアンテナなど。先端がシャープなパーツに替える。
パターン②
細部の情報量を高めるパーツ
バーニアやスパイクなど。より造形の細かいパーツに替える。
パターン③
装備・武装を追加するパーツ
装甲の増設、プロペラントタンクやキャノンなど。装備や武装を追加する。

カスタマイズされたキット

「HGUC ザクII F2型 連邦軍仕様」を、とことんディテールアップ。オンリーワンのモビルスーツを完成させた。HGとは思えない、情報量の多い機体に仕上がっている。

ディテールアップパーツをできるかぎり載せていって、完全オリジナル仕様のザクをつくりました。**HGUCのサイズに「情報量」をギュッと凝縮して、存在感のある機体になっています。**ベースとするのは、カトキデザイン※で人気の「F2型」のザクII。バックパックと武器は、「HGUC ザクI スナイパータイプ」(→P.247)のものを流用しています。ブレードアンテナ、モノアイ、バーニア、スパイクなどをビルダーズパーツHDに交換。追加装甲、プロペラントタンク、ミサイルポッド、ソードもビルダーズパーツHDのものを採用しました。ほかに細部のスジ彫りを追加し、スパイクアーマーをオレンジイエローに塗装しています。非正規部隊、あるいはジオン軍の残党が使う機体という印象になりました。

ブレードアンテナを交換

頭部のブレードアンテナを情報量の多いパーツに交換した。

»詳しくはP.241

追加アーマーを装着

機体の要所に追加アーマーを装着した。

»詳しくはP.241

プロペラントタンクを追加

バックパックにプロペラントタンクを増設した。

»詳しくはP.241

バーニアを交換

バックパックのバーニアを大型のものに交換した。

»詳しくはP.240

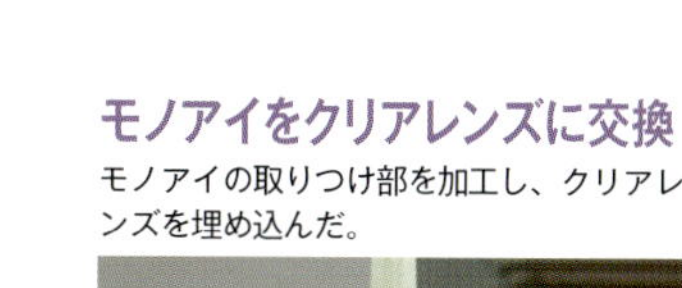

モノアイをクリアレンズに交換

モノアイの取りつけ部を加工し、クリアレンズを埋め込んだ。

»詳しくはP.240

スパイクを交換

ショルダー・アーマーのスパイクを交換した。

»詳しくはP.241

スジ彫りを追加

頭部やヒザなど、各部にスジ彫りを追加。

»詳しくはP.242

足元に追加武装

大型のフットミサイルを増設した。

カラー&材料レシピ

◆脚、腕、頭部
- ●ガンダムカラー　MSグリーン(UG06)

◆胴体
- ●ガンダムカラー　MSディープグリーン(UG07)

◆左肩アーマー
- ●Mr.カラー　オレンジ(C59)

◆ひじ、ミサイルポッド
- ●Mr.カラー　軍艦色(2)(C32)

◆ビーム・スナイパーライフル
- ●Mr.カラー　黒鉄色(C28)

※カトキデザインとは、ガンダムのメカニックデザイナーであるカトキハジメがデザインしたガンプラのこと。同氏が手がけたガンプラとして、「ver.Ka」シリーズなどがある。

ディテールアップパーツをつける

難易度：かんたん／**ふつう**／むずかしい
におい：しない／よわめ／**つよめ**

▶ バーニアやリベット、ボルトなど、キットの細部の表現を追加したり、変えたりするための別売りパーツを**ディテールアップパーツ**という。少しの加工で取りつけることができるので、わずかな手間で大きな効果を得られる。

▶ **一部のパーツを交換するだけでもOK**で、それだけでもかっこよくディテールアップできる。

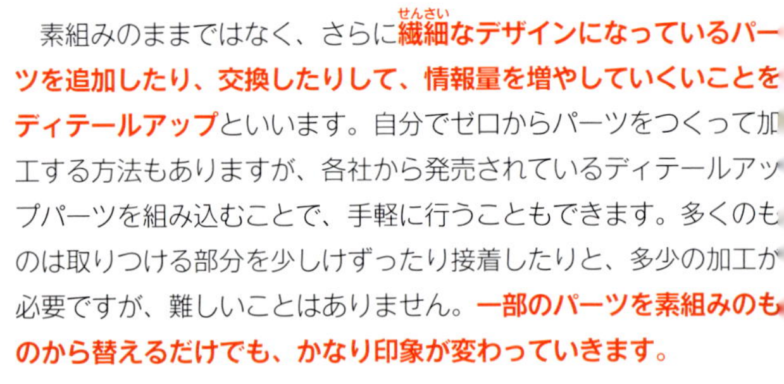

さまざまなディテールアップパーツが市販されている

素組みのままではなく、さらに**繊細（せんさい）なデザインになっているパーツを追加したり、交換したりして、情報量を増やしていくことをディテールアップ**といいます。自分でゼロからパーツをつくって加工する方法もありますが、各社から発売されているディテールアップパーツを組み込むことで、手軽に行うこともできます。多くのものは取りつける部分を少しけずったり接着したりと、多少の加工が必要ですが、難しいことはありません。**一部のパーツを素組みのものから替えるだけでも、かなり印象が変わっていきます。**

使用する道具

※取りつけるパーツによって必要なツールが異なります。

クリアレンズを取りつける方法

におい：つよめ

モノアイにビルダーズパーツHDの「MSサイトレンズ01」を組み込む。

1 MSサイトレンズ01を用意する

キットのスケールに合わせて、ちょうどよいサイズのサイトレンズを選択する。ここでは「Φ3.0＋A」を使用。

2 取りつける部分に穴を開ける

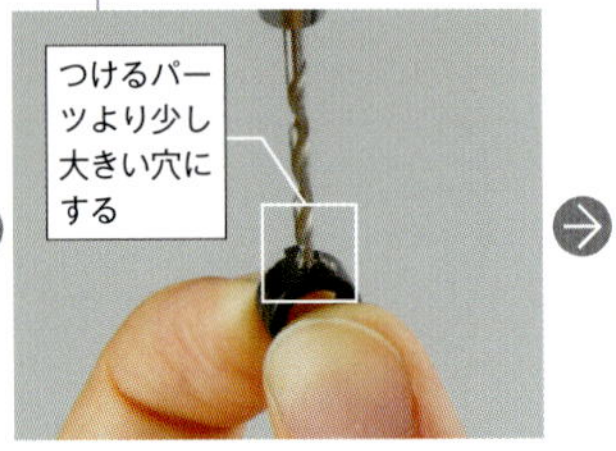

モノアイを取りつけるところに、ピンバイスで穴を開け、リューターで広げていく。少しずつ穴を広げていく。

3 はめ込んで裏側から接着剤で固定

流し込み接着剤を使うことでレンズに接着剤の跡がつかなくなる

穴が開いたらサイトレンズをはめ込んで、接着剤で固定する。隙間（すきま）が大きいようならラッカーパテで埋める。

NG そのままつけると出っ張る

モノアイ部分に穴を開けず、サイトレンズをそのまま取りつけると、外側に飛び出してしまう。実際の設定では、モノアイはこんなに立体的ではない。

バーニアを取りつける方法

におい：つよめ

バーニアをもっと大型にしたり、数を増やしたりすると迫力がアップする。

1 取りつけるバーニアパーツを用意する

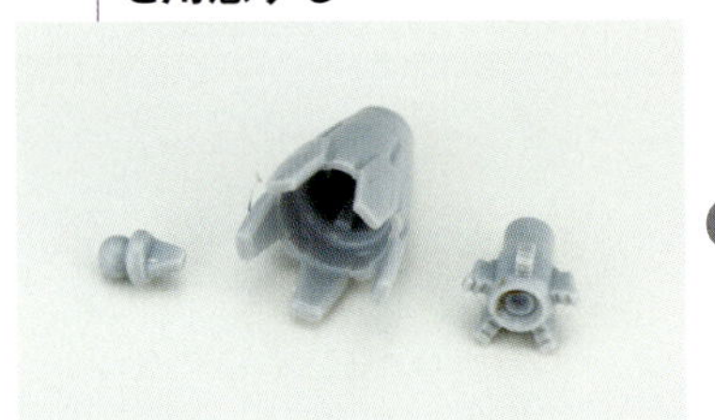

ここでは「MSバーニア01」の円錐型〔B〕を使用。3つのパーツに分かれているので、まずはバーニアを組み立てる。

2 取りつける部分に接着する

サイズが合わない場合は、薄くけずるなどしてみる

バーニア取りつけ用のパーツを、バックパックの取りつけ箇所に差し込み、スチロール系接着剤を流し込んで固定する。

3 バーニアパーツを取りつける

バーニア本体を取りつける。差し込むだけで固定できるが、取れやすい場合は接着したほうが安心だ。

追加アーマーを取りつける方法 つよめ

ディテールアップのアーマーをそのまま接着したり、小さく切ってつけたりするなど、各部に追加アーマーを取りつける。

1 追加アーマーを用意する

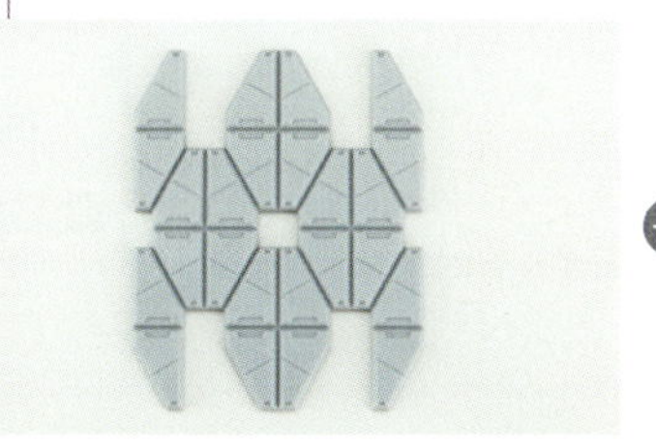

ビルダーズパーツHDの「MSアーマー01」から汎用アーマーを使用。このままでは大きいので分割して装着する。

2 追加アーマーを加工する

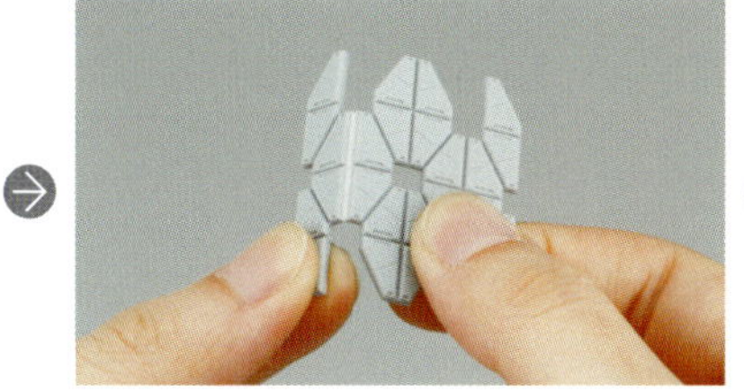

キットに合うように分割する。パーツを指で折り、切り口をやすりなどで整えればOK。取りつけはスチロール系接着剤で。

3 追加アーマーを取りつける

胸まわりやスネなど、攻撃を受けそうなところに追加アーマーをつけるのがオススメ。各部に散らばせたほうが情報量のアップになる。

プロペラントタンクを取りつける方法 つよめ

追加の燃料タンクであるプロペラントタンクを追加する。左右非対称のほうが今回のテーマに合うので、1つだけ取りつける。

1 プロペラントタンクを用意する

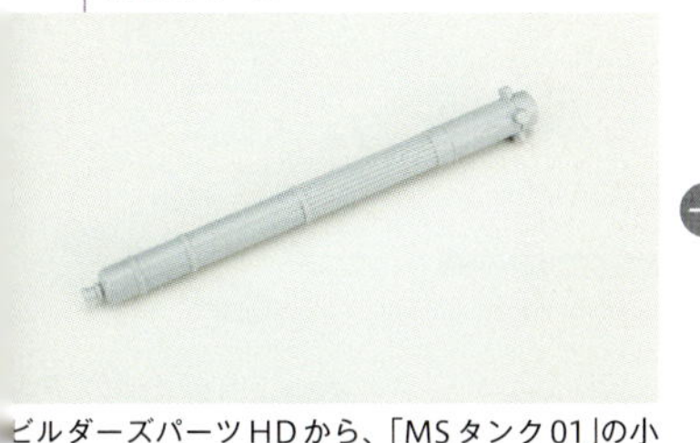

ビルダーズパーツHDから、「MSタンク01」の小型のほうを使用。そのままではキットに対して長いので、完成例では半分にカットして接着している。

2 バックパックに穴を開ける

ビルダーズパーツHDには取りつけができる専用の基部がセットになっているが、ここではバックパックに直接ピンバイスでφ2.5mmの穴を開けた。

3 プロペラントタンクを取りつける

かなり飛び出すパーツなので、収納時を考えて取り外しできるように差し込むだけにした。もちろん、接着してもOK。

スパイクを取りつける方法 つよめ

ザクのショルダー・アーマーについているスパイクは、定番のディテールアップポイント。

1 スパイクパーツを用意する

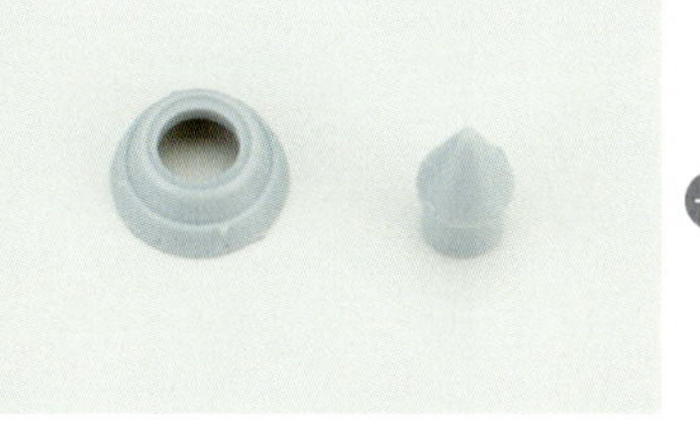

ビルダーズパーツHDの「MSスパイク02」の中から使用。基部とスパイクが別パーツになっている。スパイクは4種類あるので、好みで選ぶ。

2 元のスパイクをけずり取る

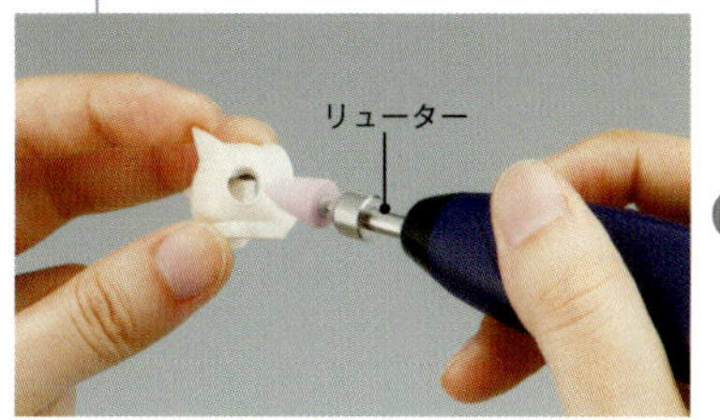

キットについているスパイクは、リューターなどでけずり取る。スパイクを外した跡は、平らになるようにやすりでけずっておく。

3 スパイクパーツを接着剤で取りつける

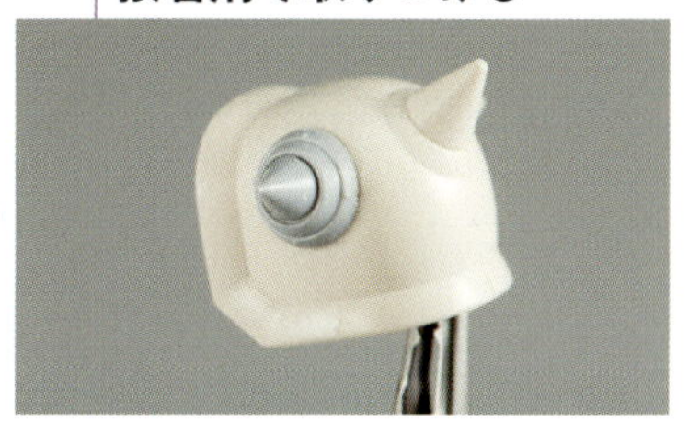

スパイクパーツを接着剤で取りつける。3つのスパイクの角度や位置がズレていると見栄えが悪いので、いろいろな角度から確認してピタリと取りつけよう。

POINT ディテールアップパーツはほかにもたくさんある

ディテールアップパーツは、たくさんの数が発売されている。どれも交換したり、増設したりすることで取りつけられる。右の写真はすべて、BANDAI SPIRITSから発売されているビルダーズパーツHDシリーズのもの。気になるものがあったら、ぜひ取りつけてみよう。

MSブレード01

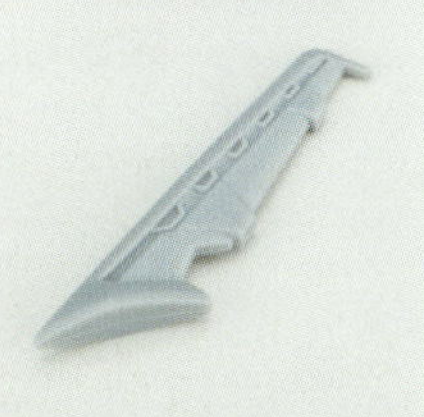

ブレードアンテナを量産型ザクの頭部につけると、指揮官マークとなる。凝ったモールドのパーツが、多数用意されている。

MSソード01

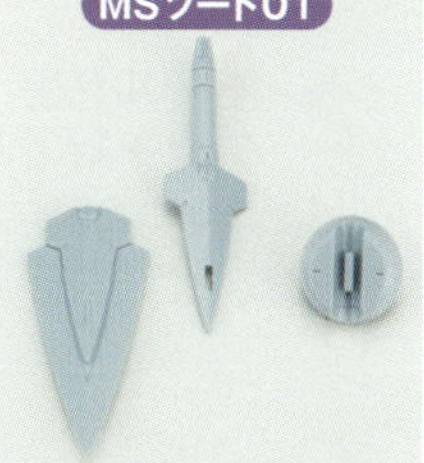

大小のソードと取りつけパーツがセットになったもの。今回は小型のほうを使用した。

MSエンブレムレリーフ01

エンブレムレリーフは取りつけプレートとエンブレム本体が別パーツなので、塗り分けが簡単にできる。

※P.239の作例では、ほかに「HGBC Ez-ARMS」、ビルダーツパーツHD「MSグランド01」、「MSキャノン01」、「MSパネル01」を使用しています。

スジ彫りをする

難易度: かんたん / ふつう / **むずかしい**

におい: **しない** / よわめ / つよめ

▶ スジ彫りとは、モールドやパネルラインなどとなる**ミゾを彫って情報量を増やしていくこと**。

▶ ケガキ針やスジ彫りカーバイトなどを使い、**元のモールドを深くしたり、新たにモールドを増やしたりする**。シンプルなHGシリーズには、とくに有効なテクニックだ。

HGUC ザクⅡ F2型 連邦軍仕様

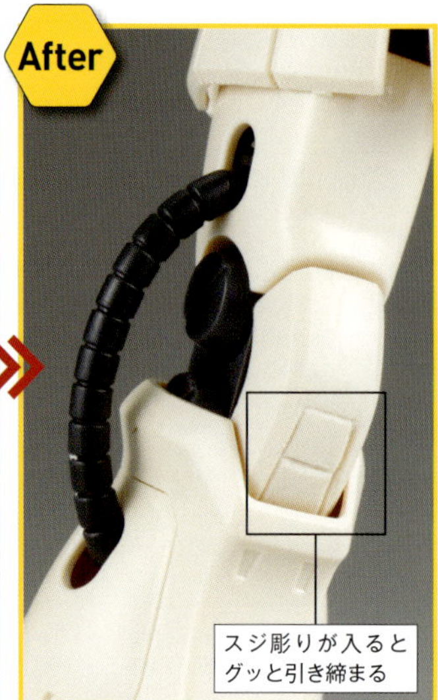

最近のガンプラは細部までつくり込まれていて、昔にくらべると格段に精巧な見栄えになっていますが、それでもHGはRGやMGのキットにくらべてシンプルです。また、旧キットをつくる場合は、ディテールに物足りなさを感じるかもしれません。そういうときは**パーツにスジ彫りを加えて、情報量をアップさせてみましょう**。スジ彫りには、**ケガキ針やスジ彫りカーバイトなどのツールを使います**。設定画や上級者の作例を見て、凝ったモールドやパネルラインを再現してみましょう。

使用する道具

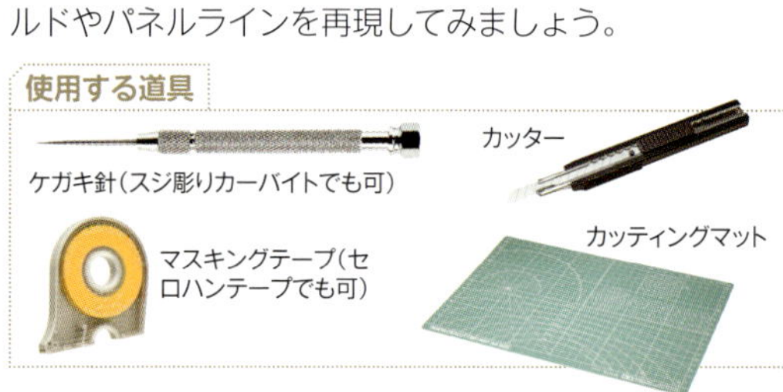

スジ彫りに使うツール

スジ彫りに使えるツールは、たくさんの種類が市販されている。基本的には値段が高いものほど、精度の高いスジ彫りができるように工夫がされている。

精密ケガキ針／ミネシマ

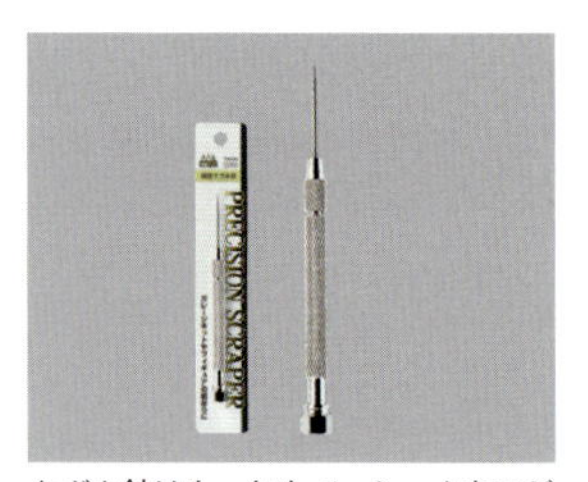

ケガキ針はもっともベーシックなスジ彫りツールで、とがった先端で、カリカリと引っかくように彫り込んでいく。

スジ彫りカーバイト0.2mm ファンテック

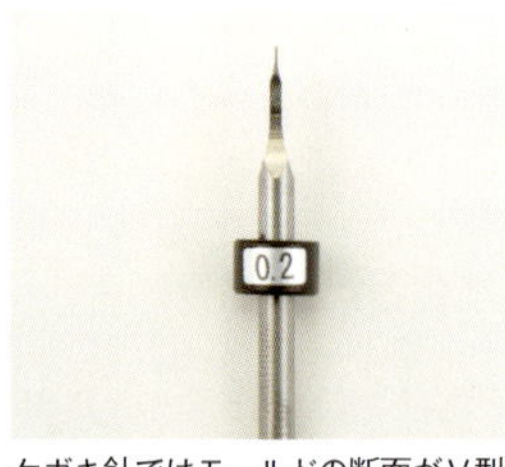

ケガキ針ではモールドの断面がV型になってしまうが、タガネでけずるように彫り込むと四角いスジ彫りができる。

サテライトペンツール ペンライナー／サテライト

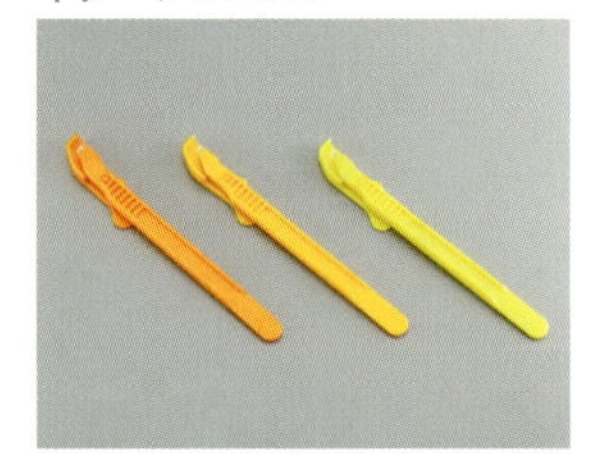

のこぎり状の細い先端で、ゴリゴリと引っかいてスジ彫りをしていくツール。3種類の幅で1セットになっている。

ガイドテープ

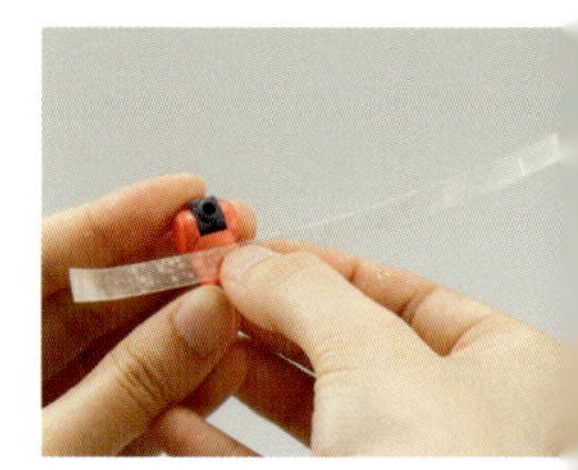

スジ彫りに使うガイドテープ。マスキングテープやセロハンテープを5～6枚重ね切って使う（→P.61）。

浅いスジ彫りを深くする方法

ゼロからスジ彫りをするのは少し難易度が高い。まずは今あるモールドを深くして、くっきりした印象に仕上げる。

1 モールドが浅くて目立たない

キットによっては、モールドが浅く目立ちにくいものもある。これを彫り込んでもっと目立たせたい。

2 モールドをケガキ針でなぞる

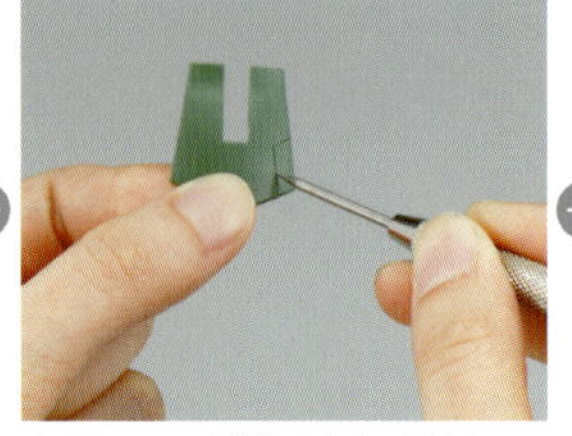

すでにモールドがあるなら、ガイドテープはなしでもOK。少しずつ小刻みに彫り込んでいく。均等な深さにしよう。

3 深彫りになってシャープな印象に

スジ彫りが深くなると陰影が強調されて、パーツ全体がシャープなイメージになる。

NG あわてるとはみ出す

スジ彫りに焦りは禁物。小刻みに動かして、少しずつていねいに彫り込んでいこう。

新たなパネルラインを彫る方法

新しいスジ彫りを追加すると、一気にキットのオリジナリティが高まる。ていねいに彫り込めば、キットの仕上がりは格段にシャープになる。

HGUC ザクII F2型 連邦軍使用
※カスタマイズし、塗装したもの。

かつてのガンプラはほとんどモールドがなく、シンプルなデザインでした。そのため、全体にスジ彫りを加えることで、キットの完成度を高めていました。最近のキットは最初からモールドが入っているものばかりですが、**さらに自分の手でスジ彫りを追加して、見栄えをよくしていくことができます。**とくにHGUCのキットはそれほどモールドが多くないので、スジ彫りの加えがいがあります。また、ディテールアップパーツを取りつけたときは、全体の情報量のバランスをとるためにも、パネルラインなどの追加が必要でしょう。パッケージのイラストや設定画などを参考に彫っていきましょう。

使用する道具

ケガキ針(スジ彫りカーバイトでも可)
・カッター　・カッティングマット　・定規
マスキングテープ(セロハンテープでも可)
油性ペン

1 新たに加えるパネルラインのプランを練る

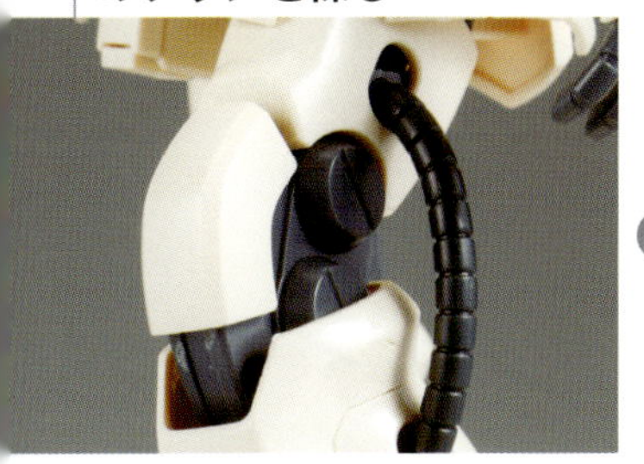
パッケージのイラストや設定資料集には、細かなパネルラインが再現されている。PG、MG、RGなど、モールドの多いキットを参考にしてもよいだろう。

2 モールドを入れるラインを油性ペンで書く

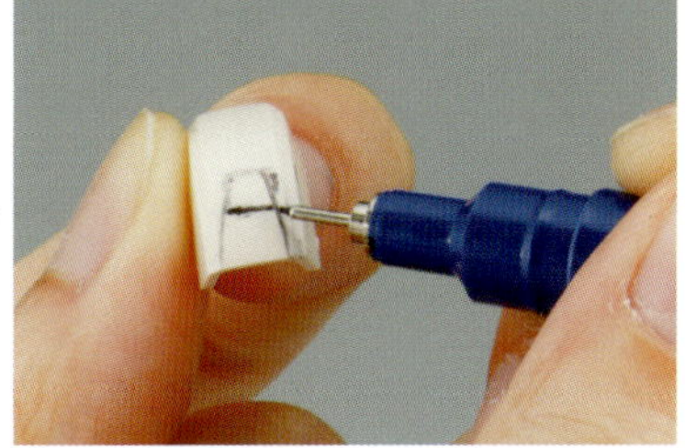
スジ彫りを入れるラインを、油性ペンでパーツに書き込んでいく。型紙などをつくって、左右が均等になるようにしてもよい。

3 ラインに合わせてガイドテープを貼る

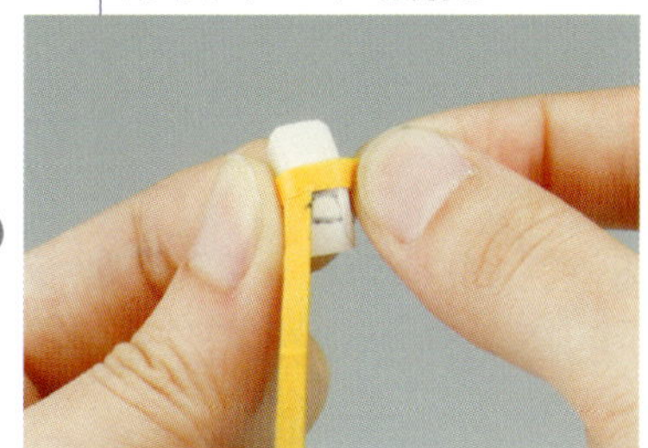
油性ペンで書いたラインに合わせて、マスキングテープでつくったガイドを貼る。少しずつ貼って、少しずつ彫ってという作業の繰り返しになる。

4 ケガキ針で少しずつ彫っていく

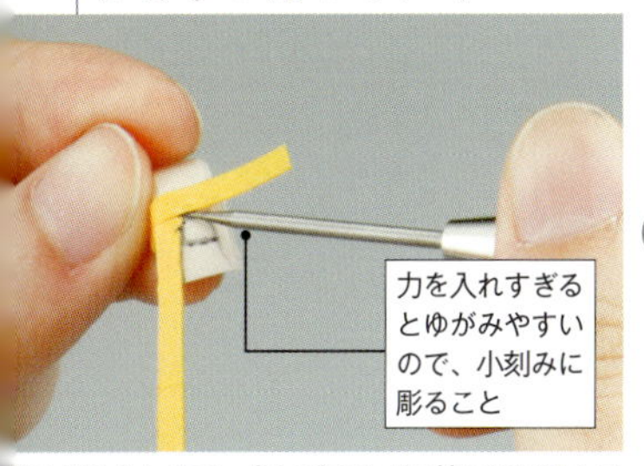

力を入れすぎるとゆがみやすいので、小刻みに彫ること

ガイドに合わせて、少しずつケガキ針で彫り込んでいく。一気に彫ろうとするとガイドから外れるので注意しよう。

5 パネルラインの出来上がり

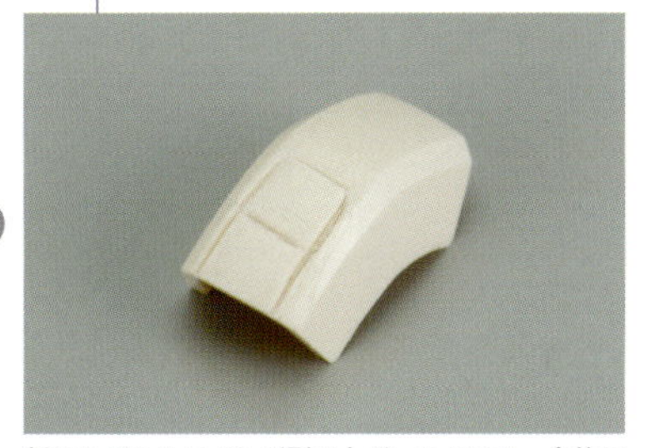
新たなパネルラインが彫り上がったところ。全体に均一な深さになるように、また左右対称になるように気をつけよう。

プラスα タガネを使うとよりシャープなラインになる

先端が凸形(とつがた)になっているタガネを使うと、ミゾの断面が四角くなる。先端がV形のケガキ針にくらべて、シャープな印象になる。

パーツの合わせ目に段落としを入れる方法

パーツの合わせ目を消さずに、逆にスジ彫りの一部にしてしまうこともできる。

1 キットの合わせ目が目立つ

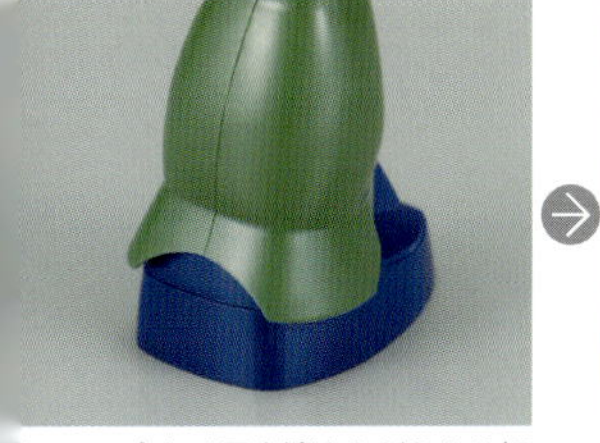
パーツの合わせ目を消すかどうかは好みにもよるが、目立たないほうがよいのは間違いないだろう。

2 段落としツールで合わせ目を加工する

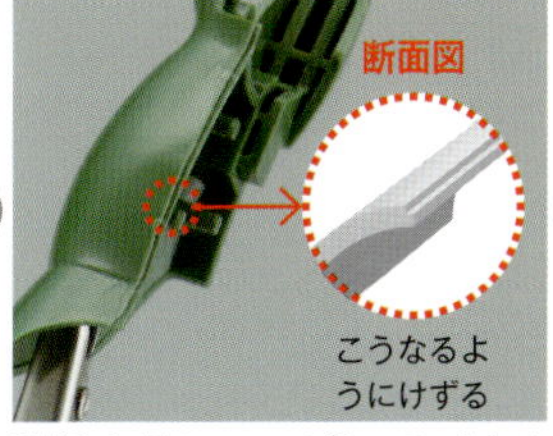

段落とし用のツールを使って、合わせ目部分の片側をL字形になるようにけずっていく。

3 モールドの一部のようになる

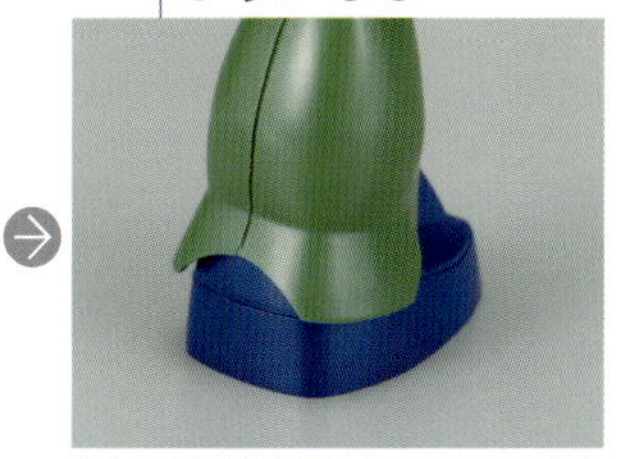
合わせ目に段落としをしたパーツを合わせたところ。自然な仕上がりで、まるでモールドのようになった。

プラスα 段落としツールを自作する

百円均一ショップの平型カッターにプラ板のガイドを取りつけると、簡易的な段落としツールになる。

アンテナなどをシャープにする

難易度: かんたん / **ふつう** / むずかしい

におい: **しない** / よわめ / つよめ

▶ キットは安全性を考えて、**パーツの先端や角が太かったり、丸かったりしている。**

▶ ディスプレイ用につくるのであれば、**太い部分をけずってシャープにして、より精悍（せいかん）なイメージに仕上げてもよい**だろう。ちょっとした加工で、ガンダムの顔のイメージはガラッと変わる。

ガンプラは幅広い年齢層の人が楽しむものなので、安全に配慮して設計されています。そのために、ガンダムのアンテナやザクのスパイクなどは、パーツの先端や角が太くなったり、丸くなったりしているものもあります。しかし、**設定に忠実なキットにしたいのならば、それらの部分はシャープにしておきたいところです。**そこで、太くなったり丸くなったりしているパーツの先端や角をけずって、シャープにしてみましょう。

使用する道具

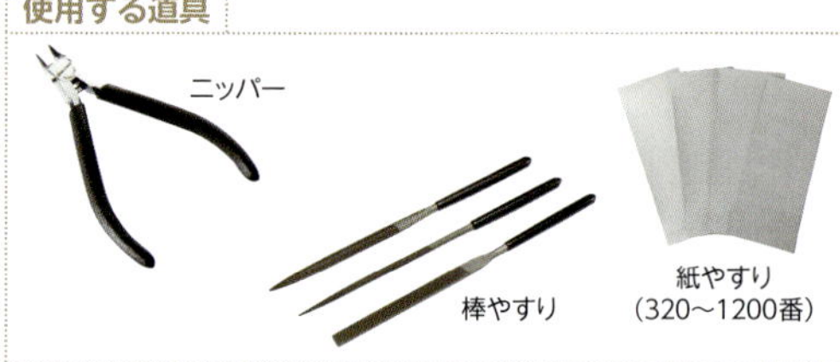

アンテナの先端をシャープにする方法

ガンダムのブレードアンテナ。これが基本だ。

1 ブレードアンテナは先端が丸い

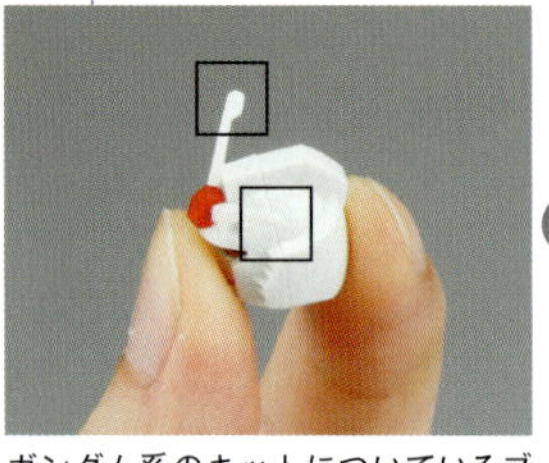

ガンダム系のキットについているブレードアンテナは、安全のために先端が太くなっている。

2 いらない部分をニッパーでカット

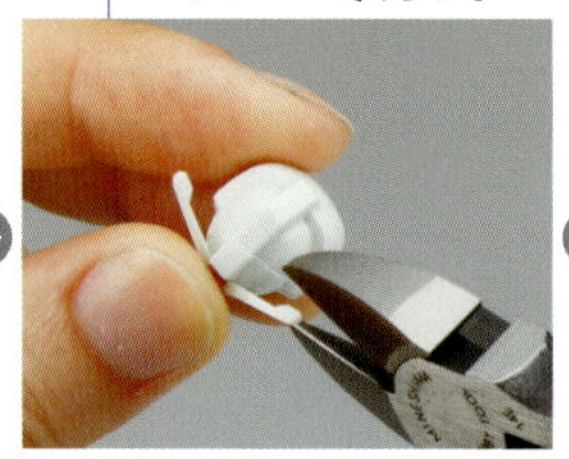

先端の太い部分をニッパーでカットする。あとでけずって調整するので、ここでは切りすぎないように注意する。

3 棒やすりでシャープに

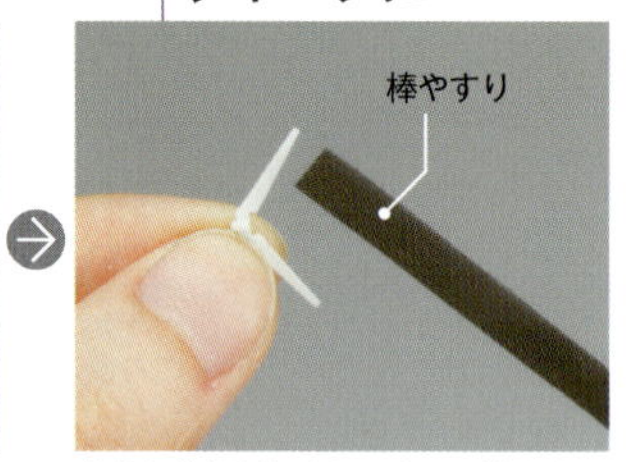

余分な突起がなくなるまで、棒やすりを当ててパーツをとがらせていく。仕上げは紙やすりでみがく。

プラスα ディテールアップパーツに交換

ガンダムのブレードアンテナであれば、ディテールアップパーツも使える。最初からシャープな形状なので、取り換えるだけでよい。ただし、取りつけ部分の形状は各キットで異なるので、加工と接着が必要になる。

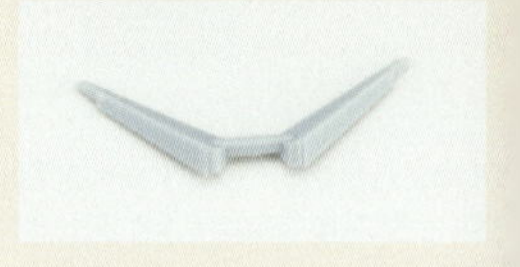

スパイクをシャープにする方法

量産型ザクなどの肩アーマーについているスパイクも、先端が少し丸くなっている。とぎ上げることで、一層勇ましいイメージに仕上げることができる。

1 スパイクの先端が少し丸い

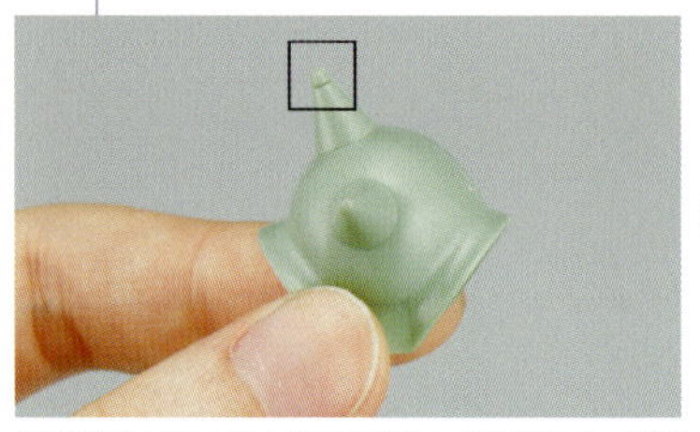

量産型ザクのスパイクは安全性への配慮から、先端が丸みのある形をしている。全体に薄くけずり、とがらせていく。

2 棒やすりで回すようにけずる

棒やすりを使ってスパイクを全体的にけずっていく。回しながらけずると、全体を等しくけずることができる。先端ほど多めにけずる。

3 シャープになったスパイク

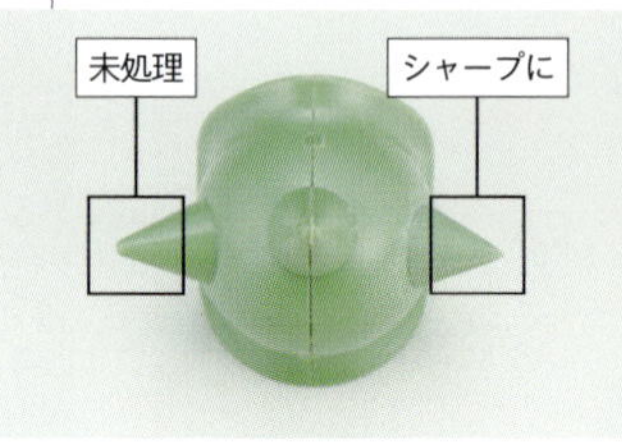

シャープにとがらせたスパイク（右側）。だいぶ印象が変わった。先端をシャープにするのは、クローなどの武器にも有効なテクニックだ。

LEDで光らせる

難易度：かんたん／**ふつう**／むずかしい

におい：**しない**／よわめ／つよめ

- ▶ **モノアイやメインカメラ、太陽炉などはLEDで光らせる**と、リアル感を高めることができる。
- ▶ 手軽にできる方法としては、**ガンプラの専用LEDユニットで簡単に点灯させる方法**や、**ミライトという小型LEDパーツを使ってモノアイなどを点灯させる方法**がある。

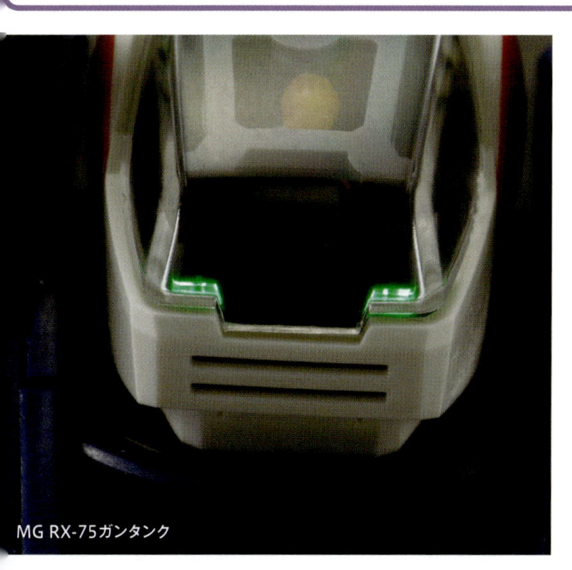
MG RX-75ガンタンク

アニメを見ていると、モノアイやメインカメラ、バーニア、ビーム砲のノズルなど、モビルスーツはさまざまなところが光っています。クリアパーツなどを使って、光っているように見せることはできますが、実際に発光しているわけではありません。キットを手軽に光らせたい人にオススメなのが、**ガンプラ専用LEDユニットやミライトなどを使う方法**です。ややこしい配線などをしなくても、かっこよくLEDを光らせることができます。

使用する道具

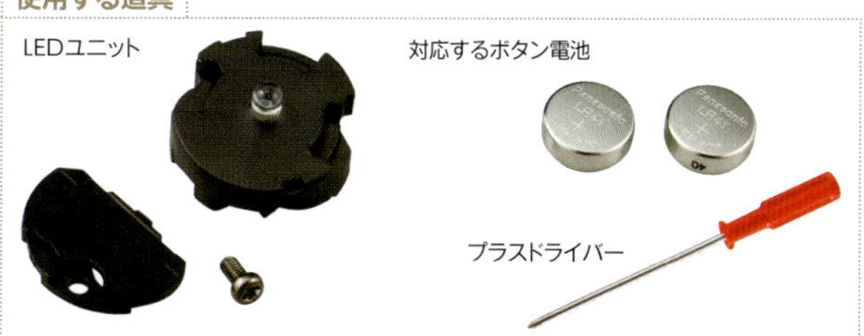

LEDユニットを取りつける方法

MGシリーズの一部には、MG用のLEDユニットを内蔵できるようになっているキットがある。はめ込むだけで、手軽にキットを光らせることができる。

1 LEDユニットを用意する

LEDユニットには、LED電球と電池が1つに内蔵されている。配線などは必要ない。

2 LEDユニットの取りつけ箇所を開ける

対応するMGのキットには、あらかじめLEDユニットを取りつけるためのスペースが確保されている。説明書を見て、その指示どおりに取りつける。

3 セットして点灯する

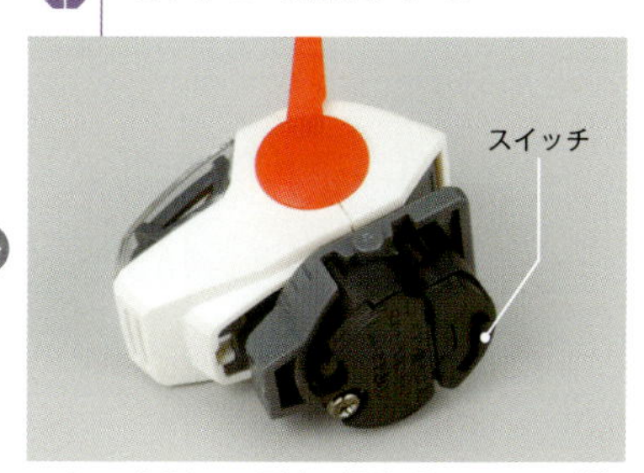

スイッチを入れて、所定の場所に取りつける。外部にスイッチはないので、消灯するときはまた部品を取り外してオフにする。

ガンダムのメインカメラの場合

「MG RX-78-2 ガンダムVer.3.0」では、頭部にLEDユニットを埋め込むと、メインカメラが光る。

ダブルオーライザーの太陽炉の場合

「MG ダブルオーライザー」は、太陽炉を光らせる。両肩にあるので、LEDユニットを2つ使用する。

モノアイの場合

ジオン系モビルスーツの中には、モノアイを光らせられるキットがある。写真は「MG ギラ・ドーガ(レズン・シュナイダー専用機)」。

プラスα LEDユニットををチェック

ガンプラ専用のLEDユニットにはグリーン、イエロー、ピンク、ホワイト、ブルー、パープル、レッドがある。
※電池は別売り。

ガンプラ用LEDライトユニット2個セット(緑)
BANDAI SPIRITS

ミライトを使って電飾する方法

ミライトという小型のLEDを使うことで、HGUCでも各部を光らせることができる。少し加工が必要になるが、配線などは必要ない。

素組みしただけの状態

モノアイをホイールシールで表現している。光が反射して見えることもあるが、もちろん発光はしない。

ミライトを内蔵した状態

頭部に埋め込まれたミライトが光る。モノアイが発光すると、こんなに臨場感が出る。

使用する道具

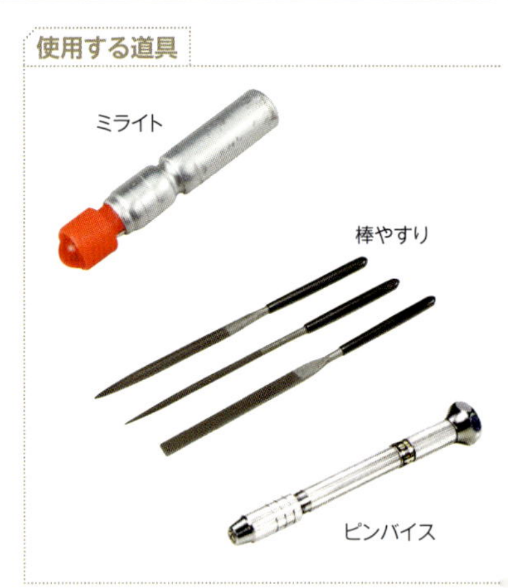

ミライトの先端。LEDが細長い小型電池と一体型になっている。

操作方法1･先端を押して点灯

先端部分を押し込むと点灯する。プチッとなるまで押す。

操作方法2･先端をもどして消灯

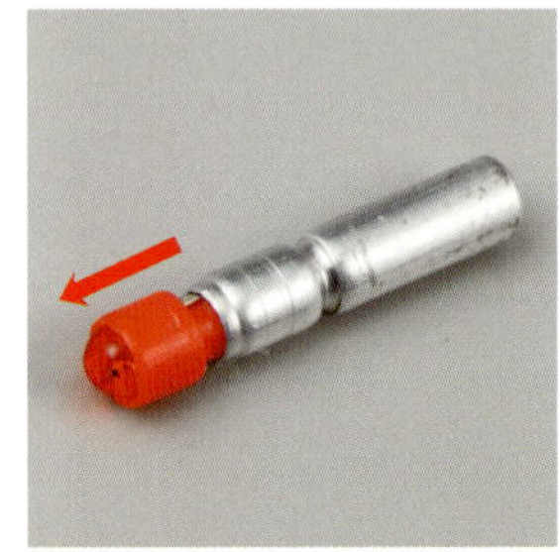

押し込んだ先端を引きもどすと消灯する。

プラスα 小さいボディの中でLEDと電池が一体に

ミライトはもともと釣り道具としてつくられたもの。電池とLEDが一体になっている。ブルー、ホワイト、レッド、イエロー、グリーンの5色。

ミライト316／ヒロミ産業

1 内蔵する場所を決める

ミライトを入れる場所を考える。「HGUCドム」のサイズなら、頭部に横向きで取りつけられる。

2 取りつけるパーツを取り出す

取りつけるパーツを取り出し、実際に穴を開ける場所を確認する。モノアイ下のスペースがちょうどよさそうだ。

3 ミライトを入れる穴を開ける

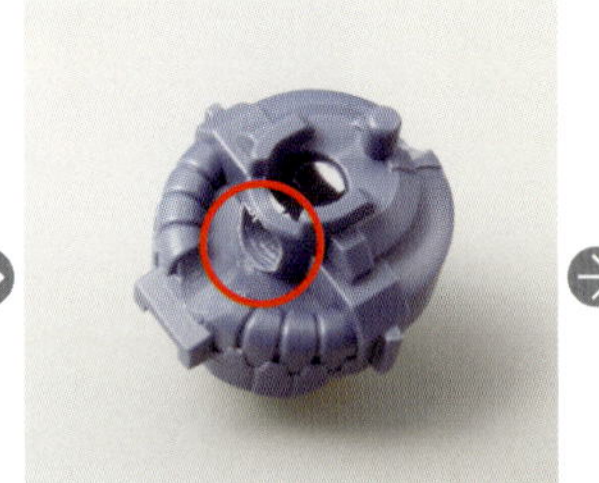

ミライトと同じ太さの3mmΦのピンバイスで穴を開ける。ミライトを合わせながら彫り、棒やすりで微調整をする。

4 取りつけ部をボディにもどす

加工した頭部の基部をボディに取りつける。穴を開けた以外に何もしていないので、ほかに加工は不要。

5 ミライトを装着する

開けた穴にミライトを装着して位置を調節する。微調整は穴の奥にマスキングテープなどを詰めて行う。

6 頭部カバーをもどす

頭部カバーとモノアイカバーをもどせば完成。ミライトのオンオフは、カバーを外して行う。

プラスα ザク系の場合

ボディ側で縦に内蔵

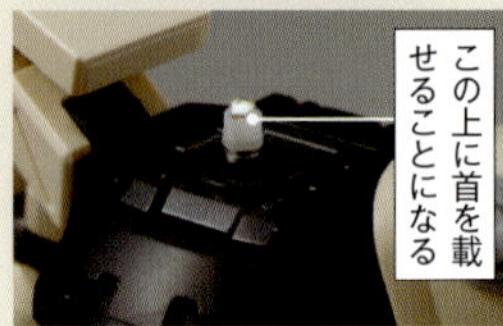

HGUCのザク系キットではそこまでのスペースはないので、ミライトをボディ側に内蔵することになる。首の可動は制限される。

頭部を載せる

モノアイはビルダーズパーツHDのクリアレンズを加工して取りつけた。クリアレンズの取りつけ方はP.240を参照。

ミキシングビルドでつくる

難易度：かんたん／ふつう／**むずかしい**
におい：しない／よわめ／**つよめ**

▶ ガンダムシリーズにはキットでは発売されていない、**設定だけのバリエーション機が数多くある。**

▶ **似たキットを組み合わせて、少しの改造でそのモデルを再現するのがミキシングビルドだ。**レアなモビルスーツやオリジナルのモビルスーツをつくってみよう。

ガンダムシリーズは長い歴史の中で、とても多くのバリエーションのモビルスーツが生み出されてきました。それに合わせて**ガンプラも多くのものがキット化されてきましたが、それでもすべてをカバーしているわけではありません。**「HGにはラインアップされているけれど、MGにはない」など、シリーズによってラインアップが異なっています。

たとえば、「ランバ・ラル専用ザクⅠ」という機体の設定があります。ランバ・ラルがグフに乗る前に使っていた機体というものです。これはMGシリーズではキットになっていますが、HGにはまだありません（2015年11月現在）。ほかにも劇中に少しだけ出てきたり、最終決戦だけで使われたりしたものの中には、キット化されていないものがあります。また、旧キットにはあるけれど、HGやMGでは未発売というのもあります。

このようなキット化されていないモビルスーツを自作する方法があります。**ミキシングビルドといって、複数のキットを組み合わせて、別のバリエーション機を再現するものです。**全体を塗装する必要があるものも多いですが、それほど手間がかからずにできるものもありますので、ぜひチャレンジしてみてください。

パターン❶ 組み替えミキシング
キットの部位やパーツを組み合わせる方法

キットAの胴体と脚と武器、キットBの頭と腕とシールドをそのまま組み合わせて1つにする。とくに加工や接着はしない。

パターン❷ 移植ミキシング
パーツの一部を加工して移植する方法

キットBから胸部や脚などのパーツの一部を取り出し、加工してキットAにつける。パーツの加工や接着が必要になる。

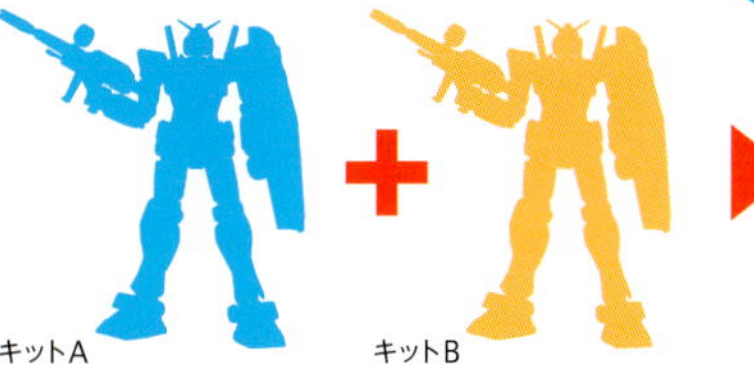

パターン❸ セミスクラッチ
一部のパーツを自作して改造する方法。

必要なパーツをプラ板などでスクラッチ（パーツをつくること）して、キットAにつける。プラ板の加工が必要なので、上級者向けの方法。

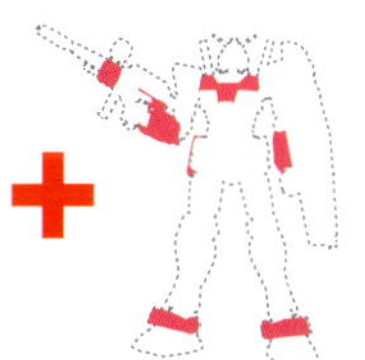

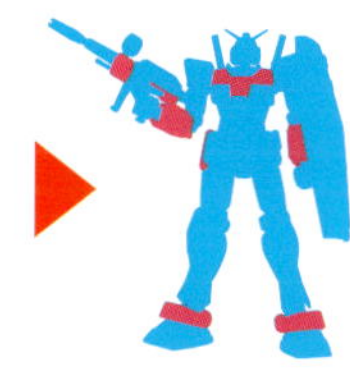

HGUC版のランバ・ラル専用ザクⅠをつくる

部位の組み替えと塗装だけで、MGにしかないランバ・ラル専用ザクⅠをHG仕様で再現する。

ランバ・ラル専用ザクⅠをミキシングビルドでHGUC版にしてみます。キットは「HGUC ザクⅠ」と「HGUC ザクⅠ スナイパータイプ」を使用します。2体ともまずは素組みでつくってから、必要なパーツだけを抜き取って組み合わせ、ランバ・ラル専用機仕様にします。

ここでは「HGUC ザクⅠ」をベースにしていきます。

「HGUC ザクⅠ」とランバ・ラル専用機の主なちがいは次の箇所です。

①両肩がアーマーになっている。
②胸の装甲デザインがちがう。
③手首のデザインがちがう。

これらの部位を、「HGUC ザクⅠ スナイパータイプ」から持ってきます。

▶MG 旧ザク（ランバラル専用）

素組みした「HGUC ザクⅠ」。両肩のアーマー、胸部の装甲、手首を取り換える必要がある。

素組みした「HGUC ザクⅠ スナイパータイプ」。両肩のアーマー、胸部の装甲、手首を「HGUC ザクⅠ」と交換する。

使用する道具
- エアブラシセット
- ・サーフェイサー
- ・塗料や溶剤など塗装に必要なもの
- ・ピンセットなどデカール貼りに必要なもの

ミキシングで組み立てる

2体とも仮組みをしたら、必要な部位だけを集めて一体に組み上げる。関節などは共通なので、組み替えだけで出来上がる。

1 2体とも仮組みをして必要な部位をピックアップする

仮組みした各キットから、ランバ・ラル専用ザクⅠに必要な部位を集める。右肩に、ザクⅠの左肩をつけていることに注意。これで両肩にアーマーをつけられる。

2 使用する部位で1体組み立てる

頭部、脚部、ランドセルはザクⅠ、胴体と両腕はザクⅠスナイパータイプのものを使用。肩とショルダー・アーマーはそれぞれの左肩のものを両肩に使った。左右の手首はザクスナイパーのものを使った。

プラスα ランバ・ラル専用ザクⅠの特徴

「HGUC ザクⅠ」をベースに、「HGUC ザクⅠスナイパータイプ」のパーツの一部を組み合わせたことで、胸部や腕部が「ランバ・ラル専用ザクⅠ」と同じ形状になった。

胸部がランバ・ラル機と同じに

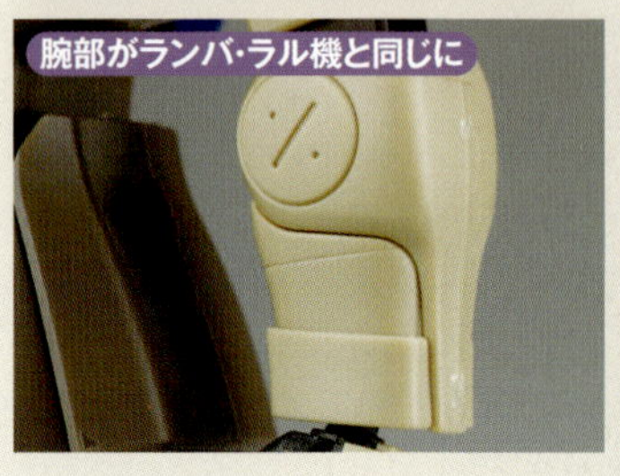
腕部がランバ・ラル機と同じに

塗装とデカール貼りを行う つよめ

異なる成型色のキットを組み合わせるので、基本的には全体を塗装する。デカールも貼って、完成度を高めよう。

完成したHG風のランバ・ラル専用ザクⅠ。パーツを組み替えただけで改造らしいことはとくに何もしていないが、1/144スケールではキット化されていない作品が完成した。これがミキシングビルドの醍醐味だ。

カラー&材料レシピ

◆腕・脚・頭部
- ●Mr.カラー コバルトブルー(C80)

◆胴体部分
- ●Mr.カラー RLM65ライトブルー(C115)

◆胸・スリッパ・膝部分
- ●ガンダムカラー MSファントムグレー(UG15)

◆ザク・マシンガン
- ●タミヤカラー ガンメタル(X-10)

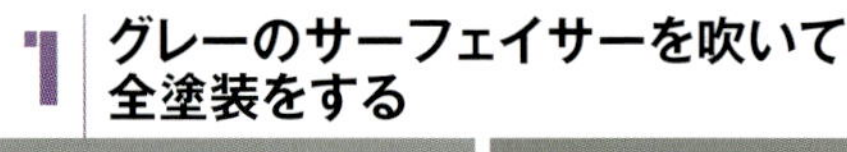

1 グレーのサーフェイサーを吹いて全塗装をする

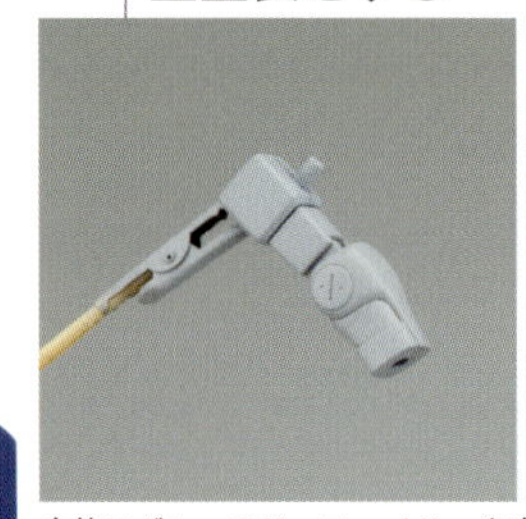

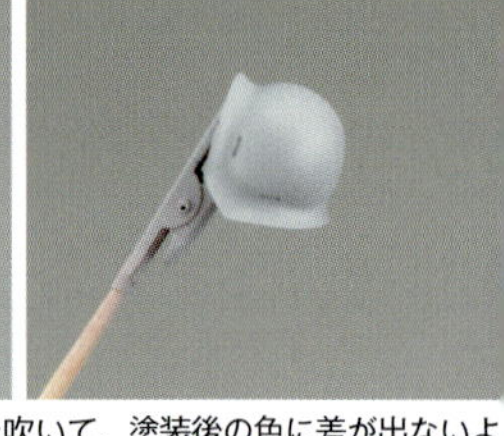

全体にグレーのサーフェイサーを吹いて、塗装後の色に差が出ないようにする。今回のように、別シリーズでキット化されている場合は、そのキットのカラーガイドを参考にするとよいだろう。ここでも「MG旧ザク(ランバ・ラル専用)」のカラーガイドを参考に塗った。

2 パーソナルマークのデカールを貼る

パーソナルマークを入れるため、デカールを貼(は)る。別シリーズのものを流用するか、市販の別売りデカールを使えば簡単。

MISSION_6

ガンプラを保管する・飾る

格好よく仕上げたガンプラだからこそ、パーツをなくしたり、
破損したりしないようにきちんと保管しておきたい。
パッケージの箱や緩衝材などを活用して、ガンプラをしっかり保護しよう。また、飾っておく場合は、
ポージングをビシッと決めたいところだ。さまざまなディスプレイアイテムも駆使して、
つくったガンプラがもっともカッコよく見える飾り方を追求してみよう。

ガンプラを保管する・飾る

難易度: **かんたん** / ふつう / むずかしい

におい: **しない** / よわめ / つよめ

▶ キットを保管する際は、ジッパーバッグや緩衝材などを利用して、**パーツの紛失や破損を避けよう**。

▶ ガンプラは飾って眺めることも、大きな楽しみ方の1つ。**コレクションケース**や**台座**、**アクションベース**、**ヴィネット**など、さまざまな飾り方があるので、自分の好みで選ぼう。

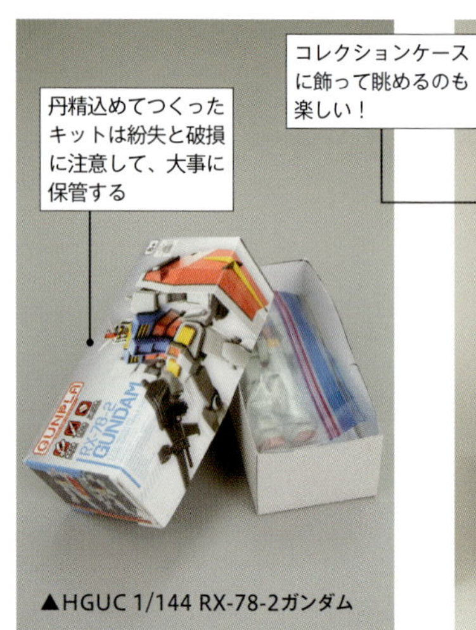

▲HGUC 1/144 RX-78-2ガンダム

▲MG RX-78-2 ガンダムVer.3.0

完成したガンプラを部屋に飾って眺めることも、大きな楽しみ方の1つです。立った姿勢で飾るなら、**プラモデルやフィギュアを飾るためのコレクションケースや台座（→P.254）がオススメ**です。アクションベース（→P.255）などを使えば飛行姿勢など、より自由なポージングを楽しむことができます。ほかには**ヴィネット（→P.256）のような、中上級者向けの飾り方もあります**。

また、せっかくアイデアや工夫、時間をそそぎ込んでつくったガンプラですから、パーツをなくしたり、壊したりしないようにしたいものです。保管方法にとくに決まりはありませんが、**キットの箱や密閉容器などを使って、安全に置いておけるようにしてください**。たとえば、パーツの紛失を避けるにはジッパーつきの袋を、破損を避けるには緩衝材などを活用するとよいでしょう。

製作途中で保管する方法

製作途中で作業を中断するときは、つくったパーツがなくならないように注意。

1 部位ごとに分解してジッパーバッグに入れる

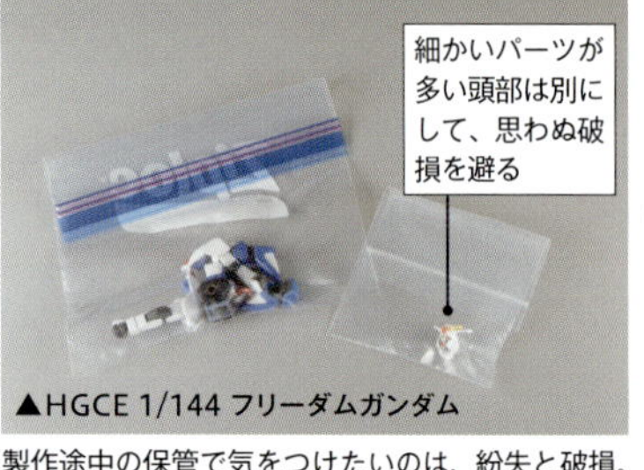

細かいパーツが多い頭部は別にして、思わぬ破損を避ける

▲HGCE 1/144 フリーダムガンダム

製作途中の保管で気をつけたいのは、紛失と破損。保管しやすいように脚、腕、胴体など、部位単位で分けて同じ袋に入れておく。

2 ランナーと一緒にキットの箱に入れておく

袋に入れたパーツは、まだ組み立て前のランナーと一緒に、キットの箱に入れておく。説明書も忘れず、同じ箱の中に入れておくこと。

プラスα より安全に保管するなら密閉容器に入れる

キットの箱で保管している場合、上に重いものを載せると、中のパーツが折れてしまう可能性がある。緩衝材を入れた密閉容器の中で保管しておけば、そのような心配がなくなる。

製作後の保管方法①

一番手っ取り早い保管方法は、そのままキットの箱に入れておくこと。緩衝材をつめておけば安心だ。

1 本体と付属パーツをきちんと袋に入れる

本体と付属パーツは、それぞれ袋に入れる。付け替えのハンドパーツなどは、とくになくしやすいので要注意。

2 緩衝材を入れてキットを保護する

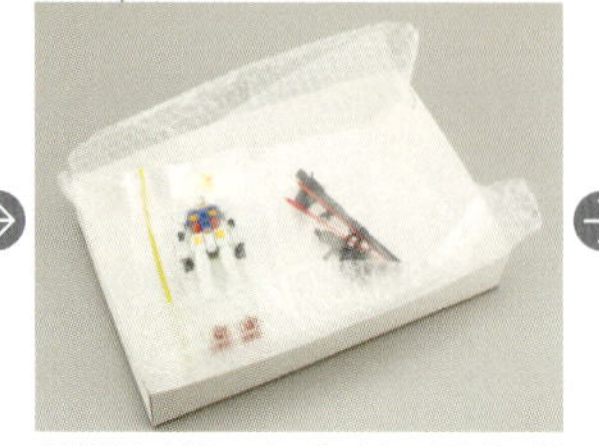

緩衝材などをつめておくと、万が一箱を落としても、キットが壊れるリスクが減る。

3 説明書も一緒に入れておく

完成後も説明書はとっておく。パーツが折れたときのパーツ請求や塗装、ポージングなどの参考になるからだ。

プラスα 説明書は別に保管してもOK

説明書は、別のファイルケースに入れて保管してもよい。キットは部屋に飾って、箱は捨ててしまうときなどはとくに有効だ。

製作後の保管方法②

よりコンパクトに保管したい場合は、キットの箱を切って小さく折りたたむ方法もある。キットが増えてきて、保管場所に悩んだときにオススメだ。

1 キットの大きさに合わせて箱に線を引く

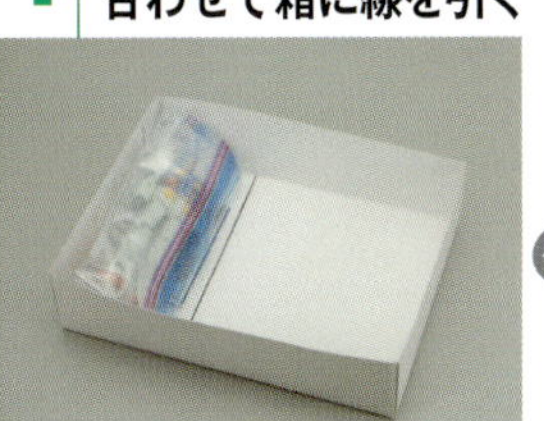

キットを内箱の中に入れて、キットの大きさに合わせてペンで線を引く。付属パーツなども一緒に入れておく。

2 線に合わせて切って折りたたむ

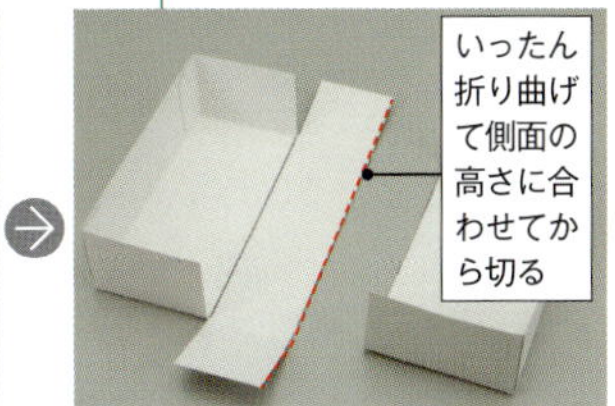
いったん折り曲げて側面の高さに合わせてから切る

折りたためるようにするために、線に沿って内箱の両側をカッターで切る。箱の高さに合わせて点線部も切る。

3 切れ込みに合わせて箱を折りたたむ

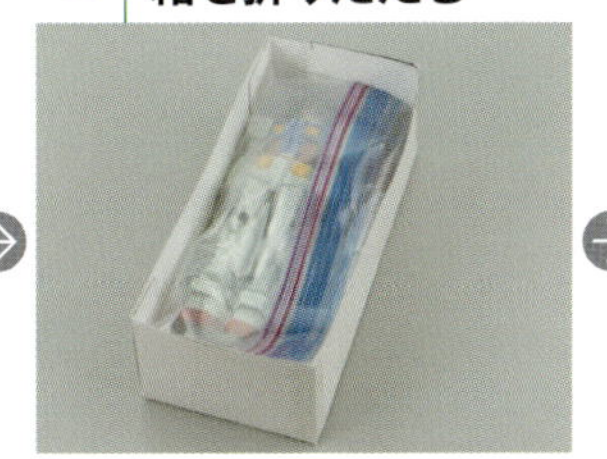

箱を折りたたむ。箱が重なる部分はホチキスやセロハンテープなどでくっつける。

4 外箱も同じように切って合わせる

GUNPLA

内箱のサイズに合うように、外箱も切って折りたたむ。キットのサイズに合った、コンパクトなケースの出来上がり。

ガンプラを飾る

せっかくつくったガンプラをしまっておくのはもったいないという人は、さまざまなディスプレイ方法で飾ってみよう。

コレクションケースに飾る

ウェザリング(→P.150)や鏡面仕上げ(→P.140)をしたときなど、キットにホコリをつけたくないときは、専用のコレクションケースを使うとよい。大小さまざまなサイズが販売されている。

▲MG RX-78-2 ガンダムVer.3.0

T・ケース【DM】／ウェーブ

幅148×高さ235×奥行100mmで、この大きさに収まる1/100スケールのキットなら飾れる。背面がミラーになっているので、キットの背中も見せることができる。

百円均一ショップのケースに飾る

ガンプラを飾れるケースは、百円均一ショップでも入手できる。ケースのサイズが小さくて、キットが入らないこともあるので、先にキットの寸法を測っておくとよい。

▲HGUC 1/144 RX-78-2 ガンダム
※G-3カラーに塗装したもの。

アクションベースに飾る

BANDAI SPIRITSから発売されているアクションベース(→P.255)を使えば、ダイナミックなポージングでガンプラを飾ることができる。キットを支えるアーム部分の長さや角度を変えられる。

アクションベース1 ブラック
BANDAI SPIRITS

1/100スケールに最適。ほかにグレーやホワイトなどのカラーがある。1/144スケールに適した「アクションベース2」も市販されている。

▲MG RX-0 ユニコーンガンダム

ヴィネットをつくって飾る

ヴィネットは、ミニサイズのジオラマのこと。かぎられた空間の中で、リアルな情景をつくり上げることができる。中上級者向きだが、興味がある人はぜひチャレンジしてみよう(→P.256)。

◀HGUC 1/144 RX-78-2 ガンダム
※同キットを使用して作成したヴィネット。

台座に載せて飾る

台座に載せて飾ると、1つの作品のようになる。ここではホームセンターで購入した木製台座を自分で塗装してオリジナル台座をつくった(つくり方はP.254)。プラモデルなどを展示するための専用台座も市販されている。

▶MG 百式 Ver.2.0

ガンプラを格好よく撮影する

難易度：かんたん／**ふつう**／むずかしい
におい：**しない**／よわめ／つよめ

▶ガンプラを格好よく撮影するポイントは**光、アングル、ポージングの3点**だ。どういうイメージで撮りたいかを考えて、何枚も撮影しながらその3点を調整し、ベストショットを決めよう!

▶**スマホのカメラでも、十分に格好いい写真を撮ることができる。**身近なもので撮影ブースを組み立ててみよう。

せっかくつくったガンプラ作品なのだから、SNSなどにアップして人に見てもらったり、きちんと撮影して記録として残しておいたりしたいものです。**最近はスマホのカメラが格段に進化していて、手軽にキレイな写真を撮ることができます。**

さらに写真のクオリティを上げたいと思ったら、撮影ブースをつくってみましょう。ブースづくりのポイントは、背景と光源です。住宅環境次第では、光量の多い日光（自然光）での撮影も可能です。

アングルとポージングの調整も重要です。ポーズはガンプラのパッケージイラストやアニメなどを参考に、いろいろと試して見ましょう。SNSなどでほかの人のよい作品を見て、参考にさせてもらうのも上達の秘訣だったりします。

撮影ブースのつくり方

家電量販店や文房具店、百円均一ショップなどで入手できるもので、撮影ブースをつくることができる。

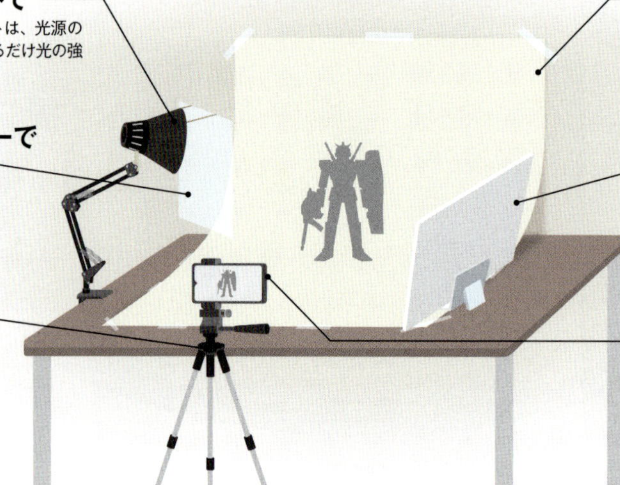

光源はスタンドライトで

アーム式のLEDスタンドライトは、光源の位置や角度を変えやすい。できるだけ光の強いもので！

トレーシングペーパーで光をやわらかくする

スタンドライトの前側にトレーシングペーパーをつけると、光をやわらかくできる。キットの陰影がふんわりと自然になる。

カメラをスタンドに固定する

普通のカメラでも、スマホカメラでも三脚やスタンドに固定する。カメラに映る範囲を確認しながら、アングルやポージングの調節がしやすい。

背景紙は大きなサイズで

背景は大きな紙を奥から手前にカーブさせて垂らすと、地面と壁との境目をぼかせる。キットと壁の距離を十分にとれば影ができにくくなるので、模造紙などの大きな紙を使おう。

白い紙を反射板代わりに

光源と逆側に白い紙（いわゆるレフ板）を立てて反射させると、影になる部分にも光を当てられる。

セルフタイマーで手ブレ防止

手動でシャッターを切ると、どうしても手ブレが起こる。撮影時はセルフタイマーを活用しよう。

光を調整する方法

光を調整するポイントは、光を当てる角度、反射板（レフ板）の当て方、トレーシングペーパーの活用の3点だ。

光を当てる角度

同時に複数のライトを当てると、影の調節が難しくなる。はじめのうちは一方向からライトを当て、反射板で全体の明るさや陰影を調節する方法がオススメ。

調整① 反射板で光を回す

影になる部分には、反射板（レフ板）として白い紙を当てる。撮りながら、光の当たり具合や陰影のつき具合を確認するとよいだろう。

調整② 光をやわらかくする

光が強くて陰影が際立ちすぎると思ったら、光源にトレーシングペーパーをかぶせる。光をやわらかく調整できる。

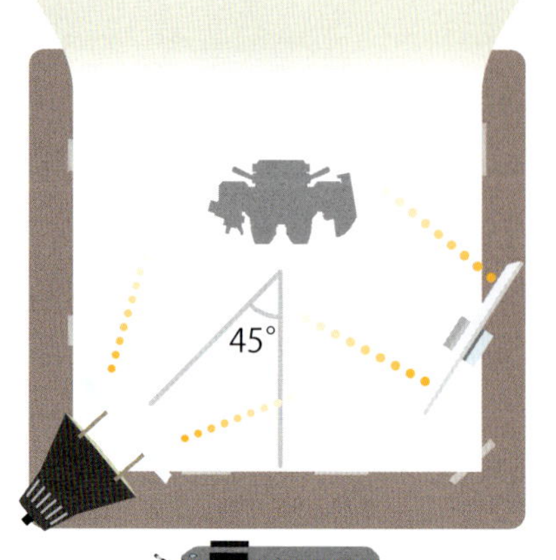

オススメのLEDライト

スマホが取りつけられるリングライトなら、光源とカメラの位置を同じにできて撮影しやすい。

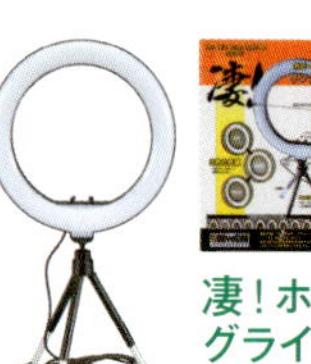

凄！ホビー用LEDリングライトM／童友社

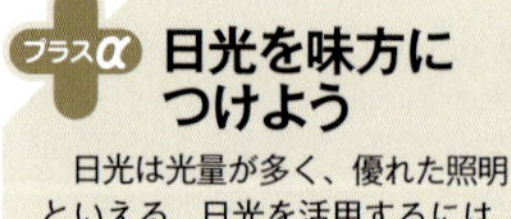

プラスα 日光を味方につけよう

日光は光量が多く、優れた照明といえる。日光を活用するには、午前中がいい。

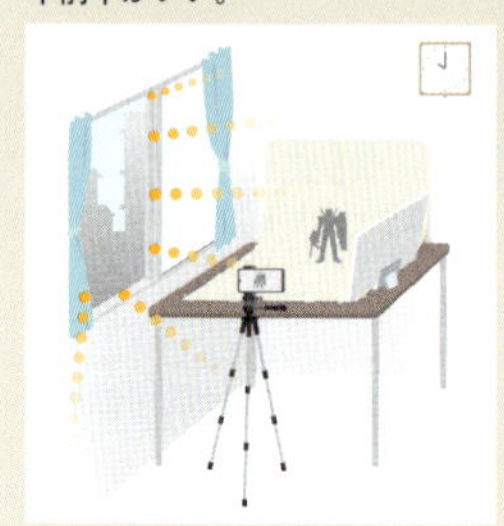

アングルと方向を決める

正面・ふかん・アオリという基本的なアングルを押さえておこう。また、作品の記録として、8方向から撮っておくとあとで見直して楽しめる。

カメラのアングル

カメラの角度で見え方がだいぶ変わる。下から見上げるときは、スマホを逆さまにして、レンズが地面すれすれになるようにすれば迫力のあるアオリ写真に。

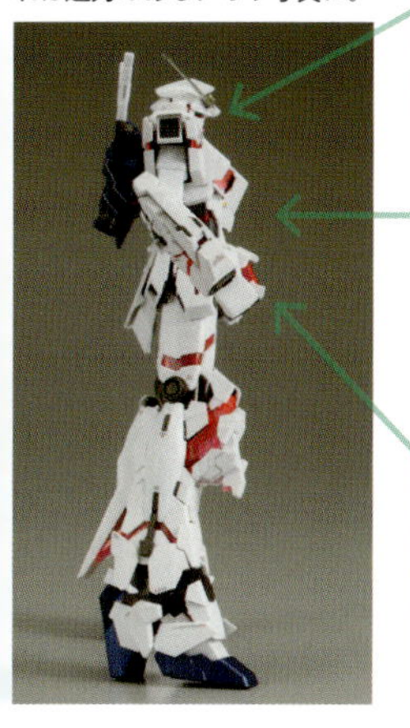

ふかん
上から見下ろすような角度で撮ること。厚みや奥行き、形状などが伝わる。

基本
被写体とほぼ同じ高さから撮ること。全体をフラットに見せることができる。

アオリ
下から見上げるような角度で撮ること。迫力満点に見せられる。

記録と決めポーズ

作品の記録として、8方向すべて撮影して保存しておきたい。基本、ふかん、アオリそれぞれで8方向から撮ると、24枚になる。

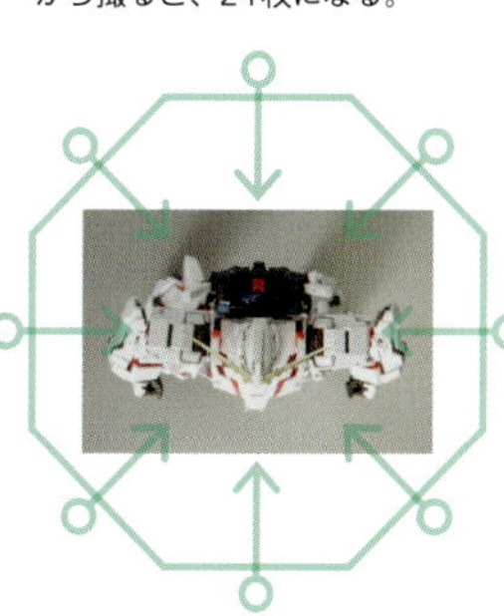

記録とは別に決めポーズは正面から、左右どちらかに30度ほどずらして撮るのがオススメ。お台場にあるユニコーンガンダム立像の雰囲気で撮ってみた。

ポージングを工夫する

自由なポージングで撮影してOK！　ガンプラのパッケージイラストを真似したり、アニメの名シーンを再現したりしてみてもいいだろう。

仁王立ちポーズ

脚を開いて、腕を軽く曲げ、肩は後方に開く。膝から胸までをS字にカーブさせて、あごを引く。

飛翔ポーズ

出撃して、前進するポーズ。銃を構えて、首を少し上げる。アクションベースを使って、ダイナミックなポージングを試してみよう。

銃撃ポーズ

銃撃するシーンを再現した。銃の向きと顔の向きを合わせるのがポイント。ピントは銃の正面からではなく、手首のあたりに合わせると、全体に合いやすい。

気合ポーズ

パワーがみなぎる様子を表現したポーズ。アオリ気味に撮ると大迫力！

パッケージイラストのポーズ

「MG RX-0 ユニコーンガンダム」のパッケージイラストを参考にしたポーズ。パッケージイラストは、ポージングのお手本として最高だ。

プラスα

アニメシーンの再現も格好いい！

『機動戦士ガンダムSEED』より。周囲の敵を一掃するフリーダムガンダムのフルバーストモードを再現。迫力満点の人気のポーズだ。

ガンプラのディスプレイにこだわる

難易度：かんたん／**ふつう**／むずかしい
におい：しない／**よわめ**／つよめ

- 完成したキットは**台座などのディスプレイに置くと、いっそう格好よさが増す。**
- プラモデルやフィギュア用の台座やディスプレイを買ってきてそのまま置く方法もあるが、**キットに合わせて木製の台座を塗装すれば、さらに完成度が高くなる。**

せっかく苦労してつくったガンプラですから、ディスプレイにもこだわって、さらに格好よく見せたいところです。手軽なのは、プラモデルやフィギュア用の台座やディスプレイを買ってきて、キットを上に置く方法。それではつまらないと思ったら、ホームセンターなどで木製の台座を買ってきて、キットに合わせて塗装してみるとよいでしょう。**キットのイメージに合わせて木製の台座を着色したり、ネームプレートを貼(は)ったりすれば、台座も含めた1つの作品として、完成度が高まります。**

MG 百式 Ver.2.0

使用する道具

オイルステイン
筆先が太めの平筆
コート剤（溶剤系／光沢）

台座を塗る　よわめ

木製の台座を塗る場合は、オイルステインという顔料がオススメ。伸びがよく、塗りムラになりにくいので、だれでも簡単に塗装ができる。

1 オイルステインを用意する

マホガニー、オーク、ウォルナット、メープルの4色がラインアップ。

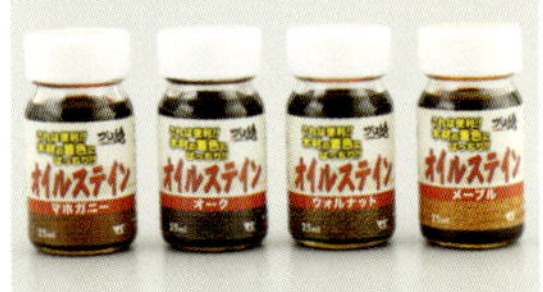

今回はボークスから発売されている「プロ絶オイルステイン」を使用。

2 木製台座に塗っていく

1回ずつ乾かしながら、2～3回重ね塗りしていく

ここではウォルナットを使用。塗料ビンの中でよくかき混ぜてから、台座に塗っていく。

3 コート剤を吹いて仕上げる

光沢のコート剤を吹いて台座は完成

塗料が乾いたら、コート剤（→P.122）を吹いて仕上げる。つや消しにしたいなら、とくに吹く必要はない。

プラスα さまざまな形の台座がある

ホームセンターに行けば、さまざまな形の台座が手に入る。飾るキットのイメージや大きさに合わせて、気に入ったものを選ぼう。

ネームプレートをつくる

台座に自作のネームプレートを貼れば、さらに完成度が高まる。作品名を考えて、パソコンやラベルプリント機などを使ってオリジナルのネームプレートをつくろう。

1 ネームプレートのシールをプリントアウトする

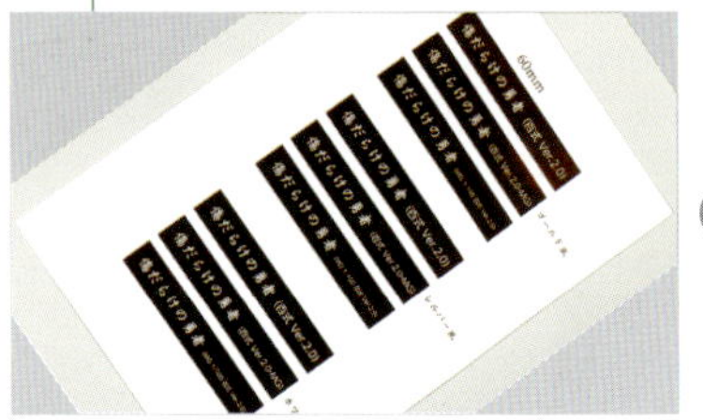

パソコンでつくった文字を、市販のラベルシールの台紙にプリントアウトした。飾るキットや作品に合わせて、書体や文字色などを決めよう。

2 プラ板にネームプレートのシールを貼る

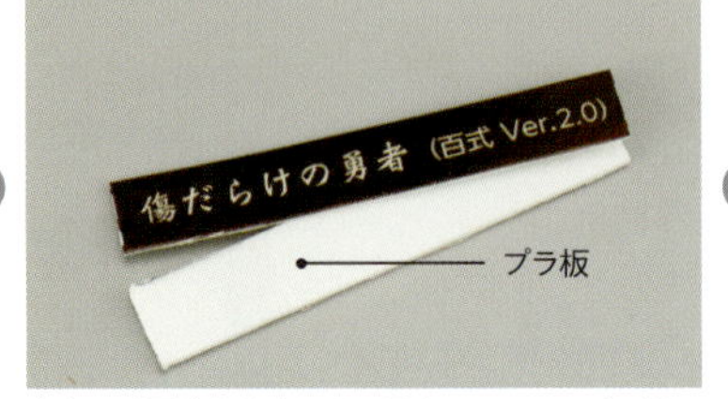

台座の重厚感を出すため、厚さ1.0mmのプラ板にネームプレートのシールを貼りつける。プラ板なしでそのまま台座に貼りつけてもOK。

3 両面テープでネームプレートを台座に貼る

プラ板の裏に両面テープをつけ、台座に貼りつける。ネームプレートがナナメにならないように気をつけよう。キットを乗せれば完成だ。

アクションベースに飾る

BANDAI SPIRITSから発売されているアクションベースを使えば、空中での戦闘ポーズや飛行ポーズなど、より自由でダイナミックなポージングが可能になる。

飛行ポーズをとる

『機動戦士ガンダムUC』に登場した地球連邦軍のジェスタ。ユニコーンガンダムの護衛機として活躍した。このように宇宙を主戦場とした機体には、飛行ポージングが似合う。

▶HGUC ジェスタ
※アクションベース2に載せたもの。

◀MG RX-0 ユニコーンガンダム
※アクションベース1に載せたもの。

戦闘ポーズをとる

『機動戦士ガンダムUC』の主役機であるユニコーンガンダム。アクションベースを活かして、宇宙空間で自由自在に戦う姿を表現。ダイナミックなポージングを楽しもう。

アクションベースへのジョイント方法

ポリキャップに差し込む

キットの股間部分にあるポリキャップに、差し込み用のジョイントパーツをつける。

股間にはさむ

股間用のジョイントパーツを、キットの股にはさむ。幅のちがいで何種類かのジョイントパーツがあるので、キットに合うものを選ぶ。

基地風のディスプレイに飾る

基地や修理工場などをイメージさせるような、基地風のディスプレイも市販されている。いくつか組み合わせてキットを置き、待機中の部隊をつくってみてもよいだろう。

システムベースに飾る

BANDAI SPIRITSから発売されているシステムベースに、ガンダムとガンキャノンを飾った。基地の光景を見ているような臨場感を手軽に味わうことができる。

◀HGUC 1/144 RX-78-2 ガンダム

ビルダーズパーツ システムベース001（ガンメタ）
BANDAI SPIRITS

キットの大きさに合わせて、2段階にサイズを調整できる。1/144スケール推奨。

◀HGUC 1/144 ガンキャノン

『機動戦士ガンダム』より。ホワイトベースに格納中のガンダムたち。

ヴィネットをつくって飾る

難易度
かんたん
ふつう
むずかしい

におい
しない
よわめ
つよめ

▶ ヴィネットとは、**ガンプラを1～2体飾って表現する小さなジオラマ**のこと。
▶ 作品のテーマを考え、具体的なレイアウトを決めていく。**樹木や草、土などの自然系、建物などの人工物系、人や動物などの生き物系**など、さまざまな素材があるので、必要なものを選んで載せていこう。

ヴィネットとは、ミニジオラマのことです。とくに決まりはありませんが、ガンプラを1～2体ほど用いた情景模型と考えればよいでしょう。**まずは作品のテーマと使うキットを決め、具体的にレイアウトを考えていきます。**土台は木製の台座、発泡スチロール、お皿など、あらゆるものが使えます。また、**鉄道模型用に樹木や草、土、建物、人、動物など、さまざまな素材が市販されています。**それらの素材の中から、必要なものを選んで配置し、迫力あるヴィネットを完成させましょう。

廃墟ヴィネット

「市街地戦闘後の、少女との出会い」をテーマにしたヴィネットを製作した。「HGUC 1/144 RX-78-2ガンダム」と鉄道模型用の建物キットのほか、自作したガレキなどを用いている。

使用した道具

- アルミホイル
- プライヤー
- ニッパー
- 瞬間接着剤
- 透明プラコップ
- 塗料カップ
- 平筆
- わりばし
- ジッパーバッグ
- 油性ペン（黒色）
- 綿棒
- 木工用ボンド
- 紙やすり

使用した素材

- 石膏（せっこう）
- パステル（黒色、茶色）
- Mr.ウェザリングカラー（マルチブラック）
- Mr.ウェザリングカラー専用うすめ液
- コート剤（つや消し）
- マットメディウム
- 木製トレイ
- 墨汁
- 砂素材（モーリンの「クラフトサンド ホワイト」）

※このほかにトミーテックの「ジオコレ・コンバット 破壊されたビルA」、津川洋行の「Nスケール ガードレール」「Nスケール 歩道」、グリーンマックスの「Nゲージ 街路灯」、タミヤの「情景シート（石畳A）」「情景シート（路面ブロックA）」、KATOの「Nゲージ 乗用車セット2（90年代日産車）」を使用。

アングル I
戦闘後間もない廃墟（はいきょ）の中で、ガンダムが少女の無事を確認した、という情景にした。Mr.ウェザリングカラーのマルチブラックを専用うすめ液で15～20倍に希釈し、ランダムにガレキにしみ込ませた。立体感や陰影が強調される。

ベースは、百円均一ショップの木製トレイをひっくり返して使用した。木製トレイの側面は油性ペンで塗って、地面との一体感を高めた。

メインの建物は「ジオコレ・コンバット 破壊されたビルA」を配置。最初から破壊された形状なので、廃墟情景にぴったり！

▼HGUC 1/144 RX-78-2 ガンダム

ビルの壁が壊れた様子をイメージし、大小さまざまなガレキを配置。接着剤として、マットメディウムを使用。乾燥後は透明になる画材だ。

壊れたビルの内側にもマットメディウムを塗り、ガレキを配置。マットメディウムは重ねがけできるので、ガレキを立体的に盛ることができる。

ガンプラ本体はパステルの黒と茶をけずり、指などでこすりつけて汚した。砂ぼこりやススによる汚れをイメージ。

地面は鉄道模型用の歩道パーツを瞬間接着剤で、2種類のシート素材を木工用ボンドでつけた。

鉄道模型用のガードレール、街路灯、乗用車を配置し、汚した。小物を置くと、市街地の様子が盛り上がる。

※マットメディウムは12時間程度乾燥させること。使用した筆は水で洗う。手や服などに付着しないようにくれぐれも注意する。

プラスα ガレキで不自然な隙間を解消！

ガンダムをヒザ立ちにさせたら、地面とヒザにどうしても隙間ができてしまうことが判明。ここにガレキを配置することで、自然な接地感になった。

ヒザ下にどうしても隙間ができる。

ガレキを配置し、隙間を解消！

アングル2
オレンジ色の照明を当てて撮影。激しい戦闘が行われたあとの、どこかさみしげで荒廃とした様子がより強調された。

アングル3
ガンダムと命を救われた少女の目線が合う……！　ここが本作品の大きな見どころの1つ。ポージングや視線で、物語性を伝えるのがヴィネットやジオラマの大きな醍醐味だ。

ガレキ素材をつくる方法

石膏とアルミホイルを使えば、手軽にガレキ素材をつくれる。硬化後、大小さまざまなサイズ・形状に砕けば、廃墟演出にぴったりのガレキになる。

1 ガレキの材料を用意する

石膏10ｇに対して、砂2ｇ、水6ｇ程度。墨汁は水10ｇに対して、1滴で十分。

2 アルミホイルで型枠をつくる

アルミホイルで型枠（かたわく）をつくる。2重に折って、1cmほどの高さでフチを立てるようにする。

3 材料をすべて混ぜる

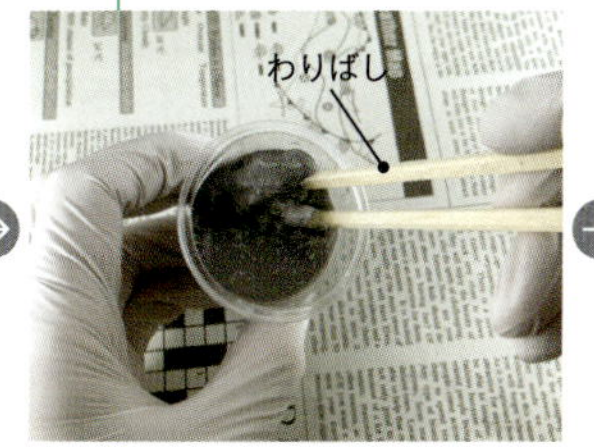

1の材料をカップに入れて混ぜる。石膏だけで固めると硬くなりすぎるが、砂素材を入れることで割りやすくなる。

4 型枠に石膏を流す

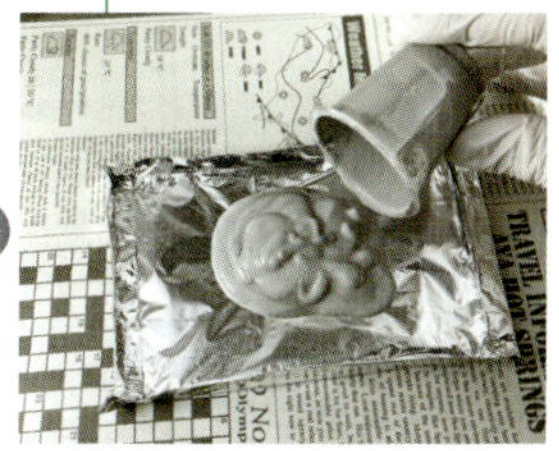

十分に混ぜたら、アルミホイルの型枠に流す。型枠の外にもれないよう、ていねいに作業をしよう。

5 硬化したら型枠からはがす

2時間程度、自然乾燥させて硬化させたら、型枠から外す。石膏に接着力はないので、簡単にはがれる。

6 はがした石膏をチェック

型枠からはがした石膏。2～3mm程度の厚みで硬化した。手指でも簡単に砕けるくらいのやわらかさだ。

7 袋の中で石膏を砕く

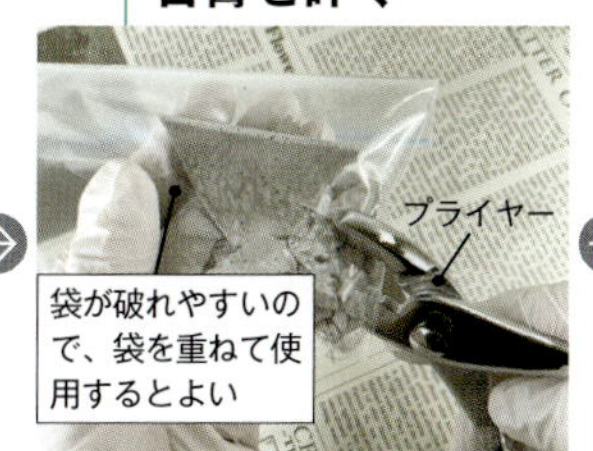

硬化した石膏をジッパーバッグに入れて砕く。手指で割ってもよいし、プライヤーを使ってもよい。

8 大小さまざまなサイズに砕く

塗料カップ
（GSIクレオスのMr.塗料カップ）

石膏は、大中小さまざまなサイズに砕くと、廃墟演出がはかどる。墨汁を混合しているので、すでに色つきだ。

名場面再現
ジャブローの戦い（シャア専用ズゴック v.s.ジム）

難易度：かんたん　ふつう　**むずかしい**

におい：しない　**よわめ**　**つよめ**

▶ アニメシーンを再現する際に大切なのは、**使用するキットがそのポージングをとれるかどうか**。最近のガンプラは関節可動域が広いので、比較的自由にポーズをとることができる。

▶ **再現したいアニメの静止画を何度も見て**、レイアウトやポージングを決めていこう。

原作アニメの名場面を再現したいと思う人も多いでしょう。そこで、ここでは『機動戦士ガンダム』第29話「ジャブローに散る」より、シャア専用ズゴックがジムの腹部を貫くシーンを再現しました。

大切なのは、**使用キットがシーンを再現するためのポーズをとれるかどうか**です。最近のガンプラは関節可動域が広いので、比較的自由にポーズをつくることができます。レイアウトやポージングを決める際は、**再現するシーンの静止画を何度も見て、組み立てたキットを仮置きしながら調整する**とよいでしょう。

使用した道具

- デザインナイフ
- ニッパー
- Pカッター
- はさみ
- ピンセット
- ピンバイス
- 紙やすり
- スチロール系接着剤
- 瞬間接着剤
- 面相筆
- 調色用スプーン
- 塗料皿
- ラジオペンチ

使用した素材

- プラ板
- ディテールアップパーツ
- ジャンクケーブル
- アクリル塗料（白、黒）
- コート剤（水性・つや消し）
- パステル（黒）

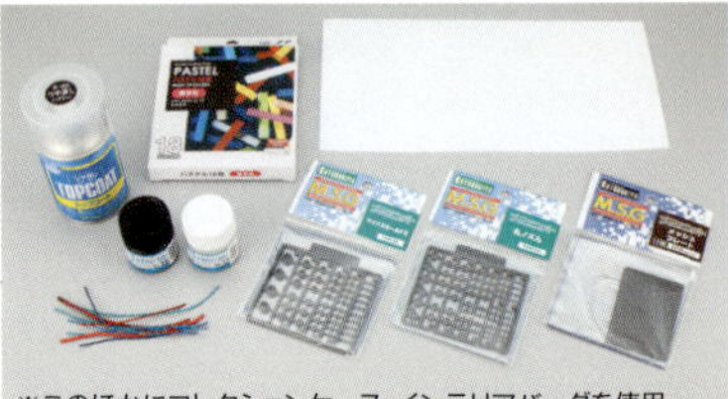

※このほかにコレクションケース、インテリアバーグを使用。

アングル 1
アニメシーンと同じように、ズゴックのクローがジムの腹部を貫いた。股関節は、アクリル塗料（白と黒を混ぜたもの）で塗装している。

キットを組み立ててパステルで汚す

2体のキットを組み立て、つや消しのコート剤を吹いてから黒のパステルで汚す。パステルを紙やすりでけずって、指でキットにこすりつけていく。

◀ RG MSM-07S シャア専用ズゴック＆HGUC ジム

『機動戦士ガンダム』より。ジャブローに潜入したシャア専用ズゴックに、腹部を貫かれるジム。

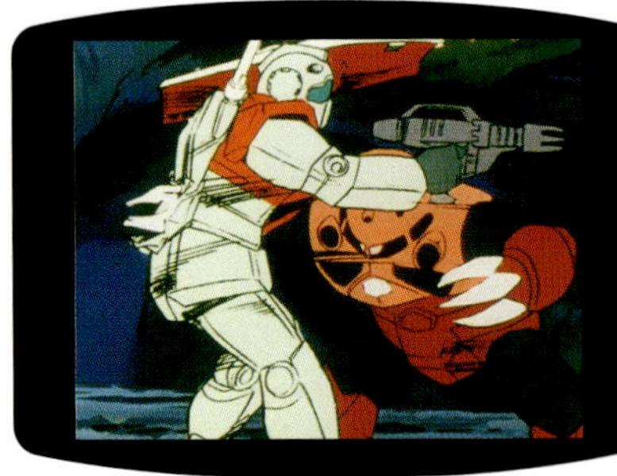

ズゴックの位置を決めてインテリアバークを敷く

コレクションケースの上にプラ板を載せ、メインとなるズゴックの位置を決めてマーキング。さらにインテリアバーグ（園芸に使われる装飾用の樹皮）を敷く。

ジムの胴体を貫通させる

ジムの胴体に対してズゴックの腕が太すぎるので、胴体をくり抜いて通すことはできない。ジムの胴体を引きちぎって、その破片をズゴックの腕に接着していくことで、貫かれた胴体を表現する。

1 ジムの胴体とズゴックの腕の位置を合わせる

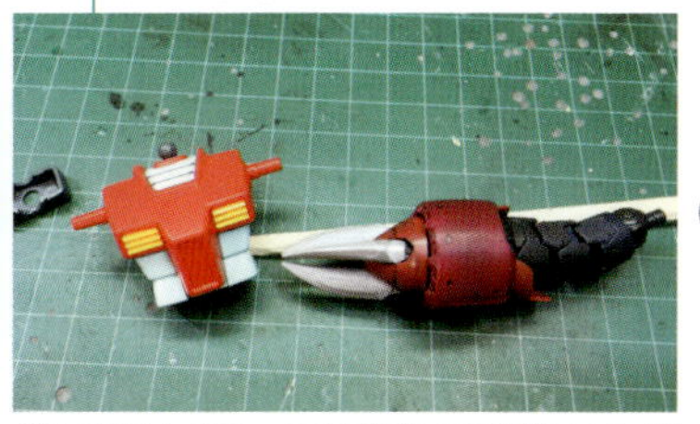

ジムの胴体とズゴックの右腕だけを取り外して、貫通させる位置を確認。両方のサイズ感から、ジムの胴体はほとんど破壊されることになる。

2 ジムの胴体を引きちぎって破壊

貫通させる部分にピンバイスで穴を開け、その穴にニッパーやラジオペンチを差し込んでパーツを引きちぎる。

3 ズゴックの腕にジムの胴体をつけていく

接着剤を使い、ズゴックの腕に引きちぎったジムの胴体やパーツの破片をつける。このあと、ジムの頭部や両手、両足などをつける。

アングル 2

見事にクローがジムの腹部を貫いている様子がわかる。さまざまなアングルから見て楽しめるのが、ヴィネットの醍醐味だ。

ジムがついた右腕をはめ込む

ジムの体がついたズゴックの右腕を、本体にはめ込む。ズゴックとジムのポーズを調整し、最後にコート剤を吹いて仕上げる。

ズゴックの足を土台に接着する

ズゴックの足の裏に接着剤をつけ、土台につける。ズゴックは、ジムの胴体をつけた右腕だけを外した状態。

さまざまな素材を活用する

鉄道模型向けに幅広い種類の素材が市販されている。とくにNゲージ用のものは、1/150スケールなので、HGやRGなどのガンプラと組み合わせやすい。

建物系素材

住宅やビル、寺院などの建物系素材。トミーテックの「ジオコレ・コンバット」シリーズは、破壊表現がなされた建物に塗装&汚しが施され、組み立てて置くだけで、臨場感あふれる戦場の情景をつくることができる。

ジオコレ・コンバット 朽ち果てた倉庫／トミーテック

ジオコレ・コンバット 朽ち果てた教会 トミーテック

小物系素材

フェンスや信号機、ガードレールなど、小物があると、情景の演出がはかどる。トミーテックの「ジオコレ・コンバット」シリーズからは、金網フェンスやコンクリート塀、各種の地面素材などがリリースされている。

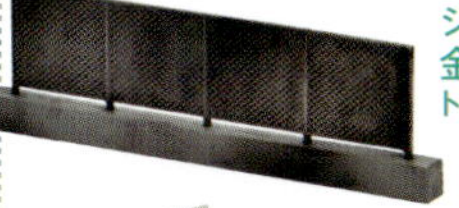

ジオコレ・コンバット 金網フェンス トミーテック

ジオコレ・コンバット 戦場の大地 市街地A トミーテック

人・動物系素材

ガンダムの世界に出てくるのは、モビルスーツだけではない。人や動物などの素材を使って、ヴィネットの風景を奥深いものに仕立てていこう。

ジオコレ・コンバット 情景小物 歩兵セットA トミーテック

ザ・動物103 馬 トミーテック

※写真は、イメージです。
一部製品と異なる場合があります。

気になるガンプラ用語

ガンプラづくりに欠かせない基本的な用語をまとめました。気になる用語をチェックして、ガンプラづくりの上達に役立てましょう。

あ行

ABS樹脂
プラスチック素材の一種で、関節などの強度が求められる部分に使われる。説明書のパーツリストには「ABS樹脂:ABS」と記載されている。ラッカー系やエナメル系の塗料や溶剤などで塗装すると、ヒビが入ってしまうことがある。

アクリル塗料
塗料の一種。筆などの使用したツールは、乾燥前なら水で洗うことができる。希釈も水で行うことができる。においはあまりしない。

合わせ目
パーツを組み合わせたときにできる接合部分のライン。本来のモビルスーツには存在しない。合わせ目を消して、目立たなくすることを「合わせ目消し」という。

アンダーゲート
パーツの下側にゲートがあるもの。切り取った跡が目立たない(表面にこない)ように工夫されている。

ウェザリング
意図的にキットを汚したり、傷をつけたりしてリアリティを追求するテクニック。

ウォッシング
汚れを表現するためのテクニック。キット全体に溶剤で薄めた塗料を塗り、綿棒などでふき取ることで、残った塗料を汚れに見せる。

うがい
エアブラシのカップをきれいにするための方法。エアブラシのカップ内に空気を逆流させて、ブクブクと泡立てる。

エアブラシ
塗料を霧状に吹きつける塗装用のツール。缶スプレー塗装にくらべて、繊細(せんさい)な吹きつけが可能。自分で調色した塗料を使うことができる。

エナメル塗料
塗料の一種。乾燥するまでに時間がかかるものの、ムラになりにくいという特徴がある。大量につけると、プラスチックが割れる可能性がある。においはほどほど。

か行

仮組み
塗装することを前提に、一度キットを組み立てること。塗装時に分解することになるので、ダボとダボ穴の処理をしておくとよい。

ガンダムマーカー
ガンプラの塗装に用いられるペンタイプのツール。塗装用やスミ入れ用など、さまざまな種類があり、カラーも豊富。においはほとんどしない。

かんたんフィニッシュ
「素組み→スミ入れ→コート剤」という簡単な3ステップで仕上げる方法。手軽に完成度を高めることができる。

希釈
塗料に専用の溶剤を混ぜて、適切な濃度に調整すること。エアブラシを使う場合は、筆塗りよりも薄めに希釈する。

ゲート
パーツとランナーをつないでいる部分。ランナーからパーツを切り離した際、パーツ側に残ったゲートの跡をゲート跡という。

コート剤
つやの調整やパステル類の定着、表面の保護などを目的に使用される透明の塗料。ビン入りタイプと缶スプレータイプがある。光沢・半光沢・つや消しの3種類がある。水性と溶剤系があり、溶剤系のほうがにおいが強め。

さ行

サーフェイサー
主に塗装前の下地づくりに使用されるツール。缶スプレータイプとビン入りタイプがある。細かい粒子をパーツに吹きつけることで、塗料が定着しやすくなるなどの効果を得られる。

新水性塗料
「アクリル塗料」の安全性に加え、乾きやすく、「塗膜」も強くなった新世代の塗料。使用した筆などのツールは、乾燥前なら水洗いできる(乾燥後は専用ツールクリーナーを使用)。においはあまりしない。

素組み
本来は、改造しないでキットをそのまま組み立てることだが、本書では接着や塗装をしないで組み立てること(または組み立てたキットのこと)。付属のシール類を貼(は)ることも含む。「パチ組み」とも呼ばれる。

スミ入れ
モールドなどに沿って、黒などの塗料で着色すること。陰影がついて、キットの立体感を強調することができる。

成型色
塗装前のパーツ本来の色。最近のガンプラは、パーツが色分けされているため、成型色のままでも設定に近いカラーになる。

た行

ダボ・ダボ穴
パーツ同士をはめ込むためのでっぱり部分をダボといい、ダボがはめ込まれる穴をダボ穴という。はめ込むパーツのダボとダボ穴は、ぴったり一致する。

チッピング
ウェザリングのテクニックの1つ。パーツの端に銀や黒などの金属色を塗ることで、機体の塗装のはげを表す。

調色
2色以上の色を混ぜて、別の色をつくること。調色をすることで、市販されていない色をつくることができる。

塗膜
塗装した塗料によってできる膜。

な行

二度切り
パーツをゲートから、きれいに切り離すためのテクニック。一度目でランナーから切り離し、二度目でパーツに残ったゲート部分をカットする。

は行

パーティングライン
工場の製造工程でパーツ上についたでっぱりのようなライン。デザインナイフなどで、きれいにけずることができる(→P.51)。

パネルライン
装甲や外板の継ぎ目を表現した凹状のライン。

バリ
プラモデルの製造工程でついた、パーツの端の余計な部分。デザインナイフなどで、きれいに取ることができる(→P.51)。

ヒケ
プラモデルの製造過程でできてしまうパーツ表面のへこみ。パーツに塗ったパテや接着剤の体積が乾燥後に減ってしまい、へこみになることもヒケという。

ポリキャップ
関節部分などの可動部に使われるポリエチレン素材のパーツ。説明書では、「PC」と表記されている。

ま・や行

マスキング
塗装前に塗りたくない部分をマスキングテープなどの専用のツールを使って覆うこと。

モールド
パーツ表面上のミゾなどの総称。主にミゾのようにへこんでいるラインをいい、スミ入れをすることで、キットの立体感を高めることができる。

溶剤
塗料を薄めたり、筆などについた塗料を洗い落としたりするための液体。必ず塗料に対応したものを使用する必要がある。うすめ液ともいう。

ら行

ラッカー塗料
塗料の一種。プラモデル製作においてもっともポピュラー。揮発性が高い(乾燥は速い)ので、使用時や乾燥時は換気に注意。においは強い。

ランナー
パーツが固定されている枠(わく)。基本的には完成後には不要となるが、塗料の試し塗りなどに使える。

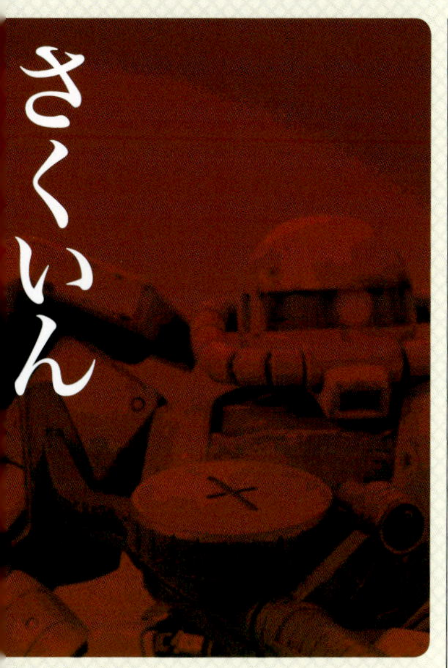

さくいん

太字は詳しく説明しているページを示しています。

英数字

あ行

か行

さ行

た行

な行

は行

ま行

や行

ら行

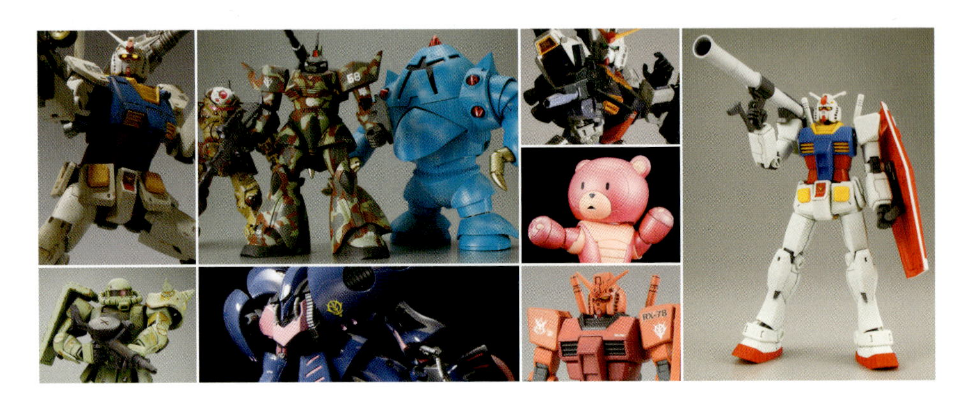

監修者紹介

『G作戦』
小西 和行(こにし かずゆき)

東京都世田谷区生まれ。日本映画学校（現・日本映画大学）卒業。『機動戦士ガンダム』ブームの中で、小中学生時代を過ごす。その後、一時期ガンプラから離れていたが、1995年のMG（マスターグレード）シリーズ発売後からガンプラ製作に復帰。2000年に趣味がこうじてガンプラを中心としたガンダムグッズ専門SHOP G作戦（http://www.g-sakusen.com/）をオープン。モデラー集団『G作戦』としてキャラホビなどへの出品を行うほか、イベントにて模型教室の開催、若手モデラーの育成、模型の楽しみを伝える活動を精力的に行う。

監修協力

戸ヶ崎 葎
(とがさき りつ)

モデラー。幼いころから新旧のロボットアニメに触れ、2011年から模型愛に目覚めて、模型を普及することを決意する。以降、模型店での作例展示やテレビ出演、イベントへの参加など、精力的に活動している。

シゲヤマ☆ジャクソン
(しげやま じゃくそん)

1972年、青森市安方生まれ。小中学生時代、ガンプラにのめり込むが、一度はなれる。上京後、2012年ごろガンプラの進化におどろき、MGのフレームに震え、ガンプラ熱が再燃。数々の大型模型店コンテストや展示会などで受賞したほか、『月刊ホビージャパン』（ホビージャパン）のコンテストでも上位入賞をはたす。現在も鋭意制作中。

製作協力

瀬川 たかし
(P.256とP.258のヴィネット)

STAFF

本文デザイン —— **小山 巧／齋藤 清史／岡崎 善保**（志岐デザイン事務所）
撮影 —— **嶋田 圭一**
イラスト —— **駒見 龍也**
執筆協力 —— **小林 英史（編集工房 水夢）／波野 發作**
編集協力 —— **パケット（阿曽 淳史）**
企画・編集 —— **成美堂出版編集部（原田 洋介、芳賀 篤史）**

協力（50音順）

オルファ株式会社
ガイアノーツ株式会社
株式会社ウェーブ
株式会社GSIクレオス
株式会社タミヤ
株式会社トミーテック
株式会社ハセガワ
株式会社BANDAI SPIRITSホビーディビジョン グローバルビジネス部・クリエイション部
株式会社ピットロード
株式会社ファンテック
株式会社ミネシマ
ゴッドハンド株式会社
ヒロミ産業株式会社

※P.30のMG RX-78-2ガンダム（GUNDAM THE ORIGIN版）について、商品パッケ-とは異なり、シールドを通常の向きでもたせています。

※本書は、2015年に発行された『やりたいことから引ける! ガンプラテクニックバイブル』改訂版です。進化し続けるガンプラと、模型ツールの動向を踏まえた項目の見直しや、やすさの向上を行っております。

やりたいことから引ける! ガンプラテクニックバイブル Ver.2.0

2025年1月30日発行

監　修　『G作戦』小西和行

発行者　深見公子

発行所　成美堂出版
〒162-8445　東京都新宿区新小川町1-7
電話(03)5206-8151　FAX(03)5206-8159

印　刷　TOPPAN株式会社

ISBN978-4-415-33118-8
落丁·乱丁などの不良本はお取り替えします
定価はカバーに表示してあります